Дорогой читатель!

Мы рады, что у Вас в руках эта книга, которая увидела свет в дни празднования 10-летнего юбилея издательства. Десять лет мы работали рядом с Вами и для Вас. Сегодня трудно найти человека, не читавшего наших книг, общий тираж которых составил более 300 млн.экз. Книги от "ЭКСМО" есть в каждой домашней и публичной библиотеке, в любом книжном магазине нашей страны и многих зарубежных государств.

В строгих переплетах тесно стоит русская и зарубежная классика, труды древних мыслителей, тома энциклопедий, словарей, справочников. Произведения лучших современных прозаиков и поэтов соседствуют с документальной прозой и мемуарами, исторической и психологической литературой. Рядом - огромная библиотека детектива, остросюжетного и любовного романа, фантастики, фэнтези. В ярких, красочных обложках выстроились книжки для детей и подростков.

Для нас нет "хороших" и "плохих" жанров - мы лишь стараемся обеспечить Вам свободу выбора, чтобы каждый мог найти в "ЭКСМО" книгу по душе...

Каждый день мы выпускаем многотысячными тиражами десять новых книг и считаем, что наши успехи - это прежде всего Ваша заслуга. Вы - тонкий ценитель и взыскательный критик, наш добрый советчик и, надеемся, настоящий друг.

Искренне Ваше "ЭКСМО"

Даниэла **СТИЛ**

Полет длиною в жизнь

РОМАН

ИЗДАТЕЛЬСТВО
ЭКСМО ПРЕСС

2002

УДК 820(73)
ББК 84(7 США)
С 80

Danielle STEEL

LONE EAGLE

Перевод с английского *В. Гришечкина*

Оформление художника *Е. Савченко*

С 80   **Стил Д.**
       Полет длиною в жизнь: Роман / Пер. с англ. В. Гришеч-
       кина. — М.: Изд-во ЭКСМО-Пресс, 2002. — 416 с.

ISBN 5-04-008723-3

Если вы хотите понять, как следует строить свою семейную жизнь, прочтите новый роман Даниэлы Стил! Его героине, Кейт Джемисон, пришлось пройти через множество испытаний, чтобы в конце концов осознать: для того чтобы создать счастливую семью, одной любви недостаточно. Принимать человека таким, какой он есть, — великое искусство. К счастью, этому искусству можно научиться, и любовь тут — наилучший помощник. А наградой является долгая счастливая жизнь, свободная от бесплодной борьбы, недоверия и мук ревности.

УДК 820(73)
ББК 84(7 США)

ISBN 5-04-008723-3

*Моим любимым Беатрикс, Тревору, Тодду, Нику,
Саманте, Виктории, Ванессе, Максу и Заре.
Вы – самые лучшие люди на свете, самые
дорогие из всех, кого я знаю, и я люблю вас –
люблю всей душой и всем сердцем.*

Ваша мама

Пролог

Декабрь 1974 г.

Звонок раздался, когда она меньше всего этого ожидала, —
снежным декабрьским вечером, почти в годовщину со дня их
первой встречи. Тридцать четыре года прошло с тех пор,
тридцать четыре удивительных года!.. Кейт уже исполнился
пятьдесят один, а Джо — шестьдесят три, но, несмотря на то,
что он успел столь многого достичь в жизни, он всегда казался
ей гораздо моложе своих лет. Жизненная сила переполняла
его — жизненная сила и невероятная, неподвластная годам
энергия, не позволявшая ему долго сидеть на одном месте.
Джо часто напоминал ей праздничный фейерверк-ракету —
сколько она его помнила, он всегда устремлялся куда-то вперед и вверх, навстречу чему-то невидимому и недостижимому.
От природы он был наделен даром воображения, проница-
тельностью, острым умом, каких не было ни у кого другого.
Кейт поняла это сразу — в тот день и час, когда они впервые
встретились. И она не ошиблась. Время открывало ей все
новые и новые черточки в его характере, но то, что было вначале, осталось с ним навсегда. Правда, Кейт порой не понимала, откуда это у него и, главное, зачем это нужно, и все же
с самых первых секунд она знала: он другой, не такой, как все,
он — особенный и исключительный.

И других таких не сыщешь в целом свете.

Все эти тридцать четыре года Кейт воспринимала Джо не
столько разумом, сколько всем своим существом, каждой клеточкой, каждой молекулой своего тела. Он вошел в нее, как
воздух входит в легкие; сделался частью ее души, как кисло-
род, который растворяется в крови. Быть может, с ним не
всегда было уютно, спокойно, бестревожно — как, впрочем, и

ему с ней. Однако место, которое Джо занял в ее жизни, было слишком важным, да и продолжалось это слишком долго, чтобы прожитые годы легко можно было вычеркнуть из памяти.

Конечно, за прошедшие десятилетия им не удалось избежать ссор и столкновений; в их жизни были вершины и пропасти, взлеты и падения, закаты и рассветы — но были и долгие, долгие периоды блаженного, ничем не нарушаемого покоя. Для Кейт Джо всегда был чем-то вроде Эвереста — вершиной, к которой следует стремиться; местом, которое необходимо во что бы то ни стало достичь, прежде чем начать обживать. С самого начала он был ее мечтой, чудесным сном, сладкой грезой. Джо был раем и адом и, одновременно, неким подобием чистилища, куда стремилась ее истерзанная душа. Он был ее гением, и, как всякому гению, ему были свойственны крайности, которые Кейт охотно или вынужденно ему прощала.

Впрочем, иначе и быть не могло, потому что каждый из них привносил в жизнь другого смысл и значение, наполнял ее содержанием и цветом, хотя им случалось и пугать, и огорчать друг друга. Понимание, мир, любовь пришли к ним со временем — и с возрастом. А уроки, которые обоим пришлось усвоить, давались им не всегда легко.

С самого начала они были друг для друга испытанием, головоломкой, трудноразрешимой загадкой, живым воплощением потаенных, полуосознанных детских страхов и неразрешенных проблем. Но под конец они стали друг для друга лекарством, обильно и вовремя изливавшимся на самые глубокие душевные раны. Время обкатало, отшлифовало обоих, и они притерлись друг к другу, точно два фрагмента головоломки, — плотно и без швов.

За тридцать четыре года, что они прожили вместе, Кейт и Джо сумели найти то, что дано не многим. Порой их отвлекал суетный шум окружающего мира, ослеплял первооткрывательский азарт, и все же оба знали: то, что они сумели отыскать, представляет собой подлинное и исключительно редкое сокровище. И все чаще и чаще прошедшие тридцать четыре года представлялись обоим как волшебный танец, непростым фигурам которого им приходилось учиться всю жизнь.

Кроме всего прочего, Джо отличался от обычных людей умением видеть то, что другим было просто недоступно. Должно быть, поэтому он не испытывал особенной нужды в обществе. Напротив, Джо чувствовал себя гораздо лучше, если его оставляли наедине с собой. Надо отдать ему должное, он сумел построить некий удивительный мир, центром которого был он сам. Джо часто казался Кейт чем-то вроде пророка или младшего бога из какого-то языческого пантеона, которому понадобилась своя собственная империя. И он не только создал для себя империю, но и по праву занял в ней трон верховного правителя. Ему удалось раздвинуть границы существующего мира и показать тем, кто был рядом, новые горизонты, о которых никто, кроме него, не подозревал. Джо был рожден для того, чтобы созидать вселенные, взламывать барьеры и устранять препятствия, мешавшие его постоянному стремлению вперед.

Когда зазвонил телефон, Кейт ни на секунду не усомнилась, что это Джо. Он уехал на несколько недель в Калифорнию. Кейт ждала его обратно через пару дней и совсем не беспокоилась — к его неизбежным отлучкам она успела привыкнуть. Словно ясное солнышко, всходившее на востоке и опускавшееся на западе, Джо уезжал и возвращался, снова уезжал и снова возвращался. Но куда бы его ни заносило — будь то Токио, Гонконг или Саратов, — Кейт знала, что он всегда рядом, ибо самолет мог доставить его к ней в считанные часы, а с самолетами у Джо были свои особые отношения. Авиация давно стала частью его души — частью, которая для него значила многое, почти все. Джо полюбил самолеты с самого детства, и когда-то давно Кейт с горечью думала, что он нуждается в них куда больше, чем в ней. Но со временем она нашла в себе силы принять и это — принять, понять и разделить эту его страсть. Она даже научилась любить самолеты, как она любила его глаза, его руки, его душу, ибо все это являлось частями удивительной и сложной мозаики под названием Джо Олбрайт.

В этот день, успокоенная тишиной большого дома, вокруг которого лежали укутанные снегом холмы, Кейт работала над своим дневником. Когда в шесть вечера зазвонил телефон, за окнами было совсем темно, и Кейт даже вздрогнула и бросила взгляд на часы. Впрочем, она тут же улыбнулась и, откинув со лба прядь темно-каштановых, еще не тронутых сединой волос, потянулась к аппарату в полной уверенности, что услышит в трубке знакомый бархатистый баритон.

— Алло? — сказала она, готовясь погрузиться в мягкое тепло его голоса.

Краем глаза Кейт заметила, что снегопад за окнами усилился, и невольно подумала о том, что, когда дети приедут на Рождество, они застанут настоящую волшебную страну. Впрочем, у детей уже были свои дети, свои дела, свои знакомые и близкие, о которых они думали и о которых заботились, так что в последнее время жизнь Кейт почти полностью была посвящена Джо. И в этом не было ничего удивительного, ибо Джо всегда занимал в ее сердце главное место.

— Миссис Олбрайт?

На мгновение Кейт почувствовала себя разочарованной. Но только на мгновение, потому что знала: Джо непременно позвонит тоже — быть может, позже, но позвонит. Он всегда звонил ей, хотя зачастую ему было совсем не просто добраться до работающего аппарата.

Между тем пауза в трубке затягивалась, словно обладатель смутно знакомого голоса на другом конце линии ждал, пока Кейт сама догадается, о чем пойдет речь. Несколько мгновений спустя Кейт вспомнила, кому может принадлежать этот голос: одному из новых помощников Джо, с которым ей уже приходилось разговаривать пару раз.

— С вами говорят из офиса мистера Олбрайта, — сказал он и снова замолчал, а Кейт, сама не зная почему, вдруг подумала, что молодой человек звонит вовсе не ей, а Джо. Ей даже почудилось, будто Джо стоит прямо за ее спиной, однако это, конечно, была игра воображения.

— Я слушаю вас, — сказала она как можно мягче.

— Я... Простите, пожалуйста, но... Дело в том, что произошло несчастье. Ужасное несчастье...

Услышав эти слова, Кейт похолодела. Нет, не похолодела — она буквально заледенела, словно вдруг оказалась голышом на снегу. Она поняла, что́ могло случиться, еще до того, как молодой человек объяснил, в чем дело.

Несчастье... Он сказал — ужасное несчастье... Что же это, господи?!!

Подсознательно Кейт всегда ждала какой-нибудь беды, но Джо удалось убедить ее, что ничего страшного с ним случиться не может. Он был застрахован от всякого рода несчастий, он не совершал ошибок и промахов, он был бессмертен и... непогрешим. Когда они только познакомились, Джо шутя сказал ей, что когда-то у него было сто жизней, но девяносто девять он уже истратил. Однако Кейт всегда казалось, что у него в запасе всегда есть еще одна, сто первая, сто вторая, сто третья жизнь...

— Сегодня вечером он вылетел в Альбукерке, — сказал голос в трубке, и Кейт вдруг ясно услышала, как в комнате тикают часы. От этого звука у нее перехватило дыхание, и она вдруг подумала, что точно так же тикали ходики сорок лет назад, когда мать пришла к ней в детскую, чтобы рассказать о смерти отца. Сейчас этот звук напомнил ей о непостижимом беге времени, которого с каждой секундой оставалось все меньше. Кейт вдруг показалось, что она падает в бездонную пропасть, из которой нет — не может быть — возврата. «Какая чушь, — подумала она. — Джо не допустит, чтобы со мной что-то случилось. В первую очередь он подумает обо мне, а уж потом обо всем остальном».

— Мистер Олбрайт испытывал новую конструкцию самолета, — продолжал голос в трубке, и Кейт неожиданно подумала о том, что обладатель его — совсем мальчишка; во всяком случае, звучал этот голос по-мальчишески молодо. Но, черт возьми, почему он звонит ей, этот едва знакомый парень? Почему Джо не позвонил сам?! Быть может, с ним все же что-то стряслось?..

Впервые за всю жизнь Кейт почувствовала, как от страха у нее подгибаются ноги.

— Ч-что вы сказали? — переспросила она неожиданно севшим голосом.

— ...Я сказал, произошел взрыв, — повторил клерк. До этого он говорил так тихо, что Кейт едва разбирала отдельные слова, но последняя фраза буквально оглушила ее.

— Взрыв? — переспросила она. — Да вы хоть понимаете, что говорите?! Этого не может быть! Вы, наверное, ошиблись. Я знаю, что...

Кейт поперхнулась и не смогла продолжать. Она вдруг поняла, что последует дальше, — поняла и почувствовала, как рушатся стены ее маленького, безопасного, такого дорогого и счастливого мира.

— Прошу вас, не говорите ничего... — уронила она чуть слышно.

Некоторое время оба молчали. Глаза Кейт наполнились слезами ужаса и отчаяния, она не владела собой и не могла произнести ни слова. Клерк же молчал, ибо не знал, как быть, хотя сам вызвался известить миссис Олбрайт о случившемся.

Кроме него, в конторе больше не нашлось смельчаков, кто взял бы на себя такую задачу.

— Они упали в самом сердце пустыни, — сказал он наконец.

Кейт закрыла глаза и выпрямилась, напряженно вслушиваясь в каждое слово. «Нет, — твердила она себе, — этого не могло случиться. Просто не могло. Наверняка произошла какая-то ошибка. Джо не мог поступить со мной так». И все же в глубине души она всегда знала — подобное может произойти. Знала и подсознательно ждала, хотя и не верила до конца. Она никогда не верила, что Джо может погибнуть — ведь он был таким молодым, энергичным, полным жизни. Да, ей приходилось встречаться со вдовами летчиков-испытателей, чьи мужья разбились, испытывая самолеты Джо. Он всегда сам навещал их, сам приносил страшные вести, а Кейт ездила с ним. Но как бы глубоко она ни сочувствовала этим женщинам, их горе было только их горем, их потеря — их потерей. По большому счету ее это никак не касалось, и она успела привыкнуть к мысли, что так будет всегда.

И вот теперь ей звонит этот мальчик, этот едва оперившийся птенец, который, конечно же, не может даже догадываться, чем был для нее Джо. Наверняка он и Джо-то как следует не знал. Нет, разумеется, ему было известно, что мистер Джо Олбрайт — это тот самый человек, который много лет назад возглавил самолетостроительную фирму, со временем превратившуюся в настоящую империю с отделениями и филиалами по всему миру. Он, несомненно, знал, что Джо не просто человек, а живая легенда, но и только. А ведь в Джо же было много такого, чего не знал никто, кроме нее! Да и сама она потратила полжизни, чтобы понять, кто такой Джо Олбрайт...

— Кто-нибудь уже был на... месте катастрофы? — спросила Кейт, и голос ее дрогнул, несмотря на все усилия. «Если бы они побывали там, — думала она, — то наверняка нашли бы Джо живым и невредимым. Он бы выбрался из-под обломков и, отряхивая брюки, посмеялся бы над вытянутыми физиономиями спасателей». Он был таким, ее Джо, — ничто не могло причинить ему вреда.

Клерк немного поколебался, прежде чем ответить. Ему не хотелось говорить, что самолет взорвался в воздухе, осветив темнеющее небо на многие мили вокруг наподобие проснувшегося вулкана. Другой пилот, летевший много выше погибшего самолета, передал на землю, что взрыв был похож на вторую Хиросиму. От Джо Олбрайта не осталось ничего — только имя.

— Никакой ошибки нет, миссис Олбрайт. К сожалению... Могу я быть чем-нибудь полезен? Если вы одна, мы могли бы направить к вам кого-то из нашего местного отделения...

Кейт ответила не сразу — слова не шли на язык, а в голове образовалась звенящая пустота. «Я не одна, — хотелось ответить ей, — со мной Джо». Но тогда бы они точно прислали к ней бригаду врачей. А объяснять этому мальчику, что никто и ничто не в силах отнять у нее Джо, Кейт не хотела.

— Со мной все в порядке, — выдавила она наконец.

Клерк явно обрадовался.

— Еще раз, примите наши соболезнования, миссис Олбрайт, — сказал он. — Позднее кто-нибудь из наших служащих позвонит вам, чтобы договориться насчет... насчет необходимых приготовлений.

Кейт только тупо кивнула в ответ и, не прибавив больше ни слова, положила трубку. Ей нечего было сказать, да она и не смогла бы сейчас говорить. Она лишь смотрела за окно на заснеженный склон холма, а видела лицо Джо. Казалось, он стоит прямо перед ней — такой же, как всегда, такой же, как в тот день, когда они впервые встретились.

Потом Кейт захлестнула новая волна паники и ужаса, и ей пришлось приложить огромные усилия, чтобы совладать с собой. «Я должна быть сильной, — твердила она себе. — Должна быть сильной ради него. Нужно взять себя в руки. Я должна остаться такой, какой я была всегда, какой я стала благодаря ему». Джо ожидал бы от нее именно этого, и Кейт не могла его подвести. Нельзя уступать ужасу, нельзя сдаваться бездонному мраку, готовому поглотить ее с головой.

Закрыв глаза, Кейт негромко позвала Джо по имени, но знакомая комната, в которой они провели столько счастливых часов, не отозвалась даже эхом.

— Не уходи, Джо! — прошептала она, чувствуя, как слезы катятся по щекам. — Я не могу без тебя...

— Я здесь, Кейт. Я никуда не уйду. Ты сама отлично это знаешь.

Голос, раздавшийся у нее в ушах, был негромким, спокойным и казался настолько реальным, что Кейт невольно оглянулась через плечо. Она знала — этот голос ей не почудился. Джо никогда не покинет ее; просто, подчиняясь высшему порядку мироустроения, он совершил то, что должен был, — отправился туда, где ему предназначено было пребывать: в свое любимое небо. Все годы, что они были вместе, он часто уходил от нее туда, вся разница заключалась в том, что прежде Джо обязательно возвращался. Но даже теперь, когда он поднялся в небо, чтобы остаться в нем навеки, для нее Джо остался таким же, каким был всегда: сильным, надежным, непобедимым.

И свободным.

Того, что произошло, нельзя было изменить никакими силами. Но Кейт знала: самый мощный взрыв, даже вселенская катастрофа не смогут отнять у нее Джо. Правила, применимые для обычных людей, к нему не подходили вовсе. Он не мог просто так взять и умереть — «отдать концы», «протянуть ноги», «сыграть в ящик». Он должен был уйти, а она — как уже не раз случалось — должна была отпустить его туда, в его настоящий дом. И для обоих это был последний подвиг самопожертвования, подвиг любви и мужества...

Но, несмотря на все это, Кейт чувствовала: жизнь без него для нее невообразима, невозможна. Глядя в сгущающиеся за окном снежные сумерки, она словно наяву видела, как Джо медленно уходит от нее в темноту. Вот он обернулся, чтобы улыбнуться ей в последний раз, и Кейт поняла, что видит его таким, каким он был тридцать четыре года назад. Таким, каким она его помнила и любила.

Ночь за окном наливалась тишиной, и в доме тоже воцарилась глухая, ватная тишина. Даже часы в прихожей — старинные ходики забытой швейцарской фирмы — остановились, перестали стучать. Снег за окном валил стеной, белым саваном окутывая окрестности, а Кейт мысленно возвращалась все дальше и дальше в прошлое — в тот далекий вечер, когда они впервые увидели друг друга. Тогда ей было семнадцать, а Джо — двадцать девять, и он был молод и прекрасен. Эти незабываемые минуты изменили всю ее жизнь, Кейт до сих пор помнила, как подняла на него глаза и как он протянул ей руку, приглашая на танец.

И долгий, долгий танец начался...

Глава 1

Кейт Джемисон познакомилась с Джо Олбрайтом в декабре тысяча девятьсот сорокового года, за три дня до Рождества. Это произошло на балу, который давали близкие знакомые ее родителей в честь восемнадцатилетия старшей дочери. Семья Джемисон специально приехала в Нью-Йорк из Бостона, чтобы сделать кое-какие рождественские покупки и побывать на этом балу. Обычно семнадцатилетние девушки на подобные мероприятия не допускались, но Кейт была хорошо знакома с младшей сестрой дебютантки. Часто бывая у подруги в доме, она совершенно очаровала ее родителей, к тому же для своего возраста Кейт выглядела достаточно взрослой, и для нее было сделано исключение.

Кейт была буквально на седьмом небе от счастья: ей еще никогда не приходилось бывать на настоящих «взрослых» празднествах. Большой бальный зал, куда она вступила в сопровождении отца, был полон интересных и знаменитых людей. Отец шепотом называл ей имена губернаторов штатов, известных политических деятелей, крупных банкиров, состоятельных промышленников. Но, главное, Кейт увидела сразу стольких интересных молодых людей, что из них можно было сформировать дивизию или даже целую армию. Несколько сотен гостей с трудом разместились в бальном и банкетном залах, в малой гостиной (размером с хорошее футбольное поле), в зале для приемов и библиотеке, где тоже были накрыты столы. И все равно для всех мест не хватило, и в саду особняка был разбит просторный шатер. И в шатре, и в бальном зале играли оркестры, кружились пары, сверкали бриллианты и обнаженные плечи дам, мужчины были во фраках, кремовых смокингах и белых «бабочках».

Особенно очаровательна была сама виновница торжества — миниатюрная, хрупкая блондинка в платье от Скиапарелли. На щеках ее горел легкий румянец восторга и волнения, и волноваться было отчего — ведь этого момента она ждала все свои восемнадцать лет. Сегодня дебютантку представляли высшему обществу, после чего она официально считалась взрослой. Стоя рядом с родителями, она принимала гостей и напоминала прелестную фарфоровую куколку — лишь ресницы ее слегка трепетали, когда специальный глашатай громко выкликал имя очередной знаменитости.

Когда подошла очередь семейства Джемисон, Кейт поцеловала сестру подруги и от души поблагодарила за приглашение. Пока девушки стояли друг против друга, они напоминали двух балерин с картины Дега и казались очень похожими, хотя на самом деле были совсем разными. Восемнадцатилетняя дебютантка была тонкой, как тростинка; казалось, стоит подуть ветру, и ее унесет. Ее фигура только-только начала приобретать округлые, женственные формы, отчего она походила на подростка — особенно по сравнению с Кейт, внешность которой была куда эффектнее. Кейт была довольно высокой, с тонкой талией и массой густых темно-каштановых волос, свободно падавших ей на плечи. Темно-голубые глаза в обрамлении густых ресниц напоминали горные озера; безупречной формы скулы могли бы служить моделью для Микеланджело, а фигуре позавидовал бы и Пракситель.

Но различие между девушками заключалось не только во внешности. Юная дебютантка была спокойна и сдержанна — во всяком случае, старалась казаться таковою, и ей это вполне удавалось, если не считать легкого, едва заметного румянца на щеках. Кейт же, напротив, излучала энергию и жизнерадостность молодости. Когда хозяева представляли ее другим гостям, она вдруг улыбнулась, буквально ослепив всех блеском безупречных зубов и голубых глаз. В форме ее губ было нечто такое, что казалось — она вот-вот скажет что-то очень смешное или очень важное и окружающим непременно захочется это запомнить. Ей словно хотелось поделиться своей непосредственностью и любовью к жизни со всеми сразу.

Но вместе с тем в Кейт было и что-то загадочное, чарующе-таинственное, будто она явилась в этот мир откуда-то из дальних краев — явилась, чтобы властвовать. В любой толпе Кейт не затерялась бы, ибо в ней не было ничего ординарного, но главный ее секрет был не только и не столько во внешности, сколько в ее естественном очаровании и остроумии. Всегда, с раннего детства, Кейт приходили в голову самые неожиданные замыслы, и она тут же приводила их в исполнение, что не могло не нравиться ее родителям, ибо в семье она была единственным и к тому же поздним ребенком. Мать произвела ее на свет после двадцати лет бездетного замужества, поэтому было только естественно, что родители души в ней не чаяли. Даже когда Кейт озорничала, они не сердились на нее, не бранили. Отец Кейт любил повторять, что стоило потерпеть два десятка лет, чтобы дождаться такую дочку, а мать с готовностью с ним соглашалась.

Детство Кейт было беззаботным и безоблачным еще и потому, что, кроме родительской любви, она пользовалась всеми благами, которые способно доставить богатство. Джон Бэррет, отец Кейт, происходил из очень состоятельной бостонской семьи, а женился он на Элизабет Палмер, родители которой были еще богаче. Этот брак устраивал обе семьи. Джон Бэррет был хорошо известен в финансовом мире благодаря своему знанию рынка и разумной осторожности, с которой он вкладывал средства в ценные бумаги. Но кризис двадцать девятого года и последовавшая за ним Великая депрессия погубили отца Кейт подобно тысячам таких же, как он. В считанные дни он потерял все свои деньги и так и не смог оправиться от потрясения. С тех пор его уделом стали бедность и отчаяние. К счастью, еще до свадьбы родители Элизабет сочли неблагоразумным класть все яйца в одну корзину, не стали объединять капиталы жениха и невесты и продолжали управлять большей частью состояния дочери. Экономическая катастрофа двадцать девятого года чудесным образом пощадила капитал Палмеров, благодаря чему Элизабет не потеряла ни цента. У нее была, таким образом, возможность помочь мужу, и она действительно сделала очень много для того, чтобы успокоить его и помочь снова встать на ноги.

Однако раны Джона Бэррета были слишком глубоки. Пережитый позор продолжал сжигать его изнутри. Трое его ближайших друзей и клиентов застрелились через несколько месяцев после банкротства, один выпрыгнул из окна, один вскрыл себе вены. Джону, чтобы дойти до предела отчаяния, потребовалось времени немногим больше. На протяжении почти двух лет он безвылазно сидел в кабинете на втором этаже принадлежавшего Элизабет особняка, никуда не выходил и ни с кем не встречался. Банк, который основал еще его дед и которым Джон успешно управлял без малого два десятилетия, прекратил свое существование спустя два месяца после кризиса, и Джон считал себя конченым человеком. Единственным, что скрашивало его добровольное заточение, была Кейт, которой в ту пору исполнилось шесть. Лишь ее он впускал к себе в кабинет, а она приносила ему то конфету, то забавную картинку, нарисованную специально для папы. Кейт как будто чувствовала, в каких мрачных лабиринтах он блуждает, и инстинктивно пыталась вызволить его оттуда, но все ее усилия были тщетны. Вскоре двери отцовского кабинета закрылись и для нее — Джон Бэррет больше не хотел видеть «свою радость», «свою единственную крошку», да и мать больше не разрешала Кейт подниматься наверх. Элизабет не хотела, чтобы дочь видела своего отца опустившимся — пьяным, небритым, истерзанным своим позором и своей воображаемой виной. Достаточно было, что это зрелище разбивало сердце ей самой.

Джон Бэррет покончил с собой в августе тридцать первого года. Своим жене и дочери он не оставил ни гроша. К счастью, за два года депрессии состояние Палмеров почти не пострадало, что делало Элизабет едва ли не единственным исключением из общего грустного правила. До тех пор, пока она не потеряла Джона, экономический кризис почти никак не влиял на ее жизнь.

Кейт навсегда запомнила тот день, когда мать сообщила ей о несчастье. Она сидела в детской, пила из чашки горячий шоколад, прижимая к себе свободной рукой любимую куклу, и думала о том, что совсем скоро ей нужно будет идти в третий класс. От этих мыслей ей сделалось почти весело, но когда она увидела вошедшую в комнату мать, то сразу поняла — случилось что-то плохое. На несколько ужасных мгновений ее внимание оказалось приковано к широко раскрытым глазам матери; кроме этого, Кейт не видела, не воспринимала ничего, кроме разве что тиканья часов в детской, которое вдруг стало оглушительным, словно басом взревел колокол в католическом соборе напротив.

Элизабет не проронила ни единой слезинки. Спокойным и тихим голосом, до странности похожим на тот, каким она разговаривала в обычной жизни, Элизабет сказала дочери, что папы больше нет и что он отправился на небо, чтобы быть поближе к богу. Но для Кейт обычная и счастливая жизнь закончилась в этот самый миг, и она почти физически почувствовала, как весь ее маленький мир рушится прямо ей на голову. Куклу она выронила, горячий шоколад из опрокинувшейся чашки растекался по салфетке, по столу, но Кейт ничего этого не замечала. Ей вдруг стало до странности очевидно, что с этой минуты ее жизнь уже никогда не будет прежней.

На похоронах отца Кейт сидела у гроба неподвижно и торжественно, словно маленький оловянный солдатик из детской сказки, которую когда-то давно ей читал папа. В руке Кейт сжимала кружевной розовый платочек, но не плакала. Со стороны могло показаться, будто девочка не понимает, что́, собственно, произошло, но это было не так. На самом деле Кейт понимала: папа ушел, потому что ему было очень, очень грустно и больно. Осознание этого наполняло ее такой болью, что она была не в состоянии что-либо воспринимать. Кейт не замечала ничего вокруг, и лишь обрывки отдельных фраз, долетая до ее слуха, накрепко застревали в памяти. «...Так и не оправился... сломался человек... выстрелил себе в сердце... спустил несколько состояний... хорошо еще, что деньги Элизабет остались при ней, иначе бы он потерял и их тоже». Подобные фразы повторялись и потом, когда у них бывали гости, и постепенно Кейт начала понимать, какая страшная картина за этим стоит.

Впрочем, внешне их жизнь изменилась мало. Они жили в том же особняке и принимали тех же людей. Через несколько дней после похорон отца Кейт пошла в третий класс, однако на протяжении еще нескольких месяцев ее жизнь текла как в тумане. Человек, которого она любила, которому верила и старалась подражать, оставил их без всякого предупреждения и без объяснения причин. Правда, о причинах Кейт начинала догадываться, однако от этого ее боль не становилась меньше. С уходом отца исчезла значительная часть ее мира, и на самом деле жизнь Кейт изменилась решительно и бесповоротно. Элизабет, погруженная в скорбь, не могла дать дочери того, в чем она так нуждалась в первые месяцы после трагедии. Порой Кейт даже начинало казаться, что она потеряла обоих родителей, а не одного...

Запутанные дела мужа Элизабет поручила близкому другу Джона, банкиру Кларку Джемисону. Ему тоже удалось сохранить свое состояние, вложенное в несколько наиболее надежных предприятий. Среди партнеров по бизнесу он слыл человеком порядочным и надежным, к тому же Элизабет знала, что Кларк отличается добротой и спокойным, уравновешенным характером. Когда-то он был женат, но девять лет назад его жена скончалась от туберкулеза; детей у них не было, и с тех пор Кларк жил бобылем. Никого особенно не удивило, что уже через десять месяцев после смерти Джона Бэррета он попросил Элизабет стать его женой, а еще через четыре месяца они поженились. Церемония бракосочетания была очень скромной; кроме них двоих, на ней присутствовали только священник и девятилетняя Кейт, следившая за происходящим с волнением, к которому примешивалась изрядная доля тревоги.

Впрочем, как показало время, опасения Кейт не имели под собой никаких оснований. Новый брак Элизабет оказался гораздо более счастливым, хотя из уважения к памяти первого мужа она никогда об этом не говорила. Они с Кларком прекрасно подходили друг другу. Их объединяли и сходство характеров, и общность интересов, но самым главным было то, что Кларк оказался превосходным отчимом для Кейт. Он буквально обожал девочку, и та платила ему той же монетой. Кларк стал для нее защитником, покровителем, другом и просто очень близким и родным человеком, и спустя какое-то время она поняла, что не променяла бы его ни на кого другого. Кейт была уже достаточно большой, чтобы сознавать — Кларк изо всех сил старается заменить ей отца, которого она потеряла. Говорить с ним об этом Кейт не решалась, а просто всячески пыталась помочь ему, поддержать, и их отношения с каждым днем становились все лучше, все теснее. В скором времени в Кейт проснулись былая жизнерадостность и любовь к проказам, и, хотя ее проделки порой подходили чересчур близко к границам дозволенного, Кларка это не сердило и не раздражало. Напротив, он еще крепче привязался к падчерице.

Когда Кейт исполнилось десять, Кларк Джемисон официально удочерил ее, предварительно обсудив этот шаг с Элизабет и с самой Кейт. Правда, сначала Кейт сомневалась, не будет ли это предательством по отношению к ее родному отцу. Однако буквально нак нуне того дня, когда Кларк собрался везти все необходимые документы в органы социальной опеки, она призналась ему, что именно этого ей хочется больше всего на свете. В сущности, Джон Бэррет исчез из ее жизни почти четыре года назад — в день, когда разорился принадлежащий ему банк. С тех пор она, сама того не сознавая, жила в постоянной тревоге, и только Кларк Джемисон сумел возвратить ей уверенность в завтрашнем дне. И дело было не только в том, что он любил ее и баловал, — просто Кларк всегда оказывался рядом, когда она нуждалась в нем, в его помощи или просто в родительской ласке.

В конце концов все друзья и подруги Кейт совершенно позабыли о том, что Кларк — не ее родной отец, а со временем она и сама перестала об этом вспоминать. Или почти перестала. Лишь изредка, оставаясь одна, Кейт думала о Джоне Бэррете, но он казался ей таким далеким, что она воспринимала его скорее как символ, чем как реального человека. Гораздо четче, чем его образ, в ее памяти запечатлелось ощущение одиночества, растерянности и страха, которые она пережила после его смерти.

Впрочем, об этом Кейт старалась не думать. Дверь, ведущая в эту часть ее сознания, была закрыта, и она предпочитала никогда ее не открывать. Да и не в характере Кейт было сосредоточиваться на грустном или подолгу предаваться печали. Она принадлежала к той редкой категории людей, внутри которых словно вставлен мощный мотор, с неудержимой силой несущий их от прошлого к будущему, от печали — к радости, и эту радость Кейт щедро дарила окружающим. Ее звонкий смех, ее сияющие синие глаза, в которых прыгали озорные искры, создавали вокруг Кейт своеобразную ауру жизнелюбия и безмятежного счастья, которая распространялась и на тех, кто оказывался рядом с ней.

Это обстоятельство особенно радовало Кларка, который никогда не забывал о том, что он не родной отец Кейт. По обоюдному молчаливому согласию они никогда не говорили об этом с тех самых пор, когда Кларк, вернувшись домой со всеми необходимыми документами, коротко сказал девочке: «Дело улажено», и Кейт, кивнув, вернулась к своим куклам. Эта глава в их жизни была прочитана и закрыта, и ни тот, ни другая не желали к ней возвращаться. Больше того, Кейт была бы неприятно поражена, если бы кто-то из знакомых заговорил с ней об этом. Кларк вошел в ее жизнь как отец, как друг и старший наставник, и произошло это так органично и мягко, что она никогда об этом не думала. Он заполнил пустоту в ее душе и сердце, стал ей *настоящим* отцом, а она стала ему настоящей дочерью.

В Бостоне имя Кларка Джемисона — выходца из влиятельной и весьма состоятельной семьи, выпускника Гарвардского университета и преуспевающего банкира — было широко известно и уважаемо. Да и сам он был весьма доволен тем, как складывалась его жизнь. Действительно, одного того, что во времена Великой депрессии он сумел сохранить свои капиталы, было вполне достаточно, чтобы гордиться собой. Однако своей главной удачей Кларк считал то, что он женился на Элизабет и удочерил Кейт. Он достиг успеха во всех областях, которые считал важными, и мог с полным основанием полагать себя счастливым человеком.

И Элизабет тоже была счастливой женщиной — по крайней мере в глазах окружающих. Она имела все, о чем только можно было мечтать: деньги, любящего мужа и обожаемую дочь, в которой сосредоточился весь смысл ее существования. Кейт появилась на свет, когда Элизабет уже исполнилось сорок, и с самого начала сделалась главной радостью в жизни матери. Все надежды и упования Элизабет воплотились в дочери, поэтому она не жалела для нее ничего. Она любила Кейт глубоко и нежно, подчас — баловала, но вместе с тем внимательно следила, чтобы энергия и жизнелюбие девочки были направлены в нужное русло. Именно Элизабет научила Кейт в любых обстоятельствах держать себя в руках и привила безупречные манеры. Мать и отчим всегда относились к Кейт как к маленькой личности: они делились с ней своими мыслями, своими радостями и тревогами и жили общими интересами, никогда не расставаясь надолго. Даже когда Кларк и Элизабет уезжали за границу по делам — а ездить им приходилось часто, — они всегда брали ее с собой.

К семнадцати годам Кейт объездила всю Европу и даже успела побывать в Сингапуре и Гонконге. Эти поездки помогли ей расширить свой кругозор и обрести дополнительную уверенность в себе. Оказавшись на балу, где ее окружали сотни незнакомых людей, она ничуть не растерялась, и это ощущали все, с кем ей приходилось знакомиться. Каждый, кто сталкивался с ней, непременно отмечал про себя: эта девушка чувствует себя совершенно легко и непринужденно в сутолоке и многолюдстве роскошного зала. Она могла заговорить с каждым, пойти, куда захочется, сделать все, что считала нужным. Казалось, ничто не может смутить или испугать Кейт. Она любила жизнь, принимала ее в любых проявлениях, и это было заметно с первого взгляда.

Платье, которое было на Кейт в этот праздничный вечер, Кларк выписал из Парижа — должно быть, поэтому оно сильно отличалось от платьев других девушек. Большинство надели бальные платья светлых тонов — разумеется, за исключением белого, так как этот цвет был привилегией юной дебютантки, — однако все они принадлежали к одному стилю, что, впрочем, не мешало их обладательницам выглядеть очаровательно и мило. Но Кейт была не просто очаровательна — она выглядела по-настоящему оригинально и элегантно и притягивала все взгляды. Казалось, что женского, взрослого в ней значительно больше, чем девичьего, однако производимое ею впечатление не было ни вульгарным, ни чрезмерно чувственным. От нее как будто исходила какая-то несуетная простота, что только подчеркивалось отсутствием оборок, кружев и других ненужных украшений. Ее платье из светло-голубого атласа с тонкими, как ниточки, бретельками было скроено по косой и, плавно облегая фигуру, играло и рябило при каждом движении, словно поверхность пруда в ветреный день. Подобный покрой подчеркивал ее изящество и пропорциональность сложения, а аквамариновые серьги, перешедшие к Кейт от бабки по материнской линии, сверкали среди густых темно-каштановых прядей, словно глаза шаловливых эльфов.

Никакой косметики Кейт не употребляла. Единственное, что она себе позволила, это немного пудры на плечах, чтобы подчеркнуть цвет платья, который менялся в зависимости от освещения: то голубел, как первый лед на реке, то напоминал зимнее пасмурное небо. Что касалось лица, то никакая пудра или крем не могли улучшить его естественного оттенка, соперничавшего с нежнейшими лепестками самых бледных роз. Губы у Кейт были ярко-алыми, несколько капризно изогнутыми, что особенно бросалось в глаза, так как она постоянно что-то говорила, улыбалась или смеялась.

Поздравив дебютантку с достижением совершеннолетия, Кейт и Кларк двинулись в глубину зала. Кейт держала отца под руку, а он беззлобно над ней подтрунивал. Элизабет шла за ними, но через каждые пять шагов ей приходилось останавливаться, чтобы поболтать с кем-нибудь из знакомых. Вскоре Кейт заметила среди гостей сестру виновницы торжества, стоявшую в углу с группой молодежи, и поспешила туда, договорившись с отцом встретиться немного погодя в бальном зале.

Кларк Джемисон с гордостью проводил дочь взглядом — и не он один. Многие головы повернулись ей вслед, хотя Кейт об этом даже не подозревала. Никогда еще ей не приходило на ум, что она выглядит просто потрясающе и способна покорять сердца одним взглядом, одним движением. Уже через несколько секунд она непринужденно болтала и смеялась со своими подругами, так и не заметив, что успела вскружить головы нескольким десяткам молодых людей. Зато Кларк это заметил, однако, продолжая потихоньку наблюдать за дочерью, нисколько за нее не волновался. Он давно привык: что бы Кейт ни делала, где бы ни находилась, она неизменно очаровывала окружающих своей веселостью и жизнелюбием. Кейт любили все без исключения, никому и в голову не приходило ее обидеть или просто отнестись недоброжелательно. И это позволяло Кларку и Элизабет надеяться, что через пару-тройку лет их дочь встретит достойного молодого человека, полюбит его и выйдет за него замуж.

Особенно часто об этом задумывалась Элизабет. Она была счастлива с Кларком и, разумеется, желала дочери такой же судьбы. Однако ее муж придерживался несколько иного мнения. Нет, он был не против брака дочери, но считал, что сначала она должна получить хорошее образование. Он даже говорил с ней об этом, и убедить Кейт Кларку не составило труда. Несмотря на молодость, Кейт была достаточно умна, чтобы не отказываться от такой замечательной возможности, тем более что замуж она совсем не спешила. Единственное, чего она пока не могла решить, это на каком из учебных заведений остановиться. Ей нравились и Рэдклифф, и Уэллсли, и Вассар, и Барнард, и целая куча других колледжей. Прошлой зимой Кейт уже написала в некоторые из них заявления с просьбой о приеме, чтобы начать учебу, как только ей исполнится восемнадцать. Кроме этого, она написала и в Гарвардский университет, потому что там учился ее отец. Гарвард и Рэдклифф стояли первыми в списке ее предпочтений, но и другие колледжи сбрасывать со счетов она не собиралась.

Продолжая болтать с подругами, Кейт переходила из одной приемной в другую, знакомясь с новыми и новыми людьми. Прекрасная память помогала ей запомнить почти все имена, хотя число новых знакомых давно перевалило за несколько десятков. Непринужденность и приветливость Кейт вскоре привели к тому, что вскоре вокруг нее собралась целая толпа, причем мужчин — и молодых, и зрелых — в ней было заметно больше, чем женщин. Они находили ее рассказы интересными и остроумными, ее манеры — обворожительными, ее стиль — блестящим, поэтому, когда начались танцы, от кавалеров просто не было отбоя. Кейт приходилось начинать танец с одним партнером, а заканчивать с другим, ибо желающих оказалось даже чересчур много. В целом же вечер получился просто замечательным, и Кейт получила огромное удовольствие, но, к счастью, всеобщее поклонение не вскружило ей голову. Кейт ни на секунду не забывала о том, что это вовсе не ее первый бал.

Кейт впервые увидела его в банкетном зале, где был устроен буфет. Она беседовала с одной из подруг, которая делилась впечатлениями от первого года учебы в Уэллсли, и, случайно вскинув голову, вдруг заметила лицо, показавшееся ей незаурядным. Прошло несколько секунд, прежде чем она поймала себя на том, что больше не слушает приятельницу, а разглядывает — нет, буквально таращится на молодого мужчину, который полностью завладел ее вниманием. В нем и вправду было что-то загадочное, гипнотическое, интригующее, хотя Кейт не могла бы сказать, что именно. Незнакомец был довольно высок и широкоплеч, его песочного цвета шевелюра пребывала в легком беспорядке, но черты лица были четко очерченными и аристократически правильными. Еще Кейт заметила, что он значительно старше тех восемнадцати-двадцатилетних мальчишек, с которыми она только что танцевала. Выглядел он лет на тридцать или чуть моложе — так она решила, продолжая рассматривать его с той же жадной непосредственностью.

Как и большинство присутствующих мужчин, этот человек был в светлом смокинге и галстуке-«бабочке», делавших его совершенно неотразимым. Однако Кейт почудилась в нем некая скованность, которую можно было объяснить отсутствием привычки к подобной одежде — или к подобным светским мероприятиям. Казалось, он предпочел бы очутиться где-нибудь подальше отсюда, и Кейт вдруг подумала, что не может этого допустить. Во всяком случае — не сегодня, не сейчас. И она продолжала наблюдать за тем, как он осторожно положил на тарелку два кусочка баранины с зеленым горошком и почти неловко двинулся вдоль буфетной стойки. Отчего-то он напомнил ей крупную птицу, широкие крылья которой мешают ей свободно ходить по земле.

Джо Олбрайт был всего в паре футов от нее, когда почувствовал, что за ним наблюдают. Оторвав взгляд от тарелки, он посмотрел на Кейт с высоты своего роста — посмотрел очень серьезно, даже строго, — и их глаза встретились.

Несколько мгновений они молча разглядывали друг друга. Потом Кейт слегка улыбнулась, и Джо начисто забыл о тарелке, которую держал в руках. Еще никогда ему не доводилось видеть девушки столь прекрасной и в то же время такой живой. Стоять рядом с ней было все равно что находиться возле какого-то очень сильного источника света, который согревал кожу и слепил глаза. Всего несколько мгновений они смотрели друг на друга, потом Джо отвел взгляд. Он даже опустил голову, но не отошел в сторону, поскольку внезапно обнаружил, что утратил всякую возможность двигаться. А еще через секунду он не выдержал и снова поглядел на нее.

— Не слишком ли скромный ужин для мужчины вашего сложения? — с очаровательной непосредственностью осведомилась Кейт и, еще раз лучезарно улыбнувшись, кивнула на его тарелку.

Похоже, она нисколько не смущалась, и Джо это неожиданно понравилось. Самому ему всегда было тяжело так запросто общаться с незнакомыми людьми.

— Я уже поужинал перед тем, как приехать сюда, — ответил он.

Приглядевшись к нему повнимательнее, Кейт решила, что этот человек явно не склонен к чревоугодию. Выглядел он очень подтянутым, почти худым, и, возможно, именно поэтому светло-бежевый смокинг сидел на нем не так уж ловко. Впрочем, Кейт почему-то сразу подумала, что смокинг Джо одолжил у кого-то из друзей или даже взял напрокат.

Ее догадка была совершенно правильной. Идти на бал Джо не хотелось, и он пытался отговориться отсутствием подходящей одежды, но друг нашел ему смокинг по росту, так что в конце концов ему пришлось покориться судьбе. Тем не менее он по-прежнему был готов отдать все, что угодно, лишь бы оказаться сейчас где-нибудь в другом месте, и всерьез подумывал о бегстве. Однако встреча с Кейт изменила его планы.

— Мне кажется, вам здесь не слишком нравится, — сказала она негромко, чтобы слышал только он. В ее голосе было столько неподдельного сочувствия, что Джо невольно улыбнулся в ответ.

— Как вы догадались?

— У вас был такой вид, словно вы собираетесь удрать. Вы так не любите вечеринки? — спросила Кейт, от души радуясь тому, что ее подруга из Уэллсли встретила кого-то из знакомых и отошла. Правда, вокруг по-прежнему толпились десятки людей, но они двое чувствовали себя словно на необитаемом острове.

— Не особенно, — честно признался Джо. — Во всяком случае, мне еще никогда не приходилось бывать на таких больших праздниках.

— Мне тоже, — кивнула Кейт, решив не уточнять, что в

данном случае дело было не в ее предпочтениях или недостатке подходящих возможностей, а в возрасте. — Здесь очень мило, не так ли?

Заглянув в ее сияющие глаза, Джо улыбнулся почти помимо собственной воли. Ему не хотелось возражать, хотя он и был не совсем с ней согласен. С самого начала Джо думал только о том, как много вокруг народа, как душно и шумно в залах, а также о том, сколько полезных и приятных дел он успел бы сделать, если бы не необходимость находиться здесь, среди разряженных в пух и прах дамочек и надутых знаменитостей. Но теперь он был почти готов переменить свое мнение — для этого ему достаточно было поглядеть на Кейт.

— Да, по правде говоря, здесь очень неплохо, — сказал он, и Кейт впервые заметила, какого цвета у него глаза: они были почти такими же голубыми, как у нее, только чуточку темнее и напоминали два чистой воды сапфира. — ...И все — благодаря вам, — добавил Джо неожиданно.

В этом комплименте, высказанном с поистине мужской прямотой, а также в том, как он смотрел на нее, было что-то такое, что Кейт поняла: это не пустые слова. Он действительно имел в виду нечто очень важное. И снова ей показалось странным, что все те, кто пытался ухаживать за нею сегодня, чувствовали себя на этом празднике куда свободнее, чем он, хотя большинство из них было минимум на десяток лет моложе.

— У вас красивые глаза, — сказал Джо, не скрывая своего восхищения.

Они действительно казались ему на удивление ясными, честными и мужественными, словно их обладательница не болась никого и ничего. И это странным образом роднило их, хотя сам Джо вряд ли сказал бы про себя, что ничего не боится. Например, сегодняшняя вечеринка пугала его, он бы многое отдал, лишь бы не иметь дела с этой публикой. К тому моменту, когда Джо встретился с Кейт, он находился здесь чуть больше часа, однако у него было такое ощущение, что он по горло сыт и музыкой, и разговорами. Единственным, что поддерживало в нем мужество, была надежда на скорое бегство. Джо ждал только, когда друг, с которым он пришел сюда, разыщет его и скажет, что они могут уходить. Однако сейчас, после встречи с Кейт, все внезапно изменилось.

— Благодарю вас, — серьезно ответила Кейт, протягивая ему руку. — Меня зовут Кейт Джемисон.

Джо взял тарелку в левую руку, а правую протянул ей.

— Джо Олбрайт. Не хотите ли немного перекусить?

Он явно был человеком немногословным, и при этом — честным и открытым. Во всяком случае, говорил он только то, что считал нужным сказать, и Кейт по достоинству оценила это качество. Сама она тоже недолюбливала цветистые комплименты, равно как и ритуальные пляски вокруг того, что можно было выразить одним-двумя словами. Поэтому она просто кивнула в ответ, и Джо протянул ей чистую тарелочку, на которую Кейт положила крохотный кусок цыпленка и немного овощей. Несмотря на то что в последний раз она ела достаточно давно, Кейт почти не чувствовала голода — одно только возбуждение, вызванное праздничной обстановкой бала.

Не прибавив больше ни слова, Джо взял у нее тарелку и понес к одному из стоявших поблизости столов. Там они нашли два свободных стула и, сев друг напротив друга, принялись за еду. Беря в руки вилку, Джо неожиданно задумался о том, что заставило эту девушку обратить на него внимание — и не только обратить, но и заговорить с ним первой. Впрочем, он тут же решил, что, каковы бы ни были причины, это решение Кейт спасло ему безнадежно испорченный вечер.

— Вы многих здесь знаете? — спросил он. При этом он даже не оглянулся по сторонам, а смотрел только на нее, и Кейт невольно улыбнулась.

— Некоторых знаю. Я здесь с родителями, они-то, конечно, знакомы со многими, — объяснила она, удивляясь про себя тому, как скованно чувствует себя с ним. Для нее это было необычным состоянием, хотя тут же ей подумалось, что дело здесь не в обычном стеснении или робости. Откуда-то у нее появилось ощущение, что все, что она скажет или сделает — каждое ее слово, каждый взгляд и каждый жест, — все невероятно важно. С ним она просто *не могла* чувствовать себя так же свободно и легко, как с другими мужчинами. В Джо Олбрайте Кейт угадывала какую-то странную напряженность, цепкое внимание, которое было направлено на нее одну, и от этого ей казалось, что все внешнее, наносное, искусственное вдруг исчезло — осталось только настоящее.

— Так ваши родители тоже здесь, бедняги... — посочувствовал он, аккуратно нарезая баранину на кусочки и отправляя их в рот.

— Да, они где-то здесь. Я не видела их уже довольно давно.

Кейт не стала говорить, что ее родители на подобных балах прекрасно себя чувствуют. Элизабет, приходя на вечеринку, имела обыкновение забираться в укромный уголок с несколькими близкими друзьями и беседовать с ними часами напролет. Она даже не танцевала, а коктейли приносил ей Кларк, который старался не отходить от жены слишком далеко.

— Мы приехали в Нью-Йорк из Бостона, нас пригласили друзья, — добавила Кейт, надеясь таким образом подтолкнуть своего нового знакомого к продолжению разговора.

Джо кивнул.

— Значит, вы живете в Бостоне? — уточнил он, пристально ее разглядывая.

Что-то в Кейт интриговало его чрезвычайно. Джо сам не понимал, в чем тут дело — то ли в ее манере говорить и держаться, то ли в том, как она смотрела на него. Во всяком случае, эта девушка казалась ему спокойной и умной, к тому же ее явно интересовало, что он скажет. Как правило, Джо чувствовал себя не особенно уютно с людьми, которые обращали на него слишком много внимания, но Кейт, как видно, была исключением. К тому же, кроме ума, выдержки и безупречных манер, она была наделена еще одним важным качеством — поразительной красотой.

— Да, — кивнула она. — А вы? Вы здешний?

Кейт давно забыла о цыпленке: во-первых, потому что не была голодна, а во-вторых, потому что ее действительно очень занимало все, что он говорил.

— Нет. Я родился в Миннесоте, а в Нью-Йорке живу только последние полтора года. Ну, а вообще я побывал во многих местах — в Нью-Джерси, Чикаго, Новом Орлеане... Два года я провел в Германии, потом работал в Англии, а сейчас собираюсь в Калифорнию. Словом, я могу жить где угодно — лишь бы поблизости было летное поле.

Похоже, он ждал, что она сразу поймет его последние слова, и Кейт действительно поглядела на него с новым интересом в глазах.

— Вы много летаете? — спросила она и тут же заметила, что Джо очень доволен ее догадкой. Он даже как будто слегка расслабился.

— Да, летаю я порядочно, — согласился он. — А вы когда-нибудь летали на самолете, Кейт?

Он впервые назвал ее по имени, и Кейт неожиданно понравилось, как оно звучит в его устах. В том, как Джо произнес его, было что-то по-дружески теплое, хотя буквально несколько секунд назад она сомневалась, расслышал ли он, как ее зовут, и если расслышал, то запомнил ли. Меньше всего Кейт хотелось думать о своем новом знакомом плохо, однако, если судить по первому впечатлению, Джо был очень похож на человека, способного мгновенно забыть то, что ему не нужно и не интересно.

— В прошлом году мы с родителями летели самолетом в Калифорнию, чтобы пересесть на пароход до Гонконга, — сказала она. — Но обычно мы путешествуем поездом или на пароходе.

— Судя по всему, вам пришлось много ездить по свету. Можно узнать, каким ветром вас занесло в Гонконг?

— У папы там были дела. В Гонконге и в Сингапуре. Это очень интересные страны, и мне там понравилось. До этого я бывала только в Европе.

Элизабет заранее позаботилась о том, чтобы Кейт выучила итальянский и французский языки. Говорила она также по-немецки, но гораздо хуже: лающие звуки этого языка давались ей с большим трудом. Однако Кейт не сдавалась, продолжая упорно заниматься, и родители поддерживали ее в этом. Кларк часто говорил, что она, быть может, выйдет замуж за дипломата; при этом если он и шутил, то только отчасти. Выдать дочь за посла было его мечтой: он считал, что из Кейт выйдет отличная «дипломатическая жена», и подсознательно готовил ее к этому.

— Значит, вы летчик? — спросила Кейт, и ее глаза, широко раскрывшиеся от удивления и восторга, впервые выдали ее возраст.

Джо снова улыбнулся.

— Да, летчик.

— А какой авиакомпании?

Кейт смотрела на него с неподдельным интересом — у нее еще никогда не было знакомых летчиков. Да и вообще, среди всех ее знакомых не было никого, кто хотя бы отдаленно напоминал Джо, и ей захотелось узнать о нем побольше. Кейт не смущало, что в нем почти не было внешнего лоска, которым отличались молодые люди из ее привычного окружения, хотя и назвать Джо человеком не ее круга у нее не поворачивался язык. Напротив, он производил впечатление человека, которого с готовностью приняли бы в высшем свете; другое дело, что сам он как будто не особенно к этому стремился. И совсем не потому, что был излишне застенчив или замкнут, — Кейт была уверена, что Джо в состоянии сам о себе позаботиться и справиться с любой, даже самой сложной ситуацией. Очевидно, признание света было ему не особенно нужно.

Но, как бы то ни было, ему очень шло водить самолет. Эта профессия всегда казалась Кейт мужественной и романтичной.

— Я не работаю ни на одну авиакомпанию, — ответил Джо. — Я испытываю новые самолеты и, кроме того, сам их конструирую. Точнее, дорабатываю так, чтобы они могли летать с большей скоростью и были надежнее.

На самом деле его работа была много сложнее, однако Джо решил, что пускаться в подробности не имеет смысла.

— А вы когда-нибудь встречали Чарльза Линдберга[1]? — с интересом спросила Кейт.

Джо мог бы ответить, что не только встречал, но что именно в его смокинге он пришел на эту вечеринку. Больше того, сам Чарльз Линдберг тоже был здесь, хотя — как и Джо — никакого удовольствия он от этого не испытывал. Прославленный авиатор должен был приехать на бал с женой, но Анна осталась дома с больным ребенком, и Чарльз упросил Джо отправиться с ним для компании. Но в самом начале вечеринки Джо потерял своего друга из вида и теперь нигде не мог найти. Чарльз Линдберг терпеть не мог официальные приемы и тому подобные светские мероприятия, и Джо был уверен, что теперь он отсиживается в каком-нибудь укромном уголке и считает минуты, оставшиеся до конца торжества.

— Да, мы встречаемся довольно часто, — сказал Джо. — Мы вместе работали над одним важным проектом и вместе летали в Германии.

Он не сказал, что Линдберг находился в Нью-Йорке из-за него и что в самое ближайшее время они вместе отправятся работать в Калифорнию. Для него знаменитый пилот был не только другом, но и наставником. Они познакомились не-

---

[1] Л и н д б е р г, Ч а р л ь з (1902—1974) — американский авиатор и общественный деятель, в 1927 году установил рекорд скорости во время трансконтинентального перелета из г. Сан-Диего, Калифорния, на Лонг-Айленд. В том же 1927 году впервые в мире совершил беспосадочный перелет через Атлантику на одноместном моноплане. (*Здесь и далее — примечания переводчика.*)

сколько лет назад на летном поле в Иллинойсе, когда Линдберг находился в зените славы, а Джо был просто никому не известным мальчишкой, который еще ни разу не садился за штурвал и только мечтал о небе. Теперь же в своей профессиональной сфере Джо пользовался почти такой же высокой репутацией, как и его старший товарищ, однако широкой публике его имя мало что говорило. Впрочем, в последнее время Джо становился все более известным — правда, отнюдь не благодаря тому, что начал сознательно стремиться к славе. Просто пресса не могла обойти вниманием несколько поставленных им рекордов, а трюки, которые были недоступны большинству пилотов, он исполнял играючи. Сам Чарльз Линдберг не раз признавал, что Джо давно превзошел его в летном мастерстве, но это, однако, нисколько не повлияло на их отношения. Они остались близкими друзьями и продолжали питать друг к другу самое глубокое и искреннее уважение.

— Должно быть, мистер Линдберг очень интересный человек... — проговорила Кейт задумчиво.

— Кстати, он сейчас где-то здесь, — небрежно откликнулся Джо. — Чарли собирался прийти сюда с женой, но у них заболел ребенок, и Анне пришлось остаться дома.

— Я слышала, что миссис Линдберг тоже очень милая женщина. Какая ужасная история произошла с другим их малышом![1] Наверное, для них это была настоящая трагедия?!

— О-о, у них еще много детей! — шутливо сказал Джо, желая отвлечь Кейт от столь грустной темы, но ее это заявление откровенно шокировало. Ей казалось — не имеет значения, у кого сколько детей, потому что ребенок, которому угрожает опасность, всегда самый любимый и самый дорогой. А что, если и этот малыш умрет?.. Нет, дальше она думать не осмеливалась.

— Я кое-что знаю об их семье — по газетам, естественно. Они оба — удивительные люди, — просто сказала она, и Джо кивнул. Слава и уважение, которым пользовался его друг, казались ему вполне заслуженными.

— А что вы думаете о войне в Европе? — неожиданно спросила Кейт.

---

[1] Имеется в виду сенсационное дело о похищении полуторагодовалого сына Чарльза Линдберга с целью получить выкуп. Деньги передать удалось, но ребенок к этому времени был уже мертв. Произошло это в 1932 году.

Джо нахмурился. Он знал о том, что около двух месяцев назад конгресс проголосовал за закон о мобилизации, и считал, что этот закон может иметь самые серьезные последствия. Джо ненадолго задумался, пытаясь решить, насколько серьезно можно говорить с этой юной девушкой о вещах, которые всегда считались прерогативой мужчин.

— Ситуация в Европе складывается взрывоопасная, — промолвил он наконец. — Да вы, наверное, и сами знаете... Боюсь, скоро она вырвется из-под контроля, и тогда... тогда большая война неизбежна. Что касается Соединенных Штатов, то мы можем оказаться втянутыми в конфликт помимо своей воли.

Джо начал задумываться об этом еще в августе, когда услышал о боевых действиях в Польше. А теперь германские самолеты регулярно бомбили Лондон. На рейды вражеской авиации Королевские ВВС отвечали бомбежками немецких городов, однако главной задачей британцев была оборона собственного острова. Именно за этим Джо и приглашали в Англию. Он консультировал английских авиаконструкторов и испытывал английские самолеты, стараясь повысить их живучесть в борьбе с опытными асами люфтваффе. Кое-каких успехов им удалось достичь, и все равно ночные налеты продолжались, и в британской столице уже погибли тысячи людей. Кейт не могла этого не знать, поэтому Джо весьма удивила горячность, с которой она поспешила ему возразить.

— Но ведь Рузвельт обещал, что Соединенные Штаты не примут участия в войне! — воскликнула девушка.

— А вы действительно этому верите? Даже после того, как мобилизация уже практически объявлена? Никогда не следует особенно полагаться на то, что пишут газеты, — можно сесть в лужу. Что касается меня, то я почти уверен: рано или поздно нам придется принять участие в этой войне.

Сам Джо несколько раз задумывался о том, чтобы вступить добровольцем в Королевские Военно-воздушные силы Великобритании. Однако работа, которую он делал вместе с Чарльзом Линдбергом, была гораздо важнее нескольких германских самолетов, которые ему удалось бы сбить над Ла-Маншем. От того, как они с ней справятся, зависели сила и мощь американского воздушного флота в грядущей войне, поэтому Джо решил, что должен остаться дома. Чарльз Линдберг, с которым Джо не раз говорил об этом, разделял его точку зрения, хотя и был горячим противником вступления США в войну.

Как бы там ни было, буквально после Нового года оба собирались отправиться в Калифорнию, чтобы испытывать новые самолеты — истребители и штурмовики, которые могли пригодиться их стране при любом варианте развития событий.

— Я очень надеюсь, что вы ошибаетесь, — негромко сказала Кейт.

И она действительно на это надеялась, ибо война означала, что все красивые молодые люди, которые сейчас беззаботно смеялись, болтали, ухаживали за дамами, наденут военную форму и отправятся на фронт, где им будет грозить смертельная опасность. Кроме того, ей было ясно, что весь мир, каким она его знала, непременно изменится, кто бы ни победил в той большой войне, которую предсказывал Джо.

— Вы правда думаете, что нам придется вступить в войну? — снова спросила она, не скрывая своей тревоги. На мгновение Кейт даже забыла о том, что находится на балу, потому что вещи, которые они обсуждали, были куда более серьезными.

— Да, Кейт, я так думаю. Больше того, я в этом уверен, — твердо сказал Джо, и Кейт неожиданно подумала, что ей нравится выражение его глаз, появившееся в тот момент, когда он назвал ее по имени. И это было далеко не все, что ей в нем нравилось...

И тут Кейт сделала нечто такое, чего никогда прежде себе не позволяла. Да и сейчас не позволила бы — во всяком случае, ни с кем другим. Но с Джо Олбрайтом она чувствовала себя просто на удивление легко и свободно, словно обрела в его лице близкого друга.

— Давайте пойдем в зал и немного потанцуем, — предложила она.

С точки зрения Кейт, в этом не было ничего зазорного, однако Джо отчего-то стушевался. Он даже отвернулся от нее и несколько секунд сосредоточенно разглядывал собственную тарелку. Наконец он снова поднял голову и смущенно пробормотал:

— Я не умею.

К его огромному облегчению, Кейт не стала смеяться. Она лишь удивленно приподняла брови.

— Не умеете? Так я вас научу! Это очень просто: нужно лишь переступать ногами под музыку и стараться не налетать на другие пары. И еще улыбаться так, словно вы занимаетесь приятнейшим делом. Ну, идемте?..

— Может, лучше не стоит? Я отдавлю вам все ноги, — с сомнением отозвался Джо, думая о том, что танцевать с ней, наверное, *действительно* самое приятное занятие в мире. — Да и вам, очевидно, пора — друзья, должно быть, уже заждались вас, — добавил он.

Джо Олбрайт уже не помнил, когда говорил с кем-нибудь так долго, в особенности — с девушками ее возраста, о котором, впрочем, он по-прежнему не имел никакого понятия. Ему было ясно только, что она младше его; о том же, сколько ей может быть лет, он не задумывался.

— Может быть, я вам надоела? В таком случае простите, я не хотела быть назойливой, — сказала Кейт озабоченно. Ей в самом деле показалось, что Джо не терпится от нее избавиться, и она испугалась, уж не оскорбила ли его своим предложением потанцевать.

— Проклятье, нет, конечно!.. — воскликнул Джо и тут же прикусил язык.

Подобные слова не пристало употреблять в разговоре с леди, но он слишком привык к ним, постоянно вращаясь в грубом мужском мире. Этот мир авиационных ангаров, аэродромов, заправщиков и механиков был единственным местом, где Джо чувствовал себя как дома. Однако сейчас он неожиданно поймал себя на том, что ему нравится сидеть здесь и беседовать с этой молодой женщиной в голубом атласном платье и изящных, в тон платью, бальных туфельках.

И это казалось ему настолько неправдоподобным, что он даже не удивился.

— Нет, мне нисколько с вами не скучно, — сказал он. — Просто я подумал, что, если вы хотите танцевать, вам лучше выбрать себе в партнеры кого-то, кто умеет это делать.

— Я и так уже танцевала сегодня достаточно много, — объяснила Кейт и тихонько вздохнула, кляня себя за то, что зря потратила столько времени и вышла в банкетный зал только теперь. Впрочем, жалеть было глупо — ведь и Джо пришел сюда совсем недавно.

— А что вы любите делать в свободное время? — поинтересовалась она.

Джо пожал плечами.

— Летать, — ответил он со смущенной улыбкой и не покривил душой: авиация была его единственной страстью. — А вы? Что любите вы?

— Мне нравится читать, путешествовать и играть в теннис. А зимой я люблю кататься на лыжах. Когда я была маленькая, я каталась и на коньках и даже мечтала играть в хоккей, но мама мне не разрешила.

— Очень мудро с ее стороны: ведь вы могли остаться без зубов, — вставил Джо, которому, впрочем, было уже ясно, что в хоккей Кейт никогда не играла — настолько ослепительной была ее улыбка. — А машину вы водите?

Он откинулся на спинку стула и неожиданно подумал, что, пожалуй, мог бы научить ее водить самолет за два-три занятия. Нет, лучше за пять занятий.

Кейт улыбнулась.

— Я получила водительскую лицензию в прошлом году, когда мне исполнилось шестнадцать. Но папе не нравится, когда я беру машину. Он считает, что я вожу кошмарно, хотя сам учил меня, когда мы летом отдыхали на мысе Код. Там почти нет движения и водить гораздо проще.

Джо удивленно взглянул на нее, и лицо его слегка вытянулось.

— Простите, но... Сколько же вам лет?

Он был уверен, что его собеседнице лет двадцать, быть может — чуть больше. Во всяком случае, выглядела она достаточно взрослой, да и держалась на редкость уверенно.

— Семнадцать. Восемнадцать мне исполнится только через несколько месяцев. А вы думали, мне сколько? — Его удивление неожиданно польстило Кейт.

— Ну-у, не знаю, право... Может быть, года двадцать два — двадцать три... — Джо хмыкнул. — Девочек вроде вас нельзя выпускать в свет в таких платьях — они очень легко могут сбить с толку старых дураков вроде меня.

Но он вовсе не выглядел старым, особенно когда улыбался или смущался. В последнем случае Джо вообще напоминал мальчишку, обманом втиснувшегося в общество взрослых и уличенного в этом. Вот уже несколько раз Кейт замечала, как он в смущении отводил глаза и, только справившись с собой, снова поднимал голову. Эта непонятная стеснительность ей очень нравилась, хотя Кейт и казалось, что такой человек, как он, должен был бы лучше адаптироваться в обществе — в любом обществе.

— А сколько лет вам, Джо?

— Двадцать девять, скоро будет тридцать. А летаю я с шестнадцати лет. Кстати, что бы вы сказали, если бы я предложил вам как-нибудь покататься на самолете? Впрочем, ваши родители, наверное, будут против... — добавил он, и его лицо омрачилось.

— Мама точно будет против, — кивнула Кейт. — А вот папе ваше предложение скорее всего понравится. Он просто боготворит мистера Линдберга и считает, что у авиации — большое будущее.

— Что ж, это существенно упрощает дело. Быть может, когда-нибудь я даже поучу вас водить самолет. Поверьте, это не опаснее, чем играть в хоккей...

Тон его был шутливым, но взгляд мечтательно затуманился. Джо еще никогда не приходилось обучать летному искусству девушек, хотя он знал много пилотов-женщин. В числе его друзей были и Амелия Эрхарт, без вести пропавшая три года назад над Тихим океаном, и Эдна Гарднер Уайт, с которой он несколько раз поднимался в воздух. На его взгляд, эта женщина летала не хуже Чарльза, в ее послужном списке было несколько головоломных рекордов и побед в воздушных гонках. Теперь она готовила военных летчиков и слыла очень квалифицированным инструктором.

— А вы когда-нибудь бываете в Бостоне? — с надеждой спросила Кейт, и Джо снова улыбнулся. Теперь он знал, сколько ей лет, однако от этого его интерес к ней не стал нисколько меньше. Напротив, он гадал, как удается Кейт быть одновременно такой юной и такой чарующе-женственной.

— Иногда. На мысе Код живут мои друзья. В прошлом году я останавливался у них, когда... словом, провел там некоторое время. Но ближайшие несколько месяцев мне придется провести в Калифорнии, так что я лучше позвоню вам, когда вернусь. Быть может, ваш отец тоже захочет немного полетать с нами.

— Папа обязательно захочет, — сказала Кейт убежденно.

Предложение Джо пришлось ей по душе, и единственное, о чем она думала, это о том, как бы уговорить маму. Впрочем, ей тут же пришло в голову, что Джо может и не позвонить. Даже скорее всего не позвонит.

— А вы все еще учитесь в школе? — поинтересовался Джо. Сам он бросил школу в четырнадцать, и всем, что теперь знал, был обязан своей любви к самолетам. Когда Чарльз Линдберг взял его под свое крыло, он настоял, чтобы Джо непременно доучился, и ему пришлось снова взяться за учебники. Сначала Джо было нелегко: он многое позабыл, да и никогда особенно не любил сидеть за книжками. Однако со временем он втянулся и к двадцати годам закончил не только полный школьный курс, но и технический колледж при Массачусетском технологическом институте.

Кейт кивнула.

— Да, мне осталось еще полгода. А осенью я пойду учиться в колледж.

— Вы уже решили — в какой?

Она улыбнулась.

— Пока не знаю. Мне бы хотелось учиться в Рэдклиффе, но мой папа закончил Гарвард, поэтому он хотел бы, чтобы я поступила туда. Нет, я вовсе не против, к тому же и Рэдклифф, и Гарвард находятся в Кембридже под Бостоном — совсем близко к тому месту, где мы живем. А вот маме хотелось бы, чтобы я училась в Вассаре, потому что в свое время она обучалась именно там, так что на всякий случай я написала заявление и туда. Но вообще-то я предпочла бы учиться в Бостоне. Или, на худой конец, в Нью-Йорке, в колледже Барнарда. Мне очень нравится этот город, а вам?

Вопрос был задан с очаровательной непосредственностью, и Джо был застигнут врасплох.

— Не знаю, что и сказать... Признаться, я люблю маленькие провинциальные городки.

Кейт внимательно посмотрела на него — она не была уверена, что это правда. Скорее всего, таков был его сознательный выбор — ведь Джо наверняка сам был родом из какого-то крохотного заштатного городишки или даже поселка, где остались его корни, его привязанности. Вместе с тем, что-то подсказывало Кейт, что Джо давно перерос собственную провинциальность. Он стал фигурой иного масштаба, для которой были тесны маленькие города и поселки с их неторопливой, размеренной жизнью. Быть может, сам Джо этого еще не осознал, но Кейт это было ясно как день.

Они все еще обсуждали достоинства Бостона и Нью-Йорка в сравнении с другими городами, когда в банкетном зале появился Кларк Джемисон, и Кейт представила их с Джо друг другу.

— Прошу меня простить, что-то я сегодня слишком разболтался, — извинился Джо, пожимая протянутую руку Кларка.

К тому моменту, когда отец Кейт появился в банкетном зале, их разговор продолжался уже без малого два часа, и Джо боялся, что Кларк будет недоволен — ведь Кейт, в конце концов, было всего семнадцать лет. Но тот только улыбнулся и сказал:

— Насколько я знаю собственную дочь, вашей вины в этом нет. Наша Кейт очень общительна — такой уж у нее характер. Я сразу догадался, что она нашла себе очередную жертву и теперь «обрабатывает» ее. Надеюсь, она не очень вас утомила, мистер Олбрайт?

Когда Кейт представила ему Джо, Кларк был и удивлен, и польщен одновременно. Из газет он знал, что Джо Олбрайт — один из лучших летчиков страны, и теперь гадал, знает ли Кейт, кто перед нею. Если верить прессе, то своей славой он почти сравнялся с легендарным Линдбергом — особенно после того, как выиграл трансконтинентальную воздушную гонку на «Мустанге-П-51».

— Джо пригласил нас как-нибудь полетать с ним на самолете, — сказала Кейт. — Как ты думаешь, мама будет очень возражать?

— «Очень» — это еще мягко сказано, — рассмеялся Кларк. — Впрочем, попробую ее убедить. — Он повернулся к Джо: — Спасибо за предложение, мистер Олбрайт, это было очень любезно с вашей стороны. Кстати, я ваш поклонник. Ваш последний перелет — это нечто совершенно фантастическое!

Нежданная похвала смутила Джо, он даже слегка покраснел, однако ему было приятно, что Кларк Джемисон слышал о нем. В отличие от Чарльза, он старательно избегал прессы, однако в последнее время делать это ему становилось все труднее и труднее.

— Да, полет был удачный... — сказал он, неловко переминаясь с ноги на ногу. — Жаль только, что в этой гонке не участвовал мой друг Чарльз Линдберг, — тогда первое место было бы, конечно, его. Но, к сожалению, Чарли в это время заседал в Национальном комитете по воздухоплаванию.

Кларк машинально кивнул — скромность знаменитого летчика произвела на него должное впечатление.

Мужчины как раз разговаривали о развитии событий в Европе, когда к ним присоединилась мать Кейт. Она сказала, что уже поздно, что ей хочется вернуться в отель, и Кларк, едва успев представить Джо жене, тут же начал прощаться. Перед тем как уйти, он вручил ему свою визитную карточку и сказал:

— Позвоните, если когда-нибудь окажетесь в Бостоне. Мы будем очень рады. — И добавил, хитро улыбаясь: — А если ваше предложение все еще останется в силе, мы постараемся что-нибудь предпринять. В крайнем случае, им воспользуюсь я один.

Он подмигнул Джо, и тот рассмеялся, а Кейт улыбнулась. Судя по всему, Джо очень понравился ее отцу.

Мужчины пожали друг другу руки, и Джо сказал, что попробует отыскать Линдберга. Тепло попрощавшись с Элизабет, он повернулся к Кейт.

— Был очень рад познакомиться с вами, Кейт, — промолвил он, пристально глядя ей в глаза. — Надеюсь, мы еще увидимся.

Кейт почему-то сразу поняла, что это было сказано не из простой вежливости и что Джо действительно хотел бы когда-нибудь снова встретиться с ней. Впервые в жизни она не знала, что сказать, поэтому только улыбнулась. В Джо было нечто такое, что делало его не похожим ни на кого из трех сотен присутствующих на балу мужчин. Впрочем, она сразу поняла, что имеет дело с человеком незаурядным.

— Желаю вам удачи в Калифорнии, — сказала она наконец, гадая про себя, увидятся ли они когда-нибудь вновь.

Несмотря ни на что, Кейт вовсе не была уверена, что Джо позвонит. Его нельзя было назвать необязательным человеком — просто он принадлежал совсем к другому миру и все его надежды и стремления лежали в области, к которой Кейт не имела никакого отношения. Вот почему ей казалось маловероятным, что прославленного авиатора может всерьез заинтересовать семнадцатилетняя девчонка.

— Спасибо, Кейт, — ответил он. — Надеюсь, вы поступите в Рэдклифф. Нет, я просто уверен в этом. Тамошняя администрация будет просто счастлива иметь такую студентку.

Джо пожал ей руку, и Кейт невольно опустила глаза под его пристальным взглядом. Казалось, он пытается запечатлеть ее черты в своей памяти в мельчайших подробностях. Это было очень странное ощущение — странное, незнакомое и немного пугающее, — однако, несмотря на это, Кейт чувствовала, что действительно хочет, чтобы он ее запомнил.

— И вам спасибо, — прошептала она в ответ.

Неловко поклонившись, Джо повернулся и растворился в толпе.

— Поистине он великий летчик и удивительный человек! — сказал Кларк, провожая Джо взглядом. — Вы, женщины, хотя бы знаете, кто такой Джо Олбрайт?

И пока они одевались в просторном вестибюле, Кларк рассказал жене и дочери обо всех достижениях и победах Джо, о поставленных им рекордах и фигурах высшего пилотажа, которые он сам придумывал и исполнял. Кларк так много знал о Джо Олбрайте, потому что в юности сам мечтал о небе и продолжал следить за всеми новинками современного самолетостроения. Кейт слушала отца и вспоминала разговор с Джо. Как ни странно, поставленные им рекорды и его известность значили для нее очень мало, хотя она и отдавала должное его храбрости и мастерству. Этот человек заинтересовал ее в первую очередь не как великий летчик, а как личность. Его воля, упорство, скрытая сила и даже его застенчивость — все это запало ей в душу достаточно глубоко. Теперь же, когда Джо ушел, а вернее — вернулся в свой мир, к которому принадлежал и где было его место, — Кейт вдруг осознала, что он забрал с собой частичку ее сердца.

И единственное, о чем она могла думать, глядя из окна такси на заваленные снегом улицы, это о том, увидятся ли они когда-нибудь...

Глава 2

Как Кейт и предвидела, Джо не позвонил ни после Рождества, ни после Нового года, ни даже через несколько месяцев после памятного бала. Она не верила, что он мог потерять визитную карточку ее отца, — следовательно, дело было в чем-то другом.

Кое-какие сведения Кейт, впрочем, получала. Она начала регулярно читать газеты, выискивая статьи о нем, и чаще всего находила. По радио тоже передавали сообщения о воздушных гонках, которые неизменно выигрывал «наш замечательный чемпион», «талантливый летчик мистер Джо Олбрайт». Так она узнала, что он поставил несколько новых рекордов скорости и дальности полетов и даже разработал вместе с Датчем Киндельбергером самолет улучшенной конструкции. Впрочем, это известие скорее огорчило ее, чем обрадовало. Теперь Кейт с особенной ясностью сознавала, насколько далек тот мир, в котором вращался Джо, от всего, что было ей привычно и знакомо. Несомненно, он забыл ее, и даже если они когда-нибудь снова встретятся, он, наверное, даже не сразу ее узнает...

Кейт с грустью думала о том, что та вселенная, к которой принадлежит Джо, отстоит на миллионы световых лет от маленького клочка твердой земли, который она считала своим домом. Ему принадлежало все огромное небо, и Кейт не знала, как позвать его оттуда. С течением времени ей стало совершенно ясно, что она никогда больше не увидит Джо. До конца жизни она будет читать о его успехах в газетах и вспоминать те два часа, которые они провели вместе, но снова встретиться с ним лицом к лицу ей, скорее всего, не суждено.

В апреле Кейт получила уведомление о том, что ее приняли в Рэдклифф, и — как и ее родители — была на седьмом небе от счастья. Между тем пожар войны в Европе разгорался все сильнее, и Кейт часто разговаривала об этом с отцом. Кларк по-прежнему был уверен, что президент Рузвельт не допустит участия Соединенных Штатов в войне, но хотя Кейт привыкла верить отцу, сообщения радио и газет вселяли в нее все большую тревогу. Двое молодых людей из числа ее знакомых уже вступили добровольцами в британские ВВС, и их письма, которые она изредка получала, содержали мало успокоительного. Экспедиционный корпус генерала Роммеля в Северной Африке выигрывал одно сражение за другим, Германия вторглась в Грецию, Италия объявила войну Югославии. Продолжались и налеты люфтваффе на Лондон, где ежедневно гибло под бомбами до двух тысяч человек.

Из-за войны Джемисоны не смогли поехать отдыхать в Европу, поэтому второе лето подряд Кейт проводила на мысе Код. Там у Кларка был летний домик с садом, где Кейт отдыхала еще в детстве. Осенью ей предстояло начать учебу в колледже, и поэтому она ждала лета с особым нетерпением. Элизабет планировала прожить на даче до сентября, что же касалось Кларка, то он, как и всегда, собирался жить с ними во время отпуска, а в остальное время — навещать их по выходным.

Это было чудесное солнечное лето, до краев заполненное теннисом, гольфом, танцевальными вечеринками и длинными прогулками с друзьями вдоль океанского берега. Кейт каждый день ходила купаться на пляж и вскоре познакомилась с двумя очень симпатичными молодыми людьми, своими ровесниками, один из которых только что поступил в Дартмурский колледж, а другой — на первый курс Йельского университета. Оба юноши были хорошо воспитанными, в меру остроумными и предпочитали спортивные игры любым видам интеллектуального досуга. Кейт без труда освоилась в их обществе, и они много времени проводили вместе. От постоянного пребывания на свежем воздухе Кейт окрепла и загорела, ее темно-каштановые волосы выцвели на солнце и приобрели красивый золотистый оттенок, а глаза, напротив, казались темнее, словно в них отразилась синева океана.

Единственным, что омрачало ее беззаботное существование, были новости из Европы, которые день ото дня становились все тревожнее. Германские войска оккупировали Крит, продолжала литься кровь в Северной Африке и на Ближнем Востоке, а над Мальтой сражались за господство в воздухе итальянская и английская воздушные армии. В конце июня Германия без объявления войны напала на Россию, а еще месяц спустя началась японская агрессия в Индокитае.

Когда Кейт удавалось отвлечься от мыслей о войне, она начинала думать о предстоящей учебе, до которой оставались считанные дни, и тогда ее охватывало радостное возбуждение. Впрочем, она не считала возможным его особенно демонстрировать. И одной из причин этого было то, что большинство ее школьных подруг предпочли не учиться дальше. Хотя после выпускного вечера прошло немногим более двух месяцев, две девушки из ее класса успели выскочить замуж, и еще трое объявили о своей помолвке, так что порой Кейт в свои осемнадцать чувствовала себя почти что старой девой. Она знала, что в течение года-двух абсолютное большинство ее одноклассниц успеет создать семью, а некоторые даже станут матерями. Однако, как ни неловко ей было чувствовать себя отбившейся от стада овечкой, Кейт решила не спешить с замужеством. Она была вполне согласна с отцом, утверждавшим, что иметь образование всегда лучше, чем не иметь.

Единственное, чего Кейт пока не знала, это какую специализацию ей выбрать. Если бы мир был устроен чуточку иначе, она предпочла бы право, однако ей было совершенно ясно, что это потребовало бы от нее слишком больших жертв в будущем. Женщина-юрист, всерьез занятая своей карьерой, почти не имела шансов выйти замуж. Поскольку мир юриспруденции традиционно считался чисто мужским, от женщины, избравшей своей профессией служение закону, требовались колоссальные усилия и полная самоотдача, чтобы завоевать среди коллег-мужчин уважение и авторитет. Посвятить все свое время, всю себя работе, карьере?.. Но стоит ли овчинка выделки? В конце концов Кейт решила, что не стоит, однако, кроме права, ни одна из предлагаемых в колледже специализаций ее не привлекала. Она могла, разумеется, изучить что-то вроде истории искусств или литературы, а заодно углубить свои познания в области французского или итальянского языков. С таким багажом ее всегда могли бы взять на преподавательскую работу, однако и этот путь не особенно вдохновлял Кейт. Родители тоже не могли ничего ей посоветовать, ибо оба были уверены, что Кейт скоро выйдет замуж, и рассматривали учебу в колледже только в качестве одного из способов с пользой скоротать время, пока их дочь будет дожидаться подходящего жениха.

За время, прошедшее с тех пор, как Кейт познакомилась с Джо, его имя не раз упоминалось в ее разговорах с родителями, но отнюдь не в качестве возможного претендента на ее руку и сердце. Когда в газете появлялась очередная статья о новом головоломном рекорде или ином достижении Джо, Кларк с удовольствием пересказывал ее содержание жене и дочери. Элизабет, правда, относилась к этому довольно равнодушно, но Кейт с отцом обсуждали новость долго и горячо. После того как Кларк лично познакомился с отважным летчиком, он стал проявлять к Джо еще более живой интерес, так что разговоры о нем заходили довольно часто.

Впрочем, Кейт не нуждалась в напоминаниях — она не забыла Джо, хотя за девять прошедших месяцев он ей так ни разу и не позвонил. С самого начала она воспринимала Джо как одного из самых неординарных людей, каких только встречала в жизни, однако теперь воспоминания о нем отступили на задний план, а их место заняли более реальные заботы — такие, например, как предстоящая учеба в колледже или отношения с новыми друзьями.

В последний уик-энд лета Кейт с родителями отправились

на традиционную вечеринку с барбекю, которую старались посещать каждый год, даже если проводили лето в Европе. Вечеринку устраивали их ближайшие соседи — пожилые, но еще очень энергичные супруги, с которыми Кларк был знаком уже лет сорок или около того. На этот импровизированный праздник закрытия летнего сезона собирались чуть ли не все жители дачного поселка — молодые и старые, дети и их родители. На берегу разводили огромный костер, ставили столы и скамейки для стариков, а молодежь плясала на песке под звуки приемника или патефона.

Кейт стояла у костра с группой приятелей и поджаривала в огне разрезанный на кусочки корень алтея, предварительно нанизав его на тонкую обструганную палочку. У костра было довольно жарко, и в конце концов Кейт, шагнув назад, наступила кому-то на ногу. Она поспешно обернулась, чтобы извиниться, хотя и знала, что вряд ли причинила кому-то серьезное увечье — по случаю теплой погоды Кейт была босиком. Но, подняв глаза, она застыла в немом изумлении, ибо перед ней был Джо Олбрайт собственной персоной.

Кейт так и замерла, продолжая держать над огнем палочку с кусочками алтея. Они уже начинали тлеть, и Джо ухмыльнулся.

— Будьте поосторожнее с этой штукой, пока вы кого-нибудь не подпалили, — сказал он.

— Что вы здесь делаете?! — вырвалось у Кейт.

— Жду, пока кто-нибудь угостит меня печеным алтеем, — ответил Джо все так же шутливо. — Боюсь только, что ваш уже никуда не годится.

Действительно, пока Кейт во все глаза таращилась на него, корни алтея окончательно обуглились и превратились в несъедобные головешки, но ее это совершенно не огорчило. Главное, перед ней был он, Джо Олбрайт, а не призрак и не видение. Он стоял, засунув руки в карманы защитного цвета брюк, и, прищурившись, разглядывал Кейт своими синими, как вечернее небо, глазами. Джо тоже был босиком; кроме закатанных до колена брюк, на нем была только тонкая хлопчатобумажная тенниска с завязками вместо пуговиц на вороте.

— Вы вернулись из Калифорнии? Когда? — спросила Кейт, чувствуя, как между ними снова возникает это странное притяжение, которое она ощутила еще тогда, на декабрьском балу. И точно так же, как тогда, Кейт совершенно забыла об окружавших их людях, о своих друзьях и даже о родителях, которые были совсем рядом — по другую сторону костра.

— А я и не возвращался, — ответил Джо и улыбнулся: он был ужасно рад снова видеть ее. — Я все еще там, и, боюсь, это продлится довольно долго — несколько месяцев как минимум. Мне удалось вырваться всего на несколько дней. Кажется, в прошлый раз я говорил вам, что один из моих друзей имеет обыкновение отдыхать здесь? У него скоро день рождения, вот я и приехал, чтобы его поздравить. Хорошо, что я вас встретил, — я собирался позвонить вашему отцу во вторник и сообщить, что мое предложение остается в силе. А как вы? Уже учитесь?

— Занятия начнутся на будущей неделе, — рассеянно проговорила Кейт.

Она продолжала рассматривать Джо, и ей было очень трудно сосредоточиться на его словах. Он сильно загорел и стал как будто еще выше, его волосы были коротко подстрижены. Теперь, когда на нем не было смокинга с чужого плеча, Кейт хорошо видела, какие у него сильные руки и узкая талия. В простой, будничной одежде Джо показался ей еще красивее, и Кейт неожиданно почувствовала, как кровь приливает к щекам, а язык отказывается повиноваться, что было ей совершенно не свойственно.

Потом она подумала, что Джо по-прежнему напоминает гигантскую птицу, вынужденную ходить по грубой земле вместо того, чтобы свободно парить в бескрайнем небе. Это впечатление еще более усиливали его длинные руки и ноги, которыми он беспокойно переступал по песку.

Но на самом деле Джо почти не нервничал — во всяком случае, не так сильно, как в первый раз. Во-первых, они встретились в обстановке, которая была гораздо менее официальной, чем многолюдный прием в роскошном особняке, а во-вторых... во-вторых, он вспоминал Кейт достаточно часто и сумел, пусть и заочно, приучить себя к ее обществу.

Слегка подавшись вперед, Джо взял у нее из руки палочку с обуглившимися остатками алтейного корня и бросил в костер.

— Вы, кажется, собирались перекусить? — спросил он, беря инициативу в свои руки.

— Собиралась, но не успела, — ответила Кейт и смущенно улыбнулась, когда он невзначай задел рукой ее обнаженный локоть. — Вы ведь сами видели, что сталось с моими бедными корешками.

— Как не стыдно хватать куски перед ужином! — проворчал Джо с напускной суровостью. — Впрочем, не могу же я допустить, чтобы вы умерли от голода! Хотите, я поджарю вам пару сосисок?

Кейт кивнула, и Джо, взяв с одного из подносов несколько сосисок, ловко насадил их на новую деревянную палочку, чередуя с кусками нарезанных помидоров и колечками сладкого лука. Облив сосиски майонезом, он шагнул вперед и поднес все это сооружение к огню.

— Что вы поделывали все это время? — спросил он.

— Ничего. — Кейт слегка пожала плечами. — Училась в основном... Этой весной я закончила школу и поступила в Рэдклифф. Вот и все. Больше ничего интересного в моей жизни не произошло.

Правила вежливости требовали, чтобы она поинтересовалась его делами, но Кейт это почему-то не пришло в голову. Она и так знала, какие рекорды Джо поставил, какие соревнования выиграл. Обо всем этом она читала в газетах, к тому же много рассказал ей отец.

— Что ж, это прекрасно! Я был уверен, что вас примут. И горжусь вами, — сказал Джо, и Кейт почувствовала, что краснеет. К счастью, на берегу уже было достаточно темно, и он ничего не заметил.

Джо держался намного увереннее, чем в прошлый раз, — Кейт сразу это почувствовала благодаря врожденной женской интуиции, позволявшей ей угадывать многое из того, о чем она даже не задумывалась. «Наверное, это потому, что однажды мы уже встречались», — решила она. Ей и в голову не могло прийти, что Джо думал о ней очень часто и в его представлении они уже были давними, близкими друзьями. Как у многих нелюдимых или излишне застенчивых людей, у него была манера воображать себе встречи и разговоры со знакомыми. В мыслях Джо снова и снова прокручивал их, словно кинопленку, выдумывая возможные варианты развития событий, так что когда такие встречи в конце концов случались, он заранее знал, что его ожидает и какой оборот может принять разговор. Это всегда помогало ему держаться увереннее, и именно к такому методу Джо подсознательно прибегал, репетируя следующую встречу с Кейт. И все же он немного волновался, ибо даже не заметил, как начал называть ее на «ты». Впрочем, это прозвучало так естественно, что Кейт нисколько не удивилась. А еще какое-то время спустя она сама стала говорить ему «ты».

— Как твои водительские успехи? — поинтересовался Джо, широко улыбаясь. — Ты, наверное, уже чувствуешь себя уверенно за баранкой?

В ответ Кейт тоже улыбнулась.

— Папа говорит, что я никогда не буду водить машину как следует, но мне кажется, он делает это в воспитательных целях. На самом деле я вожу неплохо. По крайней мере, лучше, чем мама. Она все время цепляется за какие-то столбики или что-нибудь сшибает.

— В таком случае, ты вполне можешь учиться водить самолет, — резюмировал Джо. — Ведь в небе нет ни фонарных столбов, ни светофоров, ни собак, которые выскакивают как из-под земли прямо перед радиатором. Обещаю, что возьму это дело в свои руки, как только снова вернусь на Восточное побережье. В начале будущего года или даже чуть раньше я переезжаю из Калифорнии обратно в Нью-Джерси. Буду работать над одним новым проектом. Нас с Чарльзом пригласили в качестве консультантов, и мы согласились, но сначала надо закончить дела в Калифорнии.

Услышав, что Джо будет работать совсем недалеко, Кейт воспряла духом, хотя она и не могла сказать, чему именно радуется. Больше того, она твердо знала, что с ее стороны надеяться на встречи с Джо Олбрайтом просто глупо. Вряд ли он захочет видеться с ней: ведь он — зрелый тридцатилетний мужчина, к тому же добившийся славы и значительных успехов в своей области. Она же была лишь юной, неопытной девушкой, которая только-только закончила школу и даже не начала учиться в колледже.

— Так, значит, совсем скоро у тебя начнутся занятия, — заметил Джо таким тоном, словно она была его младшей сестрой.

На самом деле, никакой сестры — ни младшей, ни старшей — у него не было. Как и Кейт, он был единственным ребенком в семье, но на этом, пожалуй, их сходство заканчивалось. Родители Джо погибли в автокатастрофе, когда он был еще маленьким, и его взяла к себе семья двоюродного брата матери. Но там ему было не особенно хорошо — Джо никогда не скрывал, что не любил своих приемных родителей.

— Да, на будущей неделе, — ответила Кейт. — Во вторник я должна вернуться домой, и...

— Должно быть, это очень интересно — учиться в таком престижном колледже, — сказал Джо, вручая ей прутик с готовыми сосисками. — Прошу...

— Но не так интересно, как то, чем занимаешься ты, — искренне сказала Кейт. — Я следила за тобой по газетам. То, что ты делаешь, — это просто поразительно!

Услышав такое лестное заявление, Джо не сдержал улыбки. Он был рад, что Кейт не забыла его.

— Мой отец — твой большой поклонник, — добавила она, и Джо сразу вспомнил, как вспыхнули глаза у Кларка Джемисона, когда Кейт представила их друг другу. В отличие от дочери, считавшей Джо просто приятным человеком, Кларк знал о нем достаточно много — в том числе и то, что он — знаменитый летчик. Впервые Джо пришло в голову, что слава — не такая уж дурная вещь.

В молчании они съели шашлык из сосисок, а потом пошли к легким раскладным столикам, чтобы выпить кофе и съесть по порции мороженого. Мороженое в вафельных конусах успело подтаять, и, как ни старалась Кейт есть аккуратнее, несколько сладких капель все-таки упало ей на ноги. Джо, потягивая горячий кофе, внимательно наблюдал за ней. Ему нравилось смотреть на Кейт — она была так юна, так обворожительна и грациозна, так полна жизни и энергии, что напоминала чистокровного жеребенка, который резвится на лугу, брыкается и трясет гривой.

Джо и представить себе не мог, что когда-нибудь познакомится с такой удивительной девушкой. Женщины, которых он знал раньше, были совсем другими — проще, примитивнее, предсказуемее. Кейт же была словно яркая звездочка в небе, от которой он боялся отвести взгляд, чтобы ненароком не потерять из вида.

— Не хочешь ли немного прогуляться? — спросил он, когда Кейт с помощью влажной салфетки стерла с колен последние следы мороженого.

В ответ она кивнула и улыбнулась.

— С удовольствием. Вдоль берега, да? Мне нравится слушать, как дышит море.

Они поднялись и несколько минут молча шли вдоль пляжа. Стоял штиль, в небе сияла полная луна, и от нее бежала к ним по воде серебристая дорожка. Было так светло, что

Кейт могла рассмотреть каждый камешек под ногами, каждую зарывшуюся в песок раковину или обломок дерева.

Наконец костер остался далеко позади. Джо потянулся, глубоко вздохнул и задумчиво посмотрел на усыпанное звездами небо.

— Я очень люблю летать в такие ночи, как эта, — проговорил он негромко. — Там наверху... это просто удивительно. Думаю, тебе бы тоже понравилось. Когда летишь в темноте, среди звезд, кажется, что стал ближе к богу. А на земле... Здесь никогда не бывает так тихо и покойно, я знаю это точно...

Его голос звучал мечтательно, и Кейт поняла, что Джо делится с ней самым сокровенным. Ей неоткуда было знать, что в последние месяцы, поднимаясь в небо тихой лунной ночью, Джо часто думал о ней, о том, как здорово было бы, если бы она оказалась с ним рядом в кабине самолета. Однако сейчас это почему-то было трудно себе представить: присутствие Кейт настроило его на реалистический лад, и он постарался отбросить от себя эти глупые, несбыточные фантазии. В самом деле, по сравнению с ним Кейт была еще ребенком, к тому же у нее была своя жизнь, свой круг общения. Кто знает, вспомнит ли она его, когда они увидятся в следующий раз? И не выйдет ли она к тому времени замуж за какого-нибудь молодого человека из респектабельной и богатой семьи, который, конечно, подходит ей куда больше, чем он — взрослый, вполне сложившийся уже мужчина со своими привычками и недостатками, и к тому же небогатый?.. Джо подавил еще один вздох и решил, что они все-таки слишком разные, чтобы поддерживать какие-то более или менее тесные отношения. Но почему же тогда он *уже* чувствует себя так, словно встретил старого и близкого друга?..

«Это чистое везение, подарок судьбы, что она оказалась здесь», — подумал Джо, исподтишка рассматривая Кейт. Он знал, что, несмотря на данное обещание, ему вряд ли хватило бы смелости позвонить ее отцу. Скорее всего, он бы долго раздумывал и в конце концов решил, что из этого все равно ничего не выйдет, а раз так, то и звонить-то не стоит. Но теперь все изменилось, и Джо почувствовал неожиданный прилив сил и уверенности.

— А как получилось, что ты полюбил небо и стал летчиком? — неожиданно спросила Кейт, замедляя шаг. Мелкий белый песок под ногами был прохладным на ощупь и щекотал ее босые ноги, словно атлас.

Ее вопрос застиг Джо врасплох.

— Не знаю, не могу сказать, — пробормотал он, пожав плечами. — Как всем мальчишкам, мне с детства нравились аэропланы, и я, конечно, мечтал стать таким же знаменитым, как братья Райт. А может, все дело было в том, что мне всегда хотелось убежать... или подняться над землей высоко-высоко, чтобы никто не мог до меня дотянуться.

— От чего же ты хотел убежать? — тихо спросила она.

— От людей. — Джо снова пожал плечами. — От людей, от неприятностей, которые со мной случались, от всего дурного... И от своих мыслей тоже.

В семье двоюродного брата матери Джо приходилось не сладко. Нет, его, разумеется, кормили и одевали, но ни дядя, ни его жена, ни его троюродные братья и сестры — никто не любил Джо по-настоящему. Для них он всегда был чужаком, обузой, лишним ртом, и они частенько давали ему это понять. Именно поэтому он ушел от них, как только ему исполнилось шестнадцать, хотя сбежать куда-нибудь на край света Джо хотелось давным-давно.

— Сколько себя помню, мне всегда было лучше одному, — добавил он. — К тому же мне с детства нравились всякие механизмы — я любил разбирать их, чтобы понять, как они работают. Авиация дала мне и то, и другое. Это же настоящее чудо — летать. С одной стороны, я отлично знаю, как и почему самолет набирает высоту, знаю, как он устроен и какие законы физики и аэродинамики удерживают его в воздухе, и все равно каждый полет для меня — это волшебство. Только представь: сейчас ты на земле, а через минуту — высоко в небе, рядом со звездами.

— Это звучит замечательно, — вздохнула Кейт.

Они остановились и сели рядом на песок. За разговором они прошли почти милю, и Кейт чувствовала, как гудят усталые мышцы.

— Это и в самом деле замечательно, Кейт. В авиации я по-настоящему обрел себя, нашел все, чего мне хотелось в детстве. Иногда мне даже кажется странным, что мне еще и платят за то, что я занимаюсь любимым делом.

— Ничего странного в этом нет, потому что ты, по-видимому, прекрасный летчик, — рассудительно сказала Кейт, и Джо в смущении опустил голову, но тут же снова поднял и поглядел на нее.

— Мне правда хотелось бы, чтобы когда-нибудь ты полетела со мной, — сказал он. — Не бойся, я не стану выделывать никаких трюков. Мы просто поднимемся высоко в воздух... и лучше всего — такой же тихой ночью, чтобы ты сама увидела, как там прекрасно.

— Я и не боюсь, — ответила Кейт спокойно.

Она, судя по всему, и правда не боялась, чего нельзя было сказать о Джо. Сейчас, когда они сидели на песке совсем рядом, почти касаясь друг друга, его пугали собственные мысли и чувства. Эта девушка была загадочной, непонятной, и его тянуло к ней, словно магнитом. Она была на двенадцать лет младше, она была из богатой семьи, она поступила учиться в Рэдклифф, а он...

Он не принадлежал к ее миру и знал это, но к Кейт его влекло вовсе не положение ее родителей и не их состояние. Джо еще никогда не встречал такой яркой, самобытной, удивительной девушки. Разумеется, в свои тридцать лет Джо знал многих женщин — в основном, правда, это были сестры коллег-пилотов или «энтузиастки воздухоплавания», которых можно встретить возле каждого аэродрома. Однако Кейт не имела ничего общего ни с теми, ни с другими. Она ничем не походила и на ту единственную женщину, которая была ему небезразлична, но которая в конце концов вышла за другого, потому что у Джо постоянно не хватало для нее времени и она чувствовала себя одинокой, брошенной.

А вот Кейт Джо почему-то не мог представить себе страдающей от одиночества. Она казалась слишком живой и самодостаточной, и эти качества тоже влекли его к ней. В свои восемнадцать лет Кейт *уже* была цельной личностью и, насколько Джо мог судить, не страдала никакими комплексами. В ее душе не было пустоты, которую — в том или ином качестве — он призван был заполнить. Кейт ничего от него не ждала, ничего не требовала, ничего не выпрашивала. Она просто была собой и шла своей дорогой, словно несущаяся по орбите комета, и единственное, чего Джо хотел сейчас, это успеть схватить ее, пока она не отлетела слишком далеко...

Между тем Кейт, не подозревая, о чем он думает, рассказывала ему о своем желании изучать право, а также о том, почему это считается неподходящим занятием для женщины.

— По-моему, это все глупости, — сказал Джо рассудительно. — Почему тебе нельзя быть юристом, если ты действительно этого хочешь?

— Мои родители будут против. Они, правда, сами настаи

вали, чтобы я поступила в колледж, но ведь потом мне придется выйти замуж... — В ее голосе прозвучали разочарованные нотки, словно подобная перспектива казалась ей довольно скучной.

— Почему нельзя выучиться на юриста *и* выйти замуж? — пожал плечами Джо. — По-моему, одно другому не мешает.

Но Кейт только отрицательно качнула головой, и ее густые волосы, взлетев, окутали ее голову, словно облако. В эти мгновения она выглядела особенно притягательно, и Джо невольно стиснул зубы, стараясь не поддаться желанию. Он боролся с собой уже достаточно давно и, в целом, успешно. Кейт даже не догадывалась, с какой силой его влечет к ней, однако самому Джо приходилось постоянно контролировать свой голос и свои жесты, чтобы ничем себя не выдать.

— А ты можешь представить себе мужчину, который бы позволил своей жене заниматься юриспруденцией? Я абсолютно уверена, что, когда выйду замуж, мой муж потребует, чтобы я сидела дома, устраивала приемы и рожала детей.

Некоторое время они молчали, поскольку оба знали, что так уж устроен мир чуть не со времен Адама.

— А что, у тебя уже есть кто-нибудь на примете? У тебя или у твоих родителей?.. — осторожно поинтересовался Джо. — Ну, человек, за которого ты выйдешь замуж...

Его и в самом деле волновал этот вопрос. «Быть может, — с неожиданным страхом подумал он, — за то время, что мы не виделись, ей встретился какой-нибудь хлыщ...»

— Нет, — просто ответила Кейт. — Никого у меня на примете нет.

— Тогда зачем об этом толковать?! — воскликнул Джо, не сумев сдержать своей радости. — Зачем волноваться заранее? И потом, если ты будешь учиться в юридическом колледже, ты можешь познакомиться с молодым человеком, с которым у тебя будут общие интересы. Наверняка он не станет особенно возражать, если вы оба будете юристами... — Джо повернулся к ней и, с трудом избежав соблазна взять ее за руку или обнять за плечи, спросил: — И вообще, разве это так важно — выйти замуж?

Сам Джо в свои тридцать лет еще никогда не задумывался об этом всерьез. А Кейт было всего восемнадцать, и у нее впереди была целая жизнь — достаточно времени, чтобы выйти замуж и завести детей. Джо было странно слышать, как она говорит об этом, словно замужество, семья были для нее чем-то вроде серьезного занятия, которому она обязана посвятить себя целиком. Мужчины подобным образом относились к карьере. Он понимал, что для Кейт — как и для подавляющего большинства женщин — брак был чем-то почти обязательным, но думать о нем, готовиться к нему, не имея никого, кто ей хотя бы немножко нравился, казалось ему совершенно бессмысленным занятием. Только потом Джо пришло в голову, что так, вероятно, смотрели на брак родители Кейт, и тогда в ее взглядах не было ничего удивительного.

— Я думаю, что брак — вещь достаточно важная, — сказала Кейт задумчиво. — Во всяком случае, так утверждают все, кого я хорошо знаю и уважаю. Возможно, когда-нибудь и я тоже буду так считать. Но сейчас... сейчас я просто не могу себе представить, как все это будет. И я никуда не спешу. Я рада, что сначала должна закончить колледж. Целых четыре года я могу ни о чем таком не думать, а там... там посмотрим. За это время может случиться всякое.

— Например, ты можешь убежать с бродячим цирком, — вставил Джо, и Кейт, рассмеявшись шутке, откинулась на песок, подложив под голову руку.

Глядя на нее, залитую лунным светом, Джо невольно подумал, что такой красоты он еще никогда не видел. Ему даже пришлось напомнить себе, что Кейт еще совсем ребенок, хотя и выглядит как женщина. Стараясь справиться с собой, он отвернулся и долго смотрел в сторону.

— Наверное, в цирке мне бы понравилось, — сказала Кейт, не имевшая ни малейшего представления о той борьбе, которую вел с собой Джо. — Когда я была маленькой, я любила смотреть на наездниц — у них были такие красивые коротенькие платьица, расшитые золотом и бахромой. И на лошадей, конечно, тоже. А вот тигров и львов я побаивалась: они ужасно громко рычали.

— Я тоже боялся львов, — откликнулся Джо, по-прежнему изучая очертания залитого лунным светом берега. — Правда, я был в цирке только один раз, в Миннеаполисе, но мне там не понравилось. Клоуны — и те показались мне какими-то скучными, к тому же там было слишком шумно и слишком много народа.

Это было вполне в его характере, и Кейт невольно улыбнулась, представив себе Джо серьезным, почти угрюмым маленьким мальчиком в коротких штанишках на помочах и клетчатой сорочке. И тут же она вспомнила, что клоуны никогда не нравились и ей. Кейт всегда казалось, что эти горластые ребята в растрепанных рыжих париках немного перебарщивают. Правда, порой она все же улыбалась их топорным репризам, однако гораздо больше Кейт ценила тонкую игру. Как, очевидно, и Джо...

Это последнее соображение заставило ее подумать о том, что у них с Джо, очевидно, гораздо больше общего, чем можно предположить на первый взгляд. Оставалось только выяснить, что заставляет ее так тянуться к этому человеку — схожесть или различие характеров.

— И все-таки мне бы хотелось поработать в цирке, чтобы узнать этих людей поближе, — сказала она. — Говорят, циркачи — народ совершенно особенный. К тому же приятно, когда кругом много людей — есть с кем поговорить.

При этих словах Джо рассмеялся и повернулся к ней. Подобного заявления следовало ожидать — насколько он успел ее узнать, Кейт любила людей и никогда не сторонилась незнакомых компаний. Наверное, она сумела бы стать своей в любом обществе — даже среди тех же гимнастов, наездников, укротителей. Простота и естественность, не покидавшие ее в любой обстановке, вызывали у Джо легкую зависть — сам он подобного дара был начисто лишен. Однако это заставляло его еще сильнее восхищаться Кейт.

— А для меня нет ничего хуже, чем сборище незнакомых людей. Или даже знакомых. Наверное, именно поэтому мне так нравится летать. Там, наверху, нет никого, с кем я обязан поддерживать светский разговор, — никто не лезет со своими пустяковыми проблемами и не требует, чтобы я раскрыл ему душу. На земле мне почти никогда не удается этого избежать, а пустая болтовня здорово утомляет. Каждый раз после десятиминутной беседы с кем-то посторонним я чувствую себя так, словно толкал в гору тридцатитонный вагон угля.

Джо говорил вполне искренне: разговоры — любые разговоры — подчас причиняли ему почти физическую боль. «Быть может, — не раз думал он, — это общая беда всех летчиков?» Они с Чарльзом Линдбергом совершили не один многочасовой перелет, обменявшись при этом всего несколькими словами. Оба считали это вполне естественным, однако Джо не мог представить, чтобы Кейт молчала, как рыба, по восемь часов кряду.

— Общение с людьми меня буквально выматывает, — сказал он. — Каждый чего-то от тебя хочет, каждый требует, чтобы ты высказал свое мнение по тому или этому вопросу. А когда в конце концов что-то скажешь, тебя либо не поймут, либо тут же кому-то передадут твои слова, безбожно их при этом переврав. Так и получается, что разговаривать с кем-то — только усложнять себе жизнь.

Это было любопытное высказывание — любопытное, потому что проливало свет на еще одну сторону его характера.

— Значит, ты любишь, чтобы все было как можно проще? И чтобы каждый мог остаться в одиночестве, если ему хочется? — мягко спросила Кейт.

Джо кивнул. Он действительно всегда избегал лишних сложностей, хотя и знал, что большинство людей просто обожает осложнять себе жизнь.

— Я тоже люблю, когда все просто и понятно, — задумчиво сказала Кейт. — Но одиночество... Нет, это не по мне. Я люблю общаться с людьми, люблю с ними разговаривать, спорить... Когда я была маленькой, мне порой бывало тяжело, потому что у нас дома всегда было слишком тихо. Ведь когда я появилась на свет, маме было сорок, а папе и того больше. Я любила гостей, музыку, танцы, а мне иногда не с кем было и словом перекинуться. Мама и отец... они вели себя так, словно я была уже взрослая — маленькая, но взрослая. А мне хотелось быть ребенком — шуметь, прыгать, разбивать локти и коленки, пачкать красками платье. Но в нашем доме все всегда было в идеальном порядке: столы, стулья, ковры... и я. Я старалась не очень огорчать родителей, хотя мне и нелегко было всегда соответствовать их представлениям и взглядам о том, каким должен быть десятилетний ребенок.

— Гм-м... — только и смог протянуть Джо.

Ему было трудно представить себе, о чем говорила Кейт. В доме, где он вырос, царил самый настоящий хаос. До сих пор он не мог без содрогания вспоминать грязные стены, ободранные обои, рассохшуюся мебель и залежи гниющих объедков по углам. Его троюродные братья и сестры ходили в лохмотьях; пока были маленькими, они все время плакали, а став побольше — принялись ссориться и драться. В подобной обстановке жить было практически невозможно, ему же приходилось тяжелее всех. Поэтому, уйдя из дома, Джо вздохнул с облегчением: никто больше не ругал его, не говорил, сколько с ним проблем и расходов, не грозил отправить в приют, где в одной комнате жили тридцать детей. Полюбить своих приемных родителей Джо так и не сумел — он был уверен, что рано или поздно они исполнят свою угрозу, а потому считал, что особенно привязываться к кому-то из них не стоит. Со временем подобное отношение к людям вошло у него в привычку, так что, даже став взрослым, Джо не спешил обзаводиться друзьями. Лучше всего он чувствовал себя, когда ему никто не докучал.

— О такой жизни, как у тебя, мечтают многие, — сказал он. — Только, к сожалению, не каждый понимает, что это такое на самом деле. Большинство людей на твоем месте свихнулись бы со скуки.

В самом деле, нарисованная Кейт картина была слишком близка к идеалу, а Джо был глубоко убежден, что любой идеал есть вещь в высшей степени нефункциональная. Создайте идеальные условия растению, поместите его под стеклянный колпак, и оно вырастет чахлым и бледным, в то время как его выросший при дороге собрат будет цвести пышным цветом — если, разумеется, не погибнет от ночных заморозков или палящего солнца. То же и человек: помещенный в слишком тесные рамки, он может сойти с ума или превратиться в эгоиста, в морального урода. Джо понимал, что отец и мать любили Кейт, старались, чтобы у нее было все необходимое, и вовсе не собирался судить их слишком строго. И все же результат был налицо: Кейт всей душой стремилась в колледж, дававший ей относительную независимость.

— А если бы у тебя были свои дети, Кейт? — спросил он. — Как бы ты их воспитывала?

Вопрос был не из простых, и Кейт задумалась.

— Я не сомневаюсь, что очень любила бы их, — ответила она после минутного молчания. — И все же я бы постаралась помочь им стать тем, кем бы они сами хотели, а не тем, кем бы хотела их видеть я. Пусть бы они были собой — только собой. Я бы позволяла им делать то, что им больше нравится. Даже если бы они захотели летать, как ты, я бы не возражала. Конечно, я бы волновалась за них, но я не стала бы говорить, что это опасно, что это не принято и что они должны заняться чем-то более привычным и надежным. По-моему, у родителей вообще нет никакого права решать за детей, не говоря уже о том, чтобы силой заставлять их избрать тот, а не иной путь.

Джо догадался, что это в ней говорит жажда свободы. Он

и сам стремился к тому, чтобы ни от кого не зависеть и ни перед кем не отчитываться, но ему было проще. Не было таких стен, которые могли бы удержать его, да, по совести сказать, Джо никто и не удерживал. Он никому не был нужен и мог выбрать себе любое занятие, любое дело по душе. И, как Джо теперь понимал, это был лучший дар судьбы, на какой он только мог рассчитывать. Больше того, свобода была ему необходима, чтобы выжить, и он твердо знал, что не расстанется с ней ни за что и никогда.

— Быть может, мне повезло, что я остался сиротой, — сказал он серьезно. — Мои родители погибли в автомобильной аварии, когда мне было шесть месяцев, и меня взял к себе двоюродный дядя. Но у него была своя семья, и...

Он не договорил, и Кейт с сочувствием спросила:

— Они... они скверно с тобой обращались?

— Да нет, в общем-то... Правда, меня заставляли заниматься домашней работой и сидеть с младшими детьми, но я, наверное, не имел бы ничего против, если бы каждый раз мне не напоминали, что я — нахлебник, лишний рот, который нужно кормить. Когда началась депрессия, дядя и его жена были только рады, что я решил начать жить самостоятельно. Для них это было самым лучшим выходом: ведь им действительно приходилось меня кормить и одевать, а денег постоянно не хватало. Правда, бросив школу, я около двух лет работал на уборке мусора, но платили мне сущие гроши.

Кейт смущенно потупилась: у Джо было такое трудное детство, в то время как она никогда не знала ни голода, ни нужды... Ей вдруг стало неловко оттого, что экономический кризис почти не коснулся ее семьи — точнее, семьи матери, которая осталась такой же богатой, как и до него. Благодаря этому жизнь Кейт была обеспеченной, сытой и безопасной, и ей, конечно, было трудно представить себе все трудности, которые выпали на долю Джо. Неудивительно, что свобода стала для него самым главным. А вот у нее никогда не было настоящей свободы — хотя, если говорить честно, Кейт никогда не стремилась к ней сознательно. Единственное, чего ей всегда хотелось, это чтобы родители предоставляли ей чуточку больше самостоятельности, а это совсем не одно и то же. Поразмыслив, Кейт поняла, что, получи она такую же полную свободу, как Джо, она бы, наверное, растерялась и не знала, что с ней делать.

— А ты бы хотел иметь детей? Своих детей? — серьезно спросила она.

Этот вопрос казался Кейт очень важным: ей хотелось получше представить себе мировоззрение Джо, его систему взглядов. «Уж наверняка, — решила она, — Джо задумывался об этом, ведь ему уже тридцать!..»

Ответ Джо оказался, в общем, таким, какого она и ожидала.

— Не знаю, — сказал он, пожимая плечами. — Признаться, я никогда не думал об этом серьезно. Скорее всего — нет, не хотел бы. Сама посуди, ну какой из меня отец? Самолеты отнимают у меня слишком много времени, я постоянно летаю, езжу в командировки то в один конец страны, то в другой. А детям нужен отец, обязательно нужен. Наконец, без детей я и сам чувствовал бы себя спокойнее: ведь если бы они у меня были, я бы постоянно думал о том, что я для них *не* сделал. А мысли о неисполненном долге — самые тяжкие, можешь мне поверить.

Кейт не стала спрашивать, что это за долг, который Джо не исполнил. К тому же сейчас ее куда больше интересовало другое.

— Разве ты не собираешься когда-нибудь жениться? — спросила она, стараясь ничем не выдать своего волнения.

Кейт не сомневалась, что Джо скажет ей правду, — едва ли не больше всего ее поражала в нем честность, какая-то совсем детская открытость. Впрочем, это была одна из немногих черт, которые их объединяли. И в первую встречу, и в эту, они исповедовались друг перед другом, ничего не тая и нимало не заботясь о том, что скажут или подумают о них другие.

Кейт не знала, конечно, что Джо и сам себе удивляется. Не в его обычае было раскрывать душу перед малознакомым человеком (да и перед знакомым тоже), однако что-то словно подсказывало ему, что Кейт он может доверить свое самое сокровенное. Впрочем, скрывать Джо было нечего. Он никого не убил, не ограбил и никого не обидел. Даже девушка, которая когда-то ему нравилась, ушла от него, не тая в душе ни горечи, ни обиды. Просто в один прекрасный день ей стало ясно, что Джо никогда не будет принадлежать ей целиком, и тогда она оставила его авиации, а сама вышла замуж за другого.

— Видишь ли, мне еще не приходилось встречать женщи-

ны, которая отнеслась бы нормально к тому, чем я занимаюсь, — сказал он. — Нет, наверное, авиация все-таки — занятие
для холостяков. Не представляю, как Чарльзу удается строить
свою семейную жизнь — ведь его так редко видят дома. Впрочем, у них целая куча детишек, поэтому, когда Чарли нет,
Анне не приходится особенно скучать. Надо отдать ей должное, она — удивительная женщина. Таких, как Анна, одна на
тысячу, а может, и на миллион. У нее золотое сердце...

«А ведь сколько ей приходилось страдать», — подумала
Кейт, снова ощутив прилив жалости.

— Быть может, — добавил Джо, улыбнувшись, — когда-нибудь мне повезет, и я встречу такую же женщину, как она. В
этом случае я мог бы, пожалуй, попробовать создать семью,
но вряд ли такое случится. Любовь — чувство слишком эгоис-
тическое. Едва ли хоть одна женщина окажется способна делить меня с моими самолетами достаточно долго. Есть и еще
одна загвоздка, Кейт. Мне кажется, я не создан для брака. А
я всегда считал, что не стоит лезть из кожи вон и пытаться
заставить себя стать кем-то, кем ты быть не можешь. Это и
проще, и честнее, если хочешь... Можно сколько-то времени
притворяться, но в конце концов обман обязательно раскро-
ется, и тогда кто-то из двоих окажется раненным прямо в
сердце. А может быть, и оба... Мне, во всяком случае, не хотелось бы причинять ненужной боли никому. Чего я хочу, так
это заниматься своим делом и быть самим собой. Тогда, мне
кажется, я не принесу вреда ни себе, ни окружающим.

«Как он прав!» — думала Кейт, слушая его. Ей даже захотелось наперекор родительской воле поступить в Школу права,
но она знала, что таким поступком она очень огорчит и отца,
и мать. Джо в этом отношении было проще — он был один,
как перст, и мог поступать так, как считал правильным, не
оглядываясь на мнение окружающих. И отвечал он только
перед самим собой. Что касалось Кейт, то ее положение было
совсем иным. Все мечты и чаяния ее родителей воплотились
в ней одной, и она просто не имела права подвести или разочаровать их. В особенности после того, как покончил с собой
ее родной отец...

Они еще некоторое время сидели на песке, слушали, как
глухо вздыхает ночной океан, и Кейт обдумывала их разговор.
Он был предельно честным — так откровенны друг с другом
могут быть только люди, которые давно и хорошо знакомы.

В их суждениях и оценках не было ни рисовки, ни позы — одна только естественность и простота. И хотя они только что узнали, как несходны были их жизни и судьбы, обоих продолжало притягивать друг к другу с неослабевающей силой. Нет, даже не притягивать... Оба уже чувствовали себя сторонами одной и той же монеты — разными, но неразделимыми.

Поглядев на Кейт, которая по-прежнему лежала, привольно раскинувшись на песке и любуясь большой белой луной, он потянулся, хрустнув суставами, и легко поднялся на ноги. Больше всего ему хотелось сейчас лечь рядом с ней, но он не осмеливался, боясь, что не справится с собой. «Нет, — рассудил он, — нужно сохранять хотя бы минимальную дистанцию, иначе это может завести его бог знает куда».

Джо не переставал удивляться самому себе. Еще никогда он не испытывал ничего подобного ни к одной женщине. Чем же она так очаровала его, что он едва находил силы сопротивляться мощному течению, которое влекло его к Кейт?..

— Пожалуй, нам пора возвращаться, — сказал Джо с поспешностью, которая неприятно поразила его самого. — Мне совсем не хочется, чтобы твои родители решили, будто тебя похитили, и отправили по нашим следам полицию, — тут же добавил он, стараясь шуткой сгладить возможное неприятное впечатление.

Кейт, впрочем, ничего не заметила. Кивнув, она протянула руку, и Джо помог ей встать.

— Идем, — просто сказала она.

Кейт действительно никому не сказала, что пойдет прогуляться, однако ей казалось, что особенно волноваться по этому поводу не стоило. Кто-нибудь наверняка видел, как она уходила, и мог успокоить ее отца и мать. Другое дело, что не каждый из гостей знал Джо в лицо... Кейт намеренно не предупредила родителей, с кем пойдет гулять, опасаясь, как бы отец не отправился с ними. И не потому, что не доверял Джо, а наоборот — потому что общество знаменитого летчика было ему лестно.

И они пошли назад, к костру, который мерцал вдалеке крохотной искоркой. На половине пути Кейт взяла Джо под руку, а он прижал ее ладонь к своему боку и улыбнулся. Джо не сомневался, что она могла бы быть ему добрым другом, но — к своему большому сожалению — уже понял, что хочет от нее чего-то иного. Одной дружбы ему было мало, но Джо не собирался уступать своим желаниям. Во-первых, он был не в том положении, чтобы предпринимать какие-то шаги в этом направлении. Во-вторых, он совершенно искренне полагал, что Кейт заслуживает большего, чем он был в состоянии дать ей.

Им понадобилось немногим менее получаса, чтобы вернуться к костру, где, к счастью, никто даже не заметил их отсутствия.

— Наверное, мы могли бы бродить по берегу хоть до утра, — сказала Кейт, улыбнувшись Джо, который протянул ей чашку горячего кофе.

Себе он налил бокал вина, хотя вообще-то пил мало: не станешь же напиваться перед вылетом, а летал он часто. Впрочем, ни завтра, ни послезавтра садиться за штурвал ему было не нужно, и Джо позволил себе несколько глотков красного сухого вина.

— Возможно, ты права, — рассеянно согласился он.

Джо думал о том, что ему в любом случае не следовало слишком долго оставаться с Кейт наедине. Чувство, которое он испытывал к ней, было слишком сильным, и Джо уже не мог доверять себе в полной мере. Поэтому он ощутил нечто похожее на облегчение, когда у костра появились родители Кейт. Они собирались уходить и разыскивали дочь, чтобы отправиться домой вместе.

Увидев Джо, Кларк Джемисон просиял.

— О, мистер Олбрайт! Какой приятный сюрприз! Должно быть, вы только что из Калифорнии?

— Да, я прилетел вчера. — Джо улыбнулся, пожимая руки Кларку и Элизабет. — На днях я собирался позвонить вам, мистер Джемисон, чтобы напомнить о нашем с вами уговоре. Правда, я здесь всего на несколько дней, но когда я приеду в следующий раз...

— О'кей, мистер Олбрайт. Я готов. — Кларк заговорщически подмигнул Джо. — Пусть будет в следующий раз.

— Обещаю, — твердо сказал Джо. Родители Кейт казались ему очень приятными и милыми людьми.

Попрощавшись с ним, Кларк и Элизабет пошли поблагодарить хозяев за приятный вечер. Проводив их взглядом, Джо повернулся к Кейт, и на лице его появилось какое-то странное выражение. Он хотел попросить ее об одном одолжении, но не знал, с чего начать, хотя и обдумывал свою просьбу на протяжении последних полутора часов. Главное препятствие заключалось в том, что Джо по-прежнему не знал, захочет ли Кейт поддерживать с ним знакомство после того, как начнет учиться в Рэдклиффском колледже. Но в конце концов он все-таки решился, сказав себе, что так будет лучше для обоих. Джо сознавал, конечно, насколько сильно смахивает на самообман этот второпях придуманный им довод, однако ничего другого ему на ум не приходило. К тому же он не хотел ни держать Кейт в неведении, ни искушать себя сверх того предела, за которым уже не в силах будет сдерживаться. Слава богу, что он скоро уедет и разделившее их расстояние станет дополнительной гарантией от любого безрассудства!

— Кейт... — начал Джо и неожиданно смутился. — Что бы ты сказала, если бы я попросил тебя изредка писать мне? Мне было бы приятно получать от тебя весточки.

— Правда? — радостно изумилась девушка.

После всего, что Джо наговорил ей о своем нежелании жениться и иметь детей, Кейт была уверена, что он не станет ухаживать за ней. Но она надеялась, что он захочет, чтобы она была его другом. И такое положение вещей ее бы вполне устроило, хотя Кейт и испытывала легкое разочарование. Она не могла не понимать, что ее влечение к нему было не совсем платоническим, однако Джо за весь вечер не сказал и не сделал ничего, что бы помогло ей понять, испытывает ли и он что-то похожее. Впрочем, Кейт уже знала, что Джо хорошо умеет скрывать свои мысли и переживания.

— Мне будет интересно узнать, как идут твои дела, — сказал Джо намеренно покровительственным тоном, стараясь получше замаскировать глубокое внутреннее беспокойство и смятение, которое он начинал испытывать при одном взгляде на это правильное лицо с высокими лепными скулами и большими голубыми глазами. — А я буду писать тебе о своих испытательных полетах, — добавил он. — Если, конечно, тебе это интересно.

— О, мне очень интересно! — радостно воскликнула Кейт, подумав о том, что, если Джо сдержит слово, она сможет показывать письма отцу. Кларку Джемисону, несомненно, тоже будет любопытно узнать об испытаниях новой техники.

Джо тем временем нацарапал на клочке бумаги свой адрес и протянул Кейт.

— Я не очень хороший писатель, но буду стараться, — пообещал он. — А ты пиши мне про свои занятия.

Он очень надеялся, что его голос звучит достаточно нейтрально — как голос старого друга, старшего брата или дядюшки, а не как голос ухажера или потенциального жениха. До сих пор Джо старался быть предельно откровенным и искренним с Кейт, однако он ничего не сказал ни о том, как сильно его влечет к ней, ни о том, как он боится этого странного чувства, неподвластного ни его разуму, ни воле. Джо знал, что стоит ему только чуть-чуть отпустить вожжи, и он не справится с собой и наделает глупостей, а допустить этого было нельзя. Потому-то он и старался направить свои чувства в русло дружбы, дабы не подвергать опасности ни Кейт, ни себя. Страшнее всего было потерять ее; только это, собственно, и помогало ему сдерживаться.

— Ты сначала пиши на тот адрес, который указан в папиной карточке, — сказала Кейт. — А как только я узнаю свой адрес в колледже, я сразу тебе его сообщу.

— Договорились, — кивнул Джо. — Только напиши скорее, ладно?

В уме он уже подсчитал, что должен получить ее первое письмо почти сразу по возвращении в Калифорнию — если, конечно, она вообще собирается ему писать. И тут же Джо подумалось, что они еще даже не расстались, а ему уже хочется получить от нее весточку. Положение было поистине ужасное — непривычное по меньшей мере, однако Джо знал, что не сделает ничего, чтобы что-то изменить. Пусть даже у него будут только ее письма — он и на это был согласен. Кейт уже стала для него светом в ночи, маяком, к которому он стремился всем сердцем, всей душой.

— Что ж, счастливо тебе вернуться в Калифорнию, — промолвила Кейт.

На несколько секунд их глаза встретились, и за эти краткие мгновения они успели сказать друг другу очень многое, хотя никто из них даже не раскрыл рта.

А еще через минуту Кейт отправилась разыскивать своих родителей. На гребне песчаного холма она остановилась и, обернувшись, помахала ему рукой. Джо махнул в ответ. Потом Кейт скрылась из вида, а Джо повернулся и медленно пошел вдоль океанского берега, на этот раз — один...

Глава 3

Первые недели в колледже Кейт чувствовала себя так, словно ее подхватил и понес куда-то бурный поток. Ей так много нужно было успеть сделать! Несмотря на то что она тщательно готовилась к занятиям, ей пришлось докупать кое-какие книги, к тому же учебная программа в колледже оказалась куда более напряженной, чем в школе. Много времени уходило у нее и на сами занятия, и на знакомство с преподавателями, и на встречи с куратором по учебной работе, который помог ей составить индивидуальный план занятий. Ко многому Кейт пришлось приспосабливаться, привыкать, однако уже через несколько дней стало совершенно очевидно, что в колледже ей очень нравится. Правда, она была так занята, что даже не ездила на выходные домой, чем заслужила справедливые упреки матери. Однако Кейт старалась звонить ей как можно чаще и подробно рассказывала о своих делах.

Она проучилась почти целый месяц, прежде чем собралась наконец написать Джо. По правде сказать, Кейт могла сделать это и раньше, но ей хотелось накопить побольше новых впечатлений, чтобы было о чем рассказать в письме. И когда в воскресенье вечером она села за стол в своей комнате, ее буквально распирало от множества интересных и смешных новостей.

Письмо получилось довольно длинным. Кейт написала Джо о своих сокурсницах, о занятиях, о профессорах, о внутреннем распорядке и даже о том, какую еду можно было купить в студенческом кафе. Еще никогда она не чувствовала себя такой счастливой. Только в колледже она впервые поняла, что такое настоящая свобода, и вкус ее кружил Кейт голову и пьянил, как молодое вино.

Единственное, о чем Кейт ни словом не обмолвилась, это о студентах-гарвардцах, с которыми познакомилась в прошлые выходные. Рэдклиффский колледж был чисто женским учебным заведением, однако располагался он в том же бостонском пригороде, что и Гарвардский университет, с которым был тесно связан. Даже часть профессоров в колледже была из Гарварда. Неудивительно, что учащиеся обоих учебных заведений часто общались между собой и ходили друг к другу в гости, однако Кейт почему-то не решилась написать об этом Джо.

Ни словом не упомянула она и о том, что один из студентов Гарварда — третьекурсник по имени Энди Скотт — понравился ей больше других. Впрочем, рядом с Джо, который стал для Кейт чем-то вроде эталона настоящего мужчины, Энди казался совсем мальчишкой. Да и вообще, ни один мужчина, которого она знала, не был таким красивым, таким сильным и таким интересным, как Джо. Рядом с ним не только Энди, но и большинство ее знакомых выглядели довольно бледно. И тем не менее общаться с Энди ей было приятно, к тому же он был капитаном сборной университетской команды по плаванию, что также произвело на Кейт должное впечатление.

Если не считать этого, Кейт написала Джо буквально обо всем: о лекциях, о первых самостоятельных работах, о своем учебном плане, о комнате в общежитии, а главное — о том, насколько счастлива она, что попала именно в Рэдклифф. Письмо получилось ликующее, радостное, полное надежд, и Джо, получив его, сразу подумал о том, что именно эта кипучая жизнерадостность, свойственная Кейт как никому другому, нравится ему в ней больше всего.

Не откладывая дела в долгий ящик, Джо тут же сел писать ответ. Эпистолярный жанр никогда не был его сильной стороной, но все же он сумел рассказать Кейт о последних моделях самолетов, которые он испытывал, а также о том, как ему удалось решить сложную техническую проблему, поставившую в тупик профессиональных авиационных конструкторов. Единственное, о чем Джо умолчал в письме, это о катастрофе, произошедшей буквально накануне. Самолет должен был пилотировать он сам, однако в последний момент его отправили на командный пункт, и за штурвал пришлось сесть другому испытателю — совсем молодому пилоту. Через полтора часа нормального полета его самолет вдруг вошел в неуправляемый штопор и рухнул на землю на краю невадской пустыни. Летчик погиб, не успев выброситься с парашютом, и Джо пришлось извещать о несчастье его жену. Из-за этого он чувствовал себя немного подавленным, однако приложил все усилия, чтобы это никак не отразилось на его письме к Кейт.

Закончив, Джо перечитал письмо и остался крайне недоволен. По сравнению с письмом Кейт, оно выглядело довольно скучным: у него получилось что-то вроде технического отчета о проведенных испытаниях. Однако Джо решил ничего не менять, зная, что вряд ли сумеет написать лучше. Ему ос-

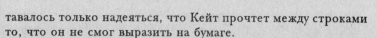

тавалось только надеяться, что Кейт прочтет между строками то, что он не смог выразить на бумаге.

Кейт получила письмо Джо ровно через десять дней после того, как отнесла на почту свое, и решила сразу же написать ответ. Как раз были выходные, поэтому Кейт уединилась в своей комнате, предварительно отменив свидание с Энди Скоттом и позвонив матери, чтобы предупредить: в этот уик-энд она снова не сможет побывать дома.

Это второе письмо также вышло у Кейт довольно подробным, однако и в нем решительно ничто не указывало на то, что она питает к Джо какие-то иные чувства, кроме дружеских. Она с юмором описывала свою студенческую жизнь и даже набросала несколько словесных портретов преподавателей и однокурсниц. Эти портреты получились у нее смешными, но точными, так как Кейт от природы была наблюдательна и обладала определенным литературным даром. Читая ее письмо, Джо несколько раз принимался хохотать, однако в конечном счете у него сложилось довольно верное представление о том, в каком окружении жила теперь Кейт.

Они переписывались всю осень; к зиме их письма стали более серьезными, так как из Европы приходили все более тревожные вести. В каждом послании Кейт спрашивала, что Джо думает по тому или иному политическому вопросу, и он отвечал ей, ничего не скрывая. Джо по-прежнему был уверен, что Соединенные Штаты могут вступить в войну в любой момент. Он даже снова начал задумываться о том, чтобы отправиться в Англию в качестве летного инструктора-консультанта — готовить летчиков и самолеты для британских Королевских ВВС. Впрочем, в конце каждого письма Джо пытался как-то развеселить ее, и хотя он делал это не очень умело, Кейт была до глубины души тронута его вниманием. Каждого нового письма она ждала с нетерпением и старалась не мешкать с ответом, чтобы поскорее получить от Джо очередную весточку.

Накануне Дня благодарения Кейт неожиданно позвали к телефону, стоявшему в вестибюле жилого корпуса. Кейт сразу подумала, что это, наверное, звонит ее мать: завтра она собиралась ехать домой, и Элизабет, вероятно, хотела уточнить, в котором часу ее ждать. На День благодарения они всегда приглашали гостей, и Кейт уже предвидела шумный и суматошный уик-энд.

Других звонков она не ждала. Правда, ей мог позвонить

Энди, но буквально накануне они пили кофе в студенческом кафе, и он сказал, что уезжает на все праздники к себе домой в Нью-Йорк. Кейт почти не сомневалась, что Энди забыл про нее, как только оказался среди своих старых нью-йоркских приятелей, так что, скорее всего, это все-таки мама.

— Алло? — сказала Кейт, поднося к уху трубку.

Она была настолько уверена, что услышит голос Элизабет, что не сразу узнала Джо.

— Это ты? — переспросила она, когда Джо назвал себя. — Ты из Калифорнии? Как хорошо тебя слышно!

В самом деле, на линии не было ни треска, ни шипения, словно Джо звонил из ближайшей будки-автомата.

— Да, это я, — ответил Джо. — Как твои дела?

— Отлично. И я ужасно рада, что ты позвонил! — Это был его первый звонок, и Кейт даже покраснела от удовольствия, зная, что Джо все равно не может ее увидеть. — С наступающим праздником, Джо!

— И тебя также, Кейт. Что, профессор Джонстон нашел свою трубку?

Он имел в виду один смешной случай, о котором Кейт рассказала ему в последнем письме, и оба рассмеялись. Однако почти сразу Кейт с удивлением отметила, как сильно она нервничает. Должно быть, в их переписке все же было что-то такое, что сделало их еще ближе друг другу — ближе и, одновременно, чувствительнее, ранимее, уязвимее.

— Все в порядке, нашел, — ответила она. — А я завтра уезжаю домой. Вообще-то я думала — это моя мама звонит. Она ждет меня на каникулы.

— Да, я помню, ты писала. — Чувствовалось, что Джо тоже нервничает, хотя и старается держаться как можно увереннее. — Я звоню, чтобы спросить, не согласишься ли ты поужинать со мной.

Ожидая ее ответа, он даже задержал дыхание, а Кейт так растерялась, что не знала, что и сказать.

— Поужинать? — произнесла она наконец. — Когда? Где? Ты что, специально прилетишь из Калифорнии сюда, в Бостон?

— Вообще-то я уже прилетел. Я сейчас в Нью-Йорке. Дело в том, что мне срочно понадобился совет Чарльза, а он вернулся на праздники домой. Сегодня вечером я встречусь с ним, а завтра... Завтра или в любой другой день я мог бы приехать в Бостон. Ты сама скажи, когда тебе удобнее.

Эту версию, звучавшую так убедительно, Джо приготовил еще до того, как вылетел в Нью-Йорк. На самом деле он вполне мог обойтись без консультации со своим другом и наставником, но ему вдруг безумно захотелось повидать Кейт. Нужен был только предлог, чтобы побывать на востоке, и он ухватился за первую же попавшуюся возможность. Уже в самолете Джо пытался убедить себя, что ничего особенного в его поступке нет и что он летит в Нью-Йорк просто для того, чтобы повидаться с друзьями — с Чарльзом (с которым он расстался меньше недели назад) и с Кейт. Конечно, Кейт могла оказаться занята, но Джо решил, что в этом случае он не будет особенно расстраиваться, а просто вернется назад. Конечно, разумнее всего было бы предупредить ее заранее, однако Джо решил, что если он позвонит Кейт уже из Нью-Йорка, она не сможет ему отказать.

Иными словами, он составил самый настоящий, хорошо продуманный план операции, однако все эти хитрости ему не понадобились. Его предложение привело Кейт в восторг, и она не стала этого скрывать.

— Я буду очень рада увидеться с тобой, — просто сказала она. — Когда ты сможешь приехать?

Это был голос друга, а не влюбленной женщины, и Джо почувствовал легкое разочарование. На самом же деле они оба старались не выдавать свои истинные чувства и с блеском исполняли каждый свою партию, причем делали это не без некоторого азарта. И для него, и для нее ситуация была совершенно новой и незнакомой. Никогда еще за Кейт не ухаживал взрослый мужчина. Что же касалось Джо, то еще ни к кому он не испытывал тех чувств, которые вызывало в нем одно имя Кейт.

— Я могу приехать в любой день, когда тебе будет удобно, — сказал Джо.

Его голос тоже прозвучал непринужденно и спокойно, почти небрежно, но Кейт внезапно задумалась. Она не была уверена, что поступит правильно, если согласится поужинать с ним, к тому же неизвестно, что скажет по этому поводу Элизабет. Что касалось отца, то тут у нее сомнений не было: Кларк, безусловно, только обрадовался бы. Как бы то ни было, Кейт решила рискнуть.

— Быть может, ты приедешь к нам домой на День благодарения? — предложила она и задержала дыхание.

На другом конце линии воцарилось недолгое молчание; потом Джо заговорил, и его голос прозвучал почти так же удивленно и растерянно, как и ее, когда она поняла, кто ей звонит.

— Ты... ты уверена, что твои родители не будут возражать? — спросил он.

Меньше всего ему хотелось оказаться в доме Джемисонов незваным и нежеланным гостем, которого терпят только из вежливости; к тому же из-за него у Кейт могли быть неприятности. Кроме всего прочего, Джо всегда встречал День благодарения один и успел к этому привыкнуть.

— Совершенно уверена, — храбро ответила Кейт, молясь про себя, чтобы Элизабет не слишком рассердилась.

Впрочем, она тут же подумала, что в праздники у них в доме все равно будет полно гостей, так что не имеет значения, если она пригласит еще одного. Кроме того, Джо, безусловно, был знаменитостью и — несмотря на свою нелюдимость — мог украсить одним своим присутствием любую компанию.

— Ну как, годится?.. — с замиранием сердца спросила она. — Ты сможешь прийти?

— Конечно, смогу. Я вылечу в Бостон утром. Во сколько вы обычно ужинаете?

Кейт знала, что Элизабет пригласила гостей на пять часов вечера и что за стол они обычно садились в семь или около того.

— Другие гости придут в пять, но если тебе удобно — приезжай раньше, — предложила она: ей вовсе не хотелось, чтобы Джо целый день болтался в аэропорту, ожидая назначенного часа.

— Да нет, в пять часов меня вполне устраивает, — небрежно ответил Джо.

Он приехал бы и в шесть утра, если бы Кейт разрешила, но, увы, следовало поддерживать видимость приличий, хотя ему очень хотелось поскорее увидеться с ней.

Что с ним происходит, Джо сам не понимал, вернее, понимал не до конца. Годы эмоционального одиночества притупили его чувства, и он порой был слеп и глух даже в отношении того, что происходило в его собственной душе. Должно было случиться что-то поистине экстраординарное, чтобы он пробудился от своего летаргического сна.

— Послушай, а как мне следует одеться? — неожиданно спросил он.

Джо вовсе не улыбалось появиться в костюме, в то время как все остальные будут в смокингах и вечерних платьях. Смокинга у него по-прежнему не было, а занимать его у Чарльза, как он однажды уже делал, Джо не хотелось. Хотя бы потому, что впоследствии ему пришлось бы как-то пересылать смокинг и галстук обратно.

— На День благодарения папа обычно надевает темный костюм. Но он придерживается довольно свободных взглядов, так что тебе вовсе не обязательно следовать его примеру. Можешь надеть что-нибудь совсем простое — из того, что ты захватил с собой.

— Отлично! В таком случае, я надену летный комбинезон и унты, — заявил Джо, и Кейт рассмеялась.

— Хотела бы я увидеть тебя в таком наряде! — воскликнула она и при этом почти не шутила. Ей и правда давно хотелось увидеть Джо в его стихии.

— Знаешь, может быть, мне удастся договориться и в самое ближайшее время прокатить на самолете тебя и твоего отца, — сказал Джо, по-своему истолковав ее слова.

— Только ничего не говори маме, если не хочешь, чтобы тебя выгнали из дома. С нее станется! — предупредила Кейт.

— Ни словечка не скажу. Ладно, увидимся послезавтра.

Судя по голосу, Джо чувствовал себя достаточно уверенно, и Кейт попрощалась с ним так же спокойно, но когда они почти одновременно положили трубки, оба обнаружили, что ладони у них вспотели. Впрочем, у Кейт было куда больше оснований для волнения: ей еще предстояло предупредить мать.

О том, что к ним придет еще один гость, Кейт заговорила с матерью на следующий день вечером, когда вернулась домой. Элизабет как раз перетирала в кухне фарфоровые тарелки из праздничного сервиза и мурлыкала себе под нос какую-то песенку. Настроение у нее было самое благодушное, и Кейт решила, что настал самый подходящий момент.

— Хочешь, помогу? — предложила Кейт, как бы случайно заглядывая в кухню.

Элизабет удивленно обернулась. Каждый раз, когда ей требовалась какая-то помощь по хозяйству, у Кейт находилась целая куча неотложных дел. Домашние обязанности она считала скучными, унижающими человеческое достоинство, о чем не раз заявляла во всеуслышание.

— Тебя что, исключили из колледжа? — поинтересовалась

Элизабет и улыбнулась: Кейт редко удавалось ее провести. — Должно быть, ты совершила какой-нибудь поистине ужасный поступок, раз тебе захотелось помочь мне с посудой. Ну, в чем дело, дружок?

— Разве не может оказаться, что я просто стала взрослой и ответственной? — парировала Кейт, делая непроницаемое лицо. — И ниоткуда меня не выгнали. Наоборот, все преподаватели говорят, что я очень хорошо успеваю по всем предметам.

— Гм-гм... — Элизабет ненадолго задумалась. — Стала взрослой, говоришь? Что ж, это возможно, но крайне маловероятно. Насколько мне известно, ни в одном колледже не делают взрослых девиц из маленьких капризных шалунишек. Во всяком случае, не за три месяца. Для этого тебе нужно сперва прослушать полный курс, да и то... — Она с сомнением покачала головой.

— Отлично!.. — Кейт надула щеки. — Уж не хочешь ли ты сказать, что, когда я закончу колледж, мне будет *нравиться* перетирать тарелки?

— Именно это я и хочу сказать, — твердо ответила Элизабет. — В особенности если тебе придется вытирать тарелки для своего мужа.

— Ну, мама!.. Впрочем, давай поговорим об этом потом. Знаешь, я сделала одну вещь... очень в духе Дня благодарения. Помнишь, ты когда-то объясняла мне, чему посвящен этот праздник? — И Кейт с самым невинным видом посмотрела на мать.

Элизабет улыбнулась.

— Попробую догадаться. Ты своими руками зарезала индейку? И выпотрошила ее?

— Нет, но я пригласила к нам на ужин одного бездомного друга. Ну, не по-настоящему бездомного... Просто у него никого нет. Никого из родных, — сказала Кейт, стараясь разжалобить мать.

Это звучало достаточно разумно, и Элизабет кивнула.

— Очень мило с твоей стороны. Это, наверное, одна из девочек, с которой ты учишься? Бедняжка! — Элизабет вздохнула. — Такой праздник грустно проводить в одиночестве. Что ж, я всегда рада видеть твоих друзей, и еще одно место у нас найдется. Значит, всего будет восемнадцать человек.

— Спасибо, мама. — Кейт решила, что для начала неплохо:

по крайней мере, Джо будет куда посадить. — Только это не девочка... — добавила она и затаила дыхание.

— Ты пригласила к нам молодого человека? — Элизабет насторожилась.

— Что-то вроде того. — Кейт почувствовала себя крайне неуютно: наступал решающий момент.

— Что-то вроде?.. Как ты странно выражаешься. Он, наверное, из Гарварда? — предположила Элизабет и улыбнулась. Она была очень довольна, что у ее дочери появился молодой человек — студент Гарвардского университета. В Гарварде учились юноши из самых лучших семей. Странно только, что Кейт еще ни разу ей об этом не говорила.

— Нет, он не из Гарварда. — Кейт показалось, что ей предстоит броситься в холодную воду. — Ты его знаешь. Его зовут Джо Олбрайт.

Последовала долгая пауза. Элизабет молча смотрела на дочь, и в глазах ее горели невысказанные вопросы. Много вопросов.

— Значит, это тот... летчик? — промолвила она наконец. — Откуда он взялся?

— Он недавно прилетел из Калифорнии и позвонил мне. Я сама не ожидала — все произошло так внезапно... Вообще-то Джо собирался навестить Чарльза Линдберга, но... В общем, получилось так, что в самый праздник ему совершенно некуда податься.

— Но почему он позвонил именно тебе? — с подозрением спросила Элизабет. — Мне это кажется... странным.

— Наверное, ты права, — как можно беспечнее отозвалась Кейт.

Она не говорила матери, что переписывается с Джо, так что объяснить его звонок ей действительно было нелегко. А уж это приглашение... Кейт и сама не знала, что побудило ее пригласить Джо к себе домой. В крайнем случае, они могли бы поужинать в каком-нибудь ресторане, и все было бы гораздо проще. Теперь же ей срочно нужно было найти какое-то разумное объяснение.

— Может быть, он звонил тебе и раньше?

— Нет, мама. — И это была чистая правда! — Мне просто кажется, ему очень понравился наш папа. К тому же Джо, наверное, очень одиноко здесь одному. По-моему, у него нет никого из близких. В общем, я не знаю, почему Джо... мистер

Олбрайт позвонил именно мне, но когда он сказал, что у него нет никаких планов на праздничный уик-энд, я... Мне просто стало жалко мистера Олбрайта, вот я его и пригласила. Я не думала, что вы с папой будете против. Ведь ты сама столько раз говорила, что в День благодарения полагается благодарить бога за все его милости. А лучший способ отблагодарить его — это накормить голодного, дать приют бездомному и вообще оказать помощь тому, кто в ней нуждается. Что, разве я не права? — добавила она дерзко.

Кейт изо всех сил старалась говорить и держаться так, словно ничего особенного не происходит, но ее выдавала горячность, с которой она выдвигала новые и новые аргументы в пользу Джо. К тому же Элизабет была проницательной женщиной и хорошо знала свою дочь. Еще никогда она не видела Кейт такой оживленной и такой взволнованной. В свои пятьдесят девять лет Элизабет еще не забыла, каково это — быть влюбленной в кого-то, особенно — во взрослого мужчину, который тоже оказывает тебе знаки внимания. Ах, если бы это только был кто-то другой, а не Джо Олбрайт!.. Почему-то он не особенно нравился Элизабет; во всяком случае, в его присутствии ей сразу становилось не по себе. На ее взгляд, он был слишком замкнутым, слишком себе на уме, и в то же время в нем чувствовалось глубокое внутреннее напряжение, до поры скрытое, но чреватое самыми непредсказуемыми поступками. Стоит такому человеку чего-то захотеть, и он своего добьется. Элизабет казалось, что Джо Олбрайт из тех, кто подавляет, подчиняет себе предмет своей страсти, чтобы потом, насытившись, отбросить его, как пустую ореховую скорлупу. Кейт, конечно, этого пока не понимала, но зато Элизабет понимала прекрасно, и именно это было причиной ее нынешнего беспокойства.

— Я не против того, что он придет к нам в гости, — сказала она честно, — но я против того, чтобы он ухаживал за тобой. Он намного старше тебя, к тому же мистер Олбрайт не... Он не нашего круга. Ты не должна поощрять его, Кейт! Между вами не может быть ничего серьезного — вы слишком разные. Меня бы очень огорчило, если бы ты вдруг вообразила, что влюблена в него.

«Как один человек может решать за другого? — подумала Кейт. — И как можно запретить любить? Запретить встречаться — ладно, но любить?..» Однако возражать она не стала и только кивнула, изображая послушную дочь.

— Я вовсе его не поощряла, мама, — сказала она. — И я ни капельки в него не влюблена. Я просто пригласила его к нам на индейку — только и всего. К тому же я подумала, что папе будет интересно...

— Иногда, — наставительно произнесла Элизабет, — именно с таких пустяков и начинаются крупные неприятности. Когда дружба между мужчиной и женщиной становится слишком... близкой, это может плохо закончиться.

— Но, мама!.. — вспыхнула Кейт. — Он же живет в Калифорнии!

— Что ж, это, пожалуй, единственное, что радует меня в этой ситуации, — вздохнула Элизабет. — Ну ладно, я сама скажу отцу. И, как ни грустно, он-то наверняка будет в восторге... Но запомни: если твой Джо Олбрайт предложит покатать Кларка на одном из своих ужасных самолетов, я своей рукой положу ему в кофе яд для мышей. Так можешь ему и передать.

— Спасибо, мама! — Кейт наградила мать лучезарной улыбкой и небрежной походкой вышла из кухни, так и не прикоснувшись ни к одной тарелке.

— Кажется, кто-то собирался помочь мне с посудой! — крикнула ей вслед мать.

— Я совсем забыла, мама: к будущей неделе мне нужно подготовить одно сообщение, так что я лучше сделаю его заранее, — откликнулась из коридора Кейт.

Элизабет тяжело вздохнула. Наивные уловки дочери не могли ввести ее в заблуждение, а выражение, появившееся в синих глазах Кейт в тот момент, когда она объявила, что Джо Олбрайт приедет к ним в гости, повергло Элизабет в самый настоящий ужас. Она хорошо помнила, как в ранней юности один молодой человек тайно ухаживал за ней — и разбил ей сердце. Должно быть, тогда у нее был такой же взгляд — мечтательный, рассеянный, немного безумный... К счастью, родители Элизабет вовремя узнали о ее романе и вмешались прежде, чем их отношения успели зайти слишком далеко. Какое же все-таки счастье, что тогда она послушалась своих отца и мать!

Но Кейт была совсем другой, она могла и не прислушаться к родительским советам, и беспокойство не оставляло Элизабет. Вечером, когда они с Кларком уже легли спать, она рассказала ему о том, что так ее тревожило. Однако, как Элизабет и ожидала, муж отнесся к ее страхам без должной серьезности.

— Джо Олбрайт? — переспросил Кларк. — Ну и что ж тут такого? В конце концов, он же не просит руки нашей дочери — он просто придет к нам в гости. Джо очень интересный человек, Лиз; к тому же он не настолько глуп, чтобы волочиться за восемнадцатилетней девчонкой. Такой красавец, как он, может заполучить любую женщину, какую пожелает.

— О, святая наивность! — Элизабет возвела глаза к потолку. — Почему ты решил, что он не может «пожелать», как ты выразился, нашу дочь? Кейт очень красива и обаятельна, да и выглядит она старше своих лет. Кроме того, главная опасность заключена как раз не в нем, а в ней. Девочка явно без ума от него. Джо Олбрайт хорош собой, знаменит — что еще надо восемнадцатилетней дурочке, чтобы влюбиться? Романтика — это страшная сила, Кларк. Насколько я помню, лет десять назад половина незамужних женщин Америки была влюблена в Чарльза Линдберга, и для некоторых это кончилось самой настоящей трагедией. А у Джо очень много общего с Линдбергом. Во всяком случае, у него есть определенное обаяние, а эта таинственная молчаливость делает его таким загадочным и вдвойне притягательным для некоторых неокрепших умов.

— Уж не думаешь ли ты, что Кейт способна серьезно им увлечься? — Кларк от удивления даже привстал. Он всегда считал, что у Кейт есть голова на плечах, но у Элизабет, как видно, было другое мнение.

— Чем черт не шутит, Кларк, — серьезно ответила она. — Я почти уверена, что между ними что-то есть, и неважно, от кого исходит инициатива — от него или от нее. Если бы ничего не было, он бы позвонил к тебе в офис, а не ей в колледж.

— Это-то как раз довольно просто объяснить. Вполне естественно, что Джо гораздо приятнее иметь дело с Кейт, а не со мной, ведь они оба молоды, — с улыбкой ответил Кларк. — На твоем месте, Лиз, я бы не стал так волноваться. Кейт — разумная девочка, а Джо — джентльмен. По крайней мере, он производит впечатление порядочного человека.

— Но что будет, если они полюбят друг друга?! — воскликнула Элизабет, и Кларк снова улыбнулся.

— Ну, это еще не самое страшное, что может случиться

Насколько мне известно, Джо не женат и никогда не был. Люди его уважают, и, по-моему, заслуженно. Так что мистер Олбрайт — вполне респектабельный гражданин, к тому же у него есть хорошо оплачиваемая работа. Что же еще надо? Да, он, к сожалению, не банкир и не финансовый магнат, но это, знаешь ли, случается. Что касается Кейт, то нет никаких гарантий, что она обязательно влюбится в известного адвоката, процветающего промышленника или банкира. Она может полюбить арабского шейха, индийского принца, какого-нибудь француза без роду, без племени или, и того хуже, — какого-нибудь прусского аристократа, которых даже сейчас немало учится в Гарварде и Йеле. Мы не можем вечно держать ее под замком, Лиз. Рано или поздно это все равно случится, и если мы будем ставить ей преграды, то только причиним собственной дочери ненужные страдания, но ничего хорошего не добьемся. Короче говоря, если Кейт действительно влюбится в Джо и если этот парень сумеет сделать ее счастливой, пусть будет так — я возражать не стану. В конце концов, он хороший человек, и я не думаю, что он способен обидеть нашу дочь.

— Но что, если в один прекрасный день он разобьется во время одного из своих полетов и оставит Кейт вдовой, да еще с целой кучей ребятишек?!

В голосе Элизабет явственно прозвучали панические нотки, и Кларк взял ее за руку.

— Ну, а что, если Кейт выйдет замуж за управляющего банком, а его задавит на улице такси? Или даже хуже: что, если он будет плохо с ней обращаться, бить ее, изменять ей? Каково тебе будет тогда, особенно если Кейт выйдет за этого негодяя, просто чтобы угодить нам? Нет уж, пусть лучше выходит замуж за того, кто ее любит, — решительно закончил он.

— А ты считаешь, что Джо *любит* ее? — негромко спросила Элизабет, опасливо косясь на закрытую дверь спальни.

— Я вовсе не имел в виду Джо. Мне кажется, ему действительно было некуда пойти на День благодарения. А зная нашу дочь, я вовсе не удивлен, что она пригласила его к нам. Ей, наверное, просто стало его жалко. Что же касается любви... — Он с сомнением покачал головой. — Слишком они разные.

— Кейт так мне и объяснила — что она, мол, пожалела его. Но...

— Вот видишь! — Кларк обнял жену за плечи. — Попомни мои слова: пройдет немного времени, и ты сама убедишься, что беспокоилась совершенно напрасно. Кейт — хорошая, умная девочка, и у нее доброе сердце — совсем как у ее мамы.

В ответ Элизабет только вздохнула. Ей ужасно хотелось, чтобы Кларк оказался прав. Больше того, она почти убедила себя в том, что он прав, однако когда на следующий день, ровно в пять часов, Джо Олбрайт появился на пороге их особняка, на душе у Элизабет снова заскребли кошки. Было вовсе не похоже, что Кейт жалеет его. Напротив, она была оживлена, даже возбуждена, и явно радовалась его приходу. А Джо, наоборот, казался растерянным и даже слегка ошарашенным.

За ужином Кларку удалось разговорить гостя. Он расспрашивал его о самолетах, и Джо отвечал более или менее подробно, зато Кейт почти все время молчала и только с обожанием смотрела на своего героя. Это, разумеется, не укрылось от Элизабет. Перехватив несколько взглядов, брошенных друг на друга ее дочерью и прославленным летчиком, она снова забеспокоилась: у нее появилось отчетливое ощущение, что эти двое знакомы куда лучше, чем хотят показать. Правда, между собой они разговаривали мало, однако интуиция подсказывала Элизабет — это совсем не оттого, что им нечего сказать.

Между тем Кейт даже не старалась скрывать, насколько свободно и непринужденно она чувствует себя рядом с Джо. Да почему, собственно, она должна это скрывать — ведь они с Джо друзья, разве нет? Ей и в голову не приходило, что во взглядах, которыми они обменивались, мать способна без труда разглядеть то, в чем Кейт еще не осмеливалась признаться даже самой себе.

А Элизабет и в самом деле очень скоро поняла, что между ее дочерью и Джо действуют силы взаимного притяжения, объяснять которые дружеской привязанностью мог лишь человек наивный или заинтересованный. И надо сказать, что это открытие ее отнюдь не успокоило. Правда, она не могла не признать, что Джо производит впечатление человека умного, хорошо воспитанного и наделенного определенным обаянием, а к Кейт он относился подчеркнуто уважительно. Однако Элизабет чудились в нем некая холодность и чуть ли не сознательная закрытость, словно кто-то когда-то сделал Джо очень больно и с тех пор он старался никого не подпускать к себе слишком близко. Да, на первый взгляд он казался дружелюбным и внимательным, но Элизабет была уверена, что заглянуть к себе в душу Джо Олбрайт не позволяет никому.

Кроме всего прочего, когда он рассказывал о самолетах, испытаниях и фигурах высшего пилотажа, в его голосе звучала такая глубокая и пылкая страсть, что Элизабет невольно засомневалась, найдется ли когда-нибудь женщина, способная вызвать в нем столь же сильные чувства. Нет, ей *хотелось* верить, что Джо Олбрайт порядочный человек, однако это вовсе не означало, что он — подходящая пара для Кейт. Очень скоро ей стало ясно, что Джо едва ли сумеет быть хорошим мужем кому бы то ни было. У него для этого просто не было возможности. Постоянные полеты, испытания, смертельный риск — не этого Элизабет хотела для своей дочери. Она мечтала, что Кейт будет жить размеренной, счастливой, спокойной жизнью, и готова была отдать за это все, что угодно. Всю жизнь Элизабет только и делала, что оберегала Кейт от болезней, опасностей, боли, разочарований, а теперь вдруг поняла, что единственной вещью, от которой она не сумеет защитить дочь, это от разбитого сердца. Кейт очень страдала, когда умер ее родной отец, и сейчас Элизабет боялась, что старая история повторится. Неминуемо повторится, если Кейт и Джо и в самом деле полюбят друг друга. Элизабет с ужасом чувствовала собственное бессилие: слишком уж привлекательным, загадочным, романтичным был Джо Олбрайт. Его молчаливость вызывала невольное желание пробиться к нему сквозь стены, которые Джо воздвиг вокруг себя, чтобы помочь ему. Именно это Кейт и пыталась сделать на протяжении почти всего ужина. Когда Кларк, соблюдая приличия, занялся другими гостями, она незамедлительно перехватила инициативу, попытавшись вытащить Джо из раковины молчания, в которой он замкнулся. И это ей без особого труда удалось.

А Кейт просто хотелось, чтобы Джо чувствовал себя как можно свободней и непринужденнее, и она прилагала все силы, чтобы этого добиться. Ни на минуту она не задумалась о том, что́ скажет или подумает ее мать. А Элизабет смотрела на дочь и с отчаянием думала, что самое страшное уже случилось. Даже лучше, чем сама Кейт, она понимала, а вернее сказать — чувствовала, что ее дочь влюблена по уши. Пока неясно ей было только одно: как относится к ее дочери Джо. Кейт, безусловно, интересовала его, больше того — его влекло к ней, тянуло какой-то неведомой силой. Однако создавалось впечатление, что на данном этапе он сам не сумел бы сказать, что на самом деле чувствует. Единственное, в чём не приходилось сомневаться, это в том, что со своими чувствами он борется, но борется безуспешно.

Когда Элизабет вышла по делам в кухню, Кларк тоже поднялся и, нагнав жену в коридоре, обнял за плечи и шепнул ей на ухо:

— Вот видишь, я же тебе говорил! Они просто друзья, так что ты волновалась совершенно напрасно.

«Как можно быть таким слепым и не видеть даже того, что творится у тебя под самым носом?» — подумала Элизабет, а вслух сказала:

— Почему ты так решил?

— Взгляни сама: Джо обращается с Кейт, как с младшей сестрой, — подшучивает над ней, дразнит...

— К сожалению, я так не думаю. По-моему, они влюблены друг в друга, — ответила Элизабет, убедившись, что гости не могут её слышать.

Сегодня у них собрались самые близкие друзья, и, насколько могла судить Элизабет, Джо произвёл на них весьма благоприятное впечатление. Но сейчас ей было глубоко наплевать, удался или не удался вечер. Куда больше Элизабет заботили намерения Джо в отношении её дочери.

— А ты нисколько не изменилась, любимая! Ты — такая же идеалистка и всё так же романтизируешь самые обычные вещи.

— К несчастью, нет. — Элизабет вздохнула. — Мне скоро шестьдесят, Кларк, я старая, ворчливая, циничная и к тому же боюсь до чёртиков... Я не хочу, чтобы он сделал больно нашей девочке, а он на это способен! Поверь мне, Джо может причинить Кейт страшную боль, а я не в силах это предотвратить.

— Ты преувеличиваешь, дорогая. Я не сомневаюсь, что Джо — настоящий джентльмен.

— А я в этом вовсе не уверена! К тому же от джентльменов тоже бывают дети. — Элизабет зябко повела плечами, хотя в доме было тепло. — Главное, что он мужчина, Кларк, — привлекательный, знаменитый, романтичный. Кажется, Кейт интересует его не меньше, чем она его, но в нём есть что-то такое... Он словно пережил какую-то трагедию, и рана, которая осталась у него в душе, до сих пор не закрылась. Ты заметил, что он избегает разговоров о своей семье, о своем детстве? Единственное, что он соизволил нам сообщить, это то, что его родители погибли, когда ему было полгода. Но что было потом?.. Одному богу известно, что ему пришлось пережить потом! Да и то, что он до сих пор не женат, — и даже никогда не был женат — по меньшей мере странно для тридцатилетнего мужчины.

Все это были вполне естественные вопросы; тысячи родителей, если только они нормальные, заботливые родители, задают их, прежде чем вручить свое единственное дитя незнакомому мужчине. Но Кларк по-прежнему считал, что Элизабет зря беспокоится.

— Должно быть, Джо был слишком занят, — сказал он. — Ему пришлось очень много работать, чтобы стать тем, кем он стал, — знаменитым летчиком, одним из лучших в стране. Немудрено, что ему было не до женитьбы.

Так ни до чего и не договорившись, Кларк и Элизабет вернулись в гостиную. Кейт и Джо сидели вместе в уголке; казалось, они были поглощены каким-то интересным разговором, но Элизабет достаточно было один раз взглянуть в их сторону, чтобы все ее подозрения тотчас вернулись. Материнское сердце трудно обмануть, а оно подсказывало: она не ошиблась. Ни Кейт, ни Джо, казалось, не замечали, что происходит вокруг. Судя по выражениям их лиц, по взглядам, по жестам, они были сейчас одни в целом свете, и Элизабет поняла, что опоздала. Ничего поправить было уже нельзя. Ей оставалось только молиться.

Глава 4

В пятницу после Дня благодарения Джо зашел за Кейт, так как они договорились провести вечер вместе. Они немного погуляли по парку Бостон-Гарден, попили чаю в «Ритце», и все это время Кейт развлекала Джо рассказами о том, как она ездила с родителями в Гонконг и Сингапур. Джо слушал внимательно, сам рассказывал о своих приключениях, шутил и смеялся вместе с ней. Любой, кому приходилось сталкиваться с ним, вряд ли узнал бы его сейчас. Джо казался совсем другим человеком: раскованным, разговорчивым и веселым. От его всегдашней замкнутости не осталось и следа, и Кейт только удивлялась про себя, что́ могло с ним случиться.

Ближе к вечеру они поужинали в ресторане, а потом Джо повел ее в кино. Показывали фильм «Гражданин Кейн», который обоим очень понравился. Была почти полночь, когда Джо наконец отвез ее домой.

— Спасибо, я прекрасно провела время, — сказала Кейт, прощаясь с ним у крыльца, и нечаянно зевнула. — Прости, ничего не могу с собой поделать.

Джо улыбнулся.

— Мне тоже было очень приятно увидеться с тобой.

Казалось, он хотел добавить что-то еще, но передумал, и Кейт, кивнув, поднялась на крыльцо. Закрыв за собой дверь, она повернулась и увидела мать, которая стояла на верхней площадке лестницы, ведущей на второй этаж. В руках у Элизабет была тонкая фарфоровая чашка, словно она собиралась в кухню, чтобы набрать воды на ночь.

— Ну, как погуляли? Весело было? — спросила Элизабет, стараясь выглядеть не слишком обеспокоенной.

На самом деле ей очень хотелось знать, что говорил Джо и не пытался ли он обнять или поцеловать Кейт. Однако, следуя примеру мужа, она решила ни о чем не расспрашивать дочь.

— О, мам, все было просто замечательно! — откликнулась Кейт.

На лице ее появилось мечтательное выражение — общество Джо бесконечно ей нравилось, и она жалела, что прогулка закончилась так скоро. Кейт даже не верилось, что сегодня она встречалась с ним всего в четвертый раз в жизни. Ей казалось, она уже давно и хорошо знает его, хотя в этом, наверное, были «виноваты» письма, которыми они обменивались. Благодаря им Джо стал ей ближе и понятнее, так что Кейт почти не ощущала двенадцатилетней разницы в возрасте. Больше того: по временам он казался ей совсем юным — такими искренними и порой наивными были его послания к ней.

— Ты встречаешься с ним завтра? — негромко спросила Элизабет.

Кейт могла бы солгать, но только кивнула в ответ.

— Надеюсь, он не собирается катать тебя на самолете?

— Конечно, нет! — выпалила Кейт, чувствуя, что краснеет. Впрочем, она почти не солгала. На протяжении всего сегодняшнего дня Джо даже не вспоминал о самолетах, что было для него по меньшей мере необычно. Кроме того, в воскресенье он должен был вернуться в Калифорнию, следовательно, времени на полеты у них все равно не оставалось.

Пожелав матери спокойной ночи, Кейт поднялась к себе в спальню. Ей многое нужно было обдумать и решить, и в первую очередь — как она относится к Джо. Возможно, это пока было не так уж и важно: ведь он до сих пор не сказал и не сделал ничего выходящего за рамки простой дружеской привязанности, — однако Кейт хотела разобраться в себе. Она по-прежнему не знала, влюблена ли она в Джо и влюблен ли он (ну хоть немножко!) в нее. Единственное, что было, кажется, очевидно для обоих, так это странное и невероятно сильное влечение, которое они испытывали друг к другу...

На следующее утро, когда Кейт направлялась в кухню, чтобы перекусить, в коридоре зазвонил телефон. На часах была половина восьмого, ее родители еще спали, и Кейт со всех ног бросилась к аппарату, чтобы звонок не разбудил их. Она не знала, кто может звонить в такую рань и зачем, и была несказанно удивлена, когда в трубке раздался голос Джо:

— Я тебя не разбудил?

Это был первый вопрос, который он задал, и в его голосе Кейт услышала и заботу, и любовь, и смущение, смешанное с облегчением. Очевидно, Джо боялся, как бы трубку не взяла ее мать, и заранее приготовился извиняться. Несомненно, у него был заготовлен и подходящий предлог, способный хотя бы частично оправдать столь ранний звонок, и Джо был рад, что ему не пришлось врать и выкручиваться.

— Нет, я уже встала, — ответила она. — Только еще не завтракала. А что?

Сегодня они собирались пообедать вдвоем, и Кейт решила, что Джо хочет сообщить, во сколько он за ней заедет. Правда, все равно оставалось непонятным, зачем он звонит так рано.

— Сегодня обещали отличную погоду, — сказал Джо. У него был такой голос, словно он что-то задумал. И действительно, после небольшой паузы он проговорил, смущаясь: — Знаешь, Кейт, я приготовил тебе сюрприз.

Кейт невольно улыбнулась: Джо был сейчас похож на мальчишку, которому подарили велосипед.

— Тогда, может быть, ты захватишь свой сюрприз с собой, когда приедешь? — предложила она.

Джо немного поколебался, прежде чем ответить.

— Знаешь, лучше я отвезу тебя туда, где этот сюрприз находится, — сказал он наконец. — Он слишком большой, и я сомневаюсь, что сумею доставить его к вашему дому, хотя... Хотя попробовать было бы интересно, — закончил он совсем другим, более твердым голосом. — Ну что, согласна?

Больше всего на свете ему хотелось, чтобы Кейт сказала «да». Для него это значило невероятно много. Сюрприз, который Джо приготовил для Кейт, был самым большим и единственным даром, какой он только был в состоянии ей преподнести.

Кейт вдруг подумала, что мама на ее месте сразу догадалась бы, о чем идет речь, но сама она по-прежнему терялась в догадках.

— Что ж, ты меня заинтриговал, — сказала она наконец, задумчиво проводя рукой по спутанным со сна волосам. — Когда же я увижу этот твой сюрприз?

После недолгих размышлений она решила, что Джо имеет в виду новый автомобиль. Чего она не могла понять, так это зачем ему понадобилось покупать машину здесь, если он по-прежнему живет в Калифорнии, однако слишком задумываться об этом не стоило. Несмотря на свою молодость, Кейт уже знала, что мужчины способны на самые нерациональные и необъяснимые поступки, если дело касается новой машины, нового спиннинга или новой пары горных лыж.

— Что, если я заеду за тобой через час? — предложил он. — Ты успеешь?

— Конечно.

Кейт была вовсе не прочь исчезнуть из дома до того, как встанут ее родители. Пожалуй, это был просто идеальный вариант, надо только оставить им записку, чтобы они знали — она уехала раньше, чем планировала. Иначе пришлось бы пускаться в долгие объяснения: ведь вчера она сказала матери, что собирается пообедать с Джо, а сейчас даже для завтрака было рановато.

— Я буду у тебя без четверти девять, — поспешно сказал Джо. — И еще, Кейт... оденься потеплее.

«Наверное, он хочет повезти меня куда-нибудь гулять», — догадалась Кейт и заверила Джо, что наденет все самое теплое, что у нее есть.

Через час она уже ждала его на крыльце. На ней было короткое пальто из бобрика, вязаная шапочка, юбка из клетчатой шотландки и шарф, который она носила, еще когда училась в школе. Он, правда, давно вышел из моды, но зато был очень теплым.

Джо приехал в такси.

— Ты выглядишь прелестно, — сказал он, с улыбкой разглядывая ее наряд. Сам он был в высоких замшевых мокасинах, шерстяных гетрах, клетчатых бриджах и короткой кожаной куртке на меху. — Тебе не будет холодно? — с беспокойством добавил он, и Кейт, улыбнувшись, покачала головой.

Джо усадил ее в такси и назвал водителю адрес. Кейт поняла, что они поедут за город, и спросила, что там находится.

— Увидишь, — коротко ответил Джо, и Кейт вдруг догадалась. Как это ей не пришло в голову, что Джо хочет показать ей свой самолет?!

Больше она ни о чем расспрашивать не стала, и всю дорогу они мило болтали о пустяках. Джо сказал, что еще никогда не проводил время так весело, как в прошедшие два дня, и что ему захотелось сделать для Кейт нечто особенное, прежде чем они снова надолго расстанутся. И по тому, как сияли его глаза, Кейт поняла: он готов поделиться с ней самым дорогим — своей любовью к небу, к авиации. Из его писем Кейт уже знала, что Джо ужасно гордится своим новым самолетом, который он сам спроектировал и построил на свои деньги лишь с небольшой помощью Чарльза Линдберга. Ей было только немного жаль, что с ними нет ее отца. Даже Элизабет, наверное, не нашла бы что возразить — ведь они ехали не летать, а только смотреть на самолет!

Через полчаса они прибыли в Энском-Филд — пригород Бостона, где находился небольшой частный аэродром, состоявший из нескольких ангаров, контрольной вышки и единственной взлетно-посадочной полосы. Когда машина остановилась у края летного поля, на посадку как раз заходил красный «Локхид-Вега», и Кейт невольно залюбовалась этим легкокрылым чудом.

Джо расплатился с таксистом и, взяв Кейт за руку, быстро повел к ближайшему ангару. Открыв боковую дверцу, он почти втолкнул ее внутрь, и Кейт ахнула от восхищения при виде небольшого, но очень изящного и пропорционального самолета. Джо с любовью похлопал ладонью по фюзеляжу.

— Вот он — мой небесный конь, — сказал он с гордостью и, открыв дверцу кабины, пригласил Кейт внутрь.

— Как здорово, Джо! — воскликнула Кейт, оказавшись в кабине.

Она, в общем-то, ничего не знала о самолетах, не представляла, как они устроены, и поднималась в воздух только однажды — когда летела с родителями в Сингапур. Тем не менее одного взгляда на внутренности кабины оказалось достаточно, чтобы Кейт испытала прилив волнения и восторга. Ведь это был не обычный самолет — Джо построил его своими собственными руками, и поэтому он казался Кейт особенно красивым.

Больше получаса Джо показывал ей приборы и рукоятки управления, объяснял, что и как устроено и для чего необходимо. Обычно, имея дело с новичками, он избегал пускаться в подробности, но Кейт схватывала все объяснения буквально на лету, испытывая при этом явное удовольствие. Она жадно впитывала каждое слово, переспрашивала, если что-то оказывалось непонятным, а главное — запоминала почти все, что он говорил. Она сделала только одну ошибку, перепутав два очень похожих циферблата, но Джо знал, что многие молодые летчики не могут запомнить их даже после месячного курса обучения, так что ее промах был вполне простителен.

Пока Джо рассказывал Кейт об устройстве самолета, его посетило странное чувство, будто в стенах, которыми он привык окружать себя, открываются все новые окна и двери. И сквозь них ему виделась другая, новая жизнь, которую он никогда не считал для себя возможной, ибо слишком хорошо знал особенности своего характера. Теперь же он чувствовал, что готов разделить с Кейт эту замечательную жизнь, и, как ни странно, мысль об этом вовсе не казалась ему пугающей.

Прошло не меньше часа, прежде чем Джо решился спросить Кейт, не хочет ли она подняться с ним в воздух хотя бы на несколько минут. Он был уверен, что Кейт понравится ощущение, которое испытывает каждый человек — даже пассажир, — когда самолет отрывается от земли и начинает набирать высоту. И действительно, Кейт ни секунды не колебалась.

— Сейчас? — только и спросила она.

В ее глазах не было никаких признаков тревоги или страха — только любопытство, возбуждение и восторг. Она понимала, что с его стороны это самый дорогой дар, на какой он только способен. Кроме того, Кейт уловила происшедшую с ним перемену. Стоило Джо оказаться возле своего аэроплана, как он начал держаться увереннее. Кейт вдруг снова показалось, что он похож на готовую взлететь птицу, и удерживать его на земле с ее стороны было бы просто жестоко.

— Мне бы очень хотелось, Джо, — сказала она, — но... разве это можно?

— Почему нет?

Джо пожал плечами, и глаза его вспыхнули таким счастьем, что Кейт невольно зажмурилась. Все запреты и предупреждения Элизабет были ею тут же забыты — сейчас для нее существовало только одно...

— Тогда — летим, — твердо сказала она, и Джо тут же отправился на контрольную вышку, чтобы получить разрешение на вылет. Через несколько минут он вернулся и улыбнулся Кейт такой широкой улыбкой, какой она у него никогда прежде не видела.

— Летим! — крикнул он, широко разводя руки в стороны, словно хотел обнять и ангар, и самолет, и ее самое.

Самолет Джо был всего-навсего двухместным, в его кабине могли поместиться только пилот и штурман — или пассажир. Однако по своим техническим характеристикам он превосходил многие стандартные модели того же класса, к тому же его дальность полета была весьма внушительной. Всего этого Кейт, конечно, не знала, однако ей было достаточно общего впечатления, которое произвел на нее самолет. Он выглядел очень гармоничным и пропорциональным, Кейт даже подумала, что в Джо погиб талантливый художник. На ее взгляд, только Леонардо мог бы создать столь совершенную конструкцию.

Кейт совсем не испугалась, когда Джо легко запустил двигатель и медленно выехал из просторного ангара на рулежную дорожку. Он так подробно объяснял ей, что́ и зачем делает, что у Кейт даже появилось ощущение, будто она управляет самолетом вместе с ним.

Джо собирался подняться в воздух всего на несколько минут, чтобы Кейт успела испытать ощущение полета, но когда шасси оторвалось от земли, Джо внезапно подумал о том, что́ прежде не приходило ему в голову.

— Послушай, Кейт, ты случайно не подвержена «морской болезни»? — спросил он.

Кейт рассмеялась в ответ, и у Джо сразу отлегло от сердца. Он с самого начала знал, что такая замечательная девушка не должна бояться ни морской качки, ни воздушных ям. И иначе просто не могло быть, потому что, если бы она боялась летать, это бы все испортило.

— Нет, Джо, меня никогда не тошнит, — сказала она. — А что, ты собираешься совершить несколько фигур высшего пилотажа?

В ее голосе ему почудилось радостное предвкушение и восторг, и Джо рассмеялся. Еще никогда их душевная близость не представала перед ним с такой очевидной ясностью.

— Вообще-то, нет. Думаю, мы попробуем «бочку» и «иммельман» в следующий раз, — ответил он, пока самолет набирал высоту.

В первые несколько минут полета Кейт и Джо беспечно болтали, но вскоре оба погрузились в молчание. Прислушиваясь к негромкому рокоту двигателя, Кейт во все глаза смотрела по сторонам, но время от времени поглядывала на Джо. В эти минуты он выглядел именно таким, каким Кейт всегда его представляла, — спокойным, уверенным, гордым, сильным и властным. Он повелевал машиной, которую сам построил, и казался настоящим хозяином бескрайних голубых пространств, в которые они поднялись. Еще никогда Кейт не встречала человека, который бы казался ей столь могущественным; Джо был волшебником, почти богом, властвующим над небесами вокруг. Он был рожден, чтобы повелевать облаками, ветрами и воздушными течениями, и Кейт не сомневалась, что никакой другой человек — даже сам Чарльз Линдберг — не может делать это лучше, чем он. Если раньше ее просто влекло к Джо, то теперь — с той самой минуты, когда самолет оторвался от твердой земли, — он стал для нее неотразимым. И иначе, наверное, просто не могло быть. В Джо воплотилось все, о чем она мечтала и чем восхищалась. Сила, свобода, радость — наверное, все это было в нем всегда, но только теперь Кейт сумела ясно увидеть это. Если прежде Джо напоминал ей большую неуклюжую птицу, вынужденную ходить по земле, то теперь он расправил крылья и взлетел над заснеженными полями и перелесками, словно могучий орел — полновластный владыка воздушного океана. Ощущение было непередаваемым, и единственное, чего хотелось Кейт, когда они наконец приземлились в искристом облаке взметенных пропеллерами снежинок, это снова взмыть с Джо в морозную голубизну. Еще никогда Кейт не чувствовала себя такой счастливой, а невидимая связь между ней и Джо стала еще крепче, чем прежде.

— Боже мой, Джо, это было... великолепно. Спасибо! — воскликнула она, когда Джо загнал самолет в ангар и выключил двигатель.

Кейт понимала, что он поделился с ней самым дорогим, и совместный полет стал для обоих чем-то вроде языческого ритуала братания. А может, и чего-то большего, чем братания?.. Кейт не раз слышала выражение «браки заключаются на небесах», но ей и в голову не приходило воспринимать его так буквально.

Джо повернулся к ней, и лицо его выражало странную умиротворенность.

— Я очень рад, что тебе понравилось.

Он вдруг подумал, что, если б было иначе, его постигло бы глубокое разочарование. Но, к счастью, Кейт оправдала все его надежды. Больше, чем оправдала! И теперь Джо казалось, что последние разделявшие их барьеры исчезли, унесенные в небытие потоками воздуха от винтов его машины.

— Мне не просто понравилось, Джо. Мне... я... — Кейт на мгновение задумалась, подыскивая подходящие слова, чтобы выразить все, что творилось в ее душе. — Я в восторге. В самом настоящем восторге, — закончила она торжественно.

— Хочешь, я научу тебя водить самолет? — негромко спросил Джо.

— Конечно, хочу! — воскликнула Кейт, и в ее ясных голубых глазах заплясали озорные искры. — Спасибо... Только ничего не говори маме: она меня убьет. Или тебя. А скорее всего — нас обоих. Я обещала ей, что не буду летать.

Но ей уже было ясно, что сдержать свое обещание она не сможет. Кейт уже не в силах была отказаться от того, что только что пережила. И дело было не только в новом и прекрасном ощущении полета. Главное, она увидела Джо в его «естественной среде» и поняла, что он действительно самый удивительный человек, каких она когда-либо встречала. Удивительный, уникальный, единственный в своем роде. Во всем мире не было другого такого. Ее восхищало его мастерство, его неповторимый стиль, его уверенность, его... Кейт было трудно сформулировать. И, уж конечно, она не знала, что именно это качество так поразило Чарльза Линдберга, когда он впервые увидел Джо за штурвалом. У него была душа летчика. Или, вернее, душа птицы, потому что летчиками все-таки становятся, а птицами — рождаются. И не какой-нибудь птицы, а орла — самой могучей, самой быстрой, самой красивой птицы, какую только создала природа.

— Из тебя выйдет отличный второй пилот, Кейт, — сказал Джо, помогая ей отстегнуть ремни. — Когда у меня будет свободное время, я обязательно научу тебя водить самолет. Это очень просто.

И Кейт кивнула. Сейчас ей казалось, что это действительно очень легко и просто, — особенно если *он* рядом. Джо был не только талантливым летчиком; самые сложные вещи он умел объяснить так, что они сразу становились понятными и легко запоминались.

— Жаль, что мы не можем провести здесь весь день, — сказала Кейт, когда Джо помог ей спуститься на землю по короткой металлической лесенке.

— Мне тоже жаль. Но твоя мать снимет с меня скальп, если только заподозрит, что́ мы с тобой тут делали. На самом деле летать гораздо безопаснее, чем ездить в автомобиле, но, боюсь, миссис Джемисон со мной не согласится.

Потом они вернулись в город, и Джо повел ее обедать в «Юнион Ойстерхауз». Даже за столом Кейт продолжала говорить только о полете, о своих переживаниях и о том, как красив его самолет. Она понимала, что летать с Джо — это лучший способ узнать его как следует, тем более что, оказавшись внизу, он снова замкнулся, стал неразговорчивым и неловким, в очередной раз напомнив Кейт птицу, которой привычнее парить в небе, чем ходить по земле. Вне кабины своего самолета Джо был совсем другим человеком, но Кейт уже однажды увидела его настоящего, и теперь ей было легче разглядеть в нем то, что прежде она только угадывала.

Впрочем, вскоре Джо успокоился и расслабился. Кейт удалось разговорить его, и Джо снова стал похож на самого себя. Он искренне рассмеялся, когда она рассказывала ему всякие забавные случаи из своей жизни в колледже, и Кейт подумала, что теперь они будут лучше понимать друг друга. В самом деле, все, что прежде казалось ей необычным и странным, получило теперь свое объяснение. Хотя Джо вовсе не сделался от этого менее загадочным.

Этот последний день, который они провели вместе, пролетел, промелькнул как одно мгновение. После обеда они вернулись домой к Кейт и некоторое время сидели в библиотеке. Кейт достала карты, и Джо научил ее играть в «Поймай десятку». Сначала у Кейт ничего не получалось, но под конец ей дважды удалось обыграть его, и каждый раз она хлопала в ладоши и радовалась, как ребенок.

Вечером Джо, почтительно испросив разрешение у Кларка и Элизабет, повел Кейт ужинать в дорогой ресторан. Это было достойное завершение праздничного уик-энда, и она чувствовала себя совершенно счастливой. Но всему на свете приходит конец. Поздно вечером Джо снова привез ее домой, и они долго стояли на крыльце, не в силах расстаться. Ни Джо, ни Кейт не знали, когда они увидятся в следующий раз. Джо планировал вернуться в Нью-Йорк к Рождеству, но сказать наверняка не мог: у них с Чарльзом было еще много работы по испытаниям нового авиационного двигателя. Никто пока не мог предвидеть, как поведет себя новый мотор, и Джо знал, что ему вряд ли удастся вырваться хотя бы на пару дней. Просить же Кейт навестить его в Калифорнии он не осмеливался: родители вряд ли бы ее отпустили.

— Береги себя, — сказал Джо.

Им снова овладела уже знакомая Кейт скованность; даже в эти последние минуты вдвоем он смотрел не на нее, а на свои ботинки. Ей даже захотелось взять его за подбородок и заставить поднять голову, но она знала, что, если подождать немного, он преодолеет себя и снова поглядит ей в глаза.

Так и случилось

— Береги себя, Кейт, — повторил Джо громко и внятно и посмотрел на нее. — Я не знаю, когда мы увидимся, но мы увидимся обязательно. Я приеду, как только смогу.

— До свидания, — ответила она тихо. — И... спасибо, что взял меня полетать. — Это была их тайна, которая объединяла их, словно двух заговорщиков. — Счастливого полета, Джо. Кстати, сколько часов лететь до Калифорнии?

— Часов восемнадцать-двадцать, — ответил он. — Все будет зависеть от погоды. Над Средним Западом висит циклон, так что мне, скорее всего, придется отклониться далеко на юг, чтобы обогнуть его. Хочешь, я позвоню, когда доберусь до места?

— Очень хочу, — прошептала Кейт.

Она заглянула ему в глаза, пытаясь прочесть в них, чувствует ли он к ней что-нибудь, кроме дружеской привязанности. Ей по-прежнему было непонятно, что заставило Джо приехать к ней в Бостон: он ничем не выдал себя. Порой Джо держался с ней покровительственно, почти по-отечески, и все же Кейт ощущала в нем что-то еще — что-то могучее и слишком таинственное, чтобы в этом можно было разобраться. Она даже не была уверена, действительно ли оно существует, это загадочное и влекущее нечто, или же просто воображение сыграло с ней злую шутку.

— Я буду тебе писать, — пообещала она, и Джо кивнул.

Ему нравилось получать ее письма — он читал их как захватывающий роман с продолжением, над которым и грустил, и смеялся.

— Я постараюсь приехать после Рождества, но у нас с Чарльзом очень много дел, — проговорил Джо, сокрушенно качая головой, и Кейт вдруг захотелось сказать ему, что она приедет к нему сама, но ей не хватило смелости. Она знала, что отец и мать будут возражать, — Элизабет и так уже беспокоилась из-за того, что Кейт провела с Джо практически все праздники. Они оба это заметили, и никому из них не хотелось лишний раз испытывать ее терпение.

— Будь осторожен, Джо, летай аккуратно, — озабоченно сказала Кейт.

Джо почувствовал себя тронутым.

— И ты будь осторожна и смотри, чтобы тебя не выгнали из колледжа, — шутливо ответил он, и Кейт рассмеялась. А еще через минуту Джо неловко похлопал ее по плечу и, круто повернувшись, почти побежал к калитке. Он как будто старался поскорее оказаться подальше от нее, чтобы ненароком не сказать или не сделать что-то, что могло бы оскорбить или оттолкнуть ее. Лишь на улице Джо остановился и махнул ей рукой уже из-за калитки, а потом быстро пошел вдоль тротуара.

Кейт тоже помахала ему на прощание и, не переставая улыбаться, вошла в дом. Не спеша поднимаясь к себе на второй этаж, она думала о том, какими удивительными были три прошедших дня. За это время они с Джо научились делиться друг с другом душевным теплом, которое должно было помочь обоим легче перенести предстоящую разлуку. И — главное — Джо подарил ей самое настоящее чудо, когда взял с собой в небо. Одного этого было достаточно, чтобы сделать Кейт счастливой, и ей даже стало казаться, что встреча с Джо была самой большой удачей в ее жизни. «Когда-нибудь, — решила она, — я расскажу о нем своим детям, чтобы и они знали, какой это удивительный человек».

При этом Кейт даже не пришло в голову, что ее дети могут оказаться и *его* детьми. Она была не глупа и видела, что жизнь

Джо уже заполнена до краев — заполнена самолетами, испытаниями, небом. Вряд ли в ней нашлось бы место для женщины, не говоря уже о жене и детях. Все это Джо довольно недвусмысленно дал ей понять, еще когда они встретились на барбекю на мысе Код, а за прошедшие дни Кейт снова в этом убедилась. Порой ей казалось, что все окружающие Джо люди — не только женщины — являются добровольной жертвой, которую он готов принести на алтарь своей любви к самолетам и авиации. На все остальное у него просто не было времени — он сам не раз повторял это, и Кейт видела, что Джо нисколько не преувеличивает. И в то же время в глубине души она не могла этого принять. «Как можно отказаться от семьи и детей ради самолетов?! — недоумевала она. — Как можно променять одно на другое?» Впрочем, спорить с ним она не собиралась. В конце концов, ее это никоим образом не затрагивало, и Кейт оставалось только соглашаться с тем, что говорил Джо. Она давно решила, что какие бы чувства она ни испытывала к нему — или только воображала, что испытывает, — все это только иллюзия, самообман, красивая мечта и не более того.

На следующий день было воскресенье, и вечером Кейт предстояло возвращаться в колледж. Весь день она ждала, что мать что-то скажет по поводу Джо, но Элизабет молчала, и Кейт восприняла это как дурной знак. Ей было невдомек, что мать решила последовать совету Кларка — подождать и посмотреть, как станут развиваться события. В конце концов, может быть, это действительно просто не совсем обычная дружба между взрослым мужчиной и восемнадцатилетней девушкой, и Джо больше не будет преследовать их дочь... Элизабет очень на это надеялась, однако выдавать желаемое за действительное было не в ее характере, и убедить себя до конца ей так и не удалось.

Сразу по возвращении в колледж Кейт начала ощущать странное беспокойство. Она буквально места себе не находила, хотя даже себе не могла бы объяснить, в чем дело. Одна за другой возвращались и другие девушки, и каждая спешила рассказать подругам о том, как она провела праздничный уикэнд. Одна девушка даже побывала во Флориде со своим женихом (и с его мамой, что здорово подпортило влюбленной парочке удовольствие). Кейт весело болтала со всеми, но ни словом не обмолвилась ни о Джо, ни о его неожиданном приезде. Ей было бы очень трудно объяснить подругам, что за отношения их связывают, к тому же никто из них все равно бы не поверил, что она не влюблена в Джо по уши. По правде сказать, Кейт и самой не очень в это верилось, и все же на прямой вопрос одной из подруг, что за мужчина звонил ей накануне праздников, она ответила, что это ее старый друг.

— Просто друг? — продолжала допытываться та.

— Да, просто друг. Он приезжал в Бостон на выходные, а вообще-то он живет и работает в Калифорнии.

— По телефону у него был очень мужественный голос, — вздохнула подруга, и Кейт кивнула: она была вполне с ней согласна.

— Я тебя с ним непременно познакомлю, когда он приедет в Бостон еще раз, — сказала она таким тоном, который яснее ясного говорил: «И не надейся». Подруга в ответ фыркнула, и они разошлись по комнатам — готовиться к завтрашним занятиям.

Джо позвонил Кейт на следующий день утром. Он сказал, что приземлился полчаса назад и что полет прошел более или менее нормально. Когда Кейт захотела узнать подробности, Джо нехотя рассказал, что плохая погода преследовала его на всем протяжении маршрута. Два раза он пробивался сквозь буран, а из-за ураганного ветра над Вайнокой в Оклахоме ему даже пришлось приземлиться и ждать, пока буря немного уляжется. Его голос звучал как-то невыразительно, словно Джо смертельно устал, и Кейт быстро подсчитала, что на перелет у него ушло больше двадцати четырех часов.

— Спасибо, что позвонил, — поспешно сказала Кейт.

Она решила, что с его стороны это настоящий подвиг: ведь он наверняка валится с ног от усталости. Вряд ли Джо сделал это из простой любезности. Быть может, он все-таки думал о ней и не хотел, чтобы она слишком волновалась?..

Следующие слова Джо подтвердили ее догадку:

— Я просто хотел сказать, что у меня все в порядке. Как дела в колледже?

— Все нормально, — ответила Кейт.

Она уже успела соскучиться по Джо, и это ощущение — совершенно иррациональное и необъяснимое — начинало ее раздражать. Ведь он не сказал и не сделал ничего такого, что могло разбудить в ней определенного рода надежды! Так что же с ней тогда творится? Неужели она все-таки немного влюб лена в него?.. Впрочем, в любом случае, это чувство не имело ничего общего с тем, о чем постоянно шептались другие девушки. С тем же успехом Кейт могла влюбиться в губернатора штата, в президента или в любого другого человека, который благодаря своему положению останется для нее недосягаем.

— Скорее бы уж Рождество! — вздохнула она, удачно притворившись, будто ее волнение вызвано предвкушением каникул, а вовсе не тем, что перед Рождеством Джо должен был вернуться на Восточное побережье. Правда, он предупреждал ее, что может застрять в Калифорнии до февраля, но Кейт надеялась, что этого не случится. Ей слишком дорога была мысль, что спустя какой-нибудь месяц Джо будет совсем рядом, в Нью-Йорке, до которого можно легко добраться на поезде. Интересно только, отпустят ли ее родители? Быть может, и отпустят, если она поедет не одна, а с подругой... «Кажется, — припомнила Кейт, — в Нью-Йорке живет Хэти Боумен с третьего этажа...»

Впрочем, с Джо своими планами она делиться не стала. Инстинктивно Кейт чувствовала, что может его испугать, и тогда... Что будет тогда, она не знала, но проверять ей не хотелось.

— Ладно, Кейт, я еще позвоню тебе через пару дней, — сказал Джо, и она снова уловила в его голосе усталые нотки. Должно быть, после двадцатичетырехчасового полета через всю страну он смертельно хотел спать.

— Послушай, это ведь, наверное, ужасно дорого! — внезапно встревожилась Кейт. — Может, лучше будем переписываться, как раньше?

— Ну, время от времени я могу тебе звонить, — великодушно ответил он. — Если, разумеется, ты не против.

Теперь в его голосе Кейт уловила новые интонации. Джо явно внутренне собрался, словно готовясь к новому полету, и она вдруг поняла — почему. Предложение звонить ей было для Джо новым большим шагом вперед, и он боялся, что она почему-либо откажется.

— Наоборот, мне будет очень приятно, — поспешила она успокоить его. — Просто я боюсь, что эти звонки обойдутся тебе в целое состояние.

— Об этом не беспокойся, — несколько грубовато отозвался он.

Звонить Кейт из Калифорнии было все же дешевле, чем угощать ее первоклассными обедами. Не желая ударить лицом в грязь, Джо водил ее по самым дорогим бостонским ресторанам, хотя сам бывал в них крайне редко. Так редко, что уже не мог припомнить, когда в последний раз сидел за столиком, накрытым хрустящей полотняной скатертью и заставленным полированными серебряными приборами. Даже рекордный перелет Чарльза Линдберга через Тихий океан они отмечали прямо на взлетной полосе, в наскоро натянутой парусиновой палатке. Для него не имело значения, где он ест и что́ он ест, к тому же все свои деньги — до последнего пенни — Джо вкладывал в разработку и строительство новых авиационных моторов и самолетов. Лишь ради Кейт он сделал исключение — ему хотелось доставить ей удовольствие, ибо, по его мнению, она этого вполне заслуживала.

— Кейт, я хотел сказать тебе...

Его голос прозвучал неожиданно хрипло. Джо и сам не знал, как у него вырвались эти слова. Кейт на другом конце линии ждала продолжения, но он молчал. Казалось, оба затаили дыхание, готовые к чему-то очень важному — такому, что перевернет, изменит их жизни раз и навсегда...

Но главные слова так и не прозвучали. Справившись с собой, Джо проговорил своим обычным голосом:

— Значит, ты согласна и дальше мне писать? Мне очень нравятся твои письма.

Кейт вздохнула, стараясь справиться с разочарованием.

— Конечно, согласна, — сказала она. — Правда, на будущей неделе у меня начнутся экзамены, но я все равно постараюсь писать тебе как можно чаще.

— У меня тоже будет что-то вроде экзамена! — рассмеялся Джо. На будущей неделе у него начиналась серия испытательных полетов, довольно опасных и сложных, но Джо хотелось непременно провести их самому. Впрочем, он решил, что подробности Кейт знать не обязательно. — Я хотел сказать, что буду очень занят. И все же я попробую выбрать минутку, чтобы позвонить тебе.

Потом он повесил трубку, а Кейт отправилась в свою комнату и сразу же засела за письменную работу, поклявшись себе, что не будет думать о Джо слишком много. И все же одна мысль не давала ей покоя. Родители собирались устроить прием в честь ее восемнадцатилетия, а она ни слова не сказала об этом Джо. Праздник, — а точнее, первый бал, после которого она будет официально признана совершеннолетней, — должен был состояться в «Копли Плаза» перед самым Рождеством. Правда, Кларк и Элизабет не могли устроить такой же роскошный прием, как тот, где она познакомилась с Джо, и все же был задуман большой праздник, который Кейт уже на правах взрослой предстояло открыть, пройдясь в котильоне с каким-нибудь «молодым человеком из хорошей семьи». Даже платье — узкое белое платье с атласным лифом и пышной отрезной юбкой из тончайшего газа — было давно готово и ждало своего часа. Подражая балеринам с картины Дега, Кейт собиралась собрать волосы в низкий пучок, а на шею надеть нитку настоящего японского жемчуга, которую отец подарил ей после поездки в Гонконг.

Словом, большинство проблем было уже решено, однако главный вопрос оставался открытым. Кейт очень хотелось пригласить Джо на свой первый бал, но она не осмеливалась заговорить об этом с матерью: у Элизабет, несомненно, было на этот счет свое мнение. С другой стороны, Кейт вовсе не была уверена, что Джо сумеет вернуться в Нью-Йорк до Рождества, однако она собиралась по крайней мере спросить его об этом и надеялась, что он что-нибудь придумает. Впрочем, время у нее было: до бала оставалось еще около трех недель.

Размышляя над всеми этими вопросами, Кейт совсем позабыла о том, что на противоположной стороне земного шара бушует война. Именно она спутала ей все карты. Когда неделю спустя Кейт разговаривала по телефону с матерью, обсуждая детали предстоящего праздника, она вдруг заметила в вестибюле одну из однокурсниц, которая быстро бежала по проходу. Лицо девушки было мокрым от слез, и Кейт сразу подумала, что у нее, очевидно, что-то случилось — может быть, умер кто-то из близких. Девушка что-то выкрикивала, но Кейт не могла разобрать — что именно, поскольку Элизабет как раз зачитывала ей список легких закусок, которые должны были подать на празднике.

— Что ты сказала, мама? — переспросила она и невольно поморщилась — в вестибюле появилась группа девушек, которые что-то быстро и возбужденно говорили друг другу, и поднялся невероятный шум.

— Я сказала... Что?! — Голос Элизабет внезапно прозвучал совсем тихо, словно она отвернулась от трубки аппарата. — Что ты говоришь, Кларк?..

Кейт слышала на заднем плане голос отца, сказавшего что-то неразборчивое, потом Элизабет неожиданно вскрикнула.

— Что случилось? Что-нибудь с папой?! — в тревоге закричала Кейт. — Что ты молчишь, мама?!

Ее сердце заколотилось часто-часто, а ладони вдруг стали мокрыми. На несколько ужасных мгновений Кейт как будто вернулась в тот день, когда мать сказала ей о смерти отца. Стараясь справиться с собой, Кейт отняла трубку от уха и, оглядевшись по сторонам, заметила, что многие девушки в вестибюле плачут. Только тут до нее дошло, что Кларк ни при чем, однако почти мгновенно Кейт поняла — случилось что-то еще более страшное.

— Что случилось, мама?! — снова крикнула она в трубку. — Скажи же мне!

— Твой отец только что слышал по радио... — Элизабет всхлипнула. Она явно была потрясена, растеряна, напугана; впрочем, как потом узнала Кейт, переданное по радио сообщение повергло в шок всю нацию. — Япония... Полчаса назад японцы бомбили Перл-Харбор и потопили много американских кораблей. Убито несколько тысяч наших моряков... Господи, как это ужасно!

— Перл-Харбор?..

Кейт в растерянности огляделась. В вестибюле, где она стояла, собралось уже больше двух десятков девушек, а наверху хлопали новые и новые двери — другие студентки тоже спешили вниз. И из всех комнат доносился звук работающих радиоприемников. Станции были разные, но все дикторы повторяли одни и те же слова: Перл-Харбор, катастрофа, национальный позор, война. Их заглушали громкие всхлипывания и уже не сдерживаемые рыдания — большинство студенток поняли, что их отцы, братья и возлюбленные подвергаются смертельной опасности. После столь коварного нападения Соединенные Штаты уже не могли не вступить в войну, несмотря на все предыдущие обещания и заверения властей предержащих. Япония бросила Америке вызов, и правительство просто обязано было предпринять ответные шаги.

Еще раз убедившись, что с матерью и с отцом все в порядке, Кейт быстро попрощалась и поспешила присоединиться к подругам, чтобы узнать новые подробности трагедии. Девушки собрались в холле общежития. Здесь были почти все, кто жил в этом корпусе. Кто-то принес приемник, и студентки слушали новости в молчании, время от времени прерываемом глухими рыданиями. Кейт знала, что в одной из верхних комнат живут две японки, учившиеся на последнем курсе колледжа, однако сейчас их не было видно. Одному богу было известно, что́ они чувствовали в эти минуты. Кейт, во всяком случае, не испытывала к ним никакой враждебности — только жалость и сочувствие.

Лишь поздно вечером Кейт снова позвонила матери. Весь день она слушала радио, и на душе у нее было тяжело. Спокойной и безопасной жизни пришел конец. Кейт, правда, сомневалась, что японцы начнут бомбить территорию США, как немцы бомбили Лондон, но дело было не в этом. Больше всего ее тревожила опасность, которая грозила всем мужчинам призывного возраста. «Не пройдет и недели, — думала она, — как они отправятся на войну. И только бог знает, скольким из них суждено вернуться назад...»

Элизабет, к счастью, говорила почти спокойно — во всяком случае, она определенно сумела взять себя в руки. Как и Кейт, она отлично понимала, что молодым мужчинам и юношам по всей стране придется с оружием в руках защищать свою родину, и втихомолку благодарила бога за то, что у нее нет сына и что Кларку уже давно минуло шестьдесят. Они с Кейт поделились новостями. Никто не сомневался, что японцы попытаются напасть снова, причем на этот раз объектом атаки скорее всего станет калифорнийское побережье.

По радио сообщалось, что для организации обороны и защиты городов на Западном побережье уже делается все возможное. В срочном порядке возводились бомбоубежища, развертывались мобильные госпитали, проводилась мобилизация добровольцев в отряды береговой охраны. Кейт предположила, что все это — просто проявление паники, и Элизабет согласилась с ней. Она сказала, что даже в Бостоне люди напуганы, растеряны и не знают, что предпринять. Элизабет просила дочь немедленно вернуться домой, и Кейт пообещала, что приедет в ближайшее время, но хочет дождаться, пока администрация колледжа распустит их официально. На самом деле она не могла просто так взять и уехать — это было бы слишком похоже на бегство, и Кейт было стыдно перед другими девушками.

Как и следовало ожидать, уже на следующий день им объявили, что в этом триместре занятий больше не будет и что всем им следует отправляться по домам по крайней мере до конца рождественских каникул. Это было именно то, о чем думали все студентки, — каждой из них хотелось поскорее вернуться к родным, к семье. Не тратя времени даром, Кейт сразу отправилась в общежитие, чтобы собрать вещи. Здесь ее и застал звонок Джо.

Ему потребовалось несколько часов, чтобы дозвониться, — все линии, соединяющие Калифорнию с Восточным побережьем, были заняты, да и по телефону в общежитии все время кто-нибудь говорил. К этому времени Соединенные Штаты уже объявили войну Японии, а Япония объявила войну Соединенным Штатам, после чего ей, в свою очередь, объявила войну Великобритания.

— Ну что, Кейт, не очень хорошие новости? — Джо старался говорить бодро, чтобы лишний раз не пугать Кейт, и она, поняв это, была ему благодарна.

— Ужасные! — ответила Кейт, чувствуя, как на сердце у нее полегчало, едва она услышала в трубке его голос. — Как там у вас?

Из Калифорнии до Гонолулу было рукой подать, и Кейт хотелось знать правду, не приукрашенную газетчиками и радиорепортерами.

— Все в тихой панике, как назвал это один остряк, — ответил Джо. — Никто не хочет признаваться, что дела плохи, но люди напуганы, и я их понимаю. Вряд ли даже самые умные наши генералы способны предсказать, что предпримут япошки. Поговаривают, что всех японцев, проживающих в западных штатах, следует интернировать, то есть, попросту говоря, посадить за колючую проволоку. Страшно подумать, что может случиться, если это решение все же будет принято! Ведь у многих из них в Калифорнии дома, работа, бизнес... Вряд ли они так легко от них откажутся.

— А как насчет тебя? — с беспокойством спросила Кейт.

Она хорошо помнила, что Джо уже несколько раз ездил в Англию в качестве военного советника Королевских ВВС, поэтому ей было очень легко представить, что будет дальше. После того как США ввяжутся в войну в Европе, Джо, скорее всего, снова отправится туда. Если же нет, то он почти наверняка примет участие в войне с Японией. Словом, в любом случае Джо окажется там, где идет война и где летают на самолетах. Кейт прекрасно понимала, что именно такой человек, как Джо Олбрайт, был нужен стране в эти дни.

— Завтра я вылетаю в Вашингтон за предписанием военного министерства и дальше буду действовать в соответствии с приказом, — ответил Джо. — Не знаю, сколько у меня будет времени, но я постараюсь заскочить в Бостон, чтобы повидаться с тобой. Если же не получится... — Он не договорил, понимая, что вряд ли у него будет больше двадцати четырех часов. А может, и этого не будет...

— Я могла бы приехать в Вашингтон, чтобы попрощаться с тобой, — храбро предложила Кейт.

Ей вдруг стало все равно, что подумают или скажут ее родители. Она просто *должна* была увидеть Джо. Должна, потому что этот раз мог оказаться последним.

— Ничего не предпринимай, пока я не позвоню, — ответил Джо. — Если повезет, я на несколько дней задержусь в Нью-Йорке. Все будет зависеть от того, что мне скажут в Вашингтоне. Мне кажется, что прежде, чем отправить меня в Англию, меня еще помаринуют здесь.

— В Англию? — переспросила Кейт, борясь с подступающей паникой.

— По мне, так лучше немцы, чем японцы, — беспечно отозвался Джо, хотя еще сегодня утром, разговаривая с высоким чином из военного министерства, он сказал, что поедет туда, куда его сочтут нужным направить.

— Как бы мне хотелось, чтобы тебе вовсе не нужно было никуда ехать, — печально вздохнула Кейт.

Впрочем, в эти минуты Кейт думала не только о Джо, но и о всех молодых людях, которых она знала, с кем вместе росла и ходила в школу, а также об их женах, невестах, возлюбленных. Всех их ожидала одна и та же долгая разлука, которая могла оказаться вечной. Особенно жаль Кейт было тех ее подруг, которые успели выйти замуж и родить. Их счастье могло быть разрушено в любой день и в любой час начавшейся войны, которая, как Кейт подозревала, будет достаточно долгой. И от этого факта нельзя было отмахнуться, сделать вид, будто все осталось как прежде. Не только жизнь отдельных людей, но и жизнь целой страны изменилась, когда на Перл-Харбор упала первая бомба, а ведь это было лишь начало — страшное начало, наложившее свой отпечаток буквально на все. Порой Кейт казалось, будто в воздухе повисла какая-то плотная дымка; люди как будто разучились смеяться и только шептались по углам или плакали. Все боялись повторения гавайского кошмара; ходили слухи, что германские подводные лодки могут атаковать даже Восточное побережье, и многие семьи уезжали в глубь страны — туда, где было не так опасно.

— Не волнуйся, я думаю, у нас все получится, — постарался

успокоить ее Джо. — Кстати, скажи, где тебя искать — в колледже или дома?

— Сегодня вечером я уезжаю домой. Нас распустили до конца рождественских каникул, — ответила она, подумав, что в этом году Рождественские праздники будут совсем не праздничными.

— Я вылетаю в Вашингтон через пару часов. Если, конечно, погода позволит, — сказал Джо. — Не хочется бросать дела, но ничего не попишешь.

Кейт его прекрасно понимала: не он один был в подобном положении — вся страна бросала повседневные дела и заботы и перестраивалась на военный лад.

— А какая у вас сейчас погода? — полюбопытствовала Кейт. Ее любопытство, впрочем, было далеко не праздным, и Джо, почувствовав это, испытал сильное желание как-то успокоить ее, но солгать у него язык не повернулся.

— У нас гроза, — спокойно сообщил он. — Но прогноз обещает «ясно» в самое ближайшее время. И по всему маршруту, насколько мне известно, погода стоит хорошая.

Этого оказалось достаточно, чтобы Кейт успокоилась. Дело было даже не в том, что́ говорил Джо, а в том — как. Всеобщая истерия как будто вовсе его не коснулась, и в самом звуке его голоса было что-то умиротворяющее. Тихий островок посреди бушующего океана — таким ей показался сейчас Джо.

Впрочем, о бушующих океанах ей думать все же не хотелось.

— Желаю тебе счастливого полета, Джо, — сказала она. — Надеюсь, мы все-таки увидимся.

— Я тоже надеюсь. А сейчас — извини, мне пора идти. Надо собрать вещи, чертежи, кое-какие документы. Я позвоню, когда что-то прояснится.

— Я буду ждать, — просто ответила Кейт.

Притворяться дальше не имело смысла. Всем своим существом она стремилась к нему. Ей было необходимо увидеться с Джо до того, как он отправится в далекую страну, навстречу смертельной опасности. Приличия, условности света — все было оставлено, позабыто. Теперь только одно имело для нее значение...

Остаток дня пролетел в невеселых сборах и прощании с подругами, которые одна за другой разъезжались по домам. Некоторые из девушек жили довольно далеко от колледжа, и им предстояло долгое путешествие. Что касалось девушки из Гонолулу, то родители категорически запретили ей возвращаться на Гавайи, и она собиралась ехать в Калифорнию к своему жениху. Лишь студенткам из Японии некуда было податься. Еще утром они побывали в японском консульстве в Бостоне, но там им не сказали ничего определенного, и теперь обе девушки были напуганы куда больше, чем их американские подруги. Никто не знал, что с ними теперь будет. Ни связаться с родителями, ни вернуться домой они не могли, а в городе на них уже начинали коситься.

Когда Кейт добралась наконец до дома, отец и мать уже с нетерпением ждали ее. За прошедшую неделю они, казалось, состарились на несколько лет — их лица осунулись и выглядели неестественно бледными, а у Кларка под глазами залегли темные тени. В кухне и в комнатах постоянно работало радио, и оба были в курсе событий. По мнению Кларка, считанные часы оставались до того, как американские части вступят в бой с врагом.

— Как там Джо? Тебе что-нибудь о нем известно? — спросил он, когда Кейт, поставив чемодан на пол в гостиной, обняла сначала мать, потом отца.

Кларк отправил за дочерью такси, а сам решил остаться с женой, так как в последние несколько часов Элизабет очень нервничала. То, что Кейт держала себя в руках, произвело на него благоприятное впечатление. Она была спокойна и даже не удивилась, когда отец спросил у нее о Джо.

— Его вызвали в Вашингтон, — сказала она. — Он, наверное, уже вылетел. Я спрашивала, куда его отправят, но он пока не знает.

В ответ Кларк понимающе кивнул, но Элизабет посмотрела на дочь вопросительно и тревожно. Для нее было новостью, что Кейт и Джо перезваниваются. Она, однако, ничего не сказала, решив, что к сложившейся ситуации обычные правила, скорее всего, неприменимы. И все же Элизабет не могла не задаться вопросом, сколько раз эти двое говорили по телефону и о чем...

Потом они сели ужинать, но обычных разговоров за столом на сей раз не было. Все трое напряженно прислушивались к тому, что скажет радио, и обращались друг к другу лишь по необходимости. Никто из них даже не притронулся к еде, так что после ужина Кейт пришлось сгрести остывшее картофельное пюре в мусорное ведро. Была уже почти ночь, когда они пожелали друг другу спокойной ночи и отправились спать.

Однако для Кейт эта ночь не была спокойной. Она долго лежала без сна и думала о Джо. Глядя на часы, Кейт пыталась представить себе, над какой точкой страны находится сейчас его самолет, какая погода за бортом, все ли в порядке с двигателями и топливом, и гадала, увидит ли она его, прежде чем он отправится на войну.

На следующий день она встала очень рано, но Джо позвонил только около полудня. Он сообщил, что всего несколько минут назад приземлился на аэродроме Боллинг-Филд в округе Колумбия и сейчас же выезжает в Вашингтон.

— Я только хотел, чтобы ты знала, что я долетел благополучно, — сказал он.

Джо едва ли смог бы объяснить, *почему* решил ей позвонить. Он сделал это скорее полусознательно, чем осмысленно. Он знал только, что должен услышать ее голос, а что́ при этом сказать, было не так важно. Впрочем, никто из них больше не стремился разобраться в том, что же, собственно, между ними происходит. Им это было не нужно. Достаточно было того, что они чувствовали себя соединенными некоей тайной, которую ни Джо, ни Кейт еще не готовы были назвать подлинным именем.

— Мне пора идти, Кейт. Я тебе еще позвоню.

— Я буду ждать.

Не прошло и трех часов, как телефон зазвонил вновь Джо, похоже, твердо решил извещать ее о каждом своем шаге На этот раз он сообщил, что все это время проходил инструктаж и получал необходимые приказы. Его произвели в капитаны армейской авиации и прикомандировали к британским Королевским ВВС, в составе которых ему предстояло совершать боевые вылеты. Кейт уже знала, что полчаса назад президент Рузвельт объявил о вступлении Америки в войну — она слушала его речь по радио, — и Джо сказал, что теперь никаких проволочек быть не должно. В Лондон он отбывал через два дня с военно-воздушной базы в окрестностях Нью-Йорка.

— Вот так, Кейт, — закончил он. — Через два дня я буду уже в Великобритании, но ты за меня не волнуйся. Меня направили в одно из самых приличных мест на всех островах.

Кейт знала, что Джо уже работал с английскими летчиками в качестве инструктора; вся разница заключалась в том что теперь ему предстояло командовать звеном истребителей и участвовать в боях. При мысли об этом Кейт похолодела — особенно когда поняла, что как только немцы узнают, кто воюет против них, они станут специально охотиться за Джо. Он был хорошо известен не только в Америке, но и в Германии, а репутация воздушного аса делала его желанной добычей для любого вражеского летчика.

Сознавать, что Джо должен уехать очень далеко и что каждую минуту он будет подвергаться смертельной опасности, было невыносимо тяжело. Кейт даже не представляла, как она будет жить, не имея возможности узнать, как он и что с ним. Ведь наверняка Джо не сможет звонить ей из Англии, а на почту особенно рассчитывать не приходилось, так как в Атлантике хозяйничали германские подводные лодки.

Но она постаралась отогнать от себя эти мысли. Как-никак, у них было почти два дня, которые они могли провести вместе. Кейт была убеждена, что даже если им удастся встретиться, в их распоряжении будет всего несколько часов или даже минут, так что двое суток казались ей настоящим подарком судьбы.

— Приезжай, я буду ждать, — сказала она тихо.

Повесив трубку, Кейт подумала о том, как быстро изменились их отношения. Дружба — или, точнее, видимость дружбы, которую они всеми силами старались поддерживать, — начинала исчезать, растворяться в воздухе как что-то ненужное, а на ее месте вырастало на глазах что-то совсем иное, куда более сильное и... прекрасное.

Но приехать Джо смог только на следующий день: ему пришлось потратить очень много времени, чтобы получить форму и все необходимые документы. Самолет военно-транспортной авиации, которому предстояло доставить его в столицу Великобритании, отправлялся из Нью-Йорка в полночь, так что в их распоряжении оказалось всего каких-нибудь девять жалких часов.

Кейт нисколько не утешало, что миллионы влюбленных пар по всей стране оказались в таком же, а то и в худшем положении. Впрочем, даже за несколько часов можно было успеть очень многое. Одни использовали это время, чтобы сочетаться законным браком, другие отправлялись в гостиницы, чтобы хоть ненадолго забыться в страстных объятиях, третьи оккупировали скамейки в парках и просто сидели, держась за руки и глядя друг другу в глаза, хотя дни стояли студеные. Кейт, однако, прекрасно их понимала. Никакой мороз не мог омрачить эти, быть может, последние минуты, которые влюбленные могли провести вместе. В эти дни Кейт жалела всех, кто прощался друг с другом, но более всего ей было жаль матерей, которых война разлучила с их детьми. С ее точки зрения, ничего хуже этого и быть не могло.

Когда самолет из Вашингтона приземлился в аэропорту Ист-Бостон, Кейт уже стояла у края летного поля. Джо появился на трапе одним из первых. Он был в новой, с иголочки, военной форме, которая ему очень шла. В ней Джо выглядел особенно привлекательным, и Кейт, спеша ему навстречу, не смогла сдержать счастливой улыбки.

Джо, заметив ее, тоже улыбнулся. Он держался уверенно и спокойно, а выражение лица у него было таким, словно все происходящее — война, командировка в Англию и предстоящие опасности — было делом совершенно обычным и ничем ему не грозило. Впрочем, когда они наконец оказались рядом, он обнял Кейт за плечи, чего раньше никогда не делал.

— Все в порядке, Кейт, не волнуйся, все будет хорошо, — были его первые слова: он сразу догадался, насколько Кейт расстроена и напугана. — Не волнуйся, — повторил он, слегка прижимая ее к себе. — Там, куда меня посылают, я буду, наверное, одним из немногих парней, которые знают, что делают. А самолеты — они и в Англии самолеты. Не все ли равно, где летать?

Кейт помнила, конечно, о его огромном опыте и мастерстве, однако для того, чтобы успокоиться, этого все равно было недостаточно. Она слишком хорошо понимала, что даже испытания экспериментальных моделей самолетов куда менее опасны, чем боевые вылеты, и не забывала об этом ни на минуту.

— Ну, чем мы сегодня займемся? — спросил Джо таким тоном, словно сегодняшний день был самым обычным.

— Хочешь, поедем к нам? — рассеянно предложила Кейт.

Ей стоило больших усилий держать себя в руках и не воображать, будто она слышит тиканье часов, отмеряющих стремительный ход времени. Минуты утекали одна за другой, и она боялась, что их последний день вдвоем закончится, едва успев начаться, и Джо исчезнет, растворится в туманной дали.

— А может, лучше сначала пообедаем? Я обязательно попрощаюсь с твоими родителями, но не сейчас. Ведь я уезжаю только через девять часов.

Эти слова напомнили Кейт, что у них почти не осталось

времени, и она вздрогнула, пораженная страхом и отчаянием. В последний раз она чувствовала себя столь же несчастной много лет назад, когда умер ее родной отец.

— Хорошо, — обреченно кивнула она.

Его намерение попрощаться с ее родителями вызвало в Кейт невольное уважение — она и не подозревала, что Джо может быть таким по-старомодному почтительным. К счастью, Элизабет, что бы она ни думала об их отношениях, в последнее время держала свои соображения при себе, и Кейт была от души благодарна ей за это. Она знала, что ее мать сочувствует Джо и миллионам других молодых людей, вынужденных в эти дни отправляться навстречу страшной опасности.

Джо повел ее обедать в «Локобер», однако, несмотря на роскошную обстановку и изысканные блюда, никакого аппетита у Кейт не было. Она могла думать только о том, что будет с ними через несколько часов, и почти не замечала окружающего. Ей так и не удалось совладать со своим беспокойством, хотя Джо и пытался отвлечь ее от мрачных размышлений.

До дома Джемисонов они добрались только в четвертом часу. Кларк еще не вернулся из своей конторы, и дома была одна Элизабет, которая сидела в гостиной и слушала радио. Некоторое время они разговаривали втроем, пока с работы не приехал Кларк. Пожав Джо руку, он совершенно по-отечески похлопал его по плечу, но ничего не сказал, и только его напряженный, тревожный взгляд выдавал, что́ он чувствовал и о чем думал. Несколько минут спустя Кларк увел Элизабет наверх, чтобы дать Кейт и Джо возможность побыть наедине. Он знал, что молодым людям есть о чем поговорить, и не хотел им мешать.

Кейт и Джо были благодарны Кларку за этот поступок. Им очень хотелось побыть вдвоем, но Кейт ни за что бы не решилась попросить мать оставить их, и уж тем более не посмела она пригласить Джо к себе в комнату. Она знала, что это оскорбило бы Элизабет в лучших чувствах, как бы целомудренно они себя ни вели. Зато теперь они могли сидеть рядом на диване и разговаривать без помех, и единственным, что отвлекало их друг от друга, были мысли о неумолимом течении времени.

— Я буду писать тебе, Кейт. Буду писать так часто, как только смогу, — пообещал Джо.

Его лицо вдруг сделалось напряженным, а взгляд омрачился, но он не сказал, о чем подумал в эту минуту, а Кейт не посмела расспрашивать. Она по-прежнему понятия не имела, что́ испытывает к ней Джо, хотя в отношении собственных чувств Кейт больше не сомневалась. События последних дней помогли ей осознать, что она любит Джо и любит уже давно. Просто раньше она не понимала этого и даже подсознательно боролась со своей любовью, подавляя ее всеми способами. Но отвечает ли ей Джо взаимностью, Кейт не знала, а спрашивать его об этом ей было страшно. Она боялась, что он может решить, будто она ему навязывается. К тому же отрицательный ответ убил бы в ней всякие надежды, а неведение позволяло Кейт верить, что Джо, быть может, все-таки относится к ней не только как к другу или младшей сестре.

«Нет, — думала Кейт, — лучше я не буду ни о чем его спрашивать. Достаточно и того, что́ чувствую я сама. Кроме того, ведь решил же он провести эти последние часы со мной, а не с кем-нибудь другим!»

Это последнее соображение согревало Кейт до тех пор, пока ей не пришло в голову, что, кроме нее, Джо было просто не с кем встречаться. У него не было ни любовницы, ни родственников (если не считать троюродных братьев и сестер, которых он не видел уже больше десятка лет). Единственным человеком, который для него что-то значил, был Чарльз Линдберг, но у легендарного авиатора была своя семья. Так что Джо мог провести несколько свободных часов перед отправкой на фронт только с ней, с Кейт.

Потом она подумала, что Джо мог бы не тратить времени на поездку в Бостон, и эта мысль вновь вселила в нее надежду.

Пока они сидели в гостиной, Кейт рассказала Джо, что родители решили отменить прием, посвященный ее восемнадцатилетию. Правда, он даже не знал о том, что этот праздник вообще состоится, однако сейчас это уже не имело значения. И она, и ее родители считали, что веселиться в такое время было бы безнравственно, к тому же им вряд ли удалось бы зазвать к себе достаточное количество молодых людей. Кларк, впрочем, сказал дочери, что бал не отменяется вовсе, а просто откладывается до лучших времен. «До конца войны», — пояснил он, и Кейт с ним согласилась. Ей тоже было не до танцев.

— Вы хотели устроить такой же прием, как тот, на котором мы познакомились? — улыбнулся Джо.

Он старался отвлечь Кейт от мрачных мыслей, а сам по

думал о том, как же ему повезло, что он встретился с ней. Ведь если бы не настоятельные просьбы Чарльза Линдберга, он мог и не пойти на тот бал; теперь же Джо видел в этом несомненное вмешательство судьбы.

— Нет, не такой же — гораздо скромнее, — ответила Кейт и негромко добавила: — Я в самом деле рада, что папа и мама решили отменить прием.

Правда, сначала ей было немного жаль праздника, однако мысли о расставании с Джо и тревога за него вытеснили из ее головы все второстепенное. Она знала, что там, в Англии, Джо будет рисковать жизнью по несколько раз на дню, и ей хотелось сделать хоть что-то, чтобы немного приблизить победу. Правда, могла она не много. Единственное, что было ей доступно, это записаться добровольцем в службу Красного Креста, и она решила, что непременно сделает это, как только закончится второй семестр.

— Ты, наверное, вернешься в колледж? — предположил Джо, и Кейт кивнула.

Они сидели и разговаривали еще о многом, а часа через два Элизабет принесла им поесть прямо в гостиную. Родители Кейт ужинали в кухне: Кларк решил, что им следует дать молодым людям возможность побыть вдвоем еще немного, и Элизабет скрепя сердце согласилась. Правда, сам факт приезда Джо внушал ей серьезные опасения, однако чинить дочери дополнительные препятствия она не собиралась. Им всем — а не только Кейт — было достаточно тяжело, так что без дополнительного груза светских условностей они вполне могли обойтись.

Джо и Кейт поблагодарили Элизабет, однако оба не смогли съесть ни кусочка. В конце концов Джо составил почти нетронутые тарелки на стол, а сам взял Кейт за руки. Но прежде, чем он сумел произнести хоть слово, глаза Кейт неожиданно наполнились слезами.

— Не плачь, Кейт! — растерянно сказал Джо.

Женские слезы он не выносил: обычно они приводили его в состояние сильнейшего раздражения, он не знал, что делать, и только еще больше замыкался в себе. Однако он ни в чем не винил Кейт. В эти дни женщины, наверное, плакали в каждой гостиной, на каждом вокзале, в каждой гавани и в каждом аэропорту.

— Не плачь, — повторил он тверже. — Со мной ничего не случится. Разве ты не знала, что у меня девять жизней, как у кошки? Не одна, а целых девять — по крайней мере, пока я нахожусь в кабине самолета.

Говорить так у Джо были все основания: за прошедшие годы ему удалось счастливо избежать нескольких крупных аварий. Пять раз он выбрасывался с парашютом буквально в самый последний момент и всегда оставался цел и невредим, если не считать нескольких мелких ссадин и легких ожогов. Самая серьезная травма случилась с ним примерно полтора года назад, когда, приземляясь с парашютом в прерии, он случайно угодил ногой в нору суслика и растянул связки.

— А что, если тебе понадобится не девять, а десять жизней? Ведь это *война*, Джо! — воскликнула Кейт, и крупные слезы покатились по ее щекам. Ей очень хотелось быть храброй и мужественной, но она не смогла, не сумела сдержать себя. Ее бросало в дрожь от одной мысли, что с Джо может что-нибудь случиться.

— Если понадобится, у меня будет и двадцать жизней. Можешь смело на это рассчитывать, — поспешил уверить ее Джо.

Впрочем, он прекрасно понимал, что может и не сдержать своего обещания. Именно поэтому он так старательно удерживался от любых необдуманных поступков, которые могли иметь далеко идущие последствия. Меньше всего ему хотелось сделать Кейт восемнадцатилетней вдовой. Она заслуживала иной судьбы, и Джо самоотверженно решил, что если он не успеет сделать ее счастливой, то пусть она достанется кому-нибудь другому. Какие бы чувства они ни питали друг к другу, он хотел, чтобы Кейт чувствовала себя совершенно свободной, не связанной никакими обязательствами.

Он не знал, что Кейт способна была думать только о нем — и об опасности, которая ему угрожала. Ей даже не пришло в голову позаботиться о себе, да, наверное, она все равно не смогла бы этого сделать. Не в силах больше сдерживать свои чувства, она повернулась к Джо и внезапно сказала, что любит его.

Ответом ей была долгая, мучительно долгая пауза. Джо смотрел на нее сверху вниз и видел в ее глазах выражение отчаяния и какой-то глубокой, безысходной тоски. Он не знал, что в восемь лет Кейт потеряла отца — она никогда не рассказывала ему о Джоне Бэррете, и Джо считал Кларка ее настоящим отцом, — и не мог догадаться, что предстоящая разлука с ним оживила в Кейт старую боль и сделала его отъезд особенно мучительным.

— Я бы предпочел, чтобы ты этого не говорила, — грустно сказал он наконец. Всеми силами Джо старался не только подавить свою любовь к ней, но и остудить ее чувство, и вот — не сумел. — Мне бы не хотелось, чтобы ты чувствовала себя связанной, если со мной что-нибудь случится. Ты значишь для меня очень много... с того самого дня, когда мы впервые встретились. Я еще никогда не встречал такой замечательной девушки, как ты. Но с моей стороны было бы нечестно добиваться от тебя каких-то обещаний, на что-то рассчитывать или просить дождаться меня. Что бы я ни говорил, всегда существует вероятность того, что я *не* вернусь, а мне бы не хотелось, чтобы ты чувствовала, будто что-то должна мне... Нет, Кейт, ты ничего мне не должна и ничем мне не обязана. Я хотел бы, чтобы ты чувствовала себя совершенно свободной и поступала так, как будет лучше для тебя. Того, что мы испытывали друг к другу все это время, для меня более чем достаточно, и это чувство я сохраню, что бы меня ни ожидало.

Он обнял Кейт за плечи и так крепко прижал к себе, что она услышала, как бьется его сердце. Однако он не сделал попытки поцеловать ее, и Кейт охватило горькое разочарование. Ей ужасно хотелось, чтобы и Джо сказал ей, как сильно он ее любит, — ведь это была их последняя возможность объясниться, — но Джо молчал, и она молчала тоже.

— Я правда тебя люблю, — сказала наконец Кейт, и ее голос прозвучал ясно и твердо. — И я хочу, чтобы ты знал это. Быть может, где-нибудь в окопах, под обстрелом, ты вспомнишь об этом, и тебе станет легче. По крайней мере, тебе не придется гадать — ты будешь знать наверняка!

Джо удивленно приподнял бровь.

— В окопах? Ты все перепутала, Кейт. В окопах сидит пехота, а я — летчик. Летчики летают высоко в солнечном небе и сбивают всех немцев, которые оказываются достаточно глупы, чтобы приблизиться на расстояние выстрела. А по ночам я буду спать в собственной постели в казарме или даже в отеле, как это принято у англичан. Для большинства война — действительно нелегкая и грязная работа, но не для меня. Летчики-истребители считаются элитой даже в авиации, поэтому все стараются создать для них самые лучшие условия.

Он явно старался успокоить ее, но Кейт подумала, что в этом есть доля истины. Во всяком случае, само слово «элита» относилось к нему куда в большей степени, чем к кому бы то ни было.

Между тем времени оставалось все меньше, и наконец настала минута, когда Джо поднялся и сказал, что ему пора. Кларк хотел сам отвезти их в аэропорт, но Джо предпочел такси: ему хотелось побыть наедине с Кейт еще немного.

Несмотря на поздний час, в аэропорту царило самое настоящее столпотворение. Кейт была поражена, увидев одновременно столько мужчин в новенькой, защитного цвета форме. Многие из них казались совсем мальчишками, и Кейт подумала, что при других, менее трагичных обстоятельствах, матери никогда бы не отпустили их одних так далеко. Ей было совершенно очевидно, что большинство из них еще никогда не покидали отчего дома.

Последние перед расставанием минуты причинили Кейт ужасную боль. Она безуспешно пыталась сдержать слезы, катившиеся из-под ресниц и оставлявшие на щеках мокрые дорожки. Джо выглядел скованным, напряженным, хотя ему и удавалось держать себя в руках. Оба понимали, что война может затянуться на несколько лет, и единственное, на что уповала Кейт, это на то, что рано или поздно они увидятся снова. Когда же наконец объявили посадку на самолет, оба испытали странное облегчение.

— Я люблю тебя! — в последний раз прошептала Кейт, и лицо Джо исказила гримаса сожаления.

Не этого он ожидал, когда решил провести с ней последний день перед отъездом на фронт. Ему казалось, что между ними существует молчаливый уговор не говорить вслух о своих чувствах, но Кейт его нарушила. Иначе она, наверное, не могла поступить, но ему от этого было нисколько не легче. Подобно большинству мужчин, Джо предпочел бы, чтобы все оставалось так, как хотел он, однако ничего поправить было уже нельзя. Кейт не могла отпустить его навстречу смертельной опасности, не сказав ему о своей любви. Он *должен* был узнать. В своей ослепленности чувством, которое она наконец решила выпустить на свободу, Кейт не подумала о самом главном — о том, насколько тяжелее будет ему, когда она произнесет вслух сокровенные слова. До этого момента — вне зависимости от истинной природы их чувств — Джо еще мог как-то убедить себя, что они просто близкие друзья, только друзья. Теперь всякий самообман стал невозможен. Они, разумеется, могли притворяться и дальше, однако правда была известна обоим, и она делала бессмысленными любые попытки притвориться, будто все осталось по-прежнему.

Вместе с тем Джо понимал, что это ее признание было последним даром — единственной по-настоящему ценной вещью, которую Кейт могла отдать ему. Ее слова открыли им обоим чудесную и пугающую правду, которую они старались не замечать, прячась за условностями и правилами приличия. На краткое мгновение Джо вдруг ощутил, что сам стал уязвимым, и вероятность того, что он может никогда не вернуться оттуда, куда теперь уезжал, ужаснула его до глубины души. Глядя на заплаканное личико Кейт, Джо почувствовал, что благодарен ей за каждое мгновение, которое они провели вместе, и, куда бы он ни попал и что бы с ним ни случилось, он никогда не забудет ее...

Когда громкоговоритель объявил, что посадка на рейс до Нью-Йорка заканчивается, Джо наклонился и поцеловал Кейт, сознавая, что сдерживаться и подавлять свои чувства уже поздно. Поздно и бессмысленно. То, что случилось, было, наверное, неизбежно. И, что бы ни связывало их теперь, оба знали: эти чувства относятся к разряду уникальных, единственных в своем роде, неповторимых — таких, что ни изменить их, ни забыть, ни обрести вновь с кем-то другим им не удастся, как бы они ни старались.

— Береги себя, — проговорил Джо хриплым шепотом.

— И ты тоже будь осторожен... Я люблю тебя, — снова повторила Кейт, глядя ему прямо в глаза.

Джо молча кивнул, не в силах найти слова, чтобы выразить переполнявшие его чувства, — ведь именно этих чувств он старался избегать на протяжении всей своей сознательной жизни. Потом он снова поцеловал ее — поцеловал в последний раз, потому что им пора было расставаться. Ему было нелегко выпустить Кейт из своих объятий, но он пересилил себя и, круто повернувшись, побежал к воротам, которые уже начали закрываться. Однако перед самыми воротами он остановился и обернулся. Кейт смотрела ему вслед, по ее лицу снова струились слезы, но она их даже не вытирала, хотя в руке ее белел скомканный платок. И тогда, пока не стало слишком поздно, Джо громко крикнул:

— Я люблю тебя, Кейт!

И она услышала его, и помахала зажатым в руке платком, и засмеялась сквозь слезы.

А уже в следующую секунду Джо исчез за закрывшимися воротами, за которыми сверкало огнями летное поле аэродрома.

Глава 5

Рождество тысяча девятьсот сорок первого года было совсем не веселым. Всего две с половиной недели прошло со дня трагедии Перл-Харбора, однако многие тысячи молодых американцев уже отправились в Европу и на Тихий океан. Названия городов, крошечных островков и местечек, о которых раньше никто и слыхом не слыхивал, были у всех на устах, и Кейт утешалась только тем, что Джо находится в Англии — цивилизованной стране, где ему все знакомо. И действительно, если судить по единственному письму, которое она получила от него с одним из морских конвоев, условия жизни там мало отличались от тех, которые были у него в Калифорнии.

О том, чем он занимается, Джо писал совсем мало — не больше того, что позволяла строгая военная цензура. Можно было подумать, что он только и делает, что знакомится с новыми людьми, ходит в столовую и играет в крикет — игру, которую Джо назвал благородным предком демократического американского бейсбола. Общий тон письма показался Кейт довольно оптимистичным, однако сквозь него проглядывало беспокойство о ней. Но о своей любви Джо не написал ни слова. Один раз он сказал об этом прямо и, очевидно, считал недостойным возвращаться к этому снова и снова, особенно в письмах, которые могли прочитать — и читали — посторонние люди.

К этому времени родители Кейт уже догадались, что их дочь влюблена в Джо, и единственным утешением им могло служить то, что и он, судя по всему, тоже ее любит. Однако, оставаясь с мужем наедине, Элизабет не скрывала своей озабоченности. Теперь, когда с Джо могло случиться все, что угодно, ее тревога стала особенно глубокой. Элизабет опасалась, что Кейт будет оплакивать его до конца своих дней, так как Джо, безусловно, был из тех мужчин, которых не легко забыть.

— Я не хочу каркать, — ответил ей однажды Кларк, — но если что-то действительно произойдет, Кейт в конце концов сумеет это пережить. Я в этом уверен. Подобное случалось со многими женщинами до нее, и большинство из них справились... И Кейт тоже справится. Конечно, лучше бы у Джо все было благополучно, однако ты сама понимаешь: на войне от гибели никто не застрахован.

Однако Элизабет пугала не столько война со всеми ее опасностями, сколько что-то, что она уловила в характере или, вернее, в душе Джо. С самой первой их встречи это «что-то» смутило ее, однако она никак не могла подобрать подходящие слова, чтобы поделиться своей тревогой с мужем. У нее было такое ощущение, что Джо просто не способен на чувство по-настоящему глубокое, что он не может, да и не хочет отдаться любви полностью, без остатка. В его сердце как будто существовали потаенные уголки, доступ к которым был закрыт даже для самых близких людей. Что же касалось его любви к авиации, к самолетам, которые он сам проектировал и на которых летал, то Элизабет видела в этом не только дело, которому он сознательно посвятил себя. Ей казалось, что для Джо это способ убежать, спрятаться от обычной жизни, в которой он усматривал какую-то лишь ему одному ведомую угрозу. Вот почему она была далеко не уверена, что, даже если Джо удастся невредимым вернуться с войны, он сумеет сделать Кейт по-настоящему счастливой.

Кроме того, Элизабет беспокоило то необычно сильное чувство, которое до странности быстро и крепко соединило ее дочь с этим нелюдимым, довольно угрюмым, одержимым человеком. Оно казалось ей противоестественным, гипнотическим, почти колдовским. Кейт и Джо, бесспорно, были абсолютно разными и все же подходили друг другу, словно две половинки разрезанного пополам яблока. Элизабет считала, что каким-то образом — каким, она и сама не могла понять, как ни старалась, — они представляют друг для друга нешуточную опасность. Во всяком случае, их любовь пугала Элизабет сильнее всего остального.

Между тем наступил день, на который был назначен первый бал Кейт, но она ни капли не жалела о том, что он так и не состоялся. В конце концов, это была скорее формальность, чем настоящий праздник. И все-таки в этот день ей было особенно грустно. Чтобы отвлечься, она взяла книгу, необходимую для письменной работы по истории, и в этот момент ей позвонил Энди Скотт.

Большинство молодых людей, которых Кейт знала, к

этому времени уже разъехались — кто в учебные лагеря, а кто и прямо на фронт, и только Энди остался в Бостоне. Он сам объяснил Кейт, что еще в раннем детстве у него обнаружили в сердце посторонние шумы, и хотя они ему не мешали и никак не отражались на его здоровье, призывная комиссия, куда он ходил трижды, его забраковала. Как с горькой усмешкой сказал Энди, его могли поставить под ружье только в случае, если на всей территории страны не останется больше никого, кроме девяностолетних стариков, безногих инвалидов и младенцев. Но хотя причина, по которой он не попал в армию, была вполне уважительной, Энди продолжал чувствовать себя неловко — ведь с виду он оставался здоровым, крепким парнем, которому самое место в окопах. Однажды он признался Кейт, что иногда ему хочется повесить на шею табличку, на которой была бы написана статья, по которой ему отказали в призыве, но добавил, что даже с такой табличкой он продолжал бы чувствовать себя предателем.

Впрочем, сегодня Энди позвонил ей не для того, чтобы пожаловаться на свое невезение, а для того, чтобы пригласить Кейт на ужин.

Ужинать с ним ей не хотелось, к тому же Кейт считала, что это будет нечестно по отношению к Джо. Она так и объяснила Энди, но он принялся уговаривать ее, сказав, что если ей не хочется в ресторан, то они могли бы сходить в кино. Но и это предложение не вызвало в Кейт никакого энтузиазма. У нее просто не было настроения развлекаться, так что дело было вовсе не в Энди, с которым они были просто приятелями. Правда, иногда Кейт казалось, что Энди влюблен в нее; несколько раз он даже пытался намекнуть на возможность более тесных отношений, но Кейт сразу же ставила его на место и... продолжала с ним общаться.

— Мне кажется, тебе просто *необходимо* развеяться, — твердо сказала Элизабет, когда Кейт рассказала ей о звонке Энди. — Ведь не можешь же ты торчать в четырех стенах до скончания веков! Война может продлиться еще долго.

Существовала и еще одна причина, по которой Элизабет не хотелось, чтобы дочь становилась затворницей. Какие бы сильные чувства ни связывали ее с Джо, они оставались всего лишь чувствами, то есть — чем-то нематериальным, зыбким. Джо не предложил Кейт выйти за него замуж, они даже не были помолвлены и не давали друг другу никаких обещаний.

Они просто любили друг друга, но если для Кейт этого было достаточно, ее мать продолжала беспокоиться. Она, без сомнения, предпочла бы, чтобы ее дочь влюбилась в Энди Скотта, а не в Джо Олбрайта — этого одинокого альбатроса воздушного океана, для которого самолеты были важнее, чем брак и семья.

— По-моему, это будет не совсем правильно, мама, — серьезно сказала Кейт и, взяв книгу под мышку, ушла к себе в комнату. Она прекрасно понимала, что, если будет сидеть дома, война покажется еще длиннее, но сейчас ей это было безразлично.

— Не может же она запереть себя в доме и никуда не выходить! — пожаловалась Элизабет мужу, когда он вернулся с работы. — Не понимаю, почему она должна ждать этого Джо? Ведь они даже не помолвлены...

Как и многим матерям, ей хотелось для своей дочери чего-то реального. «Лучше синица в руках, чем журавль в небе, — рассуждала она. — Тем более *такой* журавль...»

— Если я хоть немного знаю жизнь, — спокойно возразил Кларк, — то формальная помолвка и взаимное влечение сердец — вещи совершенно разные. И первое далеко не всегда подразумевает второе. А что лучше... Думаю, ты и сама это знаешь.

Джо ему искренне нравился, и он хорошо понимал, что творится в душе его дочери. Возможно, Кейт не хватало житейского практицизма, но Кларк считал, что это — дело наживное.

— Боюсь, дальше «взаимного влечения сердец» дело не зайдет, — вздохнула Элизабет. — По-моему, Джо не такой человек.

— А мне кажется, что он человек порядочный и ответственный, — возразил Кларк довольно резко: подозрительность жены была ему неприятна. — Я думаю, Джо не сделал Кейт предложение только потому, что не хотел оставить ее в восемнадцать лет вдовой.

Элизабет пожала плечами.

— На мой взгляд, — заявила она, — Джо Олбрайт вообще не из тех мужчин, которые способны сделать женщине предложение. Он слишком увлечен своими самолетами, это —

единственная страсть в его жизни, рядом с которой все остальное кажется ему ничего не стоящими пустяками. Он никогда не сможет дать Кейт того, что ей необходимо. Самолеты, полеты — вот что всегда будет для него на первом месте.

Услышав это мрачное пророчество, Кларк нахмурился: в словах жены определенно была доля истины.

— Вовсе не обязательно, — мягко возразил он. — Взгляни на Линдберга. Он тоже знаменитый летчик, но он женат, и у него есть дети.

— А откуда известно, что его жена счастлива? — скептически усмехнулась Элизабет.

Впрочем, вне зависимости от того, что они думали, Кейт продолжала вести себя так, как считала нужным. Все каникулы она просидела дома, с родителями, а когда в середине января вернулась в колледж, то обнаружила, что многие другие девушки выглядят столь же несчастными. За каникулы пятеро из ее подруг успели выйти замуж и проводить своих мужей на войну, около дюжины девушек с курса обручились с будущими солдатами, да и остальные студентки почти все встречались с молодыми людьми, надевшими военную форму. Их письма и фотографии стали предметом оживленных разговоров, которые велись в студенческом кафе и в дортуарах, но Кейт, хотя и прислушивалась к ним с жадностью, участия в них почти не принимала. Вместо этого она как следует налегла на учебу, которая помогала ей хоть немного отвлечься от мыслей о Джо.

С Энди Кейт старалась видеться как можно реже, хотя он несколько раз заходил к ней в общежитие в надежде вытащить в ресторан или в кино. Каждый раз Кейт отказывалась, однако, несмотря на это, они оставались друзьями, и в конце концов она позволила себе прогуляться с ним в парке студенческого городка. После прогулки они заглянули в студенческое кафе, и это дало Энди повод пошутить, что она все-таки «сдала свои позиции». Кейт, однако, считала, что это не настоящее свидание и, следовательно, она ничем не виновата перед Джо. Так она и объяснила Энди, но он назвал ее рассуждения глупостью.

— Почему ты не позволяешь мне пригласить тебя в какое-нибудь местечко поприличнее?! — простонал он, страдальчески закатывая глаза и лениво ковыряя вилкой засохший мясной рулет.

Грудка цыпленка на тарелке Кейт тоже была жесткой, как

резина, но она мужественно старалась не обращать на это внимания. Качество еды, которую подавали в кафе, с началом войны значительно ухудшилось, но Кейт старалась убедить себя, что сейчас вся страна испытывает подобные трудности, хотя и понимала, что это верно лишь отчасти.

— Потому что мне кажется, что это будет неправильно, — ответила она. — И потом, здесь тоже неплохо.

— Неплохо? Ты называешь это — «неплохо»?! — Энди указал вилкой на свое картофельное пюре, которое цветом и консистенцией напоминало плохо размешанный обойный клей. — Каждый раз, когда мне приходится обедать в этой забегаловке, я двое суток мучаюсь животом. А обедаю я здесь исключительно из-за тебя!

В самом деле, Энди приезжал в Рэдклифф только для того, чтобы повидаться с Кейт, но она считала, что ему вовсе не обязательно мучить себя. В Гарвардском колледже, где он учился, кормили не в пример лучше, к тому же у Энди были весьма состоятельные родители, и он мог позволить себе питаться в ресторанах, где качество еды было ничуть не ниже довоенного. В принципе, Кейт была тоже не прочь вкусно поесть, но принять приглашение Энди ей мешала мысль о Джо, который в ресторан пойти не мог. Великобритания давно ввела у себя карточную систему распределения продуктов, так что даже на солидное жалованье, которое получал Джо, он мало что мог купить. Ему приходилось рассчитывать только на свой офицерский паек, а Кейт сильно сомневалась, что он очень уж отличается от того, чем кормили в студенческом кафе.

В конце концов она так ему и сказала, но Энди снова принялся умолять ее сжалиться над его бедным желудком. Некоторое время Кейт слушала его, но потом ей стало скучно. Она хорошо знала, что Энди дарил своим вниманием отнюдь не ее одну — напротив, он вел, если можно так выразиться, «активную социальную жизнь». Высокий, смуглый, с красиво очерченным подбородком и нежным румянцем на скулах, Энди был очень хорош собой, к тому же на данный момент он оказался едва ли не единственным молодым мужчиной во всем Гарварде. Девушки буквально выстраивались в очередь, чтобы пойти к нему на свидание, так что он мог выбрать практически любую из студенток. Кейт была, пожалуй, единственной, кого Энди добивался сам — добивался настойчиво и упорно, — но так и не сумел покорить.

Кейт казалось, что после этого решительного объяснения Энди больше у нее не появится, однако она ошиблась. Он продолжал приезжать в общежитие, однако теперь вел себя по-другому, всячески подчеркивая, что больше, чем на дружбу, не претендует. В конце концов Энди даже начал ей нравиться, однако это было совсем иное чувство, нисколько не напоминавшее то, что она испытывала к Джо. С Энди было легко, спокойно, весело. Он был ей как брат, с которым можно было играть в теннис, гулять в парке и ужинать в студенческом кафе (в котором со временем стали кормить все же несколько лучше). Перед Пасхой Кейт даже сходила с Энди в кино, однако чувство вины, которое она при этом испытала, отравило ей все удовольствие. К тому же смотрели они «Миссис Минивер» с Грер Гарсон в главной роли, и почти весь сеанс Кейт проплакала.

Каждую неделю Кейт получала от Джо по нескольку писем. Она жадно читала их, стараясь побольше узнать о том, как ему живется и как воюется, однако о себе Джо писал очень скупо. Ей было известно только, что его звено участвует в боевых вылетах наравне с другими подразделениями Королевских ВВС. Кейт каждый день слушала новости и знала, что это очень опасно, но утешалась мыслью, что, раз письма приходят, значит, Джо жив. Однако в промежутках между ними она жила в постоянном страхе, боясь, что однажды откроет газету и прочтет, что его самолет сбит, а сам он погиб или попал в плен. В том, что газеты сообщат об этом, Кейт не сомневалась — благодаря своей дружбе с Чарльзом Линдбергом Джо был достаточно знаменит.

Впрочем, в восемнадцать лет так хочется надеяться на лучшее! Порой Кейт казалось, что ее страхи совершенно беспочвенны. Судя по письмам, Джо был здоров и настроен достаточно оптимистично. Единственное, на что он позволял себе жаловаться, это на холод, от которого успел отвыкнуть за время жизни в Калифорнии, а также на низкое качество продуктов, которые выдавались в пайке. То, что вместо сахара давали сахарин, его не особенно трогало, но без кофе он очень страдал. Англия и до войны была страной чая, кофе здесь пили мало, а с началом блокады он и вовсе пропал — вместо него Джо получал в пайке какой-то странный желудевый напиток,

Когда наступила весна, Джо написал Кейт, что в Англии везде цветут сады и что даже у самых бедных фермеров есть перед домом небольшой очаровательный садик. Однако и в этом письме он ни словом не обмолвился о своих чувствах к ней...

В июне Энди закончил курс в Гарвардском колледже. Последний год он занимался по ускоренной программе, дававшей ему возможность досрочно закончить обучение и поступить в Гарвардскую школу права. Кейт, сдав экзамены за первый год, побывала у него на выпускных торжествах, а затем начала работать в одном из госпиталей Красного Креста. В первое время она только заново скатывала выстиранные бинты и упаковывала посылки для отправки в Европу, однако уже через неделю ей стали поручать измерение температуры и раздачу лекарств больным и раненым. Эта работа, требовавшая внимания и известной аккуратности, была достаточно утомительной и не особенно интересной, однако Кейт не роптала. Она понимала, что даже самая скромная лепта, положенная ею на алтарь войны, может приблизить победу и — главное! — долгожданную встречу с Джо.

А между тем победа была еще очень и очень далеко. Напротив, вести, приходившие из Европы и с Тихого океана, с каждым днем становились все тревожнее. В ближайшем окружении Кейт тоже не обошлось без трагедий. Две ее соседки по общежитию потеряли братьев, служивших матросами на кораблях, потопленных немецкими подводными лодками, а одна из пяти девушек, вышедших замуж в рождественские каникулы, овдовела и уехала домой. Кроме того, погибло несколько юношей из числа студентов-гарвардцев, и на главном корпусе университета были вывешены национальные флаги с траурными муаровыми лентами на древках.

Все это очень сильно подействовало на Кейт. Она старалась как можно меньше думать о тех, кто, быть может, в эти самые минуты расставался с жизнью под вражеским огнем, однако тревожные взгляды и печальные лица, на которые она натыкалась буквально повсюду, ни на минуту не давали ей забыть об опасности, грозившей Джо. Одной мысли о телеграмме на стандартном бланке военного министерства было достаточно, чтобы ее сердце начинало болезненно сжиматься от страха и тоски.

Энди тоже собирался поработать это лето в каком-нибудь военном госпитале: он утверждал, что только так сможет успокоить свою совесть, которая по-прежнему не давала ему покоя. И действительно, вскоре он поступил в один из госпиталей для тяжелораненых, и теперь они с Кейт подолгу обменивались по телефону впечатлениями от разговоров с солдатами, побывавшими в самом пекле. Большинство раненых, с которыми им приходилось иметь дело, прибывали из Европы: те, кто сражался на Тихом океане, оседали, как правило, в госпиталях и больницах Западного побережья. Однако Кейт была уверена, что особой разницы между ними нет. Хирургические отделения были полны безрукими, безногими, безглазыми, обгоревшими, нашпигованными осколками людьми, каждый из которых бесконечно страдал вне зависимости от того, где ему суждено было попасть под бомбежку или наступить на противопехотную мину. В госпитале, в котором работала Кейт, таких случаев было сравнительно мало, но Энди сталкивался с ними постоянно. Именно он по секрету рассказал Кейт, что в их госпитале есть целое отделение для тех, кто, не выдержав ужасов войны, полностью утратил рассудок и был признан неизлечимым. Кейт даже думать об этом было страшно, но она понимала, что в ближайшее время ситуация может только ухудшиться.

Проработав в госпитале Красного Креста два с половиной месяца, Кейт отправилась с родителями на мыс Код, чтобы провести там последние две недели лета. Дачный поселок, который она помнила с детства, показался ей одним из немногих мест, где все осталось как прежде. Единственная разница заключалась в том, что юноши, с которыми она вместе росла, ушли на войну, зато все девушки за небольшим исключением были здесь, и Кейт радовалась знакомым лицам, напоминавшим ей о мирной жизни.

На День труда их соседи снова устроили барбекю на побережье. Кейт не слишком хотелось идти, но эта традиция тоже была частью прошлой жизни, и она решила, что должна поддержать ее, хотя на сердце у нее было тяжело. С тех пор, когда она получила последнее письмо Джо, прошла почти неделя, и Кейт начинала волноваться, хотя особых оснований для этого у нее не было. Она порой подолгу не получала от него писем, а потом они приходили целыми пачками. Кейт даже боялась, что Джо может погибнуть, а она еще долго будет получать его письма.

В последний раз они виделись больше девяти месяцев

назад, а казалось — прошла целая вечность. И, стоя у костра на берегу, Кейт не могла не думать о нем, не вспоминать прошлогоднее барбекю, когда она встретилась с Джо во второй раз в жизни. Собственно, в этот день и начался их странный роман — роман в письмах, — который продолжался почти до декабря, когда Кейт пригласила его на День благодарения.

Как же давно это было — и как недавно! Во всяком случае, Кейт до сих пор отчетливо помнила каждое его слово, каждый взгляд, каждый жест. Неужели она больше никогда его не увидит?..

Так она стояла, погруженная в глубокую задумчивость, когда вдруг услышала за спиной знакомый голос:

— Не понимаю, почему ты каждый раз их пережариваешь!

— А? Что?!

Кейт растерянно поглядела на шампур, на котором она жарила корневища алтея, потом быстро обернулась. Джо стоял позади нее и улыбался. Он похудел, лицо его осунулось и казалось более бледным, чем всегда, но улыбка осталась прежней, и Кейт, выронив обуглившийся прутик, повисла у него на шее.

— Господи, это ты?.. Это и вправду ты?!. — бессвязно бормотала она.

Появление Джо было столь неожиданным, что Кейт совершенно растерялась. Что он здесь делает? Почему он не в Англии? Почему... Она выпустила Джо и попятилась, чтобы видеть его целиком. Слава богу, руки и ноги у него на месте, он даже не ранен!

— Как... как ты сюда попал? — пролепетала Кейт.

— Прилетел. Мне дали две недели отпуска за геройское поведение. — Он усмехнулся. — Должно быть, я выполнил свою норму по сбитым немцам, и командование решило ненадолго отпустить меня к тебе. Во вторник мне надо отметиться в военном министерстве, после чего я буду совершенно свободен. — Он внимательно оглядел ее с ног до головы. — Как ты тут без меня? Выглядишь ты, во всяком случае, неплохо.

Кейт действительно сияла от переполнявшей ее радости. Джо здесь, с ней, он не убит, не ранен... Она не знала, как благодарить господа за то, что он был милостив к ее любимому!..

Кейт снова шагнула вперед и прильнула к груди Джо. Он гладил ее по волосам, целовал лоб, щеки, губы, плотно закрытые глаза. О том, что их могут увидеть, ни один из них в эти минуты не думал — они были слишком счастливы, чтобы обращать внимание на такие пустяки.

Когда Кларк заметил их, он не сразу понял, кто этот высокий светловолосый мужчина, который обнимает его дочь. Только когда мужчина наклонился и поцеловал Кейт, он догадался, что это не кто иной, как Джо Олбрайт. Отложив в сторону хот-дог, Кларк поспешил к ним, крепко обнял Джо, а потом похлопал его по плечу, широко улыбаясь.

— Рад видеть тебя, сынок, — сказал он. — Мы все ужасно о тебе беспокоились.

— Спасибо, мистер Джемисон, у меня все нормально. А что касается беспокойства, то... Волноваться следовало бы не о нас, а о немцах. Мы им показали, где раки зимуют. Видели бы вы, как они сыпались с небес на землю — ну точно сливы в урожайный год!

Отец Кейт рассмеялся шутке, но тотчас же снова стал серьезным.

— Они это заслужили, — твердо сказал он.

— Я постарался сбить их как можно больше, чтобы меня поскорее отпустили домой, — улыбнулся Джо.

Он выглядел очень довольным, что же касалось Кейт, то она прямо-таки лучилась счастьем. Ей до сих пор не верилось, что все это происходит на самом деле. Девять долгих месяцев она ждала его, ждала и молилась, чтобы бог сохранил Джо живым, и вот — он приехал, приехал на целых две недели! Это было самым настоящим чудом: ведь в военное время такие длительные отпуска давали только тяжелораненым. Джо же был цел и невредим, только похудел немного, и Кейт готова была смотреть и смотреть на него бесконечно.

— Как дела на фронте, сынок? — спросил Кларк, когда Кейт, с трудом оторвавшись от Джо, отправилась разыскивать мать, чтобы сообщить ей новости.

— По совести сказать — не блестяще, — честно ответил Джо. — Англичанам приходится туго. Их наземная противовоздушная оборона ни к черту не годится — немецкие бомбардировщики проходят сквозь заградительный огонь, как горячий нож сквозь масло, и беспрепятственно бомбят города. Что же касается истребительной авиации, то у нас пока не хватает опытных летчиков. Ситуация исправляется, но медленно, слишком медленно... Впрочем, я думаю, в конце концов мы сможем поставить их бомбардировщикам надежный заслон, но на это потребуется время.

Кларк слушал его озабоченно. Действительно, в последние два месяца военные новости не внушали ни малейшего оптимизма. В России немецкие войска заняли Севастополь и быстро двигались к Сталинграду. В Северной Африке Роммель наносил англичанам поражение за поражением, а высадившиеся на Новой Гвинее японцы теснили австралийские части.

— Я рад, что с тобой все в порядке, сынок, — сказал Кларк и, слегка понизив голос, добавил: — Кейт очень за тебя переживала.

Он уже относился к Джо так, словно он был членом их семьи. Даже Элизабет, которая подошла к ним минуту спустя, разговаривала с Джо без обычной настороженности, хотя ей по-прежнему очень хотелось услышать о его намерениях относительно Кейт. Она даже обняла его и, поцеловав в щеку, сказала, что очень рада видеть его живым и здоровым. При этом Элизабет нисколько не кривила душой: она действительно молилась, чтобы с Джо не случилось ничего страшного, хотя и делала это скорее ради дочери, чем ради него самого.

— А вы, похоже, похудели, — заметила Элизабет, внимательно разглядывая Джо. — Вы не болели?

— Нет, не болел. Просто у меня было так много дел, что иногда я забывал позавтракать, — отшутился Джо. — Но за две недели отпуска я надеюсь набрать фунтов десять. Правда, завтра мне нужно быть в Вашингтоне, но уже в четверг я вернусь. Мне хотелось бы побывать в Бостоне...

Он не закончил, но Кейт просияла: она догадалась, что имел в виду Джо.

— Быть может, ты остановишься у нас? Мы будем очень рады, — тотчас предложил Кларк, бросив быстрый взгляд на жену.

Но Элизабет не возражала: лицо Кейт сияло такой глубокой и чистой радостью, что она была просто не в силах ее разочаровать.

— Да, поживите у нас, Джо, — сказала она.

Кейт едва не разрыдалась от счастья. Со слезами на глазах она поблагодарила мать, от которой меньше всего ожидала подобного великодушия. На самом деле Элизабет отнюдь не изменила своего мнения, просто она знала, что бороться со стихией глупо. Если тебя несет бурный поток, разумнее всего не барахтаться, а плыть по течению, экономя силы и высматривая на берегу подходящее местечко, где можно выкарабкаться на сушу.

Было и еще одно соображение, которое, правда, пришло ей на ум несколько позднее. Они с Кларком могли, разумеется, пустить в ход свой родительский авторитет и настоять на том, чтобы Джо остановился не у них, а где-нибудь в гостинице. Но если бы он не вернулся с войны, Кейт до конца жизни винила бы их в том, что они не дали им в последний раз насладиться обществом друг друга. Таким образом, в данной ситуации самым разумным было проявить великодушие и закрыть глаза на очевидное нарушение приличий. Впрочем, в военное время многие старые правила стали не такими строгими или были забыты вовсе, и Элизабет надеялась, что никто не осудит их, если они дадут кров мужчине, который даже не помолвлен с их дочерью. Разумеется, оставалась опасность, что Кейт может совершить глупость, однако для этого ей вовсе не обязательно было находиться дома. К тому же Элизабет собиралась специально поговорить с ней об этом.

Другое дело — Джо... Он вполне зрелый тридцатилетний мужчина, у которого наверняка есть свои мысли и желания, вовсе не обязательно совпадающие с интересами Кейт. Однако, покуда он сдерживал себя, Элизабет не возражала против его пребывания в их доме. Напротив, она была даже рада его видеть... Ну, а будет ли Джо и дальше сдерживаться, целиком зависело от Кейт.

Остаток вечера пролетел незаметно. Вскоре после наступления полуночи Джо оставил их — ему предстояло вернуться на такси в Бостон, чтобы там сесть на поезд до Вашингтона. На прощание Джо крепко поцеловал Кейт и пообещал, что через три дня они снова увидятся. Кейт очень не хотелось возвращаться в колледж, пока Джо будет в Бостоне, но родители сказали, что занятия лучше не пропускать, и она скрепя сердце подчинилась. Хорошо еще, что Элизабет разрешила Кейт жить дома и оттуда каждый день ездить на занятия. Это была единственная уступка, которую сделали ей родители, но Кейт все равно была бесконечно им благодарна.

— Я сам буду возить ее в колледж и следить, чтобы она не прогуливала, — пообещал Джо Кларку, и Кейт неожиданно почувствовала себя так, будто у нее не один отец, а два.

Она и раньше замечала, что Джо относится к ней почти по-отечески покровительственно, и первое время ей это даже нравилось. Сейчас, однако, подобное отношение с его стороны несколько ее покоробило — не того она от него ждала. Но Джо очень скоро рассеял все ее сомнения. Прежде чем сесть в такси, которое должно было доставить его в Бостон, он снова обнял Кейт, поцеловал и сказал, что сильно скучал без нее и что очень ее любит.

Именно этих слов Кейт ждала все девять месяцев, что они не виделись. Она надеялась, что Джо напишет их в одном из писем, но он, очевидно, не считал возможным доверять свои чувства бумаге. Теперь же он произнес эти слова вслух, произнес уверенно, твердо, и Кейт несколько раз повторила их про себя, стараясь лучше запомнить его интонацию. Она знала, что это воспоминание будет одним из самых дорогих в ее жизни.

— Я тоже люблю тебя, Джо, — сказала она в ответ. — Мне очень тебя не хватало. И я ужасно беспокоилась, как ты там.

— Не надо так волноваться. Я уверен, что мы оба благополучно переживем эту войну, сколько бы она ни длилась. А потом... — добавил он задумчиво, — вот увидишь, как счастливы мы будем!

Кейт подумала, что эти слова лишь отдаленно напоминают обещание, какого ждала от Джо Элизабет, но самой ей больше ничего не было нужно. Достаточно просто быть рядом с ним — все остальное не имело значения.

Из Вашингтона Джо вернулся раньше, чем рассчитывал. Утром в среду он позвонил Кейт с вокзала и уже через час был у дверей ее дома с небольшим чемоданчиком в руке. Элизабет показала ему гостевую комнату, помогла устроиться, и с этого дня Джо зажил с ними, словно был полноправным членом их семьи. Он был безукоризненно вежлив, обладал прекрасными манерами и обнаружил такое глубокое знание светских обычаев, какое в нем было трудно предположить. Но самое главное, он относился к Кейт подчеркнуто по-рыцарски, что особенно нравилось ее родителям. Даже Элизабет не могла не признать, что ничего подобного она не ожидала. Единственное, чего Джо *не* сделал, — это не попросил у них руки Кейт, и это обстоятельство продолжало смущать Элизабет. Несколько раз она делилась своими сомнениями с мужем, чтобы в конце концов Кларк как-нибудь деликатно коснулся этой темы в разговоре с Джо.

В тот день он специально вернулся из офиса раньше обычного и застал Джо в гостиной, где он рисовал на листках бумаги эскизы каких-то узлов и агрегатов. Еще раньше Джо обмолвился, что разрабатывает самолет новой конструкции. Пока шла война, построить даже опытную модель было, разумеется, невозможно, но он был уверен, что когда-нибудь этот «самолет его мечты» непременно поднимется в воздух. Пока же Джо продолжал обдумывать конструкцию, вносил какие-то изменения и заполнял целые блокноты самыми разнообразными поправками и комментариями.

Увидев Джо за этой работой, Кларк, естественно, заговорил с ним о сравнительных характеристиках американских и немецких истребителей. Упомянули они и о Чарльзе Линдберге, который, как и Джо, хотел записаться добровольцем в военно-воздушные силы, но против этого решительно выступил президент Рузвельт. Теперь Чарльз помогал Генри Форду в организации производства тяжелых бомбардировщиков на одном из его заводов. Все признавали, что таким образом Линдберг мог принести своей стране куда больше пользы, чем если бы летал над Ла-Маншем, сбивая самолеты люфтваффе, однако, несмотря на это, газеты порой жестоко критиковали его. Они не в силах были простить Линдбергу прогерманских политических взглядов, которых он придерживался до войны. Впрочем, в последнее время знаменитый летчик показал себя примерным патриотом и сумел в значительной степени реабилитироваться в глазах общества. Кларк, во всяком случае, совершенно искренне недоумевал, как еще недавно Линдберг мог быть столь недальновидным и наивным, что позволил себе увлечься идеями гитлеризма.

От Линдберга и войны разговор перекинулся на Кейт, и Кларк, выбрав подходящий момент, дал Джо понять, что был бы не прочь узнать, как он относится к его дочери. Ни секунды не колеблясь, Джо ответил, что любит Кейт. И хотя при этом он испытывал очевидную неловкость — как, впрочем, и каждый, кто вынужден говорить вслух о самом сокровенном и дорогом, — все же он не юлил и не пытался уйти от ответа. Его прямота произвела на Кларка самое благоприятное впечатление. Джо всегда ему нравился, и он был рад, что не разочаровался в нем теперь. Ответ Джо его полностью удовлетворил, и Кларк решил не настаивать на формальностях. Для него было очевидно, что Джо не придает этому такого большого значения, как Элизабет, и оттого не торопится. Да и Кейт, похоже, тоже не особенно задумывалась о брачных узах, а Кларк всегда старался уважать ее мнение. Так или иначе, в подобной ситуации любое вмешательство третьих лиц, по мнению Кларка, не могло принести ничего, кроме вреда.

— Я не собираюсь жениться на Кейт в ближайшее время, — откровенно признался Джо, по-своему истолковав молчание Кларка. — Мне кажется, это было бы ошибкой. Если там, в Англии, со мной что-то случится, она останется вдовой, а я этого не хочу...

Тут Кларк чуть было не сказал, что вне зависимости от того, поженятся они или нет, Кейт будет очень тяжело переживать любое случившееся с ним несчастье, но сдержался. Он не сомневался, что Джо все понимает. Кейт была слишком молода; лишь недавно ей исполнилось девятнадцать, и Джо был первым мужчиной, которого она полюбила. И если бы теперь она его потеряла, для нее это была бы самая настоящая катастрофа. В девятнадцать, как хорошо понимал Кларк, теряют не мужа и не любовника; в девятнадцать теряют Любовь, а пережить *такую* потерю очень нелегко. Почти невозможно.

Однако Элизабет смотрела на проблему с другой стороны. Она постоянно твердила Кларку, что, по ее мнению, Кейт и Джо должны по крайней мере объявить о своей помолвке. Только если Джо решится на это, она поверит в серьезность его намерений.

Но прежде, чем Кларк успел заговорить об этом, Джо сказал:

— Нам с Кейт пока не обязательно жениться, мистер Джемисон. Мы любим друг друга, и брак ничего не изменит в наших чувствах. Но если меня убьют, Кейт останется вдовой, а это уже совсем другая статья. После войны... — Тут Джо судорожно сглотнул, словно ему было трудно продолжать, но справился с собой. — После войны будет переизбыток женщин и нехватка мужчин. И у девушки, которая никогда не была замужем, будет больше шансов встретить достойного спутника жизни, чем у вдовы. Надеюсь, вы понимаете меня, мистер Джемисон? Ведь я забочусь о Кейт!

— Я понимаю... — задумчиво произнес Кларк.

Он думал о том, как ему объяснить все это Элизабет, которая вовсе не была уверена в Джо и боялась, что он может что-то скрывать. Кейт по складу характера была человеком открытым и бесхитростным, при желании обмануть ее было достаточно легко. Не то чтобы Элизабет считала, будто Джо на это способен, просто по сравнению с ним Кейт оказывалась в заведомо проигрышной позиции, так как была слишком уязвима. Джо же был взрослым, самостоятельным мужчиной, которому к тому же пришлось самому пробивать себе дорогу. Сама жизнь научила его никому не доверять, ни перед кем не раскрываться до конца, и, несомненно, кое-что он хранил для себя одного. Весь вопрос был лишь в том, что именно скрывает Джо в глубинах своей души. Кларк придерживался мнения, что ничего страшного там быть не может — так, обычные мужские секреты, которые есть у каждого. Элизабет же подозревала, что у Джо есть некая тайна, которая, если она выплывет на свет, может сделать несчастной Кейт.

— Скажи, сынок, — медленно проговорил Кларк, — неужели ты никогда не думал о том, чтобы... гм-м... остепениться?

Кларк сознавал, что задает Джо очень важный вопрос — важный, потому что он касался всего, что Джо хотел бы получить от жизни. Они не успели поговорить об этом до войны, теперь же любой ответ Джо подразумевал одно большое и важное «если». И все же Кларку было интересно узнать, что он скажет.

— Признаться, я не очень хорошо понимаю, что это значит... — Джо улыбнулся. — Пожалуй, я согласен остепениться, если при этом смогу летать и конструировать самолеты. Без этого я просто не смогу жить.

Джо говорил уверенно, спокойно, но Кларк невольно подумал, что маленькая речь, которую он произнес, не особенно похожа на четкую, обдуманную программу действий. Джо ни разу не сказал ни «может быть», ни «когда-нибудь», однако эти слова как будто повисли в воздухе. Очевидно, Джо пока не чувствовал острой необходимости завести дом, семью, детей, и Кларк вынужден был признаться себе, что это его задело.

— Поймите, мистер Джемисон, — продолжал между тем Джо, — очень трудно строить планы на будущее, когда приходится рисковать жизнью по несколько раз на дню. В этих условиях думаешь только о том, как бы дожить до вечера; все остальное просто теряет свое значение.

Действительно, Джо ежедневно совершал по три-четыре

боевых вылета, и каждый раз он знал, что может не вернуться. Именно поэтому дальше завтрашнего дня Джо заглядывать не мог и не хотел. Чтобы выжить, ему приходилось сосредоточиваться исключительно на настоящем — на погодных условиях, расстоянии до цели, количестве бензина в баке и боеприпасов в пушках. Поразить врага и уцелеть самому — эту задачу он считал главной; в эти минуты все остальное было для него неважно. Даже Кейт. Она была для Джо роскошью, которую он мог позволить себе только после того, как будет закончено главное дело.

Впрочем, по правде говоря, его жизненные принципы были такими всегда, а не только во время войны. Существовали главные вещи, которые Джо должен был сделать, и лишь после этого он мог заниматься чем-то второстепенным, без чего можно было обойтись. Джо, правда, не был уверен, сумеет ли он обойтись без Кейт, однако война внесла свои коррективы в его систему ценностей. Но, так или иначе, Кейт придется подождать: сейчас для него главным были воздушные схватки с истребителями и бомбардировщиками противника. А когда война закончится, он разберется, что к чему.

— Я люблю вашу дочь, мистер Джемисон, — снова повторил Джо и отпил крошечный глоток виски: в последний раз он пил его очень давно и боялся, что крепкий напиток может ударить ему в голову. — Я очень ее люблю, но... Как вы думаете, сможет ли она быть счастлива с таким человеком, как я? Найдется ли вообще такая женщина, которая сумеет быть счастлива со мной? Я не знаю. Для меня самолеты всегда будут на первом месте. Кейт знает это — я ей как-то говорил, — но она, наверное, не обратила внимания. И все-таки, если она согласна...

Он покачал головой. Джо сознавал, что в своей области почти не имеет себе равных. Он не только умел летать в любых погодных условиях, не только инстинктивно чувствовал машину под собой, но и мог предсказать, как она себя поведет через минуту и через час. Джо знал об аэродинамике все, что только можно было знать, в его голове то и дело рождались блестящие инженерные идеи и технические решения, которые могли существенно повысить надежность и мощность авиационных двигателей. Однако в женщинах он разбирался гораздо хуже, и для Кларка это явилось полной неожиданностью.

— Я думаю, — медленно сказал он, — Кейт будет счастлива, если ты сможешь обеспечивать ей спокойное, стабильное существование и... любить ее. Этого хотят все женщины, и я не думаю, что Кейт — исключение. Как и всем, ей нужна семья — нужен муж, на которого она могла бы положиться, нужен дом и дети. Неужели ты не знал таких элементарных вещей?

Кларк умолчал о материальном достатке как об одной из основ существования каждой семьи, однако он и не считал это главным. Сколько бы ни зарабатывал Джо — и сколько бы он ни тратил на свои двигатели, — они с Элизабет всегда могли обеспечить и Кейт, и внуков всем необходимым. Но Кларк прекрасно понимал, что ощущение стабильности, безопасности и уюта мог дать ей только Джо.

— «Элементарных»? — усмехнулся Джо, отпивая еще глоток виски. — По-моему, все это довольно сложно.

— Иногда это еще сложнее, чем ты думаешь, — заметил Кларк. — Порой женщину способен расстроить совершеннейший пустяк, на который ни один нормальный мужчина и внимания-то не обратит, но для них это важно. К сожалению, жену нельзя возить в багажнике машины, как чемодан, и пользоваться ею, как вещью. Ее надо любить, надо дарить ей тепло, наконец, ее надо просто обеспечивать материально и не забывать, что, в отличие от мужчин, женщина всегда предпочтет полному желудку новую блузку или букетик фиалок. Помни об этом — и ты сумеешь наладить свою семейную жизнь как... как один из своих моторов.

Услышав это сравнение, Джо рассмеялся, однако это не помешало ему по достоинству оценить совет Кларка.

— Наверное, вы правы, — сказал он. — Я об этом никогда не задумывался. Впрочем, у меня не было необходимости задумываться... — Он опустил глаза и нахмурился. — Но, должен признаться, вряд ли я способен понять это и сейчас. Во-первых, идет война, и я могу думать только об этом. Во-вторых, мне кажется, нам с Кейт еще слишком рано затевать совместную жизнь. Когда-нибудь потом, когда кончится война, мы с ней сможем решить, какого цвета линолеум постелить в кухне и какие обои наклеить в гостиной. Но сейчас у нас нет даже дома! Нет, я не думаю, что мы уже готовы к каким-то важным решениям.

Его слова звучали вполне разумно и взвешенно; больше того, в данных обстоятельствах он, возможно, ничего другого сказать и не мог, и все же Кларк был разочарован. Он так надеялся, что Джо попросит у него руки Кейт и все проблемы разом будут решены. Но этого не произошло. Джо, правда, не сказал, что не женится на Кейт никогда, однако он признал, что не готов пойти на этот шаг. Что ж, по крайней мере он был честен, и все же Кларк не мог отделаться от ощущения обиды за дочь. Он-то хорошо знал, что, если бы Джо предложил хотя бы объявить об их помолвке, Кейт была бы в восторге. Получалось, что в свои девятнадцать она была больше готова к семейной жизни, чем Джо в свои без малого тридцать два...

Впрочем, Кларк готов был признать, что в этом нет ничего удивительного. Ведь какую жизнь вел Джо? Мотался по всему миру, кочевал с аэродрома на аэродром, и все его мысли были посвящены будущему авиации. Кому-то его мечты могли казаться несбыточными, фантастическими, но Кларк лучше многих знал, какие чудеса способны творить упорство, трудолюбие и талант. Судя по всему, повседневная жизнь интересовала Джо мало: он был исключительно неприхотлив во всем, что касалось материальных, бытовых вещей, и в буквальном смысле витал в облаках. Он был самым настоящим мечтателем — если только можно вообразить мечтателя, облаченного в залатанный летный комбинезон с закатанными по локоть рукавами, с испачканным машинным маслом лицом, с гаечным ключом в одной руке и кронциркулем в другой. Вопрос был только в том, включали ли его мечты Кейт...

— Ну, что он сказал? — нетерпеливо спросила Элизабет вечером, когда они с Кларком уединились в спальне.

— Если коротко, то он сказал, что еще не готов. Точнее, они оба не готовы. Так он считает. — И Кларк улыбнулся, чтобы не расстраивать жену.

— Думаю, если бы *он* был готов, Кейт бы отказываться не стала, — печально вздохнула Элизабет.

— Я с тобой согласен, Лиз, но давить на них бессмысленно. Во всяком случае — на Джо. Ни к чему хорошему это не приведет. Он каждый день рискует жизнью, и я не знаю, как можно убедить его в том, что именно помолвка ему сейчас нужнее всего.

Элизабет покачала головой. Она знала, как сильно Кейт

любит Джо, и ей очень хотелось помочь дочери. Она так надеялась, что Джо предпримет какие-то конкретные шаги, прежде чем снова уедет! Двухнедельный отпуск, который он получил, был слишком большой редкостью, и никто из них не рассчитывал, что в ближайшее время Джо снова сможет приехать в Штаты достаточно надолго. Тем не менее Кларк хорошо понимал, что на этот раз никакой помолвки не будет...

— По-моему, Джо вообще не создан для семейной жизни, — сказал он. — Но ради Кейт... Ради нее он может постараться. Я и раньше не сомневался, что он любит ее, а сегодня он сам мне об этом сказал. И я ему верю. Джо не лжет — он действительно без ума от Кейт. Но он любит и свои самолеты...

Именно этого Элизабет и боялась, но сейчас ее гораздо больше пугало другое.

— А если, когда война кончится, Джо решит, что ему по-прежнему не хочется создавать семью? — спросила она. — Кейт потратит впустую годы, а под конец он разобьет ей сердце!

Кларк тяжело вздохнул. Этот вариант был вполне возможен, и не было никаких гарантий, что Кейт не ждет такая незавидная судьба. С другой стороны, если бы Джо женился на Кейт и погиб, она осталась бы вдовой, и трудно было сказать, что хуже. Они с Элизабет всегда мечтали, что у Кейт будет заботливый, любящий муж, крепкая семья, дети, дом — полная чаша. Но Джо на роль заботливого мужа подходил мало: даже Кларк не мог не признать, что он — довольно-таки эксцентрическая натура. В профессиональном мире — в мире авиации — эта эксцентричность вполне искупалась его гениальностью, но в повседневном общении такой человек мог казаться по меньшей мере странным. Кларк не был уверен, что это плохо, и все же он предпочел бы, чтобы муж его дочери был чуточку менее гениальным. Но изменить что-либо ни он, ни Элизабет были не в силах, поэтому он посоветовал жене вооружиться терпением и подождать хотя бы до конца войны.

— Что он еще сказал? — спросила Элизабет.

Пожав плечами, Кларк пересказал ей весь разговор с Джо.

— Но послушай, не кажется ли тебе, что он вообще не собирается жениться на Кейт?! — всполошилась Элизабет.

Кларк покачал головой.

— Я так не думаю, — спокойно сказал он. — Больше того, я уверен, что в конце концов Джо женится на Кейт. В свое время я знал нескольких парней, похожих на него. Такие люди ничем не хуже остальных, просто им требуется больше времени, чтобы смириться с неизбежным. — Он улыбнулся. — Некоторые лошади более упрямы, чем другие, как тебе известно, а наш Джо еще совсем дикий, необъезженный. Нам надо иметь терпение. Слава богу, что Кейт не волнуют все эти пустяки.

— Это не пустяки! — возмущенно воскликнула Элизабет. — И я имею право волноваться — ведь она *моя* дочь! Если б было возможно, Кейт бы отправилась с ним даже на луну. Она втрескалась в него по уши — так, кажется, выражается современная молодежь — и готова сделать для него все, что он ни потребует. Ты скажешь: это их дело, но я не хочу, чтобы моя дочь жила в палатке на краю какого-нибудь богом забытого аэродрома.

— Ну, я не думаю, что до этого дойдет, — улыбнулся Кларк. — В крайнем случае, мы всегда можем купить им дом.

— Я не о доме беспокоюсь, а о том, кто будет в нем жить. Или *не* будет!

— Не волнуйся, рано или поздно Джо поймет, что ему нужны и домашний очаг, и детишки, и все остальное, — твердо сказал Кларк.

Элизабет тяжело вздохнула.

— Надеюсь, я проживу достаточно долго, чтобы увидеть это своими глазами, — пробормотала она, и Кларк повернулся к ней, чтобы поцеловать.

— Ну, ты еще и стареть-то не начала, — улыбнулся он.

Однако Элизабет так не думала. Ей уже исполнилось шестьдесят, и в последнее время она чувствовала себя усталой и подавленной. Ей очень хотелось увидеть Кейт счастливой замужней женщиной, хотелось понянчить внуков, но она понимала, что сейчас не самое подходящее для этого время. Никто не знал, как долго продлится война, сколько жертв она потребует, сколько горя и страданий принесет.

Правда, Кейт отнюдь не была несчастна. Она любила и была любима, и ее чистую радость омрачало только то, что Джо вынужден был сражаться с врагом в далекой Англии. Вряд ли она задумывалась о будущем, а если и задумывалась, то оно, несомненно, представало ей в самых радужных красках. Но Элизабет знала, что никаких гарантий здесь быть не может. Джо слишком напоминал ей дикую, вольную птицу, и предсказать, что он будет делать, когда кончится война, она не могла. Да и никто не мог. Вот почему Элизабет отнюдь не разделяла уверенности мужа, считавшего, что Джо непременно женится на Кейт. Не будь она сама лицом заинтересованным, она могла бы убедительно доказать кому угодно, что вероятность этого ничтожно мала. Но поскольку речь шла о ее собственной дочери, Элизабет предпочитала не думать об этом, а положиться на мнение Кларка.

«По крайней мере, — сказала она себе, — они любят друг друга, а это не так уж мало».

Элизабет не знала, что, когда Джо рассказал Кейт о своем разговоре с Кларком, она страшно рассердилась на отца.

— Это отвратительно! — воскликнула Кейт, и ее голубые глаза гневно сверкнули. — Как он мог?!

Ей казалось, что родители пытаются принудить Джо жениться на ней, а такого брака Кейт хотелось меньше всего. Она считала, что покуда они нужны друг другу, все остальное не имеет большого значения, хотя если бы Джо предложил что-то в этом роде, она бы, конечно, не стала отказываться.

— Почему папа заговорил с тобой об этом? — требовательно спросила она. — Неужели он хотел заставить тебя жениться?

— Просто они волнуются, волнуются за тебя, — спокойно объяснил Джо. Он прекрасно понимал, что́ чувствовали родители Кейт, и ему было очень неловко. Еще ни разу ему не приходилось так подробно объяснять другим — и самому себе тоже, — чего он хочет и к чему стремится. — Они вовсе не собираются никого ни к чему принуждать, — добавил он. — Твои отец и мать хотят только одного: чтобы тебе было хорошо. Тебе, да и мне тоже... И, по совести сказать, это даже лестно — ко мне еще никто так хорошо не относился. Твои родители не выставили меня вон и не сказали, что я недостаточно хорош для их дочери, хотя у них есть на это полное право. И мистер Джемисон заговорил со мной не потому, что хочет насильно нас поженить. Его другое интересует...

— Что же? — спросила Кейт, все еще хмурясь.

— Твои отец и мать хотят знать, действительно ли я люблю тебя и не собираюсь ли расстаться с тобой, как только ты мне надоешь. Кстати, если тебе интересно, я сказал, что люблю тебя и не расстанусь с тобой ни за что на свете. Что же до остального, то... Я думаю, что, когда я вернусь из Англии, у нас с тобой будет достаточно времени, чтобы спокойно решить все вопросы. Впрочем, одному богу известно, куда меня занесет тогда...

Эти последние слова не особенно понравились Кейт. Она знала, конечно, что Джо, словно перекати-поле, мотается по всей стране, с одного аэродрома на другой, и не была уверена, что подобная жизнь окажется ей по плечу. Однако она решила, что не будет подробно расспрашивать Джо о том, как ему представляется их совместная жизнь. Достаточно было и одного допроса с пристрастием, который учинил Джо ее отец.

Если не считать этого небольшого инцидента, десять сентябрьских дней сорок второго года показались обоим настоящим чудом. Кейт каждый день ездила в колледж, а после занятий Джо уже ждал ее. Они часами гуляли в парке, сидели на скамейках или просто на траве под деревьями, разговаривая обо всем, что казалось им значительным и важным. Правда, разговор сворачивал на самолеты гораздо чаще, чем хотелось Кейт, однако вскоре она стала ловить себя на том, что эта тема интересует ее все больше и больше. Она просто не могла оставаться равнодушной к тому, что было частью жизни Джо. Впрочем, иногда он говорил с ней и о людях, с которыми познакомился, о городах, где ему довелось побывать. Кейт решила, что постоянный риск, которому Джо подвергался на войне, научил его больше ценить жизнь во всех ее проявлениях, и была рада такой перемене.

Часто, забравшись в какой-нибудь глухой уголок парка, они целовались или лежали рядом на земле, взявшись за руки, но дальше этого дело не заходило. Они сразу условились, что не будут спать друг с другом, и хотя соблюдать этот уговор им с каждым днем становилось все труднее, нарушить его они не решались. Джо не хотел жениться, чтобы не сделать ее вдовой, и еще меньше он хотел бы вернуться на войну, оставив ее в положении. Однажды он сказал Кейт, что если они когда-то и поженятся, то только потому, что сами захотят, а не потому, что им пришлось. И Кейт была вполне согласна с этим утверждением — правда, за исключением все того же маленького «если», которое все портило. В глубине души ей все-таки хотелось, чтобы день, когда она сможет назвать Джо своим мужем, наступил поскорее. Однако поскольку это зависело не только от нее, Кейт старалась думать об этом поменьше.

Была и другая мысль, которая пусть изредка, но тревожила ее. Если с Джо что-нибудь случится, ей бы хотелось, чтобы у нее остался хотя бы ребенок — его ребенок. Но Джо на это все равно бы не пошел, и Кейт не смела настаивать. Им обоим оставалось только положиться на будущее. Никаких обещаний, обязательств, гарантий — лишь неопределенное, туманное будущее, да еще надежды и мечты, которые одни только и могли согреть их в разлуке и дать силы ждать. Все остальное было покрыто туманом неизвестности, неопределенности.

За десять дней, пролетевших как одно мгновение, они узнали друг о друге почти все и полюбили друг друга еще крепче, чем прежде. Они по-прежнему были очень разными, но, несмотря на это, Кейт теперь не сомневалась — они просто созданы, чтобы быть вместе. Правда, временами Джо все еще чувствовал себя неловко, иногда смущался или замолкал, погружаясь в собственные мысли, но Кейт каждый раз угадывала, что с ним происходит, и эти его маленькие странности даже стали ей дороги. Когда Джо уезжал, в его глазах тоже стояли слезы. Целуя Кейт на прощание, он снова сказал, что любит ее, и обещал написать, как только окажется в Англии.

Это было единственное обещание, которое он дал ей перед отъездом, но Кейт этого было вполне достаточно.

Глава 6

Октябрь сорок второго года был отмечен активизацией боевых действий в Европе и на Тихом океане, откуда — впервые за все время — начали поступать обнадеживающие сообщения. Австралийцы и их американские союзники сумели вытеснить японцев с Новой Гвинеи и перешли в наступление. Британские войска в Северной Африке измотали германский экспедиционный корпус в позиционной войне и теперь наверстывали упущенное. Сталинград продолжал стойко обороняться, хотя положение на Восточном фронте было по-прежнему близко к критическому.

Джо, как и раньше, совершал по нескольку боевых вылетов в день. Один из них даже вошел в историю. Он и еще три пилота-истребителя сбили в бою над Гибралтаром сразу двенадцать немецких пикирующих бомбардировщиков, что обеспечило удачное начало союзнической военно-морской операции под кодовым названием «Факел». За этот бой Джо был награжден британским крестом «За летные боевые заслуги» и вылетел в Вашингтон, чтобы принять из рук президента аналогичный американский орден.

На этот раз он заранее предупредил Кейт о своем приезде, и за три дня до Рождества она села в поезд Бостон — Вашингтон, чтобы встретить его. У них было всего сорок восемь часов, и все же Кейт считала эту встречу бесценным подарком судьбы.

Военное министерство зарезервировало для Джо номер в отеле, и Кейт сняла комнату на том же этаже. Вместе с ним она ездила в Белый дом на церемонию награждения, где сам президент Рузвельт пожал ей руку и поздравил как «жену героя». После церемонии они сфотографировались с президентом в зале для приемов, и Джо повел ее обедать. Пока он делал заказ, Кейт смотрела на него и улыбалась — он казался ей еще красивее, чем прежде, а два ордена на летном парадном мундире заставляли даже официантов относиться к нему с особой почтительностью.

— Не могу поверить, что ты здесь! — воскликнула Кейт, сияя.

Джо — ее Джо — оказался настоящим героем. И он был жив, он был рядом! Торжественный прием в Белом доме произвел на нее двойственное впечатление: Кейт была рада за Джо, она ужасно им гордилась, но одновременно ей стало до боли очевидно, как близко была к нему смерть. Впрочем, в каждом дне, который она проживала без него, были свои горечь и сладость. Радость от сознания, что Джо жив, смешивалась с печалью, которую она испытывала каждый раз, когда узнавала о гибели кого-нибудь из знакомых. Многие девушки, с которыми училась Кейт, уже потеряли любимых, братьев, мужей, и только ей продолжало везти. Каждый вечер перед сном она молилась в тишине и просила бога, чтобы он сохранил Джо жизнь.

— Я и сам не могу поверить, — отозвался Джо, отпивая небольшой глоток вина. — А самое обидное, что не успею я это осознать, как снова окажусь в Англии. Неплохая страна, но уж больно там сыро зимой. Сыро и холодно.

В самом деле, по сравнению с осажденной Британией, Америка, от которой война была очень далеко, выглядела гораздо более приветливой. В витринах подмигивали огнями рождественские елки, из окон доносились звуки праздничных гимнов, а дети смеялись и пели, готовясь к приходу Санта-Клауса. На улицах встречались счастливые лица, чего Джо уже давно не видел в Англии, где в глазах людей все чаще отражались страх и боль. Даже английские дети, с молчаливой покорностью семенившие ко входу в бомбоубежище, лишь только раздавался сигнал воздушной тревоги, походили на маленьких старичков, переживших своих близких. И зачастую они действительно оказывались свидетелями того, как гибли их родители или как в мгновение ока обращался в дымящиеся развалины дом, где прошло их детство. Жизнь тех, кто уцелел, тоже была далеко не легкой, и все же англичане не падали духом и продолжали сражаться с врагом упорно и яростно.

Вашингтон показался Джо сущим раем — здесь никто не погибал под бомбежками, и никому не грозила смертельная опасность, от чего он уже успел отвыкнуть. К тому же в ресторане подавали сколько хочешь превосходного кофе, и Джо выпил подряд три большие чашки.

Сразу после обеда Кейт и Джо пошли в отель и долго сидели в общей гостиной. Сначала им там было довольно уютно, просто отлично, но ближе к вечеру в гостиной стали появляться другие постояльцы. Кейт не хотелось расставаться с Джо, но и пригласить его в свою комнату она не могла: ей казалось, что поступить так значило бы обмануть доверие родителей. Кларк и Элизабет сначала тоже хотели поехать с ней — правда, вовсе не для того, чтобы следить за ее поведением, а чтобы повидать Джо и поздравить с наградой, — однако в последний момент совместная поездка расстроилась. Кларку срочно пришлось встречаться с важными клиентами, неожиданно приехавшими из Чикаго, а Элизабет по протоколу тоже полагалось присутствовать на приеме в их честь. Так что Кейт пришлось отправиться в Вашингтон одной. Элизабет, впрочем, дала свое согласие не очень охотно, но все же со стороны родителей Кейт это было безусловным проявлением доверия — и не только к ней, но и к Джо.

Поэтому они остались сидеть в гостиной, однако спустя еще час в ней стало настолько холодно, что Кейт начала стучать зубами. Заметив это, Джо предложил ей пойти к нему в номер; он пообещал вести себя прилично, и Кейт согласилась, поскольку другого выхода все равно не было. Ресторан при отеле давно закрылся, а на улице валил снег и трещал мороз.

Поднявшись с дивана, на котором сидели, они прошли по узкому коридору к комнате Джо. Отель был маленьким и дешевым, что, собственно, и привлекло к нему внимание военного министерства, снимавшего здесь номера для командированных военнослужащих. В другое время Кейт ни за что бы не остановилась в такой развалине, но здесь был Джо, и все остальное не имело для нее значения. Убогая обстановка, холод, шум и многолюдье — что за беда, если они могли быть вместе? Эта встреча была единственным рождественским подарком, которого Кейт отчаянно желала и который почти не надеялась получить. Внезапный приезд Джо был ответом на ее жаркие молитвы, однако, встретившись с ним, Кейт неожиданно почувствовала себя виноватой перед другими женщинами, которые не видели своих любимых уже больше года. По сравнению с ними Кейт могла считать себя счастливой: ведь за прошедшие четыре месяца она уже дважды встречалась с Джо!

Номер был совсем маленьким, и, очевидно, поэтому в нем было заметно теплее, чем в холле. Здесь стояла кровать, два стула и платяной шкаф с зеркалом, а в углу примостилась раковина для умывания. За тонкой фанерной дверцей находились туалет и душ.

Войдя в номер, Кейт сразу села на стул, а Джо опустился на кровать и достал откуда-то небольшую бутылку шампанского, которую он купил, чтобы отпраздновать встречу.

— За мои медали, потому что только благодаря им я попал сюда, к тебе! — провозгласил он и, откупорив бутылку, налил вино в простые чайные стаканы.

Кейт молча кивнула. Ей все еще не верилось, что они с Джо были в Белом доме и видели президента и его супругу. Миссис Рузвельт оказалась очень милой женщиной, к тому же она выглядела именно так, как Кейт и ожидала. У Первой леди были очень красивой формы руки, и некоторое время Кейт не в силах была отвести от них глаз. Это, однако, не помешало ей заметить и другие подробности приема у президента, которые — Кейт знала — она будет помнить всегда. Ее, правда, несколько удивило, что торжественная церемония и великолепная обстановка Белого дома не произвели на Джо особого впечатления, но потом она сообразила, что он вместе с Чарльзом Линдбергом не раз бывал на приемах у высоких особ. Кроме того, Джо никогда не принадлежал к людям, которых может впечатлить блеск позолоты или гром фанфар.

Впрочем, своими орденами Джо тоже гордился, хотя считал, что эти награды принадлежат не только ему, но и его погибшим товарищам. Второй тост он предложил за них, сказав, что предпочел бы отказаться от орденов, если бы это помогло вернуть друзей, которых за год войны он потерял — увы! — слишком много.

Стул, на котором сидела Кейт, оказался расшатанным и жестким, и вскоре Джо, заметив, что она постоянно ерзает, предложил ей перебраться к нему на кровать. Кейт понимала, что они искушают судьбу, но все-таки не представляла себе, что Джо вдруг начнет совершать какие-то глупости только потому, что они будут сидеть рядом на узкой продавленной койке, застеленной колючим шерстяным одеялом. Поэтому она без колебаний пересела к нему, и они продолжили разговор.

Когда часы показали половину второго ночи, Кейт сказала, что ей пора идти к себе. Но прежде, чем она успела подняться, Джо обнял ее за плечи и поцеловал. Это был долгий, медленный поцелуй, наполненный всей печалью и тоской, которую они пережили в последние месяцы; но была в нем и радость встречи, и восторг от простого ощущения близости любимого человека. Когда Джо наконец оторвался от ее губ, он слегка задыхался, да и грудь Кейт тоже вздымалась часто-часто. Несколько мгновений они сидели неподвижно, глядя друг другу в глаза и чувствуя, как внутри них нарастает странный голод. Казалось, в эти минуты на них вдруг снова обрушились все тяготы, скорби и лишения первого военного года, и оба испытывали непреодолимое желание немедленно вознаградить себя за пережитые страдания.

Ничего подобного Джо никогда прежде не испытывал. Не в силах думать ни о чем, кроме близости этой бесконечно дорогой ему женщины, он бережно уложил ее на кровать и поцеловал, а потом осторожно лег сверху.

Кейт не мешала ему. К собственному удивлению, она не сделала ничего, чтобы остановить Джо, хотя знала: для этого было бы достаточно одного ее слова. Но она *не хотела* его останавливать. Больше того, слушая слова любви, которые Джо хрипло нашептывал ей на ухо, она страстно желала того, что́ должно было произойти, и мысленно торопила его.

— Я тоже люблю тебя! — прошептала она.

В эти сладостные секунды ей хотелось только одного: прижимать его к себе, целовать, чувствовать тяжесть его крепкого тела. Не думая больше ни о чем, Кейт принялась непослушными пальцами расстегивать пуговицы его мундира. Она позабыла о родителях, о своих обещаниях матери, обо всем на свете — сейчас ей хотелось только прикасаться к его коже, прижиматься к ней лицом, ощущать на губах ее сухой, солоноватый вкус.

— Что... что ты делаешь? Зачем?! — прошептал Джо, но Кейт уже справилась с последней пуговицей, распахнула его мундир и рубашку, и Джо начал расстегивать на ней блузку. Уже через несколько мгновений она почувствовала его руки на своей груди, которую он жадно целовал, слегка покалывая отросшей щетиной.

Когда Джо сорвал с нее блузку и лифчик, Кейт негромко застонала. Он уже стянул через голову майку, и ощущение, которое рождалось в ней от прикосновения к его широкой груди, подействовало на Кейт как шампанское, которое они пили несколько часов назад. У нее даже закружилась голова, и она прижалась к Джо всем телом.

— Кейт, любимая... Мы должны остановиться... — прошептал он, тщетно стараясь сохранить контроль над ситуацией. Но одного взгляда на ее запрокинутое лицо и полуоткрытые губы ему было достаточно, чтобы забыть обо всем.

— Я знаю, но... не хочу, — ответила Кейт в промежутке между поцелуями, которыми он покрывал ее лицо, шею и грудь.

Она действительно не хотела и... не могла. Слишком долго она сдерживала себя. Быть с ним — только этого Кейт страстно желала сейчас. Она уже готова была вручить ему себя целиком, когда Джо вдруг отстранился и посмотрел на нее с едва сдерживаемой болью и страданием.

— Кейт, послушай... Не надо. Мы не должны, потом ты пожалеешь об этом...

Кейт понимала, что это была его последняя попытка спасти ее. Но она не хотела, чтобы ее спасали. Только не от этого. Она хотела любить его — любить и быть любимой.

— Я так люблю тебя, Джо! И я... хочу тебя!

Кейт с ужасом подумала о том, как мало времени у них осталось, и твердо решила, что должна заняться с ним любовью до того, как он снова вернется на фронт. Сегодня, во время приема у президента, она с особенной остротой поняла, какая эфемерная, зыбкая, непрочная штука — жизнь и как легко можно ее потерять. Быть может, Джо уедет, чтобы никогда не вернуться, но тогда у нее останется хотя бы память о том, что сейчас произойдет.

Услышав ее слова, Джо почувствовал, что больше не может сдерживаться. Они поспешно помогли друг другу раздеться и снова улеглись на кровати рядом. Джо нежно ласкал ее тело, целовал, наслаждаясь этими долгожданными ощущениями, а она негромко постанывала под его прикосновениями. Когда он вошел в нее, Кейт, как ни странно, совсем не почувствовала боли. А потом ее закружил, завертел вихрь эмоций и ощущений — незнакомых, чуть-чуть пугающих и бесконечно приятных. Страсть захватила их обоих, все барьеры рухнули. Они отдались друг другу всеобъемлюще и полно, никак не сдерживая себя, и в первые секунды это даже напугало обоих. Но они отринули все страхи, растворяясь друг в друге и чувствуя, как соединяются, сливаются в одно их тела и души...

Когда все кончилось, оба чувствовали себя выжатыми досуха, опустошенными физически и эмоционально. Они долго лежали неподвижно, остывая, отдыхая, потом Джо приподнялся на локте и посмотрел на Кейт с такой нежностью в глазах, какой она никогда у него не видела.

— Я люблю тебя, Кейт, — прошептал он, пряча лицо в ее волосах.

Потом он накрыл ее одеялом, и Кейт, сонно улыбнувшись в ответ, погрузилась в блаженную полудрему. Она ни о чем не жалела и не испытывала ни разочарования, ни стыда. Еще никогда она не чувствовала себя такой счастливой.

Этой ночью Кейт так и не вернулась к себе в номер. Они проспали до утра на узкой гостиничной кровати, а когда же наступил рассвет, Кейт сама потянулась к нему, и они без труда нашли друг друга, словно старые любовники. Кейт показалось, что в эту ночь их любовь обрела какое-то иное, высшее качество. И она еще раз убедилась в этом, когда, встав с постели, поглядела на него и поняла, что отныне их связывает нечто большее, чем обычная влюбленность, обычное физическое влечение. Отныне не имело никакого значения, где — далеко или близко от нее — находился Джо. Кейт знала, нет — инстинктивно чувствовала, что отныне он всегда будет принадлежать только ей одной, а она будет принадлежать ему. И хотя Кейт не могла найти слов, чтобы сказать об этом Джо, она сумела выразить все, что чувствовала, в одном долгом, долгом поцелуе. И Джо ответил ей с такой глубокой страстью, что Кейт поняла: они — одно целое, отныне и навсегда.

Глава 7

Новое расставание с Джо далось Кейт еще тяжелее. В сентябре, четыре месяца назад, когда она только начинала понимать, что любит его, Кейт провожала Джо просто как очень близкого друга. Теперь же он стал частью ее души, и это делало мысли о предстоящей разлуке особенно тягостными.

На этот раз не он уезжал от нее, а она возвращалась в Бостон, оставляя Джо в Вашингтоне дожидаться самолета на Лондон. По пути на вокзал Юнион-Стейшн он раз двадцать просил ее быть осторожнее, беречь себя, не делать никаких глупостей и обязательно писать ему. Джо очень хотелось проводить Кейт до дома, но он не мог, поскольку через час уже должен был быть в аэропорту.

— Пиши мне, обязательно пиши! И помни, что я люблю тебя! — сказал он, поцеловав ее на прощанье.

Джо выскочил из вагона, когда поезд уже трогался, но тут же появился у окна купе. Он бежал рядом с вагоном и что-то кричал, но стук колес и натужное сопение паровоза заглушали его слова. Поезд постепенно набирал ход, Джо начал отставать, и Кейт, провожая его взглядом, чувствовала, что ее сердце буквально разрывается пополам. Стоя на самом конце платформы, он махал ей фуражкой, а она не в силах была даже поднять руку, чтобы вытереть слезы, катившиеся по лицу. Кейт не представляла, как она теперь будет жить без него, и была совершенно уверена, что если он погибнет, то и она тоже умрет — умрет в тот же час, в ту же минуту.

Почти всю дорогу до Бостона Кейт просидела у окна зажмурившись и крепко сжав зубы, чтобы не разрыдаться. Был самый канун Рождества, и она знала, что Джо встретит праздник в полете. Самой Кейт было даже страшно подумать о том, чтобы сесть за стол и веселиться. Ее отчаяние было так велико, что она едва могла говорить.

Когда Кейт вошла в дом, Элизабет, встречавшая ее в прихожей, побледнела и сделала шаг навстречу дочери, протягивая к ней руки. Она решила, что случилось что-то страшное, и для Кейт действительно так и было. Необходимость еще несколько месяцев жить в разлуке с Джо пугала ее как самая страшная пытка. Ждать, тосковать и бояться — каждый день бояться, что с ним может что-то случиться... Что могло быть хуже этого?

— Что стряслось? — спросила Элизабет неожиданно севшим голосом, потому что у Кейт был такой вид, словно кто-то умер.

Кейт покачала головой, хотя у нее действительно было ощущение, что она похоронила нечто очень важное. Она распрощалась со своей свободой. Кейт больше не была просто юной девушкой, влюбленной в мужчину, — вчера ночью она ощутила себя частью чего-то большого, огромного, важного. Наутро радость переполняла ее, словно легкий газ, так что она не ходила — летала. Но теперь, без Джо, Кейт чувствовала себя воздушным шариком, из которого выпустили весь воздух.

— Ничего, — ответила она тихо. — Ничего не стряслось.

Ее голос прозвучал как-то жалко, неубедительно, и Элизабет встревожилась еще сильнее.

— Ты правду говоришь? Может быть, вы поссорились?

Элизабет знала, что такие вещи случаются — могут случиться из-за одного только нервного напряжения и страха перед неизбежной разлукой.

— Нет, мы не ссорились. Наоборот, Джо был очень... — Она внезапно разрыдалась и бросилась матери на шею. — Вдруг его убьют, мама?.. Что я тогда буду делать?!

В этом крике слышалось столько отчаяния, тоски и страха, что Элизабет крепко прижала Кейт к себе. Она понимала, что значит потерять любимого человека. Когда-то она потеряла мужа, и ей не хотелось, чтобы то же самое пережила ее дочь.

— Будем молиться, чтобы Джо вернулся назад целым и невредимым. Это все, что мы можем сделать, милая: молиться и уповать на бога. Если Джо суждено остаться в живых, он вернется. А ты... ты должна быть терпеливой и мужественной. — Элизабет говорила негромко, глядя через плечо Кейт на стоявшего тут же Кларка, и в ее глазах тоже блестели слезы.

— Я не хочу быть мужественной! — всхлипывала Кейт. — Я хочу, чтобы он был здесь, со мной...

Она плакала, словно маленькая девочка, и отец с матерью не знали, как ее утешить. Не имело никакого значения, что Кейт была не одинока в своем горе. Добрая половина населения страны — да что там страны, всего мира! — тосковала, скучала, боялась за своих родных и близких, за своих мужей и любимых. Кейт еще повезло — Джо был жив, хотя и далеко от нее, — а многие женщины уже похоронили и оплакали тех, кто был им дороже всего на свете.

Постепенно Кейт успокоилась и позволила матери усадить себя на диван. Кларк принес ей воды, и она выпила, хотя руки ее тряслись, а зубы звякали о край стакана. Потом Элизабет протянула ей платок, и Кейт вытерла глаза.

— Ничего, — сказала ей мать. — Все будет в порядке. Вот увидишь — все будет в порядке...

Поздно вечером Элизабет уложила Кейт спать и, подоткнув ей одеяло, как маленькой, отправилась в свою спальню. Кларк уже ждал ее. Плотно закрыв за собою дверь, Элизабет тяжело вздохнула и, сев перед туалетным столиком, принялась расчесывать волосы.

— Как там наша малышка? — спросил Кларк.

— Спит. — Элизабет покачала головой. — Именно этого я и боялась — боялась, что она будет любить его слишком сильно! Но теперь уже поздно. А ведь они не женаты, не помолвлены, Джо даже ничего ей не обещал...

— Сейчас это не самое главное, Лиз. Сам факт регистрации в мэрии не спасет ему жизнь. Их судьба — в руках божьих, и мы тут ничего не можем поделать. По крайней мере, они любят друг друга...

Элизабет повернулась к мужу.

— Если с ним что-то случится, Кейт будет очень тяжело. Она может никогда не оправиться от этого удара...

Отчаяние дочери напомнило ей, как переживала маленькая Кейт смерть отца, но Кларку она об этом не сказала.

— Тысячи женщин по всей стране находятся в том же положении, — возразил Кларк. — И если с Джо случится беда, ей придется это пережить. В конце концов, Кейт молода. Она выдержит.

— Надеюсь, ей повезет больше, чем другим, — вздохнула Элизабет, гася свет.

На следующий день Кейт проснулась в подавленном настроении. Она совершенно забыла про Рождество и спохватилась, только когда родители преподнесли ей сапфировое ожерелье и такие же сережки. Кейт тоже припасла им очень милые подарки: Кларк получил чудесный дорожный несессер с золотыми застежками, а Элизабет — флакончик французских духов. Потом они сели за праздничный стол, но у Кейт совсем не было аппетита. Единственное, о чем она могла думать, это о Джо, который, как она знала, вернулся в Англию и уже наверняка вылетел на очередное задание.

Следующие недели тоже не принесли ей облегчения. Кейт ходила как в воду опущенная и выглядела такой измученной и бледной, словно ее глодала какая-то болезнь, так что Элизабет, не на шутку встревожившись, даже хотела показать ее врачу, но Кейт отказалась.

Вскоре кончились рождественские каникулы. Приезжая домой на выходные, Кейт никуда не ходила, а часами сидела в своей комнате и занималась или просто смотрела в окно, и ее рассеянный взгляд выражал лишь тоску, одиночество и тревогу. Даже с друзьями она почти не общалась. Как-то раз ей позвонил Энди Скотт, но она не пожелала с ним разговаривать и попросила мать впредь отвечать, что ее нет дома. Единственным просветом были для нее письма Джо, которые Кейт перечитывала по многу раз, однако он, похоже, тоже был подавлен, хотя и старался не жаловаться. Разлука давалась нелегко и ему.

К середине февраля Элизабет была в самой настоящей панике. Кейт приезжала домой на День святого Валентина, но даже праздничный обед ее не соблазнил. Она не притронулась ни к цыпленку, ни к ветчине — лишь поклевала немного бобов со свининой и съела за чаем крошечное пирожное. Каждый раз, когда разговор касался Джо, Кейт начинала плакать, и в результате под глазами у нее образовались мешки, а веки покраснели.

Когда Кейт уехала обратно в колледж, Элизабет заявила Кларку, что должна показать Кейт врачу.

— Так больше продолжаться не может, — твердо сказала она. — Девочка тает буквально на глазах. Она стала худой, как щепка, и ничего не ест. Я боюсь, что у нее что-то с желудком...

— Просто ей одиноко, — отозвался Кларк. — Она много учится, к тому же на улице холодно, пасмурно и рано темнеет. Дай ей время, Лиз, и она придет в себя. А может быть, Джо снова приедет в отпуск...

Но этим надеждам не суждено было сбыться. Джо писал, что летает теперь еще больше, чем раньше, и даже принимал участие в ночном рейде на Нюрнберг. Кларк читал об этом налете в газетах и радовался вместе со всеми, что британские ВВС бомбят немецкие города, однако скорого конца войны пока ничто не предвещало.

А в конце февраля основания для паники появились и у самой Кейт. Со дня их свидания с Джо прошло восемь недель, и хотя кое-какие подозрения появились у нее уже давно, теперь она была совершенно уверена, что беременна. Как теперь быть, Кейт понятия не имела. Одно было очевидно: она не может рассказать об этом никому, даже родителям. В особенности — родителям. С помощью небольшой хитрости ей удалось узнать у подруг адрес и телефон одного врача, который выручал девушек в подобном положении, однако позвонить ему Кейт не решалась, хотя ей было совершенно ясно, что появление ребенка погубит все. Из колледжа ее со скандалом выгонят, а уж о том, что скажут родители, узнав, что она обманула их доверие, страшно было даже подумать.

Единственное, что можно было предпринять, чтобы избежать ненужного шума, это как можно скорее выйти за Джо замуж. Однако сказать это было куда проще, чем сделать. Джо писал ей, что в ближайшие несколько месяцев никакой отпуск ему не светит, и Кейт понимала — почему. В Европе шли жестокие бои, и Джо приходилось вылетать на задания с интервалом буквально в несколько часов. В таких условиях единственной возможностью попасть домой был отпуск по ранению (и ранение должно было быть достаточно тяжелым), а этого Кейт желала меньше всего.

Так или иначе, сама мысль о хирургическом вмешательстве внушала ей ужас: это в корне противоречило ее воспитанию и мировоззрению. К тому же Кейт знала, что если сделает аборт, а с Джо что-нибудь случится, она никогда не простит себе, что не сохранила его ребенка. Вот почему вместо того, чтобы на что-то решиться, она молчала и ничего не делала. Когда же Кейт поняла, что предпринимать какие-то кардинальные меры уже поздно, она только с облегчением вздохнула, хотя ей по-прежнему было неясно, что сказать родителям и как объяснить свои обстоятельства в колледже.

Кейт сознавала, что к Пасхе ее беременность уже будет бросаться в глаза, и тогда... Что будет тогда, она еще не решила. Возможно, ей придется уйти из колледжа самой, пока ее не вышвырнули. Если же каким-то образом удастся дотянуть до июня, тогда она закончит второй курс, а в сентябре как ни в чем не бывало вернется на занятия. Ребенок к тому времени уже родится, и ей не придется объясняться с администрацией. Вот только как скрыть беременность? Ведь к июню она будет уже на шестом месяце...

Кейт, однако, понимала, что если преподавателей и удастся как-то провести, то родителей ей не обмануть. Она не переставала удивляться, что ее мать до сих пор ничего не заподозрила. Но вскоре — в этом не могло быть никаких сомнений — Элизабет все поймет, и тогда начнется настоящий ад. Ей родители, скорее всего, ничего не сделают, но вот Джо... Его они не простят никогда.

Джо Кейт тоже решила пока ничего не сообщать, хотя по-прежнему писала ему каждый день. Она очень боялась, что он огорчится или рассердится. В любом случае, мысли о ребенке будут отвлекать его, а во время боевых вылетов необходимо быть очень внимательным. Значит, и ему она тоже не должна ничего говорить.

Естественным следствием всех этих соображений и расчетов было то, что Кейт осталась со своими проблемами один на один. Каждое утро она вставала еще до того, как просыпались ее соседки по комнате, и бежала в туалет. Утренние приступы тошноты выматывали ее, словно тяжелая физическая работа, поэтому на занятия она являлась совершенно разбитой. Сразу после лекций Кейт снова ложилась и спала до самого вечера, но и сон не приносил облегчения, а ведь ей еще нужно было готовиться к завтрашнему дню.

Несмотря на все предосторожности, многие стали замечать, что с Кейт творится что-то неладное. Подруги советовали ей обратиться к врачу, но она отказывалась, уверяя, что все в порядке и что она просто перезанималась. Однако ее оценки неуклонно поползли вниз, и Кейт пребывала в постоянном страхе, что преподаватели обратят на это внимание. Ее жизнь превратилась в сущий кошмар, с каждым днем положение становилось все хуже, и Кейт с ужасом думала о том дне, когда ей *придется* сообщить отцу и матери, что у нее будет ребенок. Больше всего она боялась, что Кларк попытается заставить Джо жениться на ней. Кейт не хотела этого, да и Джо мог встать на дыбы. Он был слишком свободолюбивым и независимым, к тому же Кейт прекрасно помнила, как он сказал однажды, что не хочет заводить детей. Конечно, она надеялась, что когда-нибудь Джо изменит свое мнение и полюбит их дитя, но пока этого не произошло, он вряд ли был склонен позволить кому-либо вести его к алтарю под дулом пистолета.

Единственное, в чем Кейт по-прежнему не сомневалась, это в его любви, которая давала ей силы справляться со всеми тревогами и возникающими на каждом шагу затруднениями. Кроме того, она знала, что хочет этого ребенка. Хочет, несмотря ни на что. Это желание было таким сильным и таким глубоким, что Кейт даже не сразу поняла, что приняла решение. А когда поняла, ей сразу стало легче.

Однажды в начале марта, когда она сидела в студенческом кафе, туда неожиданно зашел Энди Скотт. Увидев Кейт, он был так поражен ее худобой и бледностью, что не сразу нашелся, что сказать. Лишь некоторое время спустя он осторожно поинтересовался, не больна ли она.

— Я действительно болела и еще не пришла в себя, — солгала Кейт. — Наверное, подхватила где-то грипп. К тому же нам так много задают... Просто замучили письменными работами!

— Тогда пойдем погуляем в парке, — немедленно предложил Энди. — Свежий воздух полезен во всех случаях. К тому же сегодня достаточно тепло.

И неожиданно для себя Кейт согласилась. Ей не хотелось ни о чем разговаривать с Энди, но она была не прочь оттянуть возвращение в общежитие, где ее действительно ждала незаконченная письменная работа.

— Идем, — сказала она просто.

Выйдя из кафе, они медленно побрели по обсаженной старыми вязами аллее. На вязах только недавно появились первые молодые листочки, и воздух был напоен их сладковатотерпким запахом. Погода и в самом деле стояла хорошая, в парке было много гуляющих, и каждая попадавшаяся навстречу или обгонявшая их студентка считала своим долгом оглянуться на Энди. И до войны он привлекал внимание девушек своим смуглым лицом, темными волосами и высоким ростом, теперь же у него просто не было отбоя от поклонниц. Студентов-юношей в Гарварде осталось совсем мало, и Энди, по его собственному выражению, «пользовался повышенным спросом».

— Какой же ты все-таки испорченный! — с шутливой укоризной сказала Кейт, когда Энди, не сдержавшись, причмокнул губами вслед обогнавшей их старшекурснице. — Боюсь, ты так избалуешься вконец!

В ответ Энди широко ухмыльнулся. Он старался казаться циничным, но его большие темные глаза оставались теплыми и добрыми.

— Ведь должен же кто-то потрудиться за наших парней в форме и позаботиться обо всех этих девушках! — ответил он. — Должен признаться честно: это нелегкая работенка, но я не отказываюсь. Ведь я, в конце концов, патриот!

Энди давно перестал переживать из-за своей статьи 4-Ф, которая освобождала его от военной службы. Ему столько раз приходилось объяснять, почему он не в армии, что со временем Энди совершенно свыкся со своим положением «пацифиста против собственной воли», как он со смехом себя называл.

— Ты просто мерзкий тип, Энди! — заявила Кейт и улыбнулась: она всегда считала Энди своим другом, хотя у него, похоже, были на нее свои виды. — Что ты собираешься делать летом? — спросила она, хотя до лета — страшного для нее лета — оставалось еще около двух месяцев.

Энди рассказал ей о своих планах. Он уже решил, что снова будет работать в госпитале для тяжелораненых.

— Только там я чувствую себя полезным, — признался он. — Пока идет война, санитары и сиделки гораздо нужнее, чем юристы и адвокаты. К тому же я еще даже не юрист, а просто 4-Ф без диплома. А ты что будешь делать?

Но Кейт не могла сказать ему ничего определенного. Она знала, что к лету ее беременность будет бросаться в глаза, а кому нужен такой работник? Вряд ли ее возьмут даже секретарем в приемное отделение. Поэтому Кейт решила, что если с работой ничего не получится, она уедет на мыс Код и будет жить там, пока не родится ребенок. Сразу после Пасхи она хотела взять академический отпуск, и тогда ей придется наверстывать только один триместр. Главное, чтобы осенью ее снова допустили к занятиям.

Ничего этого она, конечно, не сказала Энди, как ни хотелось ей поделиться хоть с кем-нибудь своими переживаниями. Кейт не хотела шокировать его, к тому же ей было не все равно, что подумает о ней Энди, когда узнает правду.

— Наверное, я снова обращусь в Красный Крест — может быть, они подыщут мне что-нибудь, — уклончиво ответила она и смущенно опустила глаза: ей тут же стало стыдно, что она обманула его.

К счастью, Энди ничего не заметил. Стараясь сделать ей приятное, он принялся уговаривать Кейт пойти с ним в кино, и в конце концов она согласилась, лишь бы он отстал.

— Только давай не сегодня, ладно? Сегодня я что-то неважно себя чувствую, — сказала она.

— Ну, с тобой каши не сваришь! — расстроился Энди. — Я ведь приглашаю тебя просто как друг.

Но он видел, что Кейт действительно выглядит не совсем здоровой, хотя от ходьбы и свежего воздуха на ее бледных скулах появилось слабое подобие румянца.

— Впрочем, ладно, — вздохнул он. — В другой раз — так в другой раз, если ты обещаешь. С гриппом шутить не приходится, после него бывают всякие осложнения.

— Обещаю, — сказала Кейт, радуясь тому, что Энди поверил ее уловке.

К этому моменту они, сделав по парку круг, вернулись к кафе, где Энди оставил свой велосипед. Вскочив в седло, он махнул ей рукой и, нажав на педали, покатил к выходу из парка. Его волосы развевались по ветру, темные глаза улыбались, и Кейт подумала, что Энди, в сущности, очень славный.

Иногда — правда, достаточно редко — она задумывалась о том, какими могли бы быть их отношения, если бы Джо не существовал вовсе. Энди ей нравился, а когда он не пытался за ней ухаживать, Кейт было даже приятно иметь с ним дело. Однако представить, что она могла бы питать к нему такие же чувства, какие испытывала к Джо, Кейт не могла. При этом она была совершенно уверена, что когда-нибудь Энди станет кому-то отличным мужем. Несмотря на излишнее увлечение женским полом, он был добрым, порядочным и ответственным человеком, а как раз эти качества нравились в мужчинах большинству девушек.

С внезапным сожалением Кейт подумала, что Джо совсем не похож на Энди. Он чувствовал себя неловко среди людей, был до беспамятства влюблен в свои самолеты и отнюдь не стремился к семейной жизни. То, что она влюбилась в такого человека, как Джо, было удивительно и самой Кейт. И не только влюбилась, но и ждала от него ребенка, хотя сама всегда осуждала добрачные связи. Волей-неволей приходилось признать, что в последнее время круто изменилась не только ее жизнь, но и ее взгляды, ее мировоззрение. Но Кейт нисколько об этом не жалела. Ее наградой была сумасшедшая, непонятная любовь — и ребенок, который медленно подрастал в ее чреве...

В последующие недели состояние Кейт немного улучшилось. Утренняя рвота прекратилась, Кейт стала набирать вес, а главное, она чувствовала себя гораздо бодрее и уже не хотела постоянно спать. Ей удалось с успехом защитить несколько письменных работ, и Кейт почти поверила, что в конце концов с учебой все обойдется. Кроме того, в один поистине прекрасный день она получила от Джо сразу три письма, что ее несказанно обрадовало, так как перед этим письма долго не приходили. Виновата в этом была, скорее всего, военная цензура, просматривавшая все письма, чтобы никто из военнослужащих нечаянно не выдал какой-нибудь тайны. Кейт приходилось видеть письма с фронта, на которых живого места не было — они были сплошь исчерканы черной тушью или какой-то специальной краской, и только к письмам Джо это не относилось. Он никогда не писал ей ничего, что касалось боевых действий, а рассказывал в основном о природе, о людях, с которыми встретился, и — изредка — о своих чувствах к ней.

В один из последних мартовских уик-эндов Кейт не поехала домой, а отправилась с подругами в кино. В зале она неожиданно увидела Энди, который явился туда с высокой блондинкой, которая училась на одном курсе с Кейт. Блондинку звали Мирабель; она перевелась в Рэдклифф из Уэллсли совсем недавно, но успела прославиться потрясающей фигурой, длинными ногами и ослепительной улыбкой. Поговаривали, что из Уэллсли ее выставили за связь сразу с двумя преподавателями, поэтому, когда Мирабель отвернулась, чтобы надеть свой кардиган, Кейт состроила Энди смешную гримасу, а он в ответ показал ей язык.

После фильма Кейт и ее подруги сели на велосипеды и отправились в общежитие. Для передвижений по студенческому городку велосипед был очень удобен, и Кейт продолжала пользоваться им. Ей и в голову не приходило, как это опасно, а подсказать было некому.

Они уже подъезжали к своему корпусу, когда из-за угла вдруг вывернулся какой-то парень на мотоцикле. С пронзительным воплем он врезался в самую гущу девушек и с такой силой ударил передним колесом велосипед Кейт, что она пролетела несколько футов по воздуху и только потом рухнула на мостовую, ударившись об асфальт бедром и виском.

Кейт сразу потеряла сознание и пришла в себя, только когда другие девушки бросились ее поднимать. Перед глазами у нее все качалось и плыло, но Кейт все-таки встала на ноги, опираясь на плечи подруг. Совсем рядом она увидела растяпу-мотоциклиста: неловко пригибаясь, он с трудом уворачивался от двух девушек, которые с криками ярости лупили его портфелями по голове. Парень был пьян, от каждого удара он шатался и чуть не падал.

Понемногу Кейт пришла в себя. Кроме головы и бедра, она сильно ушибла руку, но, насколько она могла судить, все кости были целы. И единственное, о чем Кейт могла думать, пока подруги, бережно поддерживая под руки, вели ее в общежитие, это о ребенке. Она никому ничего не сказала, но, оказавшись у себя, сразу легла и попросила Алисию, свою соседку по комнате, принести ей из аптеки лед.

— Как ты себя чувствуешь? — спросила Диана — ее другая соседка. — Все-таки эти ваши северные джентльмены — совсем не джентльмены.

Она была родом из Луизианы и говорила с тягучим южным акцентом, который Кейт всегда казался очень милым.

— Ты права, — ответила Кейт и улыбнулась, хотя и говорить, и даже улыбаться ей было очень тяжело.

Тем временем Алисия принесла лед, и Кейт приложила холодные компрессы к голове и бедру. Однако вовсе не эти ушибы беспокоили ее: вот уже несколько минут Кейт ощущала в животе что-то вроде колик. Она даже подумывала о том, чтобы обратиться в медпункт, но он находился на другом конце студенческого городка, а Кейт не была уверена, что сумеет добраться туда без посторонней помощи. К тому же она все еще не была готова доверить кому-нибудь свою тайну. «Пожалуй, — решила Кейт, — лучше всего будет остаться в постели. Быть может, ничего страшного не произошло, и завтра мне уже будет лучше».

— Если тебе что-то понадобится, позови меня, — сказала Диана. — Я буду внизу.

Она спустилась на первый этаж, чтобы выкурить сигаретку со своим приятелем — студентом Массачусетского технологического, который приехал навестить ее этим воскресным вечером. Когда примерно час спустя она вернулась, чтобы проведать Кейт, та спала, и Диана, успокоенная, снова ушла.

Кейт проснулась в четыре утра от резкой боли в животе. Стараясь найти положение поудобнее, она повернулась на спину и вдруг с ужасом обнаружила, что и одеяло, и простыня мокры от крови. Стараясь не шуметь, чтобы не разбудить Диану и Алисию, Кейт скатилась с кровати и буквально на четвереньках поползла в ванную. В комнате было темно, и Кейт почти ничего не видела, однако она не сомневалась, что за ней тянется по полу широкий кровавый след. Ушибленные бедро и рука немилосердно болели, но сильнее всего была острая боль в животе, словно кто-то напихал туда битого стекла.

Оказавшись в ванной комнате, Кейт с трудом распрямилась и, плотно закрыв за собой дверь, включила свет. В большом зеркале на стене она сразу увидела, что ее ноги и ночная рубашка от талии и ниже сплошь залиты кровью. Зрелище было жуткое, но Кейт испугалась не этого — она поняла, что теряет ребенка Джо.

Позвать на помощь она не решилась, боясь, что, если администрация колледжа пронюхает, в чем дело, ее вышибут с треском, да еще, быть может, сообщат родителям. Кейт всеми силами стремилась избежать скандала, но что делать, она не знала. Впрочем, ей было не до размышлений: боль, которая разбудила ее, стала вдруг еще сильнее, а начавшиеся судороги заставили Кейт согнуться чуть не пополам. Чтобы не закричать, она зажала зубами свернутое жгутом полотенце, и все равно время от времени с ее губ срывался глухой, мучительный стон.

Кейт не знала, сколько прошло времени, но внезапно дверь в ванную распахнулась, и на пороге возникла Диана

Увидев залитый кровью пол и скрючившуюся возле унитаза Кейт, она ахнула.

— Боже мой, Кейт, что с тобой?! — воскликнула она.

Кейт была похожа на жертву вооруженного топором маньяка, и первым побуждением Дианы было немедленно вызвать «Скорую помощь». Но когда она сказала об этом Кейт, та умоляюще взглянула на нее.

— Пожалуйста, Ди, не надо... Я не могу...

Она не договорила, но Диана вдруг догадалась, в чем дело.

— Ты что, беременна? — спросила она строго. — Скажи мне правду, Кейт, это очень важно!

— Да... — призналась Кейт.

Озабоченно покачав головой, Диана помогла ей улечься на расстеленные по полу полотенца и банные простыни.

— Давно? — спросила она.

— Уже три месяца... — простонала Кейт.

— Вот черт! — воскликнула Диана. — Однажды я сделала аборт, и мой папаша едва меня не убил. Мне было семнадцать, и я боялась признаться родителям. Подруга нашла мне подпольного врача, а этот гад едва меня не зарезал. Я хорошо помню — мне было почти так же худо, как тебе. Бедняжка...

Диана положила на лоб Кейт смоченное холодной водой полотенце, а входную дверь заперла, чтобы никто не застал их с поличным. Однако минуты шли, а кровотечение оставалось все таким же обильным, и Диана начала бояться, что, если они не обратятся к врачу, это будет стоить Кейт жизни.

К счастью, еще через несколько минут кровотечение ослабело, зато боли, которые испытывала Кейт, стали сильнее, хотя казалось, что сильнее некуда. От каждого приступа она корчилась, как от удара током, и с такой силой сжимала пальцы Дианы, что у той хрустели кости. Кейт не знала, что именно с ней происходит в данную минуту, но ей было абсолютно ясно: нет ни одного шанса, что плод выживет после такой потери крови.

Наконец тело Кейт мучительно напряглось в последний раз, и она почувствовала, как что-то шлепнулось на пол. Кейт сразу поняла, что произошло, но к этому времени она так ослабела, что не была способна даже на истерику.

Было почти семь часов утра, когда Кейт сумела кое-как подняться на ноги и с помощью Дианы доковылять до постели. После этого Диана постаралась убрать все следы и избавилась от окровавленных полотенец, которые она собственноручно отнесла в котельную и бросила в топку. Когда она вернулась, кровотечение у Кейт почти прекратилось, однако она все еще страдала от болей. Диана дала ей несколько таблеток аспирина и объяснила, что эти боли — хороший признак. Насколько ей было известно, они объяснялись сокращением матки, стремившейся вернуться в первоначальное состояние.

Диана надеялась, что теперь, когда кровотечение остановилось, с Кейт не случится ничего страшного, однако предупредила подругу, что, если ей снова станет хуже, она не будет слушать ее возражений и сразу позвонит в «Скорую». Кейт не оставалось ничего другого, кроме как подчиниться. Она была слишком слаба и слишком напугана, чтобы возражать или спорить. После обильной кровопотери Кейт начало знобить, и Диана накрыла ее тремя одеялами, а к ногам положила бутылку с горячей водой.

В начале восьмого проснулась Алисия, безмятежно проспавшая всю ночь.

— Как ты себя чувствуешь? — спросила она, вставая и потягиваясь. — Ты какая-то бледная. Может быть, у тебя сотрясение мозга? Тебя не тошнит?

Кейт ответила, что у нее действительно очень болит голова, и Алисия, несколько раз зевнув, отправилась в ванную. Пока она мылась, к ним заглянула Беверли, которая жила в соседней комнате. Она собиралась занять несколько долларов, но, заметив необычную бледность Кейт, забыла о своем намерении.

— Что это с тобой? — нахмурилась Беверли.

Присев на край кровати, она взяла Кейт за запястье, чтобы пощупать пульс. Он оказался слишком частым, но руки Кейт были холодны, как лед, к тому же ее трясло, как в лихорадке.

— Вчера ее сшиб какой-то пьяный идиот на мотоцикле. Кейт упала и ударилась головой, — объяснила за нее Диана, но Беверли только покачала головой.

Она была из семьи врачей, а кроме того, прошлым летом закончила курсы санинструкторов и достаточно хорошо разбиралась в медицине. Ей сразу стало ясно, что у Кейт не сотрясение и не травма внутренних органов — ее кожа была пе-

пельно-серой, холодной и какой-то липкой на ощупь, как бывает при обильной кровопотере или болевом шоке.

Наклонившись к самому уху Кейт, Беверли тихо спросила:

— Скажи мне, что с тобой? У тебя... кровотечение?

В ответ Кейт только кивнула — ее зубы стучали так сильно, что она не могла произнести ни слова.

— Так, понятно... Ты сделала аборт? У кого? В клинике или на дому? — так же шепотом продолжала расспрашивать Беверли.

И снова Кейт кивнула. Она понимала, что попала в серьезный переплет, из которого ей самой не выбраться, да и Беверли всегда ей нравилась. Однако объяснить, в чем дело, только с помощью кивков она не могла, а язык ей по-прежнему не повиновался.

— У нее был выкидыш, — пояснила подошедшая к ним Диана. — Ну, после вчерашнего столкновения... Если бы я тогда знала, что она беременна, я бы этого подонка на месте убила!

— Кровь еще идет? — деловито осведомилась Беверли.

Кейт покачала головой. У нее не было сил заглянуть под одеяло, но, судя по ощущению, простыни, которые Диана успела поменять, оставались сухими.

— Что ж, это хорошо, — кивнула Беверли, оглядываясь по сторонам. — Вот что, — сказала она решительно, — ни на какие занятия ты, конечно, сегодня не пойдешь, но и оставлять тебя одну нельзя. Я побуду с тобой. В крайнем случае придется отправить тебя в больницу, но я думаю, что все обойдется. Или, может быть, ты сама хочешь, чтобы мы вызвали врача?

— Н-нет... — На то, чтобы вымолвить это слово, у Кейт ушли почти все ее силы, и она в изнеможении откинулась на подушку.

— Я тоже останусь, — предложила Диана и отправилась за кипятком, чтобы заварить чай.

Примерно через полчаса общежитие опустело. Все девушки ушли на занятия, и во всем корпусе остались только две добровольные сиделки. Они напоили Кейт горячим чаем с липовым сиропом и сели по обеим сторонам ее кровати. Кейт плакала, а подруги пытались ее утешать.

— Ты обязательно поправишься, — убеждала ее Беверли. — Успокойся и не плачь — тебе нужно поспать. Поверь, все будет хорошо. Кстати, — спохватилась она, — может быть, ты хочешь, чтобы мы кому-то позвонили?

Незавидное положение, в котором оказалась Кейт, подразумевало участие второго лица. Ничего не зная о ее личной жизни, Беверли предположила, что ситуация достаточно банальна, но Кейт покачала головой.

— Он... в Англии, — прошептала она.

— Он знает? — спросила Диана, ласково гладя ее по плечу.

Кейт с благодарностью посмотрела на подругу. Она не представляла, чем бы все кончилось, если бы не помощь Дианы. Теперь же у нее появилась реальная возможность скрыть происшедшее и от администрации колледжа, и от родителей, и от Джо.

— Я ничего ему не говорила. Я хотела оставить ребенка...

— Что ж, когда он вернется, вы можете попробовать еще раз, — улыбнулась Беверли. Она чуть не сказала «если» вместо «когда», но в последнюю секунду прикусила язык. Впрочем, Кейт, очевидно, сама об этом подумала, так как из глаз у нее снова брызнули слезы.

В конце концов ей все же удалось заснуть. Она проспала почти весь день и всю ночь, и на следующий день уже чувствовала себя немного лучше, хотя была еще слишком слаба, чтобы пойти на занятия. На этот раз Диана и Беверли не могли остаться с ней, и Кейт плакала до тех пор, пока они не вернулись. Только в среду она сумела встать с кровати, однако, как в шутку заметила Алисия, была больше похожа на привидение, чем на человека. За два дня Кейт потеряла пятнадцать фунтов, и ее буквально качало; под глазами у нее залегли темные круги, а кожа все еще оставалась мертвенно-бледной. Несколько раз она пыталась поблагодарить подруг за все, что они для нее сделали, но каждый раз принималась плакать.

— Ничего, ничего, — успокаивала ее Диана. — Так и должно быть. Сама я, помню, ревела почти месяц. Это гормоны играют — гормоны, и ничего больше.

Но Кейт знала, что дело вовсе не в гормонах. Дело было в ребенке — в ее и Джо ребенке, которого она не сумела сохранить.

К счастью, кроме Дианы и Беверли, никто ни о чем не догадывался. Девушки в общежитии были уверены, что у Кейт легкое сотрясение мозга и что врач посоветовал ей полный покой (слух об этом распустила Диана). Кейт не пыталась опровергнуть эту версию. Она вообще почти ни с кем не разговаривала, а большую часть времени лежала у себя в комнате и плакала или спала. Единственным светлым пятном в окружавшем ее беспросветном мраке были письма Джо, однако, прочитав их, она, как правило, снова принималась плакать. Ведь Джо ничего не знал, и Кейт понимала, что едва ли отважится написать ему, что́ с ней случилось и что́ они оба потеряли.

Следующий уик-энд Кейт тоже провела в постели, но больше не плакала, а, сложив возле кровати учебники и конспекты, пыталась заниматься. Правда, Энди, который приехал уточнить, когда она собирается исполнить свое обещание и пойти с ним в кино, едва узнал ее, когда Кейт с трудом спустилась к нему в холл. Несмотря на то что прошла почти неделя, она все еще выглядела ужасно и еле волочила ноги.

— Господи, Кейт!.. Что с тобой стряслось? Ты похожа на утопленницу, — сообщил ей Энди. Он пытался шутить, но на самом деле испугался за Кейт — такой слабой и хрупкой она ему показалась.

— Меня сбил мотоцикл. В прошлое воскресенье. Мне кажется, у меня было сотрясение мозга, — ответила Кейт слабым голосом.

— «Кажется»?.. Разве ты не ездила в амбулаторию? — удивился Энди.

— Нет, мне вызвали врача сюда, — ответила Кейт, вспомнив разработанную Дианой «легенду». — Но сейчас уже все в порядке, — поспешно добавила она, тяжело опускаясь рядом с ним на диван.

— Ты точно знаешь? Может быть, тебе все же стоит лечь в больницу на обследование? — предложил Энди. — Вдруг у тебя мозги все еще набекрень?

— Очень смешно! — фыркнула Кейт. — Да нет, в самом деле, мне уже гораздо лучше.

— Если это называется «лучше», то как же ты выглядела в понедельник? Погляди на себя: краше в гроб кладут! — Энди никак не мог успокоиться.

— Да, краше в гроб кладут... — эхом отозвалась Кейт.

Она явно думала о чем-то своем, и Энди почувствовал, как жалость стиснула его сердце. Он изо всех сил пытался развеселить ее, но, уезжая, вовсе не был уверен, что ему это удалось.

На самом деле его приезд действительно подбодрил Кейт, и когда она вернулась к себе в комнату, то чувствовала себя не такой подавленной и угнетенной, как раньше. Правда, от усталости у нее буквально подгибались ноги — она уже отвыкла спускаться и подниматься по лестницам, — но Диана сказала, что это естественное следствие обильной кровопотери и что ей надо есть побольше телячьей печенки.

К концу второй недели Кейт чувствовала себя уже почти человеком и даже начала ходить на занятия. Никто не догадывался, что с ней на самом деле случилось, и постепенно она сама стала забывать о происшедшем. Или, во всяком случае, приучилась не думать о нем слишком часто. Джо она об этом так ничего и не написала.

Глава 8

Весь остаток учебного года Кейт посвятила занятиям, и у нее почти не оставалось свободного времени. Письма от Джо продолжали приходить регулярно, однако ни о каком отпуске по-прежнему не было слышно. Стояла весна сорок третьего года, и Кейт старалась не пропускать ни одного выпуска новостей. А новости были обнадеживающими. Британские ВВС продолжали бомбить Берлин, Гамбург и другие германские города, английские войска освободили Тунис, а американцы захватили стратегически важный порт Бизерту на севере Африканского континента. На Восточном фронте продолжалась позиционная война: весенняя распутица мешала и немцам, и русским вести наступление, однако уже летом следовало ожидать решающих событий.

Каждый уик-энд Кейт ездила домой, чтобы повидаться с родителями. Иногда она обедала или ходила в кино с Энди, у которого к тому времени появилась постоянная девушка (та самая блондинка из Уэллсли), и поэтому Кейт не считала, что поступает нечестно. Джо она по-прежнему писала чуть не каждый день. Когда же настало лето, Кейт, сдав экзамены, опять поступила на работу в госпиталь Красного Креста.

В конце августа она отправилась с родителями на мыс Код, но на этот раз Джо не появился на прощальном барбекю, который снова устроили соседи, ни за что не желавшие расставаться с такой замечательной традицией. Джо не был дома уже больше восьми месяцев — с прошлогоднего Рождества, когда они встретились в Вашингтоне, — и Кейт, отправившаяся прогуляться в одиночку вдоль берега, не могла не думать о том, что сейчас у нее, возможно, уже родился бы ребенок...

Ее родители так и не узнали о выкидыше. Элизабет по-прежнему беспокоилась из-за того, что Джо даже не захотел объявить об их помолвке. Несколько раз она заговаривала об этом с Кейт и даже хотела сама написать Джо, чтобы узнать о его намерениях. Ей было очень не по себе от того, что ее дочь хочет связать свою судьбу с человеком, который не обещал ей ровным счетом ничего — ни брака, ни будущего. Между тем Кейт уже исполнилось двадцать — по мнению Элизабет, это был самый подходящий возраст, чтобы выйти замуж и создать свою семью.

— Тридцатилетний мужчина должен знать, чего он хочет и что ему нужно в жизни, — говорила она Кейт. — Следует спросить у него прямо, что он думает делать после войны. Я боюсь, когда Джо вернется, может оказаться, что ты ему не нужна.

Элизабет заводила эти разговоры всякий раз, когда дочь приезжала домой на выходные, но они, как ни странно, очень мало трогали Кейт. Так прошел сентябрь, и наступил октябрь. Кейт как раз готовилась к экзаменам за первый триместр, когда в ее комнату заглянула знакомая студентка и сказала, что к ней посетитель. Все еще держа в руке учебник, Кейт сбежала вниз в полной уверенности, что это Энди, и вдруг увидела Джо. Высокий, подтянутый, он был невероятно красив в своей отутюженной форме, и у Кейт невольно перехватило дыхание. На мгновение она замерла на нижней ступеньке лестницы, но уже в следующий момент отшвырнула прочь книгу и бросилась к нему. Не говоря ни слова, Джо крепко прижал ее к себе. Некоторое время они стояли молча, и по тому, как он ее обнимал, Кейт догадалась, что все это время ему тоже приходилось нелегко. Джо никак не мог найти слова, но она знала, что он нуждается в ней точно так же, как и она в нем.

— Я ужасно рада видеть тебя, — пробормотала Кейт, закрывая глаза и продолжая прижиматься щекой к синему сукну его мундира.

— И я тоже рад, — ответил он после небольшой паузы.

Слегка отстранившись, Джо бережно взял ее за подбородок и заставил поднять голову. По его глазам Кейт сразу поняла, что он смертельно устал. Наверное, он не вылезал из боев, возвращаясь на аэродром, только чтобы дозаправиться и пополнить боекомплект. В последнее время немцы терпели поражение за поражением и сражались отчаянно.

И он снова чувствовал себя с ней скованно! Его письма были такими откровенными, такими искренними, что Кейт совершенно забыла, каким неуверенным, почти робким он может быть. Очевидно — как и всегда после долгой разлуки — ему требовалось время, чтобы снова привыкнуть к ней. Но времени у них как раз и не было.

— У меня только двадцать четыре часа, Кейт, — сказал он. — Завтра во второй половине дня я должен быть в Вашингтоне, а уже вечером лечу обратно.

Джо прибыл в США с секретным заданием, однако Кейт он об этом рассказывать не имел права. Она, впрочем, ни о чем его не расспрашивала: что-то в его глазах подсказало ей, что Джо все равно ничего не скажет.

— Ты могла бы завтра не ходить на занятия? — спросил он.

— Конечно. Хочешь, поедем к нам? — предложила она.

Кейт не хотелось оставаться в общежитии: им пришлось бы сидеть в специальной гостиной для посетителей, поскольку на территории студенческого городка все обязаны были придерживаться установленных правил.

Джо замялся. После десяти месяцев разлуки он хотел побыть с Кейт наедине. Он хотел смотреть на нее, чувствовать ее рядом с собой, обнимать и целовать, но у него не было слов, чтобы высказать все, о чем он думал.

Кейт поняла его без слов.

— Может, поедем в отель? — спросила она чуть слышно, и Джо с облегчением кивнул.

Кейт лихорадочно соображала, что нужно сделать.

— Здесь снаружи есть телефонная будка, — сказала она. — Позвони пока в «Палмер Хаус» или в «Статлер», а я сейчас вернусь.

Джо вышел, а Кейт бросилась разыскивать заведующую общежитием, чтобы сообщить ей, что сегодня ночевать не будет. Потом она позвонила Элизабет и предупредила, что собирается заночевать у подруги, с которой они вместе готовятся к экзаменам, чтобы мать не волновалась, если вдруг выяснится, что ее поздно вечером нет дома. Она знала, что Элизабет все равно ничего дурного не заподозрит, и ей стало очень стыдно за свою ложь, когда мать поблагодарила ее за внимание.

Когда через десять минут Кейт снова спустилась вниз, Джо уже ждал ее. Кейт захватила с собой небольшую сумочку, в которой лежали зубная щетка, смена белья и кое-какие необходимые мелочи. В отдельном пакетике у нее была противозачаточная мембрана. Ее Кейт приобрела по совету Беверли, у которой был знакомый врач, и хранила на такой вот случай. После того, что произошло в прошлый раз, она не хотела рисковать.

— Я снял номер в «Статлере», — неуверенно сказал Джо.

Он тоже чувствовал себя неловко оттого, что они отправлялись в отель через десять минут после встречи. Но времени действительно было в обрез, а они торопились насытиться друг другом.

У Джо была взятая напрокат машина, так что по пути в отель им удалось немного поговорить. И всю дорогу Кейт не могла отвести от него глаз. Джо был таким же красивым, как и всегда, только еще больше похудел, а в уголках губ появились жесткие складки. Они делали его старше, но Кейт подумала, что это пустяки. Главное, он здесь, с нею, а ведь она хотела сказать ему так много! Далеко не всё Кейт осмеливалась доверять бумаге, и не потому, что это был такой уж большой секрет — просто ей было неловко писать о вещах, которые обычно говорят друг другу наедине, тихим шепотом.

Когда они подъезжали к отелю, их взаимная неловкость растаяла, и им обоим стало казаться, будто они расстались только вчера. При этом Кейт не покидало ощущение, что она не видела его целую вечность, и это сочетание было довольно странным. Но потом Кейт поняла, в чем дело. После того, как они были вместе в прошлый раз, — после того, как она зачала от него ребенка, а потом потеряла, — она стала настоящей женой Джо. Самой настоящей женой, хотя они не регистрировались в мэрии и не венчались в соборе! Ей не нужны были ни кольца, ни формальные бумажки с печатями — ничего из того, что обычно называют браком. Она просто знала, что принадлежит ему, и к этому уже ничего нельзя было прибавить.

Прежде чем загнать машину на стоянку, Джо вытащил из

багажника небольшой дорожный чемоданчик, после чего оба прошли в вестибюль. Остановившись у стойки, они зарегистрировались как «Майор Олбрайт и миссис Олбрайт». Имя и фамилия Джо оказались хорошо знакомы дежурному регистратору, который отнесся к ним со всей возможной предупредительностью.

— Вы тот самый Джо Олбрайт?! — воскликнул он. — Невероятно!.. Я ваш давний поклонник, мистер Олбрайт!

Он даже вызвал боя, чтобы тот отнес наверх их немногочисленные пожитки, но Джо отказался.

— Спасибо, мы сами справимся, — сказал он с улыбкой, и регистратор торжественно вручил ему ключ от номера.

— Самый лучший номер, сэр. Коридорная служба доставит вам все необходимое.

В лифте, доставившем их на нужный этаж, оба молчали. Когда Джо отпер дверь номера, Кейт заглянула внутрь и с облегчением вздохнула, увидев, что комнаты здесь действительно большие и светлые, а обстановка совершенно новая и подобрана с большим вкусом. Отчего-то она ожидала, что им снова достанется темная, тесная, грязноватая комнатка, больше напоминающая чулан, чем номер в отеле. Не то чтобы это имело для них значение, и все же обстановка *этой* гостиницы развеяла последние сомнения Кейт в том, что они поступают правильно. Сначала ей было немного не по себе оттого, что она едет в отель с мужчиной, но тщательно прибранный номер, всеми окнами выходивший на юг, помог ей отбросить ложный стыд. Ничего, что она никогда этого не делала; наплевать, что все вокруг твердят, будто поступать так — безнравственно. Ведь она же пришла сюда не с кем-нибудь, а с Джо! Это была единственная возможность побыть с ним наедине, и Кейт никогда бы не простила себе, если бы упустила этот шанс из-за того, что в детстве ее воспитывали так, а не иначе. С тех пор прошло много лет, и ситуация в корне изменилась: шла война, и тысячи мужчин и женщин проживали каждый день так, словно он был последним в их жизнях.

И порой он действительно оказывался последним...

Когда Кейт и Джо вошли в номер, они снова почувствовали непонятное смущение, но оно продолжалось всего несколько секунд. Вытянувшись на диване, Джо похлопал рукой по обивке рядом с собой, и Кейт, улыбнувшись, опустилась на сиденье, положив его голову к себе на колени.

— Мне до сих пор не верится, что это ты, — сказала Кейт. — Что ты вернулся...

— Что поделать, мне тоже... — ответил Джо.

Всего два дня назад он прикрывал бомбардировщики, летевшие бомбить Берлин. В этом бою они потеряли четыре самолета, один из которых взорвался буквально в нескольких ярдах от него, мгновенно превратившись в багровый огненный шар, перевитый траурными космами дыма. И вот он вдруг оказался в чистеньком номере отеля в мирном и тихом Бостоне, и рядом с ним была Кейт, которая казалась ему прелестнее, чем когда-либо. Она выглядела совсем юной, свежей, почти неземной — или, во всяком случае, бесконечно далекой от той жизни, которую Джо вел в последние два года.

О том, что ему предстоит командировка домой, Джо узнал лишь за два часа до вылета. По пути в Штаты он ужасно боялся, что не сумеет увидеться с Кейт, и этот вечер в отеле воспринимал как неожиданный дар небес. Даже теперь, когда она была рядом, все происходящее продолжало казаться Джо чуточку нереальным. Он вдруг подумал, что они с Кейт похожи на странствующих голубей, которые всегда возвращаются домой, где бы им ни довелось побывать. И действительно, что бы с ними ни случалось, они всегда находили друг друга — на мысе Код, в Вашингтоне, здесь, — и каждый раз они начинали с того места, на каком закончили в прошлый раз, словно и не было долгой, мучительной разлуки, и жестокое время не имело над ними никакой власти. Нежность и страсть всякий раз вспыхивали в них с новой силой, заново будя ту магию, которая соединила их три года назад в последнее предвоенное Рождество.

Не произнеся больше ни слова, Джо притянул Кейт к себе и нежно поцеловал. Она казалась ему сейчас источником чистой родниковой воды, из которого он так жаждал напиться. А Кейт, поняв, что́ ему нужно, и зная, что любима, готова была давать, давать без конца.

И по ее мнению, это был справедливый обмен.

Несколько минут спустя они встали с дивана и перешли в спальню. Раздеваясь, Джо снова почувствовал себя законченным эгоистом. Он собирался пригласить Кейт пообедать, немного поболтать и только потом заняться с ней любовью, но ни ей, ни ему не хотелось сидеть в ресторане, где их окружали бы десятки посторонних людей. Остаться наедине друг с другом и со своим чувством — вот к чему стремились оба. Им даже не нужны были слова — и без них каждый понимал, что хотел сказать другой.

Впрочем, в какой-то момент Джо показалось, что Кейт что-то от него скрывает. Смущаясь и краснея, она сказала, что должна на минутку отлучиться в ванную. Джо ни о чем не спросил ее, и лишь много времени спустя — после того, как они, наконец, разжали объятия, — он поинтересовался, в чем дело. Кейт снова бросило в краску, однако она все же рассказала о том, что приняла меры предосторожности, и Джо с облегчением вздохнул.

— Знаешь, — сказал он, блаженно вытягиваясь на чистых простынях и прижимая ее к себе, — после того раза я очень волновался. Я все думал, что мы будем делать, если ты... если у тебя будет ребенок. Ведь я, скорее всего, не смог бы срочно прилететь, чтобы жениться на тебе!

Кейт молча кивнула. Она была очень рада, что Джо думает именно так, что он тревожился о ней — и, уж во всяком случае, не собирался отказываться от ребенка. До сих пор она не представляла его реакции, однако эти последние слова успокоили ее настолько, что Кейт решилась.

— Ты не ошибся. В тот раз я действительно забеременела, Джо, — сказала она тихо.

Они лежали, уютно прижавшись друг к другу; голова Кейт покоилась на его плече, а ее волосы щекотали шею Джо. Однако, услышав эту новость, он вздрогнул и, приподнявшись на локте, повернулся к ней.

— Вот как?! Что же ты... предприняла?

Джо был ошарашен, растерян, сбит с толку. Он ни секунды не сомневался, что если что-то случится, то Кейт или ее мать — в особенности ее мать — не преминут известить его. Но Кейт ничего не написала, и Джо был уверен, что в тот раз все кончилось благополучно.

— Почему ты ничего мне не сообщила? — другим, более требовательным тоном спросил он. — И если у тебя должен был быть ребенок, то... Куда же он делся?

Увидев выражение его лица, Кейт не сдержала улыбки. На нем был написан не столько испуг, сколько удивление, любопытство, ожидание. Джо даже огляделся, словно рассчитывал увидеть на тумбочке маленький пищащий сверток.

— Он... Сначала я не знала, как быть, но потом решила сохранить ребенка. Я знала, что никогда себе не прощу, если сделаю аборт, а с тобой что-то случится... Ведь это был *твой* ребенок, Джо! Но... Словом, у меня был выкидыш. На третьем месяце.

В глазах Кейт блеснули слезы, и Джо молча прижал ее к себе.

— Твои родители знают? — спросил он после долгой паузы.

— Нет, они даже не догадываются. Я собиралась сказать им в апреле: ведь мне все равно пришлось бы взять в колледже академический отпуск. Но однажды мы с подругами возвращались из кино, и на нас налетел какой-то пьяный на мотоцикле. Я упала... Вот поэтому все и случилось.

Джо был в ужасе. Он никогда не оказывался в подобном положении — в положении отца неродившегося ребенка. С его знакомыми случалось что-то похожее, но он всегда был очень осторожен, стараясь не навлечь беду на женщину, с которой был близок. Только с Кейт... О, это было совсем другое дело. Ее он любил... и поэтому потерял голову.

— Тебя забрали в больницу? — спросил он, поморщившись, как от боли.

— Нет. Сначала я думала, что ничего страшного не произошло, и вернулась в общежитие. А потом мне помогли девушки, которые живут со мной в одной комнате. Они немного разбираются в медицине, одна даже закончила курсы медсестер, так что мне ничего не грозило.

Кейт не хотела посвящать Джо в ужасные подробности: она была уверена, что от этого он только сильнее огорчится и испугается. В самом деле, ну зачем ему знать, что смерть была совсем рядом? Достаточно того, что она сама это поняла. Если бы кровотечение продлилось еще хотя бы полчаса, они бы сейчас не разговаривали. В лучшем случае она осталась бы инвалидом, а в худшем...

— Бедная моя девочка, сколько же тебе пришлось пережить! — вздохнул Джо.

Кейт показалось, что он произнес эти слова как-то рассеянно, и она догадалась — почему. Сейчас Джо думал не о ней, а о том, что, если бы не произошло этого несчастья, сейчас бы у него уже был крошечный сын. Или дочь. Для него эта мысль, судя по всему, была совершенно ошеломляющей.

Джо и в самом деле думал о своем несостоявшемся отцовстве, и ему было очень грустно, и все же он не мог осуждать Кейт. Больше того, он восхищался ею, ее нелегким и ответственным решением, восхищался мужеством, отвагой и преданностью Кейт. Не ее вина, что ей не удалось довести дело до конца. Она старалась сделать так, как будет лучше для него, и за это он был ей бесконечно благодарен.

— Странно, — проговорил Джо после долгого молчания. — Очень странно. Знаешь, Кейт, мне казалось, что если с тобой случится что-то... ты мне обязательно скажешь. Больше того, когда в прошлый раз я вернулся в Англию, я почему-то только об этом и думал. Я почти не сомневался, что у тебя... у нас будет ребенок. Но ты ничего не писала, а спрашивать мне не хотелось: я не знал, может быть, в твоем колледже тоже читают почту, которую получают студентки. Правда, вскоре мне стало не до того, но эта странная уверенность... Почему ты все-таки ничего мне не сказала, Кейт?

— Я... мне не хотелось, чтобы ты беспокоился. У тебя, наверное, и без того забот хватает, — вздохнула она.

Джо пожал плечами.

— Нельзя же постоянно, день и ночь, думать только о том, как уцелеть, как пережить завтрашний день. Так и свихнуться недолго, — ответил он. — Жаль, что ты мне не написала — ведь это был и мой ребенок...

«*Мог бы быть*», — подумала Кейт, и снова ее охватили отчаяние и горечь. Она ничего так не желала, как быть с Джо, воспитывать его ребенка, но, как видно, это ей было не суждено, по крайней мере — пока. А учитывая все, что творилось вокруг, это, возможно, было даже к лучшему.

— Я рад, что ты подумала о мерах предосторожности, — добавил Джо, словно прочитав ее мысли. Он тоже запасся профилактическими средствами, так как не хотел рисковать. На данном этапе ребенок мог только осложнить им жизнь.

Потом они долго лежали, отдыхая, и наконец Кейт спросила, когда, ему кажется, кончится война. Прежде чем ответить, Джо долго думал, потом тяжело вздохнул:

— Хотел бы я сказать, что скоро, но... Я не знаю, Кейт, честное слово — не знаю. Германия еще сильна, и по-прежнему многое, если не все, зависит от русских. Если бы не они, боюсь, сейчас бы мы сражались с немецкими десантами на нашем Атлантическом побережье. — Лицо Кейт вытянулось, и Джо поспешно добавил: — Впрочем, мне кажется, что если мы в Англии очень постараемся, то совместными усилиями сможем закончить все за год или чуть больше.

Именно затем, чтобы обсудить один из аспектов этой проблемы, Джо и приехал в Штаты. Речь шла о самолетах улучшенной конструкции, которые превосходили бы немецкие в скорости, маневренности и вооружении. До сих пор — на четвертом году войны — немцы продолжали регулярно бомбить британские города. Сколько бы бомбардировщиков и истребителей ни сбивали союзники, сколько бы заводов и фабрик ни уничтожали, у немцев всегда находилось, чем заменить выбывшую из строя технику. «Третий рейх» оказался мощной, прекрасно отлаженной машиной, уничтожить которую было очень непростой задачей. Кроме того, несмотря на ряд внушительных побед на море, поставить на колени Японию тоже не удавалось. Система ценностей, традиции и обычаи японцев — все было непонятно, чуждо как европейцам, так и американцам. Стратегия и тактика японской армии то и дело ставила командование союзников в тупик, и поэтому правила ведения войны приходилось менять буквально на ходу. Между тем японские самолеты, пилотируемые летчиками-камикадзе, продолжали топить военные и транспортные суда и сбивать самолеты, а японские береговые укрепления огрызались огнем сотен орудий, не позволявших американским транспортам хотя бы приблизиться к островам для высадки десанта. В результате, поздней осенью сорок третьего года боевой дух союзнических войск был чрезвычайно низок.

Кейт следила за происходящим по газетам и сообщениям радио, но все-таки это представлялось ей более или менее отвлеченной абстракцией. «Потери в живой силе» она воспринимала не так остро, как гибель тех, которых она знала. К этому времени уже больше двух десятков ее знакомых студентов Гарварда пали на полях сражений, многие были ранены и лечились в различных госпиталях на Восточном и Западном побережьях. Каждый раз, когда Кейт узнавала, что кто-то из ее друзей ранен или убит, она чувствовала, как ее сердце сжимается от горя и жалости, и тогда она принималась молиться, чтобы с Джо не случилось ничего подобного.

Этой ночью они много занимались любовью и много разговаривали: времени было слишком мало, а им столько хотелось сказать! Страсть, то пригасая, то разгораясь вновь, снова и снова бросала их в объятия друг друга, и весь остаток вечера они старались не думать, не вспоминать о войне.

За все время они так ни разу не вышли из комнаты — даже ужин заказали в номер, и пришедший официант вежливо поинтересовался, уж не медовый ли у них месяц. Этот вопрос рассмешил обоих, однако в их веселости была и горькая нотка.

В этот день, до краев заполненный невероятным, ослепительным счастьем, они совсем не говорили о будущем и не строили никаких планов. Кейт хотелось только одного: быть рядом с Джо, и еще — чтобы он остался жив. О себе, о том, что нужно *ей*, Кейт не задумывалась. Она знала, что Элизабет не одобрила бы подобного «легкомыслия», но ее мать не понимала одного — того, что обручальное кольцо не смогло бы ничего изменить и не сохранило бы Джо жизнь. Да и он, похоже, не собирался просить у Кейт ничего сверх того, что она согласна была дать ему по собственной воле. Впрочем, она и так отдавала ему все, что только было в ее силах...

Эту ночь они спали мало, урывками и часто просыпались, чтобы убедиться — любимый человек рядом, он никуда не делся. Каждый хотел еще раз увериться, что это им не снится и что они на самом деле вместе.

— Когда тебе нужно уезжать? — печально спросила Кейт утром — несмотря на все старания, ей так и не удалось забыть, что эти безумные, напоенные негой и страстью часы вдвоем неизбежно должны подойти к концу.

— Самолет на Вашингтон вылетает в час дня, — ответил Джо. — Значит, где-то в половине двенадцатого я должен буду вернуть тебя в колледж. В целости и сохранности, — невесело пошутил он.

Кейт тяжело вздохнула. Она пропустила все сегодняшние занятия и боялась, что ее могут хватиться. Но сейчас ей было наплевать на последствия. Ничто в мире не могло заставить ее расстаться с Джо раньше необходимого срока.

— Хочешь, спустимся в ресторан и позавтракаем? — спросил Джо.

Кейт покачала головой. Ей не хотелось ни есть, ни спать — только быть с ним, и спустя несколько минут их тела снова нашли друг друга.

В половине десятого они наконец выбрались из постели и заказали завтрак в номер. Ожидая, пока официант доставит заказ, Джо принял душ и побрился. На завтрак им подали тосты, апельсиновый сок, овсянку, яичницу с беконом и полный кофейник настоящего бразильского кофе. Глядя, как Джо за обе щеки уписывает эти немудреные блюда, Кейт с грустью думала о том, как он, должно быть, изголодался на своем офицерском пайке. Для нее яичница и овсянка были самой обыкновенной едой.

После завтрака Джо с удовольствием пил кофе и читал утренние газеты. При этом его черты заметно смягчились, и на Кейт даже повеяло запахом нормальной, мирной жизни.

— Как в старое доброе время... — сказал Джо и негромко вздохнул. — Кто бы мог подумать, что идет война!

Но напоминаний о войне было даже больше, чем достаточно: газету наполняли новости с фронта, и большинство из них выглядели достаточно мрачно. Поэтому Джо не стал дочитывать газету, а бросил ее на стол и улыбнулся Кейт.

Они провели чудесный вечер и ночь; Джо даже стало казаться, что в Кейт он нашел какую-то недостающую часть самого себя, последний фрагмент мозаики, который вдруг встал на место, завершая всю картину, делая ее целой. Некая пустота внутри него — пустота, которую он никогда прежде не замечал, — вдруг заполнилась. Как правило, Джо неплохо чувствовал себя и в одиночестве, однако после того, как он познакомился с Кейт, ему было очень трудно жить без нее. В его жизни, конечно, и раньше были женщины, но ни одна из них не волновала его так сильно и глубоко. Кейт напоминала Джо молодую горлицу, которая только недавно вылетела из гнезда и теперь сидит на вершине дерева, с удивлением и любопытством оглядывая окружающий огромный мир. И похоже было, что этот мир Кейт очень нравится. У нее был такой вид, словно она готова каждую минуту задорно расхохотаться, и, глядя на играющие на ее щеках ямочки, Джо спросил:

— Чему ты улыбаешься?

Этот вполне невинный вопрос неожиданно прозвучал довольно резко, хотя Джо очень ценил ее всегдашнюю веселость и даже теперь чувствовал, как, несмотря на одолевавшие его тревожные мысли, ему передается ее радостное настроение.

— Прости, я не хотел тебя обидеть... — поспешил он исправить свою ошибку, и Кейт махнула рукой.

— Пустяки, я поняла.

Она действительно поняла. По характеру Джо был далеко

не таким жизнерадостным, как большинство ее знакомых и друзей, рядом с которыми он производил впечатление неразговорчивого, угрюмого субъекта. Однако Кейт давно догадалась, что в душе он совсем не такой: не мрачный, а серьезный, не молчаливый, а углубленный в себя, не угрюмый, а просто спокойный и чуть-чуть застенчивый.

— Просто я попыталась представить, какое лицо было бы у моей мамы, если бы она видела нас сейчас, — ответила Кейт на его вопрос.

— Только не надо сейчас о твоей маме! Я и так чувствую себя виноватым перед твоими родителями. Мистер Джемисон наверняка застрелил бы меня из своего старого верного «кольта» и был бы совершенно прав.

По лицу Джо пробежала легкая тень. После того как Кейт рассказала ему о своей беременности и о том, как она потеряла ребенка, он действительно чувствовал себя виноватым перед всем миром — а особенно перед ней и ее родителями.

— Боюсь, — добавил он задумчиво, — мне нелегко будет даже просто встретиться с ними.

— Но встретиться с ними тебе, скорее всего, рано или поздно придется. Так что постарайся взять себя в руки. Забудь о том, что было, это поможет...

Кейт, во всяком случае, очень старалась обо всем забыть, к тому же сейчас прошлое не было для нее главным. Джо — живой Джо — сидел перед нею за изящным журнальным столиком, и Кейт почти жалела, что воспользовалась противозачаточной мембраной. Сейчас ей больше, чем когда-либо, хотелось иметь от него ребенка. Это казалось Кейт несравнимо более важным, чем замужество. Надо сказать, в последнее время она все чаще и чаще думала о браке как о чем-то старомодном, необязательном — о чем-то, присущем старшему поколению. Даже ее ровесницы, успевшие выскочить замуж до войны или в самом ее начале, представлялись Кейт отсталыми или, во всяком случае, не слишком разумными. «Зачем поднимать такой шум из-за пустой формальности?» — совершенно искренне недоумевала она. Несколько раз она даже высказывалась в том смысле, что многие девушки устраивают свадьбы исключительно для того, чтобы получить побольше подарков и покрасоваться в подвенечном наряде. В самом деле, когда заканчивался медовый месяц, — а иногда и раньше, — они начинали жаловаться, что их мужья проводят слишком много времени с друзьями, пьют слишком много пива или скверно с ними обращаются.

Все замужние подруги казались Кейт маленькими девочками, играющими во взрослую жизнь, поэтому про себя она давно решила, что у нее так не будет. Они с Джо любили друг друга по-настоящему, и, если она родит от него ребенка, это свяжет их еще крепче. Детей Кейт считала единственной реальной вещью в мире, которую нельзя просто так сбросить со счетов. Она уже убедилась в этом, когда забеременела в первый раз. Именно тогда Кейт осознала, что это — единственное, ради чего стоит страдать и преодолевать трудности. Ребенок был для нее частью Джо — возможно, лучшей его частью, — которая осталась бы с ней, что бы ни случилось. Войне не было видно конца, и, пока она шла, Джо принадлежал не столько Кейт, сколько своей стране; он мог погибнуть в любую минуту, оставив ее совершенно одну. Зато ребенок принадлежал бы только ей, и она постаралась бы сделать все от нее зависящее, чтобы никакие силы не смогли разлучить их, как они постоянно разлучали ее и Джо. Вот почему Кейт ужасно хотелось ребенка, хотя она и не осмеливалась сказать об этом Джо открыто.

Джо, внимательно наблюдавший за ней через стол, должно быть, почувствовал, что она думает о нем. Взяв руку Кейт в свою, он поднес ее к губам и поцеловал.

— Не грусти, Кейт, — сказал он. — Я вернусь. У нашей с тобой истории обязательно будет счастливый конец. Его просто не может не быть, понимаешь?

В ответ Кейт кивнула. Она думала и чувствовала то же самое, но боялась говорить об этом вслух, чтобы не сглазить.

— Только береги себя, Джо, — прошептала она. — Это единственное, о чем я тебя прошу.

Впрочем, Кейт прекрасно понимала, что ее просьбы бессмысленны. Им оставалось только предать себя в руки Провидения и надеяться, что все кончится хорошо. Судьба Джо была в руках одного бога, и только на него могли они уповать...

После завтрака Кейт и Джо быстро оделись и покинули отель, хотя это было совсем не легко: они все никак не могли перестать целоваться.

Джо хотел сам отвезти Кейт в колледж, прежде чем отправиться в аэропорт. По дороге оба говорили мало, Кейт смотрела только на Джо, стараясь получше запомнить его лицо, движения, осанку. Все происходящее казалось ей чуть-чуть нереальным, словно в замедленной съемке, однако до Рэдклиффа они доехали как-то чересчур быстро. Выйдя из машины, они некоторое время стояли обнявшись, и Кейт все убеждала себя, что должна быть мужественной и держать себя в руках, однако это не помогало. Ночь, которую они провели вместе, была слишком свежа в памяти, и слезы текли и текли из-под ресниц на ее побледневшие щеки.

— Только одно, Джо... — прошептала она, когда он прижал ее к своей груди. — Оставайся живым, пожалуйста! Больше мне ничего не надо. — Она всхлипнула. — Я люблю тебя, Джо!

Кейт не хотела этого говорить, не хотела делать расставание еще более тяжким для него и для себя, но вдруг обнаружила, что утратила над собой всякую власть.

— Я тоже люблю тебя, — ответил он. — И... если с тобой снова что-то произойдет... что-то важное, понимаешь?.. Обязательно сообщи мне, хорошо?

Она поняла, что́ имеет в виду Джо. Несмотря на предпринятые ими меры предосторожности, никто не мог гарантировать, что она снова не окажется в положении. Кейт знала несколько таких случаев, однако беременность ее больше не пугала. И все же ей по-прежнему не хотелось взваливать на него дополнительный груз забот, поэтому она ничего не ответила.

— Береги себя, — шепнул Джо. — И передай привет своим родителям — если, конечно, ты будешь говорить с ними о нашей встрече.

Но Кейт не собиралась ничего рассказывать родителям, особенно матери. Она не хотела, чтобы Элизабет что-то заподозрила. Правда, кто-то мог видеть, как они с Джо вместе выходили из отеля, но она надеялась, что все обойдется.

Еще несколько мгновений они молча стояли, крепко прижавшись друг к дружке. Потом Джо решительно отстранился, сел в машину и уехал, а Кейт долго смотрела ему вслед полными слез глазами. Ей было жаль расставаться с ним — так жаль, что у нее закололо в груди, а к горлу подкатил тугой комок, — однако она знала, что сетовать на судьбу бессмысленно. То же самое происходило каждый день по всей стране. Тысячи девушек провожали любимых на войну. Госпитали были полны ранеными и калеками. Матери, жены, возлюбленные оплакивали тех, кто уже никогда не вернется домой. Маленькие дети со взрослыми личиками приносили цветы на могилы отцов. Ей еще повезло — ее Джо был жив, и Кейт от души надеялась, что он останется жив, хотя многие, слишком многие уже погибли...

Остаток дня Кейт провела в своей комнате в общежитии. Вечером она даже не пошла ужинать, надеясь, что Джо позвонит. И действительно, в половине девятого он позвонил ей из аэропорта в Вашингтоне. До вылета ему оставался целый час, однако рассказать ей, как прошли его встречи с высокопоставленными чиновниками военного министерства, Джо не мог — это была секретная информация. Поэтому он снова попросил Кейт беречь себя и быть осторожной, а она еще раз сказала ему, как сильно его любит, и пожелала благополучного перелета через Атлантику.

Поговорив с Джо, Кейт поднялась к себе в комнату, легла на кровать и стала думать о нем. Ей трудно было поверить, что они знают друг друга всего три года — так много произошло с тех пор, как они впервые увидели друг друга на балу в Нью-Йорке. Тогда ей было всего семнадцать, и во многих отношениях она была совсем ребенком. Сейчас Кейт было двадцать, и она ощущала себя уже взрослой женщиной. И, что было гораздо важнее, она была *его* женщиной!

В конце недели Кейт поехала домой. Пора было всерьез готовиться к экзаменам, к тому же ей надоело болтать о всякой чепухе с подругами по общежитию. Со дня отъезда Джо она пребывала в глубокой задумчивости, и ей было не до пустяков.

Элизабет сразу заметила, что Кейт какая-то не такая. За ужином она осторожно спросила у дочери, здорова ли она и нет ли каких-нибудь новостей от Джо. Кейт ответила, что с ней все в порядке, но ни Кларк, ни Элизабет ей не поверили. За то время, что они ее не видели, Кейт, казалось, повзрослела еще больше. Конечно, учеба в колледже придала ей самостоятельности, но родители были уверены, что дело не только в этом. Они видели, что отношения с Джо перенесли Кейт на некую новую духовную ступень, она стала зрелой личностью, хотя внешне по-прежнему оставалась все такой же юной. Впрочем, не совсем такой же. Постоянная тревога о Джо придавала ее облику серьезность, какую не часто встретишь у молоденькой девушки. Кейт, впрочем, была далеко не единственной: шла война, и многие, многие ее ровесницы взрослели за одну ночь, за один вечер, расставаясь с любимым человеком.

Уже лежа в постели, Кларк и Элизабет долго говорили о дочери и в конце концов пришли к выводу, что в ее беспокойстве о Джо нет ничего необычного или противоестественного. Наверное, во всей стране не было такой девушки или женщины, которая бы не тревожилась о своем муже, любимом, сыне или брате. И среди их знакомых тоже не было семьи, которая не проводила бы на фронт кого-то из мужчин. У Кларка был даже один приятель, чья дочь, закончив медицинский факультет Калифорнийского университета, добровольно отправилась на войну и теперь плавала по Тихому океану на одном из плавучих госпиталей в должности младшего ординатора.

— Все-таки жаль, что наша Кейт не влюбилась в Энди Скотта, — вздохнула Элизабет. — Он был бы для нее прекрасной партией, к тому же Энди освобожден от военной службы.

В ответ Кларк только покачал головой. В словах Элизабет была своя правда, но Кларк хорошо понимал, что при всех своих достоинствах Энди нельзя было даже сравнивать с Джо Олбрайтом. Конечно, Энди был очень милым, добрым и прекрасно воспитанным молодым человеком, однако Кларк находил его... скучноватым. Или, во всяком случае, довольно ординарным. Что же касается Джо, то он был личностью яркой, незаурядной. Могучий орел, одиноко парящий в вышине, и селезень на пруду — такое сравнение неожиданно пришло на ум Кларку, и он едва не расхохотался. Нет, он ничего не имел против селезней; больше того, он причислял к ним и себя. Однако Кларк прекрасно понимал, что в стае себе подобных Энди выделялся бы разве что более ярким оперением.

— Чему ты улыбаешься? — сонно спросила Элизабет, но Кларк только покачал головой.

Он достаточно достаточно долго прожил на свете, чтобы понимать: о героях мечтают все женщины, но замуж за них выходят единицы. Как-то все сложится у Кейт? Кларк желал дочери всего самого лучшего, да и Джо ему нравился, однако он чувствовал: чтобы ужиться с таким человеком, надо любить его до беспамятства, до самопожертвования. В том, что Кейт способна на такую любовь, он не сомневался, однако быть вместе им могла помешать война, которая с каждым днем становилась все более жестокой и страшной.

После отъезда Джо Кейт с головой ушла в учебу. Она прекрасно сдала экзамены за первый триместр, хотя мысли о Джо постоянно отвлекали ее от занятий. Он по-прежнему регулярно писал ей, и она старалась ответить на каждое его письмо, однако никаких особых новостей у нее не было. Через три недели после памятного уик-энда в отеле Кейт убедилась, что не беременна, и это заставило ее испытать одновременно и облегчение, и разочарование. Умом она понимала, что так будет лучше для всех и что сейчас не самое подходящее время для того, чтобы заводить детей, однако в душе ей по-прежнему хотелось родить от него ребенка.

Когда Кейт приехала домой на День благодарения, она выглядела значительно лучше, чем в прошлый раз, даже ее беспокойство не так бросалось в глаза. За праздничным столом у Джемисонов, как всегда, собрались гости, и Кейт разговаривала с ними непринужденно и уверенно, демонстрируя редкое для женщины знание военной обстановки в Европе. Когда речь заходила о Германии, на ее лоб набегали легкие морщинки: Кейт всем сердцем ненавидела нацистов, развязавших эту ужасную войну, и не особенно стеснялась в выражениях, когда надо было дать характеристику Гитлеру или Муссолини.

В целом праздничный ужин прошел очень приятно, и, отправляясь спать, Кейт с удовольствием вспоминала о том, что виделась с Джо всего месяц назад. Она не знала, когда он снова сможет приехать, однако была уверена, что те несколько часов, которые они провели вместе, помогут ей легче перенести разлуку, как бы долго она ни продлилась.

В эту ночь Кейт заснула быстро, но спала плохо и несколько раз просыпалась, разбуженная странными, тревожными снами. Утром она рассказала об этом матери, но Элизабет не придала ее словам особого значения, решив, что Кейт съела накануне слишком много орехового пудинга.

— Я сама, когда была маленькой, очень любила орехи, — сказала Элизабет, накрывая стол к завтраку. — Но мне не разрешали есть их слишком много — моя бабушка считала орехи тяжелой пищей. И действительно, от них у меня до сих пор бывает несварение желудка, но я по-прежнему их люблю.

После завтрака Кейт почувствовала себя немного спокойнее и даже поехала с подругой в центр Бостона, чтобы сделать кое-какие покупки. Пообедать они зашли в отель «Статлер», и Кейт не могла не вспомнить о Джо и о ночи, которую они провели здесь месяц назад. Вечером она по-прежнему была бодра, почти весела, однако думать о Джо не перестала.

В воскресенье Кейт вернулась в общежитие, и там ее снова мучили кошмары. Кейт снились горящие самолеты, которые падали, падали, падали в бездну, и в каждом самолете — так ей казалось — сидел Джо. Несколько раз она просыпалась с криком и даже выпила успокоительную таблетку, но это не помогло.

Всю неделю Кейт спала плохо, хотя никаких видимых оснований для этого вроде бы не было. От недосыпания она постоянно чувствовала себя разбитой и не могла дождаться выходных, надеясь отоспаться дома. Но в четверг вечером ее неожиданно позвали к телефону. Это был Кларк, и, услышав в трубке его голос, Кейт даже вздрогнула от неожиданности. Отец почти никогда не звонил ей в колледж, не желая, чтобы Кейт думала, будто он ее контролирует. Но сегодня Кларк не только позвонил, но даже спросил Кейт, не хочет ли она приехать вечером домой, чтобы поужинать с ними. В комнате Кейт ждала незаконченная письменная работа, но она сказала, что, конечно, приедет, хотя эта просьба показалась ей довольно странной. Она даже испугалась, не заболела ли мама, а отец не захотел говорить ей об этом по телефону.

И точно: как только Кейт вошла в дом, она сразу поняла — что-то случилось. Правда, родители ждали ее в гостиной оба, но лица у них были серьезными и печальными. Увидев Кейт, они поднялись ей навстречу, и Элизабет поспешила прижать дочь к себе, чтобы та не видела, как она плачет.

Страшные новости сообщил ей Кларк. Как только Кейт села, он посмотрел на нее в упор и сказал, что утром получил телеграмму от своего знакомого в военном министерстве.

— Я весь день звонил друзьям в Вашингтон, и, к сожалению, информация подтвердилась, — проговорил он и почувствовал, как при виде тревожно расширившихся глаз Кейт у него сжалось сердце. — Самолет Джо был сбит где-то над Германией во время одного из боевых вылетов. Это произошло почти неделю назад...

Кейт негромко вскрикнула и схватилась за грудь. Как раз в прошлое воскресенье у нее начались эти ночные кошмары.

— Он... он... Его... — Она так и не смогла выговорить страшное слово, но Кларк отлично ее понял.

— Один из летчиков его звена видел, как он падал. Он сообщил, что Джо в последнюю минуту успел выброситься с парашютом, однако, что было с ним дальше, никто не знает. Это произошло в непосредственной близости от линии фронта, так что Джо мог быть убит еще в воздухе или захвачен в плен. Но ни по данным разведки, ни по официальным каналам военного министерства никаких сведений о нем пока не поступало. Мой старый товарищ по моей просьбе специально просмотрел немецкие списки захваченных в плен британских и американских офицеров, но в них о Джо ничего не говорится. Ты знаешь, что он летал под вымышленным именем, но это имя тоже не упоминается ни в одной из полученных в министерстве сводок. Существует довольно большой шанс, что немцы по каким-то причинам не включили его ни в списки убитых, ни в списки захваченных в плен, но...

Кларк заколебался, не зная, говорить ли ему все или ограничиться тем, что он уже сказал. Вероятность того, что Джо попал в плен, была, по совести сказать, ничтожно мала. К тому же, если это действительно произошло, плен означал для него неминуемые страшные пытки. Фальшивые документы, которыми снабдило Джо командование Королевских Военно-воздушных сил, вряд ли могли помочь ему сохранить инкогнито. Джо Олбрайт был слишком хорошо известен, слишком знаменит, к тому же когда-то он работал в Германии, и опознать его не составляло особого труда. Однако в этом случае нацистская пропаганда не преминула бы раструбить на весь свет об очередной победе доблестных люфтваффе. И тот факт, что о Джо ничего не говорилось ни в официальных военных сводках, ни в секретных сведениях, поступавших по каналам разведки, казалось Кларку очень плохим признаком. Он понимал, что молчание официальной немецкой пропаганды могло означать только одно: если Джо жив, то теперь он либо проходит «специальную обработку» с целью склонить его к сотрудничеству с геббельсовской пропагандистской машиной, либо подвергается жестоким пыткам как носитель важных секретных сведений. И в том, и в другом случае ему было бы лучше умереть — так считал Кларк, однако Кейт придерживалась другого мнения.

— Он не погиб? Скажи, мама, Джо жив? — спросила она жалобно.

Кейт не могла, не хотела верить, что Джо может быть убит. Когда-то давно, много лет назад, она уже потеряла любимого человека — своего отца, и теперь этот кошмар повторялся. Нет, потерять Джо было стократ тяжелее! Ведь она любила его, как никогда никого не любила...

— Официально он числится пропавшим без вести, — сказал Кларк. — Но мой товарищ уверен, что Джо погиб. И так было бы лучше для него...

Побелев, Кейт попыталась встать, но тут же рухнула обратно на диван.

— Что ты имеешь в виду?

— Всегда лучше смерть, чем плен. В последнее время немцы не щадят наших пленных.

— Этого не может быть! — воскликнула Кейт и зарыдала. — Джо жив, я знаю!

Кларк покачал головой.

— Мне очень жаль, родная, — печально сказал он, и Кейт с ужасом увидела, что в его глазах тоже стоят слезы. Он жалел и Джо, и дочь, на которую вдруг обрушилось несчастье, какое не каждому человеку по плечу.

— Не жалей меня! — резко бросила Кейт и, вытерев слезы, решительно вскочила на ноги.

Она не хотела, не могла допустить, чтобы это случилось с ней и с Джо. Она просто-напросто отказывалась верить в страшное. «Пропал без вести» звучало для нее гораздо лучше, чем «убит». Она не станет оплакивать Джо, пока не будет знать точно, ни за что не станет!

— Нечего тут жалеть, — твердо сказала она. — Джо жив. Если бы он погиб, я бы это почувствовала.

При этих ее словах Кларк и Элизабет грустно переглянулись. Именно такой реакции они и ожидали от дочери. Кейт отказывалась смириться с фактами, и Элизабет всерьез опасалась, что ее дочь способна ждать возвращения Джо и десять, и двадцать лет.

— Нужно надеяться, верить, что с ним все будет хорошо, а не хоронить его! Мама, папа, поймите, ведь именно этого он от нас ждет!

— Но, Кейт, подумай сама... Если его не расстреляли в воздухе, значит, он приземлился где-то на германской территории, среди врагов, которые уже наверняка его искали. Джо — знаменитый на весь мир летчик, и немцы не могли его не узнать. В этом случае они бы обязательно сообщили, что он у них. Другое дело, если он погиб. У него при себе были документы на чужое имя, и...

— Тогда почему же этого чужого имени нет в списке убитых? — парировала Кейт.

— Он мог упасть куда-то в лес, в болото... Я не знаю. Это ничего не меняет. Ты должна смотреть фактам в лицо, Кейт. Джо, скорее всего, погиб.

Сердце Кларка буквально обливалось кровью от жалости, но голос его звучал твердо. Он не хотел, чтобы Кейт продолжала обманываться и тешить себя ненужными иллюзиями.

— Я не хочу смотреть в лицо фактам, тем более *таким* фактам! Ведь это означает смириться, принять их, не так ли? Так знайте же, я не верю, что он умер! Не верю, и все тут!!! — И Кейт выбежала из гостиной, громко хлопнув дверью.

Кларк и Элизабет грустно смотрели ей вслед. Ни один из них не знал, что еще можно сказать дочери. Они предполагали, что Кейт не поверит ужасному известию, но не ожидали подобной вспышки гнева и отчаяния.

А Кейт действительно злилась на родителей, на судьбу и даже на Джо. Ведь он же обещал ей!.. Он говорил, что у него десять, двадцать, сто жизней, а оказалось... Это было несправедливо, несправедливо — и все! Что она такого сделала, что бог послал ей это несчастье?

Оказавшись в своей комнате, Кейт ничком бросилась на кровать и зарыдала, уткнувшись лицом в подушку. Когда Элизабет поздно вечером наконец осмелилась заглянуть в спальню дочери, та лежала в той же позе. Услышав, что открывается дверь, Кейт повернулась, и Элизабет увидела, как сильно распухли и покраснели ее глаза. Она боялась, что дочка прогонит ее, но Кейт ничего не сказала, и Элизабет осторожно опустилась на краешек кровати.

— Все бывает, девочка моя, — прошептала она печально и погладила Кейт по голове.

— Но я не хочу, не хочу, чтобы он умер! — Кейт села и, обняв мать, зарыдала с новой силой, только теперь она плакала не как взрослая женщина, а как маленькая девочка, которой нужны защита и помощь матери.

— Я тоже этого не хочу.

Элизабет и сама не удержалась от слез, и несколько соленых капель скатились по ее щекам. Несмотря на то что она никогда особенно не любила Джо, Элизабет все же не могла не отдавать ему должное. К тому же, по ее глубокому убеждению, ни один человек, кроме разве самых отъявленных негодяев, не заслуживал того, чтобы погибнуть в тридцать три года. И Кейт ничем не заслужила той боли, которую она испытывала сейчас. Это было просто несправедливо, хотя в последние два года несправедливости на свете заметно прибавилось...

— Я тоже не хочу, — повторила Элизабет. — Но мы ничего не можем поделать — только молиться, чтобы бог спас его.

Ей очень не хотелось убеждать дочь, что Джо, скорее всего, мертв, но она не могла позволить себе будить в ее сердце ненужные надежды. Что бы ни случилось, считала Элизабет, жизнь должна идти своим чередом. Пусть Кейт считает, что что-то может измениться; это поддержит ее некоторое время, а тем временем, быть может, ситуация прояснится. Ведь тело или могилу Джо в конце концов обнаружат, и тогда даже Кейт придется смириться с его смертью. Сама Элизабет была на сто процентов уверена, что Джо погиб, однако не видела необходимости доказывать это дочери прямо сейчас. Кейт и так было слишком больно, и Элизабет хотелось только одного: как-то облегчить ее страдания.

Она осталась с дочерью и гладила ее по голове, по плечам, пока Кейт не заснула. Но и во сне она продолжала тихонько всхлипывать, как бывает у маленьких детей, когда они плачут слишком долго. Каждый такой звук буквально разрывал Элизабет сердце, но она продолжала сидеть с Кейт, пока та не успокоилась совершенно.

Уже далеко за полночь Элизабет наконец вернулась к себе в комнату. Кларк уже лег в постель, но не спал.

— Ах, как бы мне хотелось, чтобы она не любила этого человека так сильно! — вырвалось у Элизабет. Она очень боялась, что Кейт будет ждать Джо всю жизнь. — Их отношения... В них было что-то такое, что меня всегда пугало, — добавила она, ложась рядом с Кларком.

Это «что-то» Элизабет заметила в глазах Джо примерно год назад, а сегодня она снова увидела такое же выражение в глазах дочери. Этому не было названия — во всяком случае, Элизабет никак не могла подобрать подходящее слово, чтобы как-то обозначить это странное, всепоглощающее чувство. Оно было неподвластно ни времени, ни расстоянию, ни доводам рассудка, и даже материнская любовь была перед ним бессильна. Это чувство накрепко связало души Кейт и Джо, и Элизабет была не на шутку напугана тем, что даже смерть оказалась не в состоянии прервать эту связь. О том, какие страдания ждут теперь Кейт, Элизабет старалась не думать.

За завтраком, к которому она все-таки вышла, Кейт была молчалива и выглядела подавленной. Если мать или отец обращались к ней, она попросту не отвечала, ограничиваясь обычными просьбами передать соль или салфетку. Выпив чашку чая и съев два поджаренных хлебца, она кивком поблагодарила мать и вновь поднялась к себе, тяжело ступая по ступенькам. Только скрип рассохшегося дерева под ее ногами свидетельствовал, что она — живой человек из плоти и крови, ибо ее бледность и молчаливость были скорее под стать призраку.

До вечера воскресенья Кейт так и просидела у себя в спальне, никуда не выходила и никому не звонила. До рождественских каникул оставалась всего неделя, и Элизабет думала, что Кейт не вернется в колледж, но ошиблась. Было уже совсем поздно, когда Кейт спустилась вниз полностью одетая и попросила Кларка вызвать ей такси, чтобы ехать в Рэдклифф. Через полчаса ее уже не было, отцу и матери она только кивнула на прощание. Они, однако, успели заметить, что теперь Кейт еще больше напоминала привидение; разница заключалась только в том, что если призрак — это бестелесная душа, то от Кейт осталась одна лишь физическая оболочка. Ее душа, казалось, умерла или вышла из тела, чтобы отправиться туда, где был теперь Джо.

В общежитии Кейт тоже не стала ни с кем разговаривать и ничего не ответила даже Беверли, которая подошла спросить, не заболела ли она. Ей не хотелось говорить о своем несчастье, выслушивать слова сочувствия и различные мнения о том, что могло случиться с Джо после того, как он покинул горящий самолет. Но если на людях Кейт еще удавалось с грехом пополам держать себя в руках, то по вечерам, когда соседки по комнате засыпали, она беззвучно плакала, порой не смыкая глаз до самого рассвета.

Несмотря на это, все общежитие знало, что у Кейт что-то случилось. Потом кто-то увидел в газете заметку, в которой говорилось, что самолет Джо Олбрайта был сбит в воздушном бою, а сам он пропал без вести. Заметка была совсем крошечная — военное министерство, по-видимому, решило не делать из этого факта сенсации, чтобы не подрывать дух тех, кто остался в тылу. Никаких подробностей в газете не сообщалось, однако подругам Кейт все сразу стало ясно: к этому времени их отношения ни для кого не были секретом.

— Нам очень жаль... Мы тебе ужасно сочувствуем, — негромко шептали Кейт однокурсницы, сталкиваясь с ней в коридоре или в аудитории; ей же хватало сил только на то, чтобы кивнуть и отвернуться.

Выглядела Кейт совершенно ужасно: она сильно исхудала, лицо у нее стало каким-то серым, а волосы потускнели, поэтому, когда перед Рождеством она вернулась домой, Элизабет не на шутку встревожилась. Сначала она решила, что Кейт больна, однако довольно скоро ей стало ясно, что это было бы лучшим из всех возможных вариантов. Кейт была здорова, просто она продолжала ждать известий о Джо и ни о чем другом не могла ни думать, ни говорить.

В первый же день своей жизни дома она попросила отца еще раз связаться с его другом в Вашингтоне и узнать, нет ли каких-нибудь новостей. Однако ее ждало разочарование: ни по каким каналам новой информации о Джо Олбрайте не проходило. На официальный запрос, не был ли Джо захвачен в плен или обнаружен убитым на поле боя, германская сторона ответила отрицательно. Майор Йан Беллахью — а именно на это имя и фамилию Джо были выданы документы — не фигурировал в их официальных списках убитых или захваченных в плен британских офицеров. Никто не видел Джо живым с тех пор, как его объятый пламенем «Спитфайр» спикировал к земле...

Нечего и говорить, что Рождество в этом году не было праздничным ни для Кейт, ни для ее родителей. Подарки для матери и отца Кейт приобрела скорее по привычке, чем из желания сделать им приятное. Ей самой тоже было не до подарков, поэтому свертки, которые вручили ей Кларк и Элизабет, она развернула просто из вежливости. Сразу после этого Кейт ушла к себе в комнату и просидела там до вечера. По-прежнему она могла думать только о том, где сейчас Джо, что с ним и увидит ли она его когда-нибудь. С горечью вспоминала Кейт их редкие встречи и жалела о том, что не сумела сохранить ребенка, зачатого в позапрошлый его приезд.

Пребывание дома нисколько не улучшило ее состояния. Напротив, Кейт похудела и осунулась еще больше, щеки у нее ввалились, на всем лице жили, казалось, только глаза. Большую часть времени Кейт по-прежнему проводила у себя в комнате, спускаясь в кухню лишь для того, чтобы пообедать или поужинать, хотя даже это она делала далеко не всегда. Лишь по утрам, когда приносили почту, Кейт выходила в сад, поджидая почтальона у калитки. По горькой иронии судьбы письма Джо продолжали приходить почти с каждой почтой, но все они были отправлены до роковой даты. Единственное, на что надеялась Кейт, это на то, что какая-то информация появится в газетах. Она с жадностью набрасывалась на них и прочитывала от первой до последней страницы, но ничего не находила. Кларк с самого начала предупредил ее, что им позвонят еще до того, как что-то появится в прессе, однако совладать с собой Кейт не могла. Ей казалось преступным сидеть и ждать, пока кто-то что-то о Джо разузнает, и она снова и снова пересматривала газеты, где печатались уточненные списки убитых, раненых и попавших в плен американцев и англичан.

Сам Кларк считал, что Джо давно мертв и лежит в неглубокой могиле где-то на территории Германии, однако Кейт эта мысль казалась кощунственной. Признать, что он погиб, было для нее равнозначно тому, чтобы признать мертвой себя. Впрочем, по временам ей действительно казалось, будто она уже умерла. Пустота вокруг, пустота внутри, которую ничем невозможно было заполнить, действовали на нее так, что порой она не могла ни шевелиться, ни разговаривать. Бо́льшую часть времени Кейт лежала на кровати, уставившись в стену, и только по ночам вставала и без устали расхаживала по комнате из угла в угол. Ей казалось — еще немного, и она не выдержит. Один раз Кейт даже попробовала напиться, но из этого ничего не вышло, так как ее тут же вырвало. Родители все слышали, но ничего ей не говорили. Еще никогда они не видели, чтобы человек был так убит горем. Это была самая настоящая скорбь, и помочь Кейт могло только время.

Когда после рождественских каникул Кейт вернулась в колледж — а для этого ей пришлось собрать в кулак всю свою волю, — она впервые провалилась на экзаменах. Выглядела она по-прежнему ужасно, так что в конце концов ее вызвала к себе миссис Джейкс, куратор курса. Миссис Джейкс хотела знать, не случилось ли у Кейт какого-нибудь несчастья дома, и та ответила, что ее близкий друг пропал без вести на фронте. Это действительно была уважительная причина, вполне объяснявшая провал на экзаменах, и кураторша пообещала, что поговорит с преподавателями и устроит ей пересдачу, как только Кейт почувствует себя готовой. С ее стороны это было серьезным нарушением установленного порядка, но миссис

Джейкс хотелось что-то сделать для Кейт. Меньше года назад она потеряла под Салерно сына и прекрасно понимала, что сейчас чувствует эта похожая на тень девушка.

Кейт от души поблагодарила миссис Джейкс, но на самом деле она смотрела на свои неудачи как бы со стороны. Горе придавило Кейт, словно тяжелый камень; когда же оно отступало, ее буквально душила бессильная злоба. Кейт злилась на войну, на всех немцев, на пилота, сбившего самолет Джо, на него самого за то, что он это допустил, и даже на себя — за то, что любила его чересчур сильно. Ей казалось, что она готова отдать все, что угодно, лишь бы освободиться от этого чувства, но в глубине души Кейт понимала — ничто в мире ей не поможет: она никогда не сумеет забыть Джо.

В начале февраля Кейт неожиданно навестил Энди. Увидев ее, он был потрясен тем, как скверно она выглядит. В первое мгновение ему стало до боли жаль Кейт, но он тут же взял себя в руки и как следует выбранил ее за то, что она довела себя до такого состояния.

— Нечего теперь кусать локти и жалеть себя, — заявил он. — Ведь ты с самого начала знала, что это может случиться в любой день и в любой час, и даже не обязательно на войне. Дальние перелеты, головоломные воздушные трюки, рекорды скорости — все это грозило Джо смертью и в мирное время. Кроме того, — добавил Энди, — не ты одна потеряла любимого человека. Тысячи женщин во всем мире оплакивают своих близких, и ты еще не в худшем положении — ведь вы с Джо не были женаты и у вас нет детей!

Все это звучало достаточно жестоко, но разумно, и в другое время Кейт обязательно прислушалась бы к его словам. Но сейчас она только разозлилась на Энди.

— Что же мне теперь, радоваться, что мы не были женаты и что у нас нет детей?! — накинулась она на него. — Энди Скотт, ты рассуждаешь точь-в-точь как моя мама! Какая разница, есть у меня на пальце кольцо или его нет? Для меня это не значит ровным счетом ничего, к тому же это все равно ничего не изменит! Быть может, Джо действительно погиб, а может, он сейчас находится в одном из лагерей для военнопленных, где над ним издеваются или даже пытают! Будет ему легче от того, что в Америке у него осталась законная жена? Или, может, нацисты отпустили бы его, если бы узнали, что у него есть дети? — Она презрительно фыркнула. — Не понимаю, почему вы все придаете такое значение устаревшим социальным институтам! Брачные узы — пустая формальность, необходимая обществу, но не тем, кто любит! Я, во всяком случае, точно знаю, что если бы мы даже поженились, я бы все равно не смогла любить Джо сильнее, чем люблю теперь. А я люблю его, люблю больше всего на свете, и плевать мне на то, что думают другие!

Она неожиданно разрыдалась и упала в объятия Энди.

— Но ведь ты сама понимаешь, что Джо скорее всего погиб, — попытался он урезонить ее. — Существует всего один шанс из миллиона, что он выживет и вернется к тебе.

«На самом деле, — подумал Энди, — и этого шанса нет — слишком уж жестокой оказалась эта война».

— Он мог спастись! — всхлипнула Кейт. — Спастись и бежать из плена. Может быть, Джо скрывается у французских или югославских партизан и не может подать о себе весточку.

— Но что, если он все-таки мертв? — не сдавался Энди.

Все говорило за это, и он хотел заставить Кейт повернуться лицом к правде, какой бы горькой она ни была. Однако Кейт и сама понимала, что Джо почти наверняка погиб, но ей было слишком тяжело это признать. Даже наедине с собой она не осмеливалась думать о нем как о мертвом и совсем не выносила, когда кто-то пытался убеждать ее в этом.

— Заткнись, Энди Скотт! — крикнула она. — Говорю тебе, он жив! Я знаю, что он жив!

— Зачем так мучить себя?.. — Энди тяжело вздохнул. — Зачем тешить себя надеждой, если она все равно не сбудется? Не лучше ли смириться с неизбежностью и попробовать начать все сначала?

Но Кейт только затрясла головой в бессильной ярости. Она не хотела и не могла начинать все сначала, строить свою жизнь заново, пока не убедится, что Джо больше нет. Вот когда она сама в это поверит, тогда...

Но что будет «тогда», Кейт не знала. Она не представляла, как будет жить без Джо. Даже не жить, а существовать, потому что без него ни о какой жизни не могло быть и речи — слишком сильны были связывавшие их узы, чтобы прерваться теперь, пусть даже один из них умер.

«Не умер, а пропал без вести», — тут же поправила себя Кейт. Она и в самом деле не верила, что Джо мог погибнуть. Какая-то часть ее души продолжала твердить ей: «Верь, надейся, и все будет так, как ты хочешь. Джо вернется, обязательно вернется, надо только немного потерпеть».

— Он жив, — сказала она, поднимая на Энди мокрое от слез лицо, и в ее голосе прозвучала такая убежденность, что он не нашел в себе силы возразить.

Когда Кейт немного успокоилась и привела себя в порядок, Энди повел ее в студенческое кафе. Никакого аппетита у Кейт не было, но он чуть не силой заставил ее выпить стакан сока и проглотить несколько ложек салата и жареной картошки. Как ни странно, после этого Кейт почувствовала себя значительно лучше; во всяком случае, к ней определенно вернулись силы, а вместе с ними окрепла и надежда. Поэтому, когда Энди пригласил ее на соревнования по плаванию в следующее воскресенье, она не стала отказываться.

Кейт обещала прийти и действительно пришла. Гарвард встречался с Массачусетским технологическим, и она так болела за Энди, что на время даже забыла о своих несчастьях. Выглядела она намного лучше, чем пару дней назад, однако, когда Энди, переодевшись после выигранного им заплыва, поднялся к ней на трибуну, первое, что сказала ему Кейт, это что она видела сон про Джо. Сон оказался не таким страшным, как обычно.

— Он не погиб, Энди! — воскликнула Кейт, схватив его за руку. — Теперь я это точно знаю!

Энди решил, что от горя у нее, должно быть, помутился рассудок, однако вслух ничего не сказал. Он уже понял, что обсуждать эти вопросы с Кейт совершенно бесполезно. Ничто не могло заставить ее поверить в смерть Джо.

И Кейт действительно крепко держалась за эту свою веру. Через какое-то время не только друзья, но даже отец с матерью перестали заговаривать с ней на эту тему — и не только потому, что для Кейт это означало лишние страдания, но и потому, что уговаривать ее было совершенно бесполезно. Она не слушала никаких доводов, а только твердила: «Он жив, он жив, я знаю! Он, наверное, находится у партизан, и поэтому от него нет никаких известий».

Настало лето, но судьба Джо по-прежнему оставалась невыясненной. Последнее письмо от него пришло через два месяца после того, как был сбит его самолет, и Кейт часто перечитывала это письмо по ночам. Постепенно она утрачивала чувство реальности, и ей начинало казаться, что с Джо просто не могло случиться ничего страшного, раз письма от него продолжают приходить. Она уже не обращала никакого внимания на окружающих, которые хотя и сочувствовали ее горю, но по-прежнему считали, что ей давно пора забыть Джо. Или, вернее, не забыть, а перестать думать о нем как о живом. Кейт упрямо не желала с ним расставаться, потому что Джо действительно жил в глубине ее души — в потайном уголке, куда не достигали ни голос рассудка, ни отчаяние, которое порой охватывало ее по ночам, когда она лежала без сна и вспоминала, вспоминала, вспоминала без конца. Когда Кейт все-таки засыпала, Джо снился ей, но хотя сны эти по-прежнему были тревожными и пугающими, она ни разу не видела его мертвым. И это тоже вселяло в нее надежду. «Уж наверное, — рассуждала она, — если бы Джо действительно умер, его душа нашла бы способ пробраться на Землю и сообщить мне, что надеяться больше не на что». Он оставался ее любовью, ее мечтой, с которой Кейт не могла и не хотела прощаться.

Между тем родители, озабоченные ее состоянием, решили, что Кейт необходимо переменить обстановку. В Европу ехать, разумеется, было нельзя, и в конце концов она отправилась сначала в Чикаго, где жила ее крестная мать, а потом в Калифорнию, чтобы повидаться со школьной подругой, учившейся в Стэнфорде. В целом путешествие получилось довольно удачным, однако Кейт постоянно ощущала себя если не марионеткой, то автоматом, который не живет по-настоящему, а только совершает необходимые действия в зависимости от обстановки. Должно быть, поэтому, возвращаясь домой, она не испытывала ничего, кроме облегчения. Кейт ехала поездом и целых три дня могла спокойно смотреть в окно и думать о Джо — о том, как хорошо им было вдвоем. Со дня его исчезновения прошло уже больше восьми месяцев, и даже Кейт начала понемногу склоняться к мысли, что он, наверное, все-таки погиб. «Не может же быть, — думала она, — чтобы за столько времени Джо не сумел дать о себе знать».

В конце августа Джо все еще числился пропавшим без вести, но в официальном бюллетене против его фамилии появилась коротенькая и зловещая фраза: «Предположительно убит». Как ни страшны были нацистские концлагеря, кому-то все-таки удавалось оттуда бежать, но никто из этих людей не встречал Джо Олбрайта и не слышал о нем.

В этом году Кейт решила не ездить на мыс Код — слишком

много воспоминаний было связано у нее с костром на побережье, с ночным ласковым морем и шуршащим под ногами песком. Последнюю неделю лета она провела дома, а потом поехала в колледж, где ей оставалось учиться всего год. Кейт специализировалась в истории искусств, но понятия не имела, что делать со своим дипломом. Преподавать ей не хотелось, да и никакая другая работа ее тоже не влекла, поэтому она отложила окончательное решение на потом.

Вскоре после начала учебы Кейт снова увиделась с Энди. Он учился уже на третьем курсе Гарвардской школы права и был очень занят. Семинары и письменные работы отнимали у него почти все время, и он не мог приезжать к ней слишком часто. Без него Кейт чувствовала себя довольно одиноко, так как несколько ее близких подруг не вернулись в колледж этой осенью. Две из них успели за лето выйти замуж, а одна девушка вернулась домой на Западное побережье: она была вынуждена пойти работать, чтобы содержать больную мать. Ее отец и двое братьев — все погибли на Тихом океане в течение одного летнего месяца, и у бедняжки не оставалось другого выхода.

Сама же Кейт просто боялась заглядывать в будущее. Ей двадцать один год, через считанные месяцы она закончит колледж, а что потом? Все говорили, что она — интересная, красивая, умная, начитанная и приятная в общении молодая женщина, но для нее это были пустые слова. Кейт не представляла себе, как она будет жить без Джо, хотя этот вопрос не мог не вставать перед ней. Конечно, ей было бы легко найти поклонника, но она к этому не стремилась. С тех пор как Джо пропал без вести, ей даже в голову не приходило пойти к кому-нибудь на свидание. Несколько приятных молодых людей из Массачусетского технологического института не раз приглашали ее в кино или в ресторан, но Кейт каждый раз отвечала отказом, не давая себе труда даже объяснить причину. Не могла же она сказать, что на самом деле ее никто не интересует!

Кейт по-прежнему ждала звонка из Вашингтона, который прояснил бы судьбу Джо. Каждый раз, когда она оказывалась на многолюдной улице, входила в магазин или в автобус, ей начинало казаться, что она вот-вот столкнется с ним лицом к лицу. Когда же ей сообщали, что кто-то ожидает ее в вестибюле общежития, она летела вниз, точно на крыльях, в полной уверенности, что это *он* вернулся — вернулся, чтобы больше никогда не уходить. И хотя всякий раз это оказывался кто-то другой, Кейт по-прежнему не могла примириться с мыслью, что Джо больше нет, что он исчез, растворился, растаял в воздухе, словно никогда и не существовал. Смерть казалась ей бессмысленной и жестокой, и Кейт отказывалась верить, что никогда больше не увидит Джо.

Впрочем, в этом году она, казалось, немного успокоилась, а вернее — запрятала свою боль так глубоко, что никто ее не замечал; порой ее лицо даже озарялось слабой улыбкой. С родителями она больше не спорила, но каждый раз, когда мать намекала, что не плохо бы ей начать встречаться с каким-нибудь юношей, Кейт стремилась либо поскорее сменить тему, либо выйти из комнаты. По всему было видно, что она не собирается менять принятого решения, и Элизабет начала всерьез опасаться, как бы Кейт не осталась старой девой.

Когда она поделилась своими тревогами с мужем, Кларк только рассмеялся.

— О чем ты говоришь! — воскликнул он. — Какая «старая дева»?! Ведь Кейт только двадцать один год, к тому же идет война. Подожди, пока она кончится и молодые люди начнут возвращаться домой. Вот если ничего не изменится, тогда можно начинать волноваться.

— И когда же она кончится? — спросила Элизабет с мрачным скептицизмом.

— Скоро. Я думаю, что скоро, — ответил Кларк.

Но до конца войны было еще далеко. В августе был освобожден Париж, а русские вступили в Польшу, но уже в сентябре нацистская Германия снова усилила бомбардировку английских городов, впервые в мире применив ракетное оружие. Прорыв немецких войск в Арденнах также заставил союзников пережить несколько очень неприятных недель. Правда, контрнаступление немцев захлебнулось довольно скоро, однако англичане и американцы понесли огромные потери, и настроение у многих было траурным.

В последний день рождественских каникул к Кейт заглянул Энди с группой друзей. Он пригласил ее на каток, и Кейт неожиданно даже для самой себя согласилась. Элизабет отпустила дочь с легким сердцем — она все еще надеялась, что когда-нибудь общество этого интересного молодого человека пробудит в Кейт какие-то романтические чувства. Правда, Кейт всегда говорила, что они просто друзья, однако ее матери казалось, что в последнее время их отношения стали более близкими и доверительными, и это давало Элизабет повод надеяться. По ее мнению, Энди был бы для Кейт идеальным мужем. Кларк был с ней вполне согласен, но считал, что окончательный выбор следует предоставить самой Кейт.

Компания отправилась на ближайшее озеро и провела прекрасный день, катаясь на коньках, падая, толкаясь и хохоча. Потом друзья Энди устроили шуточный хоккейный матч, который, по совести сказать, гораздо больше напоминал футбол, поскольку на льду то и дело образовывалась самая настоящая куча-мала. Кейт в этой забаве не участвовала. Выбрав свободный участок льда в самом центре озера, она спокойно описывала круг за кругом, время от времени пробуя исполнить фигуры и танцевальные па, которые учила много лет назад. Фигурное катание всегда ей очень нравилось, в детстве Кейт даже занималась в спортивном клубе и подавала большие надежды.

С озера они всей компанией пошли в ближайшее кафе и пили там горячий шоколад, а потом отправились гулять, хотя уже настал вечер и ясный, чистый воздух звенел от мороза. Кейт и Энди вскоре отстали от основной группы и пошли медленнее. Они прекрасно провели время, и Кейт была благодарна Энди за то, что он вытащил ее из дома. Энди в свою очередь был просто счастлив, что Кейт перестала наконец горевать и начала понемногу возвращаться к нормальной жизни. И, самое главное, за все время она ни разу не вспомнила о Джо. Энди решил, что это Рождество стало для нее поворотным пунктом — Кейт оставила пустые надежды и тоску по прошлому и обратилась к будущему.

— Что ты собираешься делать летом? — спросил он, когда Кейт взяла его под руку. На самом деле у нее просто начинали мерзнуть пальцы, но его этот жест сильно приободрил.

— Не знаю. Я пока не думала, ведь до лета еще так далеко, — рассеянно ответила она, следя за тем, как пар от ее дыхания клубится и тает в неподвижном, холодном воздухе. — А ты?

— У меня есть одна замечательная идея, — сказал Энди доверительным тоном и слегка наклонился к ней. — Ведь мы оба заканчиваем в июне, верно? Отец говорит, что мне не обязательно начинать работать в его фирме сразу после выпуска, вот я и подумал о том, чтобы устроить себе медовый месяц. Как ты на это смотришь?

Сначала Кейт не поняла, что он имеет в виду, и кивнула, но сразу же нахмурилась.

— А при чем тут я? — спросила она, заглядывая в его красивые темно-карие глаза. Энди смотрел на нее как-то очень странно; он даже остановился, и Кейт пришлось остановиться тоже. — С кем ты собираешься провести этот медовый месяц, Энди?

— Я... я думал, что, быть может, мы проведем его с тобой, — проговорил он, слегка запинаясь.

Кейт тяжело вздохнула. Она-то думала, что они оставили всю эту романтическую чушь в прошлом и стали просто друзьями. Кейт относилась к Энди даже лучше, чем к другу; для нее он был как брат, и вот теперь... теперь он все испортил.

— Ты что, шутишь? — спросила она с надеждой, но Энди покачал головой.

Он смотрел на нее так торжественно и серьезно, что Кейт поняла: ему не до шуток. Она высвободила руку и отступила на полшага назад.

— Прости, Энди, но я не могу. И ты это знаешь. Я люблю тебя, но... только как брата. — Она печально улыбнулась. — Именно поэтому я не могу выйти за тебя замуж: это было бы кровосмешением.

— Я знаю, что ты любила Джо. — Энди упрямо тряхнул головой и нахмурился. — Но его больше нет. А я любил тебя всегда, с самого первого дня. И знаешь, мне кажется, что мы могли бы быть счастливы вместе.

Кейт слегка пожала плечами. Она не исключала, что с Энди ей действительно было бы хорошо, — но не так, как с Джо. Они были слишком разными: Джо воплощал страсть, восторг, сумасшествие, а Энди... с Энди у нее были связаны только недолгие прогулки в парке студгородка, горячий шоколад в кафе, каток, цветы ко дню рождения. Кейт к нему прекрасно относилась, но была уверена, что никогда не сможет полюбить Энди так, как любила Джо.

— Мне кажется, что это было бы нечестно по отношению к тебе, — твердо сказала она. — Нечестно и несправедливо. Я не могу поступить с тобой так...

С этими словами она снова взяла его под руку и медленно двинулась вперед. Энди неохотно подчинился. Ему давно уже хотелось поговорить с Кейт серьезно, и вот представилась такая удобная возможность... только сейчас. Но ничего не вышло. Разговор практически закончился, не успев даже начаться.

— Но почему?! — воскликнул он, не сумев скрыть своей досады. — Из-за него, да? Но ведь он... он...

— Я не верю, что Джо умер. До сих пор не верю, — сказала Кейт негромко.

Энди не нужно было знать, что в последнее время эта мысль все чаще и чаще приходила ей в голову. Она даже пыталась как-то примириться с ней, но у нее ничего не вышло. Стоило Кейт подумать о том, что ей придется жить без Джо, и холодный страх пронизывал все ее существо. Страх и безмерное, бесконечное одиночество...

— Но ведь прошел уже почти год, — не отступал Энди. — Это вполне достаточный срок для траура и для всего... К тому же вы ведь даже не были помолвлены! Впрочем, я помню: ты говорила, что помолвка и брак — это пустые формальности. Но я вот что хочу сказать... У многих людей бывают увлечения до того, как они женятся или выходят замуж. Некоторые даже разрывают помолвку, если им случается встретить кого-то более подходящего... — Он серьезно посмотрел на нее. — Я хочу, чтобы ты подумала вот о чем, Кейт: когда война закончится, многие женщины окажутся в таком же положении, что и ты сейчас. Некоторые вдовы еще моложе, чем ты, и они остались одни с детьми на руках. Эти женщины не могут позволить себе оплакивать своих любимых до конца жизни. Они будут бороться, будут строить жизнь заново, и ты должна брать с них пример. Нельзя горевать вечно, Кейт, нельзя прятаться от жизни, подобно страусу зарывая голову в песок. Нужно иметь смелость взглянуть правде в глаза...

— А я и смотрю ей в глаза. — Кейт дерзко вскинула голову. — Только у нас разные правды, Энди.

В том, что он говорил, многое было справедливо, но Энди не знал главного. Он не знал, какой удивительной, чудесной неповторимой была ее любовь к Джо. Он думал, что Кейт оплакивает свою потерю, но ее любовь не умерла — она была жива, и Кейт не сомневалась, что ей хватит этого чувства до конца жизни. В ее сердце было место только для одного человека, и это место навсегда занял Джо.

— Правда всегда одна, Кейт. И мне кажется, что ты совершаешь ошибку, когда отказываешься это признать. Тебе необходимы муж, семья, дети, нормальная жизнь. Поверь, стои-

только попробовать, и ты... — «И ты забудешь его», — хотел сказать он, но сдержался. — ...И ты увидишь, что это — настоящее; — закончил он неуверенно.

Кейт невесело усмехнулась. Его слова звучали бы райской музыкой в ушах ее матери, но на нее они не произвели особого впечатления. Быть может, когда-нибудь потом она и задумается о чем-то в этом роде, но не теперь, не сейчас. Она была просто не готова к этому.

— Тебе нужна нормальная женщина, Энди. Нормальная, а не та, которая влюблена в тень, мираж, привидение...

Кейт вдруг поймала себя на том, что впервые за много месяцев она высказала вслух то, о чем не осмеливалась даже думать. И Энди тотчас это заметил — заметил и счел обнадеживающим признаком. Ему показалось, что Кейт сделала первый шаг к тому, чтобы освободиться от Джо.

— Может быть, в нашей жизни найдется место и для миража, — сказал он, заметно приободрившись.

Он был уверен, что рано или поздно Кейт найдет в себе силы выбросить Джо если не из памяти, то из своего сердца.

— Не знаю, будет ли это хорошо, — с сомнением произнесла Кейт, но и такой ответ больше понравился Энди, чем твердое «нет», которое она говорила раньше.

— Нам вовсе не обязательно жениться следующим летом, Кейт, — сказал он. — Я назвал этот срок... просто так, чтобы посмотреть, что ты скажешь. Я готов ждать столько, сколько будет нужно. Если хочешь, некоторое время мы можем просто встречаться, как...

— Как делают «нормальные люди»? — с усмешкой перебила Кейт.

У нее по-прежнему не укладывалось в голове, как можно влюбиться в Энди. Ему было двадцать три года, но Кейт он казался совсем еще ребенком. Разве можно было сравнить Энди с Джо — с его жизненным опытом, характером, волей? Джо был как взрыв, как ураган, пронесшийся через ее сердце и душу, перевернувший всю ее жизнь. Энди был совсем другим. Добрый и верный товарищ, приятный молодой человек, отзывчивый, честный, хорошо воспитанный... именно таким и должен быть идеальный муж. Так считала Элизабет, и в принципе Кейт была с ней согласна. Но самой ей нужен был совсем другой человек — Джо.

— Так каков же будет твой ответ? — осторожно поинтересовался Энди, и Кейт рассмеялась. Он действительно был сейчас похож на мальчишку, который приглашает девушку на первое свидание, и она просто не могла воспринимать его всерьез.

— Я думаю, что ты сумасшедший, Энди, — честно сказала она. — На твоем месте я бы обратила внимание на кого-нибудь другого. Разве мало вокруг нормальных восемнадцатилетних вдовушек с детьми?

Лицо Энди обиженно вытянулось.

— Не шути так! Мне нужна только ты!

Кейт покачала головой.

— Я просто не могу себе представить, как это у нас получится. Дай мне подумать, хорошо? И все равно мне кажется, что с нашей стороны это будет самой настоящей глупостью.

В надежде отвлечь внимание Энди от своей персоны, Кейт в последние три с половиной года только и делала, что пыталась свести его со своими подругами по общежитию, но из этого так ничего и не вышло. После короткого, но бурного романа Энди неизменно возвращался к ней.

Однако охладить любовный пыл Энди было не так просто. Объяснение прошло гораздо лучше, чем он рассчитывал, и в его сердце затеплилась надежда. Он ждал очень долго и только теперь, когда минул год с тех пор, как Джо пропал без вести, осмелился сделать Кейт предложение. По его мнению, год был вполне достаточным сроком.

— Не так уж это и глупо, как тебе кажется, — сказал он мягко. — Хочешь, подождем еще несколько месяцев? Подождем и посмотрим, как все будет...

Это было разумно, и Кейт кивнула почти против своей воли. В конце концов, родители все равно не оставят ее в покое, а лучшего мужа, чем Энди, ей, наверное, не найти!

Но вечером — после того как Энди, проводив ее домой, ушел в самом радужном настроении — Кейт почувствовала себя самой настоящей предательницей. Ей казалось, что она изменила Джо, даже просто позволив Энди разговаривать с ней о таких вещах, как замужество. И чем больше она думала об их объяснении, тем сильнее становилась ее тоска.

Джо и Энди были не просто разными — они были жителями разных миров, различных вселенных, которые даже не соприкасались. Джо гипнотизировал, завораживал, приводил ее в восторг одним своим присутствием, его рассказы о небе заставляли грезить наяву, а их совместный полет стал для нее одним из самых ярких и дорогих воспоминаний. Между ними существовало неослабное взаимное притяжение, которое становилось только сильнее год от года, день ото дня, хотя встречались они далеко не так часто, как им хотелось. С Энди Кейт ничего подобного не испытывала. С ним ей было уютно, спокойно — но и только. Кейт понимала, что он просто не в состоянии дать ей ничего из того, что она имела с Джо, а сумеет ли она приспособиться к этому, сказать было невозможно.

Все это она попыталась объяснить Энди, когда почти неделю спустя встретилась с ним в студенческом городке, но он не дал ей договорить.

— Ш-ш, молчи! — воскликнул он, прижимая палец к губам. — Я все знаю, что ты хочешь сказать. Так вот: я не желаю ничего слышать сейчас. Подожди хотя бы месяц, и если ты снова захочешь сказать мне то же самое — тогда валяй! Сейчас ты просто напугана, тебе неуютно, непривычно, страшно... Поверь мне, это пройдет.

И снова Энди был во многом прав, но главного он так и не понял: она не любила его и вряд ли сумела бы полюбить через месяц. Тем не менее Кейт не хватило мужества сказать ему об этом прямо. Ничего не рассказала она и своим родителям, не желая внушать матери напрасные надежды. Она знала, что Элизабет будет волноваться, суетиться и, чего доброго, всерьез начнет готовиться к свадьбе, а ведь Кейт еще сама не была уверена, что их разговор с Энди будет иметь сколько-нибудь серьезные последствия. Она даже не собиралась с ним «встречаться», как он предлагал: это казалось ей глупым и каким-то детским.

— Но давай хотя бы попробуем, — сказал ей Энди перед тем, как попрощаться. — Как насчет того, чтобы поужинать вместе в пятницу? А в субботу мы могли бы сходить в кино.

Услышав это потрясающее предложение, Кейт едва не расхохоталась ему в лицо. Трудно было поверить, что Энди уже двадцать три: вел он себя совершенно как четырнадцатилетний подросток. Молочная болтушка в кафе, поп-корн, кино и поцелуи на последнем ряду на закуску... Смешно!

«Неужели я такая старая, — неожиданно подумалось Кейт. — Неужели я не заметила, как сама себя похоронила? Ведь не радоваться вниманию мужчин в моем возрасте по меньшей мере противоестественно. А Энди кажется мне мальчишкой, наверное, только из-за того, что он вынужден был остаться дома, в то время как все его ровесники ушли на войну».

Как бы то ни было, в пятницу вечером Кейт надела длинное черное платье, которое мать подарила ей на Рождество, надела туфли на высоком каблуке, короткий меховой жакет, сапфировое ожерелье и такие же серьги. Она выглядела очень эффектно, и Энди, который заехал за ней на такси, не сдержал восторженного возгласа. Сам он был в строгом темном костюме и, если говорить откровенно, выглядел воплощенной мечтой всякой старшекурсницы. За исключением, разумеется, Кейт.

Энди повел ее в один из лучших итальянских ресторанчиков в Норт-Энде. Они весьма чинно посидели за столом, а после десерта Энди пригласил Кейт танцевать. Она очень старалась не рассмеяться, но все происходящее казалось ее не то шуткой, не то игрой. Кейт предпочла бы пообедать с ним в студенческом кафе, как они часто делали, но Энди она об этом не сказала — уж очень он старался сделать ей приятное. Вечером Энди отвез Кейт на такси домой. Он держался подчеркнуто уважительно и даже не попытался поцеловать ее на прощание, прекрасно понимая, что всякая спешка может только отпугнуть ее и испортить все дело.

На следующий день Энди снова заехал за ней, чтобы повезти в кино. Они смотрели «Касабланку», а после заскочили в кафе, где съели по гамбургеру и запили колой. На этот раз Энди держался заметно свободнее, хотя по-прежнему не позволял себе никаких вольностей, и Кейт с удивлением поймала себя на том, что получает от общения с ним самое настоящее удовольствие. «Если это называется «свидание», — думала она, — то мне это нравится». У них с Джо не было никаких свиданий — чувство захватило их сразу и полностью, так что им даже не понадобилось ждать, пока оно созреет. Впрочем, Кейт тут же попыталась оправдаться, сказав себе, что в их «свидании» с Энди не было ничего чувственного. Он по-прежнему оставался ее близким другом, с которым ей было легко и просто. И ничего, кроме дружеского расположения, Кейт к нему не испытывала, во всяком случае — пока. Сознательно же пытаться разбудить в себе страсть к Энди... это было в лучшем случае смешно, а в худшем — просто глупо.

Была середина февраля, когда Энди впервые отважился

поцеловать ее. Джо пропал без вести почти полтора года назад, но Кейт могла думать только о нем, когда почувствовала губы Энди на своих губах. Энди был молод, привлекателен, сексуален и достаточно мужественен, и все же это было не то. Дело было даже не в нем, а скорее в ней самой. Внутри у нее все словно онемело, стало бесчувственным, неподатливым и никак не отозвалось на страстный поцелуй Энди. С исчезновением Джо душа Кейт как будто погрузилась в холодный мрак полярной ночи, и ничто не в силах было пробудить ее от этого ледяного сна.

Энди все понял, но не подал вида. Во всяком случае, на протяжении еще нескольких месяцев он не повторял своих попыток, хотя они регулярно встречались каждые выходные. Правда, привозя ее вечером домой, он иногда позволял себе братский поцелуй в щечку, но дальше этого дело не заходило, и Кейт была благодарна ему.

Вместе с тем, не смущаясь ее чисто платоническим к нему отношением, Энди постоянно твердил ей о своей любви. Кейт тоже была по-своему привязана к нему, хотя, разумеется, совсем не так, как к Джо. Ее родителям, однако, этого было достаточно. Элизабет была в полном восторге и не желала ее слушать, когда Кейт говорила, что все это несерьезно. Даже Кларк, загипнотизированный собственным желанием видеть дочь счастливой, поверил, что из этого ухаживания может что-то выйти. Только изредка, заглядывая Кейт в глаза, он замечал в них нечто, от чего у него начинало ныть и сжиматься сердце, однако всякий раз ему удавалось убедить себя, что эта печаль — ненадолго, что она пройдет, как только Кейт и Энди поженятся и у них появятся дети.

Однажды за ужином, когда Энди и Кейт ушли в кино на последний сеанс, Элизабет по обыкновению завела речь о том, как они подходят друг другу и какая замечательная у них может получиться семья. Но хотя Кларк был с ней согласен, почему-то в этот вечер он не испытывал своей обычной уверенности в том, что все будет так легко и просто.

— Не надо их торопить, Лиз, — сказал он. — Они не маленькие и сами знают, что и как им делать.

— Я вовсе не собираюсь их торопить. Мне кажется, они и так в ближайшее время объявят о своей помолвке. Меня только огорчает, что Кейт все еще слишком много думает об этом своем Джо. Ей нужно забыть его как можно скорее, иначе это может помешать ей в ее отношениях с Энди.

Кларк задумался. Неужели для того, чтобы забыть Джо, Кейт необходимо как можно скорее выйти замуж за первого встречного, вне зависимости от того, нравится он ей или нет? Кларк понимал, что Энди, скорее всего, нравится Кейт, и все же их отношениям недоставало чего-то самого главного. Сам Кларк считал, что семья без любви — не семья. Они с Элизабет были женаты уже больше тринадцати лет, но он продолжал любить ее так же сильно, как и в первые дни их совместной жизни. Это было настоящее чудо, и Кларк хотел для дочери того же.

— Мне кажется, ей все-таки не стоит выходить за него замуж, — сказал он, и брови Элизабет изумленно поползли вверх.

— Это еще почему? — удивилась она. Ей очень не хотелось, чтобы Кларк что-нибудь испортил.

— Потому что она его не любит, — тихо ответил он. — Погляди на нее повнимательнее, Лиз. Кейт все еще любит Джо.

— Он никогда ей не подходил! — выпалила Элизабет. — К тому же Джо погиб.

— Боюсь, что это ничего не меняет, во всяком случае — для Кейт. Наоборот, ей еще тяжелее забыть его.

На самом деле Кларк начинал бояться, что Кейт не сможет забыть Джо никогда. И ее брак с Энди мог только ухудшить положение, в особенности если она выйдет за него из жалости. Кларк знал, что жалость — плохой советчик. Она могла окончательно сломить дух Кейт и заполнить ее душу отчаянием, из которого, как из болота, невозможно будет выбраться. В этом случае ей лучше было бы оставаться одной, какими бы достоинствами ни обладал Энди.

— Оставь их в покое и дай им самим во всем разобраться, — добавил он.

Элизабет нахмурилась.

— Ей нужно как можно скорее выйти замуж и завести детей, — сказала она упрямо. — Только это может избавить Кейт от... от ее навязчивой идеи. Кроме того, так ей будет чем заняться, когда в июне она закончит колледж.

Брак в ее представлении был похож на психотерапевтическую процедуру — подобно тому как лечат алкоголиков, приучая их вырезать по дереву или рисовать акварелью, — и Кларка это заявление покоробило.

— Пусть лучше найдет себе работу, чем выйдет замуж за человека, который ей не нужен, — резко сказал он.

— Откуда ты знаешь, что Энди — не тот, кто ей нужен? — парировала Элизабет.

«Откуда взялись у Кларка эти странные идеи? — подумала она с необъяснимой неприязнью. — Быть может, он тоже подпал под влияние яркой личности Джо Олбрайта и теперь продолжает защищать его интересы?» Она и сама признавала, что Джо умел быть обаятельным — даже слишком обаятельным, — однако теперь он мертв. А Кейт надо было жить, жить дальше.

На этом разговор практически закончился, и впоследствии Кларк и Элизабет к этой теме не возвращались. Между тем Кейт ни о чем не догадывалась и продолжала встречаться с Энди каждую неделю, изо всех сил стараясь почувствовать к нему хоть что-то помимо обычного дружеского расположения. Но это был поистине сизифов труд, и за несколько недель она так ничего и не достигла. А потом наступила весна сорок пятого года, и ее внимание обратилось к вещам более важным.

Перелом в войне наступил давно, но он почти не ощущался, и лишь в апреле всем стало ясно, что победа не за горами. Русские стояли у стен Берлина, и Третий рейх доживал последние дни. Американские войска заняли Рур и захватили стратегически важный атолл Айводзима в Тихом океане. В Италии были казнены Муссолини и члены его кабинета, а буквально на следующий день немецкие армии на Апеннинах сдались союзникам. Седьмого мая был подписан пакт о безоговорочной капитуляции Германии, и Гарри Трумэн, ставший президентом после смерти Рузвельта, объявил восьмое мая Днем победы.

Кейт с жадностью следила за новостями. То, что война наконец закончилась, значило для нее очень много. Она обошлась Кейт слишком дорого, и к ее радости примешивалась горечь утраты.

Восьмого мая Кейт была на лекциях, когда по радио передали последние новости. В аудиторию внезапно вбежала миссис Джейкс — она-то и рассказала им о том, что Германия сдалась. Девушки повскакивали с мест, все обнимались и плакали. Наконец-то война была позади, наконец-то братья, мужья, возлюбленные вернутся домой — к тем, кто ждал их все эти долгие годы. Правда, еще сопротивлялась Япония, но все были уверены, что агония не слишком затянется.

Сразу после занятий Кейт поехала домой, чтобы повидаться с родителями. Кларк не скрывал своей радости, а Элизабет плакала. Лицо Кейт тоже было печальным, и отцу не составило труда догадаться, о чем она думает.

— Мне очень жаль, что он не дожил, Кейт, — негромко сказал Кларк, кладя руку ей на плечо.

— Мне тоже жаль, — ответила Кейт, глотая слезы.

В тот же вечер она вернулась в общежитие. Там она легла на кровать и, зарывшись лицом в подушку, стала думать о Джо. Ей казалось, что он совсем рядом, только она никак не могла до него дотянуться. Ее сердце и душа были настолько полны им, что, когда ей сказали, что Энди зовет ее к телефону, Кейт попросила ответить, что ее нет. Разговаривать с ним сегодня было выше ее сил.

Глава 9

После победы в Европе выпускные торжества в колледже казались большинству студенток детскими игрушками, однако по традиции к ним тщательно готовились. И праздник удался. Кейт выглядела замечательно в шапочке и мантии, и родители ужасно ею гордились.

Кроме родителей, к ней на выпускной вечер приехал Энди. Улучив минутку, он поинтересовался, как она смотрит на то, чтобы объявить об их помолвке уже сегодня, но Кейт попросила подождать хотя бы немного. Она сказала, что до осени у них еще уйма времени, когда Энди должен был начать работать в отцовской юридической фирме, так что торопиться некуда.

На следующий день после торжеств в Рэдклиффе Кейт побывала на выпускном вечере в Гарвардской школе права, где учился Энди. Тамошние традиции были более скромными, что, впрочем, нисколько не уменьшило радости выпускников. И Кейт тоже радовалась вместе с Энди, хотя и чувствовала себя виноватой перед ним — ведь по ее настоянию помолвка снова оказалась отложена. Правда, в июне—августе Энди собирался в поездку по северо-восточным штатам, однако Кейт даже не рассчитывала, что эта непродолжительная разлука что-то изменит в его отношении к ней — или в его намерениях. Но если бы они объявили о помолвке сейчас, лето было бы испорчено, а так Кейт получала отсрочку, которая позволяла ей не думать о неизбежном.

Однако когда Энди наконец уехал, Кейт с удивлением обнаружила, что ей недостает его больше, чем она могла предполагать. И это обрадовало ее: Кейт поняла, что, значит, у нее все-таки есть к нему какие-то чувства. Острота восприятия жизни стала понемногу возвращаться к ней, и Кейт была благодарна Энди за его доброту и его терпение. Она знала, что устроила ему нешуточное испытание, и теперь почти с нетерпением ждала, чтобы он поскорее вернулся.

А Энди каждый день посылал ей коротенькие открытки и звонил, как только оказывался вблизи телефонного аппарата. В каждой открытке он писал Кейт, что очень скучает по ней, и эти признания согревали ей душу. И она решила, что, когда он вернется, можно будет объявить о помолвке, а пожениться будущим летом. Наверное, не было никакой особой необходимости ждать целый год, но этот год был очень нужен ей — чтобы окончательно разобраться в своих мыслях и чувствах.

Пока Кейт ждала возвращения Энди, она продолжала работать в Красном Кресте. Каждый день из Европы возвращались тысячи демобилизованных солдат, приходили транспорты, битком набитые ранеными и искалеченными. Кейт получила направление в порт, где ей приходилось помогать распределять прибывающих раненых по госпиталям и больницам. На некоторых раненых было просто жутко смотреть, и все же Кейт часто думала, что еще никогда ей не приходилось встречать таких счастливых людей. Все, кто не лежал без сознания и не метался в бреду, радовались возвращению домой как самому счастливому событию в своей жизни. Чтобы видеть это, стоило пойти работать в Красный Крест, хотя во всех остальных отношениях работа санитарки была утомительной, изматывающей и довольно грязной.

Каждый день Кейт проводила с ранеными по несколько часов. Все они были очень молоды, но стоило только заглянуть им в глаза, и Кейт сразу начинала чувствовать себя сопливой девчонкой, которая ничего не видела и ничего не знает. Хотя она и потеряла Джо, ее переживания вряд ли могли сравниться с тем, что испытали эти безрукие, безногие, парализованные, слепые восемнадцатилетние старики. Порой Кейт даже казалось, что жизнь — нормальная жизнь — закончилась для них, не успев толком начаться. При одной мысли об этом у нее на глаза наворачивались слезы, и ей хотелось сделать хоть что-то для этих мальчиков, которые прошли через ад войны и вернулись...

Однажды вечером Кейт задержалась на работе и пришла домой особенно поздно. Она знала, что ее родители наверняка волнуются, однако стоило ей увидеть лицо отца, как Кейт сразу поняла: случилось что-то очень страшное. Кларк был бледен как мел, а Элизабет, сидевшая рядом с ним на диване, то и дело вытирала платком мокрые глаза.

У Кейт замерло сердце. «Кто-то умер», — поняла она. Она не знала, кто это может быть, однако ощущение несчастья заставило ее вздрогнуть.

— Что случилось, па?.. — спросила она, бросая в угол санитарную сумку.

— Ничего, Кейт. Ничего страшного. Иди-ка лучше сюда и присядь...

Кейт опустилась на диван рядом с матерью, машинально разгладив на коленях форменную юбку. Юбка была в пятнах крови и гноя, медицинская шапочка с красным крестом сбилась набок, но Кейт ничего этого не замечала.

Она переводила вопрошающий взгляд с отца на мать и обратно, но они молчали, и их молчание показалось Кейт зловещим.

— Да скажите же что-нибудь! — не вытерпела наконец Кейт.

У нее не было ни бабушек, ни дедушек, ни даже двоюродных братьев и сестер, и она решила, что умер кто-то из близких друзей семьи.

— Мне сегодня звонили из Вашингтона, — сказал наконец Кларк и снова замолчал.

Кейт по-прежнему ничего не понимала. Она была уверена, что все плохие вести уже получила. В мыслях она давно похоронила Джо, только еще не оплакала его до конца. И, как ни странно, живущая в ее душе скорбь помогала ей лучше справляться с ее обязанностями добровольной санитарки Красного Креста. Кейт не успела ни очерстветь, ни озлобиться в своем горе и по-прежнему испытывала сострадание к раненым, к их родным и близким людям.

— Кто-нибудь... погиб еще кто-нибудь? — спросила она.

Кларк немного поколебался, потом покачал головой.

— Нет. Скорее наоборот... Ты только не волнуйся, Кейт. Дело в том, что Джо нашелся... Он жив.

Кейт была так потрясена, что не могла произнести ни слова.

— Ч-что?.. — выдавила она наконец, и ее лицо стало таким же белым, как ее медицинская шапочка. — Что ты сказал?..

У нее вдруг закружилась голова, и Кейт почувствовала, что вот-вот потеряет сознание. Огромным усилием воли она взяла себя в руки и несколько раз моргнула, чтобы избавиться от поплывшего перед глазами тумана. Столько месяцев она ждала, надеялась, и вот теперь, когда ее надежда сбылась, Кейт никак не могла поверить в то, что она только что услышала.

— Джо жив... — повторил Кларк, и по его лицу тоже потекли слезы. — Его сбили чуть западнее Берлина. Он действительно успел выпрыгнуть, но его парашют раскрылся не до конца, и он сломал обе ноги. Эсэсовцы тут же нашли его и отправили в тюрьму Колдицкий замок, что под Лейпцигом. Как ты помнишь, в Англии ему выдали документы на чужое имя, но это ему не помогло. Нацисты сразу поняли, что он американец, а не англичанин, и...

Кларк ненадолго замолчал. Пока он вытирал слезы тыльной стороной ладони, Кейт во все глаза смотрела на него. Половина из того, что сказал отец, до нее просто не дошло. Ей никак не удавалось сосредоточиться на смысле произносимых им слов. «Джо жив! Джо жив!» — эти два слова стучали у нее в голове, точно молоты, заглушая все остальное. В эти минуты Кейт чувствовала себя так, словно не только Джо, но и она сама только что восстала из могилы.

— Именно поэтому немцы так и не признали, что майор британских ВВС Йан Беллахью находится у них. Джо держали в одиночном заключении, — продолжал Кларк. — Его пытали, надеясь выведать секреты, которые он хранил. К счастью, они так и не выяснили, кто он такой на самом деле. В Колдице Джо продержали семь месяцев, но так ничего и не добились и отправили умирать в концлагерь.

Джо был в таком состоянии, что, когда американские части заняли Лейпциг и захватили концлагерь, он просто не мог сказать им, кто он такой. Лишь несколько дней назад он пришел в себя и назвал свое настоящее имя. Сейчас Джо находится в американском военном госпитале в Берлине... —

голос Кларка дрогнул. — Он по-прежнему в очень плохом состоянии, Кейт... Врачи говорят, Джо выжил только чудом. Ноги у него так и не срослись, сломано несколько ребер и все пальцы на руках, к тому же его постоянно били по голове. Но врачи надеются, что со временем он поправится. В ближайшее время они собираются отправить его домой, так что в конце июля он, скорее всего, будет уже здесь...

За все время, пока Кларк говорил, Кейт не произнесла ни слова. Слезы градом катились по ее лицу, и Элизабет смотрела на нее с состраданием и тревогой. Ей было ясно, что жизнь ее дочери в очередной раз круто изменилась. Энди Скотт, запланированная помолвка, свадьба — все исчезло, словно туман на ветру. Джо вернулся, вернулся из небытия, и Элизабет не сомневалась, что он снова сломает жизнь Кейт.

В последующие несколько недель Кейт жила словно в тумане. Она по-прежнему каждый день ходила на работу в порт, навещала раненых в госпиталях, ухаживала за ними, кормила, писала письма их родным, внимательно выслушивала их истории, но в голове и в сердце у нее был один только Джо. И когда Энди позвонил ей из Сан-Франциско, она разговаривала с ним так рассеянно, что он даже встревожился, не случилось ли с ней чего-нибудь плохого. Кейт уверила его, что с ней все в порядке и что она просто очень устала, однако о том, что Джо нашелся, она не сказала ни слова. Столько времени и сил она потратила, чтобы заставить себя полюбить... нет, не полюбить, а просто свыкнуться с мыслью, что Энди, возможно, когда-нибудь станет ее мужем. Но теперь это оказалось ненужно, и Кейт просто не знала, *как* сказать ему, что помолвка отменяется. «Во всяком случае, не по телефону», — решила она. Пусть сначала Энди вернется в Бостон, а там... там она что-нибудь придумает.

В день, когда в Бостонскую гавань должен был прибыть медицинский транспорт с Джо на борту, Кейт пришла на работу в пять утра. Прилив уже начался, но самая высокая вода бывала в гавани в начале седьмого, и именно в это время транспорт должен был причалить к берегу.

Кейт надела чистую форму и белую медицинскую шапочку. Она сама отгладила и накрахмалила ее, хотя руки у нее дрожали как у пьяницы. Ей не верилось, что спустя каких-нибудь два часа она снова увидит Джо.

Доехав до порта на трамвае, Кейт отметилась у старшей медсестры и отправилась на склад, чтобы проверить наличие лекарств и перевязочных материалов. На судне, кроме Джо, было еще девятьсот пятьдесят раненых из Германии, а это означало, что процент тяжелых случаев будет выше, чем обычно. На пирсе уже выстроились машины «Скорой помощи» и военные грузовики, наскоро переоборудованные для перевозки носилок. Бостонские больницы были заполнены почти до отказа, и новых раненых отправляли поездами в другие города, порой отстоящие от Бостона на сотни миль. Куда попадет Джо, Кейт еще не знала, но была полна решимости находиться с ним рядом, пока он не поправится.

И вот наступили решающие минуты. Дымя трубами, плавучий госпиталь Военно-морских сил США вошел в порт, развернулся и направился к причалу. На палубе толпились раненые — забинтованные, на костылях, они выстроились вдоль бортов и махали руками, что-то крича тем, кто встречал их на пирсе. Подобные сцены Кейт наблюдала уже много, много раз, и каждый раз у нее на глаза набегали слезы, но сегодня она решительным жестом смахнула их, пристально вглядываясь в лица раненых. До боли напрягая зрение, Кейт высматривала среди них Джо, хотя и понимала, что он вряд ли в состоянии ходить. Скорее всего, он лежал на носилках где-нибудь на палубе или в трюме, и Кейт ничего так не хотелось, как поскорее подняться на борт судна. Но для этого нужен был специальный пропуск, и Кейт пошла договариваться об этом со старшей медсестрой.

— Там у тебя кто-нибудь знакомый? — спросила та.

Добровольным сотрудникам Красного Креста полагалось ждать раненых на причале, но рабочих рук не хватало, и добровольцы частенько поднимались на суда, чтобы помогать выносить санитарам и матросам раненых по шатким сходням.

— Да... Там мой жених! — выпалила Кейт. Ей не хотелось подробно объяснять, кем приходится ей Джо и что он для нее значит.

— Бедная девочка, — вздохнула старшая медсестра, заполняя стандартный пропуск с уже проставленной печатью. — Что ж, по крайней мере он жив. А как давно вы не виделись?

— Двадцать один месяц, — не задумываясь ответила Кейт и поглядела на начальницу своими большими голубыми глазами, в которых стояли слезы. — Я узнала, что он жив, всего три недели назад. Я думала, что он... что его...

— Понимаю, все понимаю, — сказала медсестра. У нее самой война отняла мужа и сына. — Должно быть, ты прошла

через самый настоящий ад. Где он был? В лагере для военнопленных?

— Нет, в Лейпциге, в специальной тюрьме гестапо. Его
самолет сбили под Берлином, — коротко объяснила Кейт. Она
не знала и не спешила узнать, какие муки пришлось пережить
Джо, и была только благодарна судьбе за то, что он остался
жив.

Плавучему госпиталю потребовалась около часа, чтобы
пришвартоваться. Но наконец сходни были опущены, и по
ним начали спускаться ходячие раненые. На причале к ним
бросались родственники, и каждый раз, когда Кейт становилась свидетельницей такой встречи, ей хотелось зарыдать, но
она не могла себе этого позволить. Сердце ее рвалось туда, на
корабль, где ждал ее Джо, но прошло еще не меньше часа,
прежде чем настал черед лежачих больных. Предъявив дежурному матросу пропуск, Кейт поднялась на судно вместе с группой штатных санитаров и медсестер. Военные врачи заранее
подготовили тяжелораненых к транспортировке, но это не
значило, что Кейт могла бегать по всему судну, разыскивая
Джо. Вместо этого ей пришлось, сдерживая свое нетерпение,
носить раненых, размещенных на палубе.

Как только на палубе освободилось место, команда начала
поднимать раненых из трюмов. Там, поближе к операцион-
ным плавучего госпиталя, размещались самые тяжелые. Несмотря на прохладный утренний ветерок, витавший над палу-
бой, запах крови, лекарств и гниющего мяса стал гуще, и
Кейт, пробиравшейся между ранеными и умирающими, приходилось постоянно бороться с тошнотой. Одни протягивали
к ней руки, пытались схватить за подол юбки, другие просили
пить, и Кейт, как бы она ни торопилась, не могла пройти
мимо. То и дело она останавливалась, чтобы произнести несколько успокаивающих слов или влить в запекшийся рот несколько капель воды из фляжки. Потом Кейт хваталась за рукоятки носилок и вместе с напарником спешила по трапу на
причал, где уже ждала санитарная машина. Погрузив раненог-
го, они возвращались назад, и все начиналось сначала.

Лавируя между носилками, Кейт все время боялась наступить кому-то на руку или ногу. У нее уже совсем не осталось
сил, когда кто-то потянул ее сзади за юбку. Обернувшись, Кейт
увидела страшно худого мужчину, до самых глаз заросшего соломенного цвета щетиной. На бледной коже лба и щек крас-
нели не до конца зажившие шрамы, голова и плечо были туго

перевязаны, но все же он улыбался, и эта улыбка была до боли знакома Кейт.

— Джо!.. Боже мой, Джо!!!

— Привет, Кейт... — негромко проговорил он. Его голос дрожал от слабости, но Кейт мгновенно его узнала. — Я же говорил, что у меня в запасе всегда есть еще одна жизнь!

Кейт хотела ответить, сказать, как она его ждала, но вместо этого разрыдалась и не смогла вымолвить ни слова. Сама того не заметив, она присела рядом с ним на корточки, и Джо вытер ей слезы здоровой рукой. Он ужасно исхудал; не только плечо, но и вся верхняя часть туловища у него была забинтована, ноги в лубках, и все равно это был прежний Джо — такой близкий, такой родной!..

— Я... уже не думала, что снова увижу тебя, — негромко сказала Кейт, когда к ней вернулась способность говорить. Двое санитаров уже несли Джо с корабля, а она шла рядом и держала его за руку.

— Я тоже боялся никогда тебя не увидеть, — серьезно ответил Джо.

Когда его нашли в концлагере, жизнь едва теплилась в нем. Допросы, через которые ему пришлось пройти, были поистине бесчеловечными, к тому же в тюрьме он не получал практически никакой медицинской помощи. Ему очень повезло, что он не умер от сепсиса, хотя под конец Джо был больше похож на труп, чем на живого человека. Однако сейчас он чувствовал себя намного лучше. Даже кости, которые ему сломали во время пыток, срастались на удивление быстро, только ноги еще болели. Сначала врачи хотели их ампутировать, но Джо вовремя пришел в себя и уговорил их не делать этого. В конце концов им занялся лично главный армейский хирург. Он обещал, что ноги ему оставят, но ходить Джо вряд ли сможет, однако у него было на сей счет собственное мнение.

У машины «Скорой помощи» Кейт столкнулась со старшей медсестрой.

— Ну что, нашла своего жениха? — спросила она, показав глазами на носилки.

В ответ Кейт смогла только кивнуть — слезы не переставая текли из ее глаз, а горло судорожно сжималось.

— Я ужасно за тебя рада, — сказала медсестра. — Рада, что твой жених жив, что ты его дождалась... — Она посмотрела на номер на носилках, потом сверилась со списком, который держала в руках. — Вот что, Кейт, разгрузка почти закончилась, так что мы без тебя обойдемся. Твоего парня направляют в госпиталь для ветеранов, так что, если хочешь, можешь поехать с ним.

— Конечно, хочу! — у Кейт неожиданно прорезался голос.

— Ну и поезжай. — Медсестра посмотрела на Джо. — Добро пожаловать домой, сынок, — сказала она негромко и поскорее отошла, чтобы никто не видел ее слез.

Всю дорогу до госпиталя Кейт просидела рядом с Джо. У нее в сумке была плитка шоколада, и она разделила ее между ним и тремя его товарищами, которые тоже ехали в этой машине.

— Ну ты как, в порядке? — спросил Джо, когда шоколад был съеден.

При этом он оглядел Кейт с таким видом, словно это она была ранена и нуждалась в медицинской помощи. На самом же деле он просто почти забыл, как она выглядит, — забыл, какая у нее нежная кожа, какие блестящие и густые волосы, какие большие голубые глаза.

— Да, у меня все в порядке, — ответила Кейт, борясь с подступающими к горлу рыданиями. — Я только очень ждала тебя, Джо. Мне говорили, что ты погиб, но я не верила, никогда не верила... Я знала — ты не можешь умереть, не можешь оставить меня...

— Надеюсь, ты не выскочила замуж, пока меня не было? — спросил Джо шутливым тоном, но глаза его смотрели внимательно.

Кейт смутилась и покачала головой. Ах, если бы он только знал, как близка она была к этому!..

— А как твоя учеба? Ты уже закончила колледж?

Джо хотел знать о ней все. Он думал о Кейт беспрестанно: с мыслью о ней он засыпал, вернее — проваливался в забытье, и с мыслью о ней просыпался. Увидит ли он ее когда-нибудь? Этого Джо не знал, и все же мысли о Кейт помогли ему сохранить и рассудок, и саму жизнь.

Он не сразу поверил своим глазам, когда увидел ее на пароходе. Перед отправкой из Берлина он пытался дозвониться до ее родителей, но не сумел. Что с ней, как она там? Джо терялся в догадках... Врачи сказали ему, что военное министерство уже извещено о его чудесном спасении, но вот знает ли об этом Кейт? Он ждал от нее письма, но в эти первые послевоенные месяцы почта на территории Германии практически не работала. Сам Джо написал ей, как только смог держать в руках карандаш, но ему сказали, что он окажется в Штатах намного раньше своего письма. Джо не поверил и все-таки отправил его, хотя и волновался ужасно. К счастью, теперь тревоги и волнения были позади. Кейт была с ним, рядом, а он был с ней.

Когда «Скорая помощь» добралась до госпиталя, Кейт помогла врачам разместить Джо и его товарищей в палате. Потом настало время вечернего обхода, и Кейт выгнали без всякой жалости, несмотря на ее форму сотрудницы Красного Креста.

— Я вернусь сразу после обхода, — пообещала Кейт и поспешила домой.

Переодевшись и наскоро выпив кофе, она взяла отцовскую машину и в начале восьмого снова была в госпитале. За время ее отсутствия Джо успели выкупать и побрить, так что он стал больше похож на себя прежнего. Когда Кейт вошла, он лежал на кровати и крепко спал, и она тихонько устроилась рядом, позаимствовав в коридоре стул.

Часа через два Джо пошевелился и открыл глаза.

— Я все еще сплю? — серьезно спросил он, глядя на нее в упор. — Или, может быть, я умер и попал в рай? Неужели это ты, Кейт, и ты мне не снишься?.. Господи, что же я такого хорошего сделал, что заслужил это?!

— Значит, что-то было... — ответила с улыбкой Кейт и поцеловала его. — И слава богу, а то моя мама очень боялась, что я останусь старой девой.

— Ну, это она зря. Чтобы такое сокровище да никто не подобрал?.. Знаешь, в тюрьме я часто думал, что если нацисты меня все-таки добьют, то ты выйдешь замуж за этого... как бишь его... Ну, за того паренька, с которым вы всегда были «просто друзьями», — сказал Джо. — Когда солдаты погибают, такие, как он, всегда оказываются тут как тут...

— Но мой солдат не погиб, — возразила Кейт. — И вообще, ты несправедлив к Энди.

— Нет?.. — Джо вздохнул и откинулся головой на подушку. — Ладно, так и быть, поверю...

Он немного помолчал.

— Знаешь, Кейт, — продолжил он после небольшой паузы, — честно говоря, я не верил, что когда-нибудь смогу выйти из этой тюрьмы. Каждый день я по нескольку раз прощался с жизнью. Но нацистам, очевидно, нравилось меня пытать: они совсем не спешили меня прикончить. Должно быть, им хотелось растянуть удовольствие на возможно больший срок, но в конце концов они просчитались. И теперь я чертовски рад, что меня не расстреляли в первый же день, хотя иногда мне хотелось самому размозжить себе голову о стену. Как хорошо, что я этого не сделал!..

Это признание так потрясло Кейт, что она не нашлась, что сказать. Она только взяла его здоровую руку в свою, и они долго молчали, но каждый думал об одном — о том, что самое страшное позади и что теперь их ожидает долгая, счастливая жизнь.

Так они просидели до половины одиннадцатого, пока в палату не заглянул дежурный врач. Увидев Кейт, он страшно рассердился и потребовал, чтобы она немедленно ушла и дала раненым возможность отдохнуть. Кейт и сама видела, что Джо очень устал. Незадолго до этого сиделка сделала ему укол обезболивающего, которое начинало действовать, и глаза Джо закрывались сами собой. Прощально сжав ему пальцы, Кейт еще раз посмотрела на его исхудалое, отмеченное печатью страданий лицо, которое она столько раз воображала себе бессонными ночами, и вышла из палаты.

Когда Кейт вошла в гостиную, ей навстречу поднялся с дивана Кларк.

— Ну, как там Джо? — с беспокойством спросил он. — Ты встретила его?

— Да, встретила. Он жив, — ответила Кейт, сияя. — И чувствует себя неплохо. Правда, обе ноги у него все еще в гипсе, поэтому Джо пока не ходит, но в остальном... в остальном все нормально. Могло быть и хуже, — добавила она, вспомнив последние слова Джо. — Просто чудо, что он выжил.

Глядя на лицо дочери, Кларк почувствовал, что у него тяжесть с души свалилась. Почти два года прошло с тех пор, когда Кейт в последний раз улыбалась *так*, и Кларк был ужасно рад за дочь.

— Насколько я знаю Джо, — сказал он, — никакого чуда тут нет. Вот увидишь — не пройдет и недели, как он снова будет летать!

— Боюсь, что ты прав, — кивнула Кейт. — Джо не такой человек, чтобы долго валяться в постели.

На самом деле Кейт прекрасно понимала, что ни о каких полетах больше не может быть и речи. Она уже разговаривала с врачами, и ей сказали, что Джо придется перенести несколько сложных операций на ногах, но нет никаких гарантий, что он сможет ходить самостоятельно. Госпитальный хирург сказал ей, что в лучшем случае Джо до конца жизни останется хромым. Но Кейт это не испугало. Джо вернулся с того света, о чем она еще могла мечтать?

Кларк неожиданно посерьезнел.

— Пока тебя не было, звонил Энди, — сказал он. — Я попросил его перезвонить позже, но... Что ты собираешься предпринять?

— Ничего. Ничего, пока он не вернется, — ответила Кейт. — И пожалуйста, если он снова позвонит, не говори ему ничего. Я сама ему скажу, как только он вернется.

О том, как быть с Энди, она думала всю обратную дорогу. Собственно говоря, ей было ясно — как, она только не хотела ранить Энди слишком глубоко. Ей было ужасно жаль его, но она надеялась, что Энди поймет ее правильно. В конце концов, она была ни в чем не виновата, просто ей и Джо повезло, а Энди — нет.

— Что ты собираешься ему сказать? — спросил отец.

Кейт пожала плечами.

— Правду. Когда я скажу, что Джо вернулся, Энди сразу поймет... Он знает, что все это время я продолжала любить и ждать Джо, так что...

— Мы с твоей матерью тоже знали, — Кларк вздохнул. — Знали и надеялись, что хотя бы ради себя самой ты сумеешь как-то справиться с этим чувством. Ведь если бы ты тосковала по нему до конца жизни, это могло плохо кончиться, но теперь... — Он снова вздохнул. — Теперь, я думаю, вы поженитесь, правда?

Самому ему такое развитие событий казалось только естественным. Кларк давно понял, что Джо и его дочь связывает настоящее, сильное чувство, которое вряд ли когда-нибудь погаснет.

— Мы не говорили об этом, папа. Думаю, тебе не надо объяснять, почему? — с упреком возразила Кейт.

Когда на следующий день утром Кларк приехал в госпиталь, чтобы навестить Джо, он своими глазами увидел — почему. По правде говоря, вид Джо его потряс. Он выглядел куда хуже, чем Кларк представлял по рассказам Кейт. Она за время работы в Красном Кресте видела достаточно много тяжелораненых и могла оценить состояние Джо достаточно объективно, но ее отцу показалось, что Джо может умереть каждую минуту.

Однако прошло полчаса, а Джо все еще был жив и даже несколько раз рассмеялся, так что Кларк в конце концов сумел взять себя в руки.

Они разговорились и беседовали достаточно долго. Кларк расспрашивал о том, как получилось, что его сбили, и как он попал в тюрьму, а Джо подробно ему отвечал. Кейт, которая приехала в госпиталь в свой обеденный перерыв, его рассказ показался совершенно неправдоподобным и страшным, но Джо, похоже, пребывал в очень хорошем настроении, и ужасные воспоминания нисколько его не расстроили.

Кларк вскоре уехал, и Кейт спросила Джо, как он себя чувствует. Оказалось, что у него припасена для нее хорошая новость: утром сделали рентгеновский снимок его ног, и врачи объявили Джо, что их коллеги в берлинском госпитале постарались на славу и что у него есть все шансы уйти из госпиталя на своих ногах.

На протяжении следующего месяца Кейт навещала Джо каждый день после работы. Она сидела возле кровати, а иногда даже вывозила в сад в кресле-каталке. Джо называл ее своим «ангелом милосердия». Когда никто не видел, они целовались или держались за руки; несколько раз Джо грозился отвезти ее в ближайший отель, а Кейт смеялась в ответ.

— С этими штуками ты далеко не уйдешь, — говорила она, показывая на его ноги в лубках. — Давай подождем, пока их снимут.

На самом деле ей ничуть не меньше хотелось обнять его, но пока им приходилось довольствоваться поцелуями в дальних уголках больничного парка. Джо был еще слишком слаб, однако несмотря на это он уже пытался шевелить своими загипсованными ногами и каждый день выполнял комплекс физических упражнений по собственной системе, чтобы не ослабли мускулы. Когда же через четыре недели гипс наконец сняли, Джо почти сразу пошел, чем поразил весь персонал госпиталя. Правда, сначала он мог пройти всего несколько шагов, да и то — с палочкой, но с каждым днем силы возвращались к нему, и вскоре он свободно расхаживал по коридорам и по парку.

Кларк тоже часто навещал Джо в госпитале, а один раз взял с собой Элизабет. Она привезла Джо цветы, фрукты, книги и разговаривала с ним очень шутливо, но на следующий день, когда Кейт собиралась на работу, мать поймала ее в кухне.

— Когда вы с Джо поженитесь? — спросила она напрямик. — Или, может быть, вы еще не говорили об этом?

— Конечно, нет! — возмутилась Кейт. — Разве ты не видела, в каком он состоянии?

— Я видела, что ноги у него забинтованы, но уши-то целы! — едко заметила Элизабет. — Так почему бы твоему Джо хотя бы не выслушать тебя? Вы знакомы уже пять лет. Два года ты ждала его, все глаза выплакала, но теперь-то он вернулся! Джо поправляется и скоро будет совсем здоров, значит, самое время подумать о том, как вы будете жить дальше... Или я чего-то не понимаю?

— Чего, например?

— Например, я не понимаю, почему вы до сих пор ни о чем не договорились. Может, вы больше не любите друг друга? Или Джо признался, что у него в Калифорнии жена и пятеро детей?

Кейт фыркнула.

— Конечно, мы любим друг друга, и никакой жены у него нет. И вообще... Как ты не поймешь, мама, что брак — это не главное?

— Вот как?! А что — главное?

— Главное, что Джо жив, а больше мне ничего не надо.

— В таком случае, ты ненормальная! — теряя терпение, воскликнула Элизабет. — Скажи хотя бы, как ты собираешься все объяснить Энди?!

Лицо Кейт сделалось печальным; она даже присела на краешек стула, хотя очень торопилась.

— Как-нибудь объясню... Он возвращается на этой неделе. Я обязательно с ним поговорю.

— И что ты ему скажешь? Что он тебе больше не нужен? — Элизабет вздохнула. — Подумай как следует, Кейт, прежде чем что-то решать. Я почему-то уверена, что как только Джо окончательно оправится, он сразу сбежит к своим самолетам. Во всяком случае, вчера, когда мы с Кларком были у него, он только о них и говорил. Авиация для него по-прежнему важнее, чем ты. Так что подумай об этом, дочка, подумай, пока не поздно!

— Я знаю, что он любит самолеты, — ответила Кейт. — Но это ничего не меняет. Наши отношения остались такими же, как были...

И все же слова матери заставили ее задуматься. В последнее время Джо действительно говорил только о самолетах и мечтал о том, как он снова поднимется в воздух. Впрочем, лечь с ней в постель ему хотелось почти так же сильно, но сказать об этом матери Кейт, разумеется, не могла.

— Ты уверена? — спросила Элизабет.

— Джо по-прежнему любит меня, — твердо сказала Кейт. — Я уверена.

Элизабет тяжело вздохнула и покачала головой.

— Вопрос не в том, любит Джо тебя или нет, — вопрос в том, *насколько сильно* он тебя любит. У меня сложилось впечатление, что самолеты для него значат больше, чем ты.

— Но почему Джо не может любить самолеты *и* меня? Почему он должен непременно выбрать что-то одно?

— Я не знаю, Кейт. Прости, но мне это кажется... диким. Ты только вслушайся: «Я люблю самолеты и тебя. Я люблю родителей и сосиски в тесте». Он что, маленький мальчик?

— Нет, конечно. Джо — взрослый мужчина, и ты это знаешь.

— В таком случае, дело обстоит еще хуже. Только дети могут любить и то, и другое одинаково. А у взрослых часто бывает так, что одно исключает другое. Ты этого не боишься?

— Прости, мама, но, по-моему, ты говоришь глупости. Не могу же я требовать, чтобы Джо перестал летать! Это — его жизнь. Он летает с шестнадцати лет, и...

— А сейчас ему почти тридцать пять, — перебила Элизабет. — И если он вообще намерен когда-нибудь завести семью, то сейчас — самое подходящее время. Война позади, жизнь потихоньку налаживается... Что же еще нужно?

В глубине души Кейт не могла не согласиться с матерью, но ей не хотелось давить на Джо. Они в самом деле еще не говорили о будущем — об их совместном будущем, но Кейт не сомневалась, что рано или поздно такой разговор состоится. Впрочем, вопрос о помолвке и о браке по-прежнему волновал ее очень мало: она и так чувствовала себя почти что женой Джо. Они были преданы друг другу телом и душой, и Кейт не боялась потерять Джо. Другие женщины его не интересовали — у него были самолеты.

Энди приехал к Кейт, как только вернулся из Сан-Франциско. Он даже не стал заходить домой, отправился к ней прямо с вокзала и был слегка разочарован, что Кейт не встретила его. Однако это его не встревожило — он знал, как много она работает.

И действительно, Кейт устала так, что буквально валилась с ног. Она рассказала, что в порт прибыли сразу два больших санитарных транспорта, и всем им пришлось изрядно побегать, чтобы как можно скорее убрать раненых с палуб.

И все-таки, едва увидев Кейт, Энди сразу понял — что-то случилось. Кейт, казалось, была совсем не рада видеть его; во всяком случае, она старательно избегала смотреть ему в глаза.

— Что с тобой, Кейт? — спросил он, когда Кларк и Элизабет вышли, оставив их одних.

— Все в порядке, просто я очень устала, — ответила Кейт, садясь на диван и откидывая волосы назад.

Когда дверь за ее родителями закрылась, Энди попытался поцеловать ее, но Кейт увернулась и теперь чувствовала себя вдвойне неловко. Но и откладывать объяснение ей не хотелось. Она знала, что с этим лучше покончить сразу. «Это судьба, — мелькнула у нее в голове спасительная мысль. — Судьба была милостива к Джо и сурова к Энди. Должно быть, мы с Энди с самого начала не были предназначены друг для друга. Никто не виноват, что его мечты оказались разбиты, а мои — сбылись».

— То есть, не совсем в порядке. Я имею в виду нас...

— Что ты хочешь сказать? — В душе Энди шевельнулось подозрение — пока только подозрение, ничего конкретного, но он был встревожен. — Что же все-таки случилось, пока меня не было? — спросил он, уже наполовину зная ответ, и его голос прозвучал странно и жалобно, словно Энди молил о пощаде.

— Джо вернулся, — просто сказала Кейт.

Ничего добавлять ей было не нужно. Энди сразу все понял и покачнулся. Все было кончено. Он слишком хорошо знал, какие чувства Кейт все это время питала к Джо.

— Он жив? Но как... как ему удалось? Он был в концлагере? — Энди действительно не представлял, как могло военное министерство целых два года ничего не знать о судьбе Джо Олбрайта.

— Сначала Джо был в тюрьме. Под чужим именем. Нацисты пытали его, но так и не дознались, кто он такой, и отправили в концлагерь. Когда его нашли, он был наполовину... нет, на три четверти мертв и не мог даже сказать, как его настоящее имя...

Она говорила что-то еще, но Энди не слушал, а смотрел ей в глаза. И взгляд Кейт сказал ему все.

— И что теперь будет с нами, Кейт? Или можно уже не спрашивать? — Энди покачал головой. — Счастливчик этот твой Джо, настоящий счастливчик! Я-то знаю: ты продолжала любить его даже тогда, когда все были уверены, что он давно погиб. Да, Кейт, я догадывался, что ты все еще любишь его, но надеялся, что со временем ты сумеешь... забыть. Мне и в голову не приходило, что он может уцелеть... Ведь почти два года о нем не было ни слуху ни духу. Что ж, надеюсь, *он* знает, как сильно ты его любишь.

— Он любит меня так же сильно, как я его, — негромко сказала Кейт, снова отводя взгляд. Она просто не могла заставить себя смотреть Энди в глаза. Кейт чувствовала, что он уничтожен, раздавлен, и сделала это она.

— Значит, вы поженитесь? — спросил Энди внезапно пересохшими губами.

— Думаю, это будет еще не скоро, — Кейт почему-то смутилась. — Джо еще слишком слаб. Когда-нибудь, конечно... Впрочем, меня это не особенно волнует.

— Что ж, в таком случае, желаю счастья вам обоим, — сказал Энди, стараясь, чтобы его голос не очень дрожал. — Передай Джо мои поздравления.

Кейт кивнула и протянула ему руку, но он не пожал ее. Повернувшись, Энди тихо вышел из дома, сел в свой автомобиль и уехал — как ему казалось, навсегда.

Глава 10

Джо выписался из госпиталя ровно через два месяца после своего возвращения. Он еще немного хромал и опирался на палочку, но врачи были уверены, что к Рождеству все будет в порядке. В целом же он оправился от ран на удивление быстро.

Через два дня после выписки из госпиталя Джо получил удостоверение об увольнении в запас. Кларк и Элизабет предложили ему пока остановиться у них, и он согласился, понимая, что это ненадолго. Еще из госпиталя Джо написал Чарльзу Линдбергу и теперь собирался съездить в Нью-Йорк, чтобы повидаться со своим другом и наставником. Кроме всего прочего, у Чарльза были кое-какие любопытные идеи, которые он хотел обсудить с Джо.

Кейт сама отвезла Джо на вокзал по пути на работу. Стоял конец сентября; в августе, после атомной бомбардировки Хиросимы и Нагасаки, капитулировала императорская Япония, и Вторая мировая война закончилась. Кошмар остался позади, и это будило в душе Кейт новые, радостные надежды.

— Желаю тебе приятно провести время в Нью-Йорке, — сказала она, целуя Джо на прощание. За прошедшую неделю, которую Джо прожил у них в доме, Кейт несколько раз прокрадывалась к нему в гостевую спальню. Пока родители спали, они предавались любви, стараясь не шуметь, а потом подолгу лежали рядом и шептались, чувствуя себя напроказившими детьми.

— Не скучай, я вернусь через несколько дней, — пообещал Джо. — Я буду тебе звонить так часто, как только смогу. А ты уж, будь добра, постарайся не знакомиться с посторонними мужчинами, пока меня не будет.

— В таком случае, не задерживайся в Нью-Йорке слишком долго, — парировала Кейт, и Джо шутливо погрозил ей пальцем.

Им обоим еще не верилось, что все кончилось благополучно и что они наконец-то вместе. Это, впрочем, не мешало Кейт чувствовать себя совершенно счастливой. Джо относился к ней так, как она и мечтать не могла, и, видя это, даже ее мать стала держаться менее настороженно. Несмотря на то, что Джо по-прежнему много говорил об авиации, Элизабет понимала, что он безумно любит Кейт, и готова была простить ему это «мальчишеское увлечение всем тем, что летает». Со дня на день она ждала, что Кейт и Джо объявят о своей помолвке, и это тоже заставляло ее быть к нему снисходительнее.

Об Энди Кейт ничего не слышала с того самого дня, когда она сообщила ему о возвращении Джо. Она, однако, не сомневалась, что он отправился в Нью-Йорк и начал работать в фирме своего отца, как и собирался с самого начала. Ей оставалось только надеяться, что Энди сумел оправиться от нанесенного ему удара и простил ее. По совести сказать, ей его не хватало. Когда он исчез из ее жизни, Кейт — пусть и не сразу — поняла, что Энди действительно был ей близким другом. Другое дело, что этой дружбы, какой бы искренней и крепкой она ни была, могло и не хватить, чтобы сделать их с Энди счастливой семейной парой. Однако этот вопрос Кейт больше не волновал: в ее жизни все устроилось так, как и должно было быть с самого начала.

Джо действительно вернулся через несколько дней и привез сногсшибательные новости. Чарльз познакомил его с людьми, которые хотели создать промышленную корпорацию по проектированию и строительству современных самолетов. С начала войны они потихоньку приобретали земельные участки и даже начали переоборудование старого авиационного завода, при котором имелся небольшой земляной аэродром с двумя взлетно-посадочными полосами. Корпорация — точнее, ее головное предприятие должно было разместиться в Нью-Джерси. Создатели компании хотели, чтобы Джо не только возглавил ее, но и принял участие в разработке и испытании новых моделей. Это означало, что поначалу Джо придется совмещать обязанности директора, конструктора-разработчика и испытателя, но ему обещали, что впоследствии, когда производство будет налажено, он будет только руководить всей компанией. Промышленники и банкиры, с которыми он встречался, знали что делали. Они давали деньги, но им нужны были мозги, а самые лучшие мозги были у Джо.

— Это отличное предложение, Кейт! — воскликнул Джо со счастливой улыбкой, смягчившей резкие черты его лица. Только его любимые самолеты и могли вызвать такую улыбку, но Кейт понимала, что для Джо это действительно идеальный вариант, и почти не ревновала. — Я получаю половину уставного капитала, а если мы когда-нибудь сделаемся акционерной компанией, у меня будет пятьдесят процентов акций. Это прекрасная сделка, Кейт!

— Ты получаешь половину капитала и всю работу, — уточнила Кейт.

Она подозревала, что Джо готов был работать бесплатно, только бы ему дали возможность летать на новых типах самолетов. Впрочем, жаловаться было грешно: проект как будто специально создавался именно под него.

Вечером Джо рассказал о сделанном ему предложении родителям Кейт. Кларк внимательно выслушал его и остался очень доволен. Большинство инвесторов-учредителей он знал если не лично, то по именам, и подтвердил, что все они пользуются в деловом мире безупречной репутацией.

— Такая возможность выпадает только раз в жизни, сынок, — сказал Кларк Джо. — На твоем месте я бы ухватился за нее обеими руками. Кстати, когда вы начинаете работу?

— Мне нужно быть в Нью-Джерси через понедельник, — ответил Джо. — Место очень неплохое, до него от Нью-Йорка час езды на поезде, а на машине и того меньше. Правда, в первое время я вряд ли смогу отлучаться с завода надолго, да и летное поле придется переделывать. На земляной аэродром нельзя сажать тяжелые машины, к тому же взлетно-посадочную полосу нужно удлинить по меньшей мере в полтора раза...

Он уже начал думать о том, что следует сделать в первую очередь, и Кларк не смог сдержать улыбки. Ему было ясно, что эта работа подходит Джо как нельзя лучше.

Но когда Кларк от души поздравил Джо, Элизабет, которая до этого момента лишь молча прислушивалась к их разговору, вдруг заговорила, заставив всех вздрогнуть от неожиданности.

— Все это прекрасно, Джо, — сказала она. — Но я хотела бы знать, означает ли все это, что вы с Кейт скоро поженитесь?

При этих словах Кейт и Джо смущенно переглянулись, и на несколько секунд в гостиной воцарилась гнетущая тишина.

— Я... я пока не знаю, мама. Мы пока об этом не думали.

Кейт попыталась отделаться от матери обычным способом, но Элизабет слишком устала ждать, пока Джо додумается сделать Кейт предложение. Ей казалось, что сейчас самое время спросить, каковы же его намерения.

— Пусть Джо ответит, — требовательно сказала Элизабет, видя, что он молчит. — Как я поняла, это предложение, которое вам сделали в Нью-Йорке, означает, что у вас теперь будет работа — и не какая-нибудь временная, а приличная, высокооплачиваемая работа, которой вы могли бы посвятить свою жизнь. — Теперь она обращалась непосредственно к Джо. — Скажите же мне, как вы собираетесь строить свои дальнейшие отношения с моей дочерью?

— Мы... Я действительно пока об этом не думал, миссис Джемисон, — ответил Джо, не поднимая глаз.

Он любил Кейт по-настоящему, но слова ее матери неожиданно заставили его почувствовать себя так, словно его загоняют в угол. Элизабет, похоже, считала его каким-то мальчишкой, ветрогоном, а не взрослым мужчиной, заслуживающим доверия.

— А следовало бы подумать, Джо! Когда вы пропали без вести, и никто не знал, живы вы или нет, она ждала вас. Мне кажется, мужество и верность, которые Кейт проявила по отношению к вам, заслуживают уважения и благодарности. А что вы сделали для нее? Вы даже не подумали о том, чтобы жениться на девушке, которая вопреки всему ждала вас целых два года!

У Джо кровь прилила к щекам, отчего белые шрамы на коже стали заметнее. Элизабет отчитывала его, как безответственного подростка, и он чувствовал, как в нем поднимается гнев. Больше всего ему хотелось выбежать отсюда, громко хлопнув дверью, но он пересилил себя.

— Я все понимаю, миссис Джемисон, — сказал он спокойно. — Я просто не знал, что брак так много значит для Кейт. Она никогда не говорила мне о том, что хочет выйти замуж, и я не предполагал...

Они действительно никогда не говорили ни о помолвке, ни о женитьбе. Им вполне хватало тех ночей, когда Кейт тайком прокрадывалась к нему в комнату, чтобы заняться с ним любовью, и сейчас Джо чувствовал себя обиженным — его пытались обвинить в том, в чем он не считал себя виноватым.

— Если брак ничего не значит для вас, — резко сказала Элизабет, — из этого не следует, что он не нужен вовсе. И мне кажется, что наш родительский долг напомнить вам об этом. Быть может, вы все-таки пересмотрите ваши взгляды и объявите о своей помолвке. По-моему, как раз сейчас для этого самое подходящее время.

Пока она говорила, Кларк удивленно смотрел на нее. Ее выступление было неожиданным и достаточно резким, но он не мог бы сказать, что не согласен с Элизабет. Просто она открыто говорила о том, о чем сам он предпочел бы только намекнуть.

— Ну, что скажете, Джо?

Джо потупился. Ему никогда не нравилось, когда на него начинали давить, но он не мог не сочувствовать материнской тревоге Элизабет. Сам он не сомневался в своей любви к Кейт, но, быть может, ее родителям нужны были доказательства? Конечно, помолвка, брак успокоили бы их, но Джо еще не чувствовал себя готовым создать семью. И уж, во всяком случае, он ни за что не согласился бы расстаться со своей свободой, под чьим бы то ни было принуждением. Он мог сделать это только добровольно, но... не решался. Пока не решался.

— Если позволите, миссис Джемисон, я бы предпочел объявить о помолвке после того, как сумею все наладить на этом новом предприятии. На это, безусловно, потребуется сколько-то времени, но зато тогда я смогу предложить вашей дочери что-то осязаемое, реальное. Мы могли бы даже поселиться в Нью-Йорке, откуда до Нью-Джерси рукой подать...

Тут Джо поймал себя на том, что уже начал планировать будущее, хотя еще даже не взялся за работу, которая — он знал — потребует на первых порах всех его сил и уйму времени. Но главное препятствие все же было не в этом. Джо чувствовал, что не готов жениться, и Кейт это тоже знала. Знала и испугалась, заметив в глазах его паническое выражение. Джо был близок к тому, чтобы сбежать, — настолько неуютно он почувствовал себя после решительного выступления Элизабет.

— Это звучит разумно, — вмешался Кларк, знаком дав жене понять, что она уже высказала, что думала, и теперь думать должен Джо.

Кларк сознавал, что слова Джо не лишены смысла. Ему действительно требовалось время, чтобы встать на ноги, и у них с Кейт не было никакой необходимости спешить с помолвкой. Работа, которую Джо собирался взвалить себе на плечи, была далеко не самой простой и легкой, и ему придется как следует потрудиться, прежде чем он сумеет наладить деятельность новой фирмы.

Вскоре после этого все четверо отправились спать, а меньше, чем через час Кейт, как обычно, потихоньку прокралась в комнату Джо.

Кейт была в бешенстве.

— Как она могла?! — восклицала она яростным шепотом. — Как она могла говорить с тобой *так*?! Джо, я прошу у тебя прощения за свою мать. Она вела себя... Это было ужасно! Папа должен был остановить ее, не понимаю, почему он этого не сделал!

Она продолжала кипеть, и это дало Джо возможность проявить благородство.

— Все в порядке, дорогая. Я отлично понимаю твоих родителей и нисколько на них не сержусь. Они беспокоятся о тебе и хотят убедиться, что у меня серьезные намерения. На их месте я вел бы себя точно так же. Моя ошибка была в том, что я не понял, насколько глубоко их волнует эта проблема. Но, быть может, она тревожит и тебя? — спросил он, нежно целуя ее.

Кейт невольно подумала о том, что Джо вовсе не выглядит расстроенным или озабоченным. Когда Элизабет медленно поджаривала его на вертеле своих вопросов, у него был совсем другой вид.

— Нет, я совсем об этом не думаю, — храбро солгала она. — А ты... ты просто убиваешь меня своим великодушием. Мама вела себя отвратительно, и мне очень жаль...

Кейт, похоже, и в самом деле чувствовала себя виноватой перед ним, и Джо почувствовал облегчение, смешанное с благодарностью. Где бы он был, если бы Кейт думала так же, как и ее матушка?

— Не волнуйтесь, мисс Джемисон. Позвольте заверить вас, что мои намерения чисты, как горный снег. А теперь, если вы не против, позвольте мне немного вами попользоваться...

Скидывая через голову ночную рубашку, Кейт негромко хихикнула. В эти минуты если она и думала о чем-то, то только не о браке. Она была бесконечно счастлива просто быть с ним рядом, и единственное, чего она желала, это его любви, которая крепче любых цепей привязывала их друг к другу.

Разговор, происходивший в эти минуты в спальне ее родителей, был куда более серьезным. Кларк довольно резко упрекнул жену в том, что она выбрала не самый подходящий момент, чтобы взять быка за рога.

— Не понимаю, что ты так кипятишься! — огрызнулась Элизабет. — Ведь кто-то должен был сказать ему об этом, и лучше раньше, чем позже. А я знала, что на тебя рассчитывать нечего!

В ее голосе явственно прозвучали прокурорские нотки, на которые за годы супружества Кларк научился не обращать внимания.

— Ты не понимаешь, — возразил он с бесконечным терпением в голосе. — Бедный парень только что вернулся с того света. Почему ты не хочешь дать ему возможность сначала распрямиться, почувствовать уверенность в своих силах? Это и несправедливо, и... непорядочно.

Элизабет возмутилась. Что ей за дело до какой-то порядочности, если на карту была поставлена судьба ее единственной дочери?

— Джо не мальчик, Кларк! Ему тридцать четыре года, он зрелый мужчина... по крайней мере, должен быть таковым, и ему пора понимать, что к чему. С тех пор, как он вернулся, прошло больше двух месяцев, и все это время они виделись каждый день. Это вполне достаточный срок, чтобы разобраться в своих чувствах и сделать предложение... Или *не* сделать предложение. Джо, как ты сам убедился, предпочел второе, и это может означать все, что угодно... — Элизабет упрямое нежелание Джо объявить о своей помолвке с Кейт говорило очень много, и она жалела, что Кларк оставался слеп и глух и не замечал очевидного.

— Но он хочет сначала определиться со своей новой работой. Это — его законное желание. Всякий разумный человек на его месте поступил бы точно так же.

— Хотела бы я быть так же уверена в нем, как ты. Но мне почему-то кажется, что стоит только Джо сесть за штурвал самолета, как он сразу забудет и о Кейт, и о браке, и обо всем остальном. Это же одержимый, Кларк, неужели ты не видишь? Он думает только о своих самолетах, а на остальное ему наплевать! А я не хочу, чтобы моя дочь бесконечно ждала его, ждала, пока он наиграется в великого летчика и соблаговолит обратить на нее внимание.

— Готов поспорить с тобой на миллион долларов, что через год они поженятся. А может быть, и раньше, — сказал Кларк уверенно, и Элизабет невольно улыбнулась его горячности.

— Будь у меня миллион, я бы с радостью уступила его тебе, лишь бы ты оказался прав, — сказала она.

Элизабет была похожа на львицу, защищающую своего львенка, и Кларк не мог не восхищаться ею. Он сомневался только, что Кейт и Джо разделяют его чувства. Джо ее неожиданное нападение явно смутило, а что касалось Кейт, то она, похоже, просто разозлилась на мать.

— Почему ты не доверяешь ему, Лиз? — спросил он, ложась в кровать рядом с женой.

— Неужели это непонятно? Такие мужчины, как он, просто не созданы для брака, для семейной жизни. И если они все-таки женятся... в силу обстоятельств, то это, как правило, кончается плачевно. Семья для таких людей превращается в забаву, в хобби, которому они готовы уделять несколько свободных минут в неделю, когда не заняты чем-то, что они любят по-настоящему, будь то друзья или... самолеты. Как бы тебе объяснить? Как мальчишка, который попадает в магазин игрушек, забывает о необходимости готовить уроки и ложиться спать вовремя, так и Джо может забыть о своей ответственности перед семьей. Его и раньше нельзя было оторвать от этой игры в самолетики, а теперь он еще и будет получать за это деньги!.. Страшно подумать, что будет, если Джо добьется успеха. Тогда он вообще никогда на ней не женится.

— Я думаю, что он женится на ней в любом случае, — твердо сказал Кларк. — Если он начнет работать, у него будут деньги, чтобы содержать семью. По правде сказать, я почти уверен, что в скором времени это предприятие принесет сказочные прибыли. — Он смущенно завозился под одеялом. — Знаешь, я даже подумываю о том, чтобы самому вложить в это предприятие несколько сот тысяч долларов. Думаю, Джо устроит мне это по знакомству.

— Ах, вот почему ты его защищаешь! У тебя своя корысть! — со смехом воскликнула Элизабет, и Кларк улыбнулся.

— Я уверен в нем, Лиз. Джо достаточно сильный человек, и я считаю, что его хватит и на семью, и на работу. А что касается его любви к самолетам... Это у Джо от бога, и было бы грешно зарывать в землю такой талант. Он — самый настоящий гений, Лиз, а жить с гениями не всегда просто. Кейт придется еще многому научиться, но я думаю, она справится. Джо вполне по силам сделать ее счастливой. Наконец, они любят друг друга — одного этого должно быть достаточно.

— Иногда одной любви мало, — грустно возразила Элизабет. — Впрочем, я надеюсь, что у моей дочери так не будет. Они с Джо через многое прошли и заслужили немножечко счастья. Я... Мне просто хотелось, чтобы у Кейт поскорее появилась семья, свой дом, детки... Мне уже много лет, Кларк, и я порой боюсь, что так и не увижу внуков.

— Увидишь, — поспешил успокоить ее Кларк. — За Джо дело не станет — он без ума от Кейт.

А дочь в это время лежала в объятиях Джо. Она опьянела от их недавней близости и была счастлива, довольна и ничего другого не желала.

— Я люблю тебя... — прошептала она, чувствуя, как ее начинает одолевать сон.

— Я тоже люблю тебя, родная... — также шепотом ответствовал Джо. — Я люблю тебя и все, что связано с тобой. Я люблю даже твою маму...

Кейт сонно хихикнула, и через минуту оба уже спали крепким сном. А на первом этаже мирно спали в своей супружеской спальне Элизабет и Кларк, и трудно сказать, какая из этих двух пар была счастливее.

Глава 11

Уезжая в Нью-Джерси, Джо обещал, что как только он устроится, Кейт сможет приехать к нему на выходные. Он был уверен, что на это ему понадобится пара недель, но прошел целый месяц, а он все еще не подыскал подходящую квартиру. Джо работал с раннего утра до позднего вечера, не исключая и воскресений, и спал по четыре часа в сутки. На первых порах ему приходилось заниматься и подбором персонала, и закупкой оборудования для переоснащения завода, и перестройкой взлетно-посадочных полос на аэродроме. Прошло целых шесть недель, когда Джо, позвонив Кейт поздно вечером, сказал, что она может приехать к нему на уик-энд.

Увидев его, Кейт была потрясена — таким усталым и худым он ей показался. Джо и прежде не отличался полнотой, теперь же он стал похож на скелет. Только на осунувшемся лице с неукротимой силой горели его голубые глаза — глаза фанатика. Но когда Джо рассказал ей, что он успел сделать, Кейт поразилась еще больше. Казалось, такое не под силу одному человеку. А Джо был очень рад, что Кейт не только поняла все, что он ей объяснял, но и сумела по достоинству оценить его успехи.

Они провели вдвоем волшебный, фантастический уик-энд. Джо устроил ей экскурсию по цехам завода и прокатил на новеньком самолете собственной конструкции, который только недавно вышел из стен его экспериментальной мастерской. И, конечно, они без конца занимались любовью, доставив друг другу несколько незабываемых часов наслаждения.

Вернувшись в Бостон, Кейт подробно рассказала отцу обо всем, что успел сделать Джо, и Кларк тоже захотел увидеть его завод. В мире бизнеса, в котором он вращался, многие начали понимать, что Джо Олбрайт со своими идеями держит в руках будущее авиации, и Кларк снова задумался о том, чтобы поддержать его начинания некоторой суммой.

Две недели спустя Джо сам приехал в Бостон, чтобы провести с Кейт День благодарения, но почти сразу уехал, потому что на заводе возникли какие-то проблемы. Никогда еще на нем не лежала такая огромная ответственность, и порой это бремя казалось ему чрезмерно тяжелым, однако всякий раз ему удавалось найти отличное решение и с честью выйти из трудного положения. Но времени ему не хватало просто катастрофически, поэтому даже Кейт Джо звонил от случая к случаю. К Рождеству Кейт даже несколько раз пожаловалась ему, что совсем его не видит. За три месяца они встретились только дважды, и Кейт чувствовала себя довольно одиноко. Каждый раз, когда она заговаривала с ним на эту тему, Джо обещал что-нибудь придумать, но все оставалось по-прежнему.

Со временем Кейт стала понемногу склоняться к мысли, что ее мать была права и что им с Джо следовало пожениться. Тогда, по крайней мере, она могла бы поехать к нему, чтобы быть рядом, а не на расстоянии нескольких десятков миль. Когда на Рождество Джо вырвался на денек в Бостон, она заявила ему об этом прямо, но он только отмахнулся от нее.

— Жениться? Сейчас?! Это же просто смешно, Кейт! Кому нужен такой брак? Я днями не бываю у себя на квартире, а если и приезжаю переночевать, то всего на четыре-пять часов. Вряд ли это именно то, что нужно нам обоим. А в Нью-Йорк я пока переехать не могу — на заводе слишком много дел. Потерпи немного, пока я все как следует организую. И тогда...

Кейт тяжело вздохнула. Еще несколько месяцев назад это «тогда» показалось бы ей многообещающим, исполненным смысла и надежды, а теперь звучало как самая обыкновенная отговорка. Ей надоело тайком прокрадываться к нему в спальню, надоело скрывать от родителей их близость. Она чувствовала себя девочкой, которая по малости лет продолжает жить с родителями, а ведь все ее ровесницы и подруги давно вышли замуж. У некоторых уже были четырех-пятилетние дети.

— И что будет тогда? — спросила она устало.

— Мы найдем квартиру в Нью-Йорке и поженимся, это я тебе обещаю. Дай мне только время, чтобы разобраться с заводом и аэродромом. Как раз сейчас у нас возникли осложнения с местными властями. Без их разрешения мы не можем продлить взлетную полосу, насколько нам нужно, так как она упирается в какой-то поселок. Придется переселять людей, но сначала надо провести большую подготовительную работу и убедить жителей, что от переезда все они только выиграют...

Кейт слушала его с интересом, однако ей становилось все яснее, что пребывать в таком полуподвешенном состоянии предстоит еще очень долго...

Если не считать этого разговора, праздники они провели неплохо. Вместо полутора дней, как он планировал вначале, Джо сумел задержаться в Бостоне на трое суток, чему Кейт была несказанно рада. Они снова ездили на загородный частный аэродром, чтобы немного полетать, а потом сняли номер в одном из отелей, поэтому, когда Джо настала пора уезжать, Кейт немного приободрилась. Она даже решила, что он прав: не было особенного смысла жениться сейчас. Уж лучше подождать, пока Джо разберется со всеми проблемами и наладит работу предприятия, чтобы оно могло функционировать без его постоянного участия в текущих делах.

Новый год Кейт встречала с Джо в Нью-Джерси. Они были вместе, и это заставило ее вновь задуматься о том, как им обоим повезло. Всего год назад она оплакивала его, почти уверенная, что Джо погиб и никогда к ней не вернется. Тогда Кейт без колебаний отдала бы все, что у нее было, за то, что она имела сейчас, — за его редкие звонки и еще более редкие встречи. «Значит, — решила она, — не стоит роптать на судьбу, надо довольствоваться тем, что дает бог. Кроме того, не вечно же Джо будет так занят! Мы оба молоды, впереди целая жизнь, и многое еще может измениться».

Январь оказался трудным для обоих. Кейт тщетно искала какую-нибудь работу, чтобы хоть чем-то себя занять, а Джо вступил в серьезный конфликт с руководством профессиональных союзов. Он сам не жалел себя и требовал того же от рабочих, но, несмотря на повышенную заработную плату, далеко не все были готовы работать без выходных по двадцать часов в сутки. В результате январь обернулся для него сущим кошмаром, но февраль оказался еще хуже. Джо не только не сумел вырваться к Кейт на Валентинов день, но даже не позвонил, напрочь забыв о празднике. Местные власти по-прежнему не давали разрешения на переселение поселка, в который уперлась модернизированная взлетная полоса, и Джо почти неделю безвылазно просидел в Нью-Йорке, всячески улещивая политиков и раздавая налево и направо самые щедрые обещания.

О празднике всех влюбленных Джо вспомнил лишь три дня спустя, когда Кейт позвонила ему и, не в силах произнести ни слова, разрыдалась в трубку. К этому времени они не виделись уже шесть недель, и Джо, исполнившись раскаяния, пригласил Кейт приехать к нему на неделю. Он и сам чувствовал себя довольно одиноко и сильно скучал без Кейт. Однако ему по-прежнему приходилось работать по восемнадцать-двадцать часов в день, не исключая суббот, воскресений и праздников, и он знал, что выкроить для нее даже час или два будет очень трудно. Джо буквально разрывался между необходимостью делать дела и желанием быть рядом с Кейт.

Впрочем, все оказалось не так плохо, как ему представлялось. Кейт решительно взяла на себя заботу о его бумагах, которых накопилась целая куча, и хозяйничала у него в офисе, пока Джо носился с одного строящегося объекта на другой. Правда, на протяжении дня он видел ее лишь изредка, но Кейт это, похоже, не смущало. Она выглядела довольной и даже счастливой, к тому же по ночам они могли спать вместе, а это было уже немало. Завтракали они тоже вместе, но потом Джо исчезал и обедал и ужинал уже на бегу, а то и вовсе забывал поесть. Только однажды он сводил Кейт в ресторан, а потом долго мучился из-за потраченного времени.

Вернувшись в Бостон, Кейт объявила родителям, что переезжает в Нью-Джерси и поступает на службу в офис Джо. Она объяснила это тем, что ей надоело бездельничать, а сейчас, после войны, найти какую-нибудь другую работу практически невозможно. Из соображений приличия Кейт сняла для себя номер в отеле, однако фактически она жила с Джо в его квартире и была очень этим довольна. Джо такое положение дел тоже устраивало. По крайней мере, Кейт перестала жаловаться, что они почти не видятся. Теперь он каждый вечер возвращался домой, и они проводили ночь вместе, а утром вместе же ехали на завод.

И Джо, и Кейт были рады, что нашелся хоть какой-то выход, однако у ее родителей он вызывал серьезные сомнения. С самого начала они были против того, чтобы Кейт ехала к Джо в Нью-Джерси, но запретить ей они не могли: Кейт уже исполнилось двадцать три года.

И все-таки Элизабет никак не могла смириться с тем, что ее дочь живет с человеком, с которым она не состоит в законном браке.

Между тем в июне исполнился ровно год с тех пор, как

Джо вернулся домой, однако за все это время он ни разу не заговорил с Кейт о помолвке или браке. Она, впрочем, тоже вспоминала об этом нечасто. Работа в офисе захватила ее, и она была загружена работой почти так же сильно, как Джо. Лишь в августе они взяли неделю отпуска и поехали отдохнуть на мыс Код вместе с родителями, однако Кейт почти сразу начала жалеть об этом. Элизабет была очень сердита и на Джо, и на Кейт. Ей не нравилась их безнравственная, внебрачная связь, к тому же она боялась, что Кейт может забеременеть, и у нее не было уверенности, что даже тогда Джо на ней женится. Каждый раз, когда он попадался ей на глаза, в Элизабет с новой силой вспыхивали злость и раздражение.

Джо в ее присутствии тоже чувствовал себя как нашкодивший мальчишка. При виде Элизабет ему хотелось убежать куда-нибудь и спрятаться. Казалось, она обвиняла его, даже когда не произносила ни слова, и от этого Джо сразу становилось очень неуютно и муторно на душе. Кейт было жаль его, но тем не менее она не могла не признать, что мать во многом права. В результате, она буквально разрывалась между любовью к Джо и к родителям.

В конце концов Элизабет поручила мужу переговорить с Джо, так как сама она боялась не выдержать и сорваться. Кларк тоже был не особенно доволен тем, как складывается жизнь у его дочери: по его мнению, они что-то не слишком торопились с помолвкой. Кларк знал, что компания Джо не только освоила производство новых современных самолетов, но и начала приносить солидную прибыль, однако у него по-прежнему не было ни минуты свободной.

— Ты слишком много работаешь, сынок, — сказал Кларк, медленно идя рядом с Джо по мелкому песку океанского побережья. — Я понимаю, что тебе все это интересно, но... Так и жизнь пройдет. К тому же ты слишком торопишься, а когда спешишь, легко совершить ошибку, которую потом будет трудно исправить. Думаю, ты понимаешь, о чем я...

Джо кивнул. Он сразу догадался, что речь идет о Кейт, но по его глубокому убеждению у них все было нормально. «Несомненно, это миссис Джемисон мутит воду», — подумал он.

— Я уверен, мистер Джемисон, что со временем все войдет в свою колею, и тогда я буду посвободнее. Но не сейчас. Ведь мы только начинаем!

— Я понимаю, — кивнул Кларк. — Молодое предприятие, молодой руководитель... Но поверь мне, старику: молодость пройдет очень быстро, ты и оглянуться не успеешь. Так что наслаждайся ею сейчас, пока не стало слишком поздно.

— Но мне нравится то, что я делаю, — возразил Джо. С этим было трудно спорить, и Кларк решил привести последний аргумент, нарушив обещание, которое дал жене перед тем, как удочерить Кейт. Элизабет просила его никогда не разговаривать с посторонними о самоубийстве ее первого мужа и никому не рассказывать, что он не родной отец Кейт. Ей не хотелось, чтобы память об этом подобно темной туче омрачала жизнь дочери, однако Кларк едва ли не лучше ее знал, что Кейт помнит об этом слишком хорошо. К тому же Джо не был посторонним человеком, по крайней мере — для Кейт, и Кларк решил, что он имеет право знать правду. Быть может, думал он, эта история поможет Джо лучше понять Кейт.

— Есть одна вещь, которую тебе следует знать, Джо. Она касается Кейт, — сказал он, когда, утомившись идти по песку, они свернули к дороге и зашли в кафе, чтобы выпить по кружке пива.

— Что-то вы загадками говорите, мистер Джемисон, — усмехнулся Джо.

Кларк ему всегда нравился, к тому же с мужчинами Джо чувствовал себя намного свободнее, чем с женщинами. Кейт была, пожалуй, единственной, с кем ему было по-настоящему легко, но даже она порой его пугала. В особенности неуютно и тревожно становилось ему, когда Кейт из-за чего-нибудь раздражалась или сердилась, что, к счастью, бывало редко. Но когда это все-таки случалось, Джо испытывал сильнейшее и совершенно иррациональное желание бросить все, прыгнуть в самолет и улететь куда-нибудь далеко-далеко, на другой конец страны. До сих пор ему всегда удавалось совладать с собой; он даже ни разу не поделился с Кейт, какие чувства он испытывает каждый раз, когда она упрекает его в чем-либо. Джо казалось, что расскажи он ей об этом, и это сделает его еще более уязвимым. В детстве его часто называли никчемным, бесполезным нахлебником, и в последующие годы любой, самый легкий намек на то, что он не способен сделать ничего полезного, заставлял Джо испытывать сильнейшее желание убежать на край света. Именно это слабое место инстинктивно почувствовала в нем Элизабет — почувствовала и попыталась использовать, и каждый раз Джо приходилось прилагать огромные усилия, чтобы держать себя в руках.

— Не такая уж это загадка, — ответил Кларк. — Просто мы в нашей семье стараемся об этом не говорить. Именно поэтому я хочу, чтобы ни Лиз, ни Кейт не знали о нашем с тобой разговоре. Это довольно серьезно, и...

— Хорошо, — кивнул Джо, заказав им обоим по кружке пива. — Я обещаю. Что же это за тайна, мистер Джемисон?

— Я не отец Кейт, — с трудом выговорил Кларк: за прошедшие четырнадцать с лишним лет он еще никогда не произносил эти слова вслух.

— Что вы хотите сказать? — осторожно спросил Джо, и Кларк увидел, что тот побледнел. — Я... не понимаю.

— Вернее, не ее родной отец, — поспешил объяснить Кларк, пока Джо не подумал что-нибудь не то. — Я — второй муж Лиз. Она была замужем до меня... долго... почти тридцать лет. Мы-то с ней женаты всего четырнадцать, хотя порой кажется, что прошла целая вечность...

Он слабо улыбнулся, и Джо кивнул. Он давно понял: чтобы полтора десятилетия терпеть рядом с собой такую женщину, как Элизабет, нужно очень сильно любить ее.

— Что же случилось? — спросил Джо, и Кларк сделал из своей кружки хороший глоток.

— Ее первый муж был моим близким другом — добрым, чутким, отзывчивым человеком, и происходил из порядочной и уважаемой семьи. Во время кризиса двадцать девятого года Джон Бэррет потерял все свое состояние, а также деньги тех людей, которые доверили ему право распоряжаться ими. К счастью, деньгами Лиз распоряжались ее родные, которые тогда были еще живы, и она ничего не потеряла. Но Джон оказался нищим в буквальном смысле слова. Хуже того: он был по уши в долгах, которые не мог вернуть. И это его сломало...

Кларк ненадолго замолчал, а Джо вдруг стало страшно. Он не хотел слушать, что было дальше, но сидел неподвижно, словно загипнотизированный, сжимая в руке кружку с пивом.

— Джон Бэррет был честным человеком. Наверное, самым честным из всех, кого я когда-либо знал. Ему нечем было расплатиться с должниками, но хуже всего был позор. Именно позор в конце концов и прикончил его — но не сразу, далеко не сразу! Джон закрылся ото всех в своем кабинете и пил, надеясь, что алкоголь рано или поздно убьет его. Когда же из этого ничего не вышло, он застрелился. Это было в тридцать первом году. Кейт тогда было восемь лет.

— И она... она тоже была там? Она видела, как ее родной отец застрелился? — Джо не скрывал своего ужаса.

Кларк отрицательно покачал головой.

— Слава богу, нет. Лиз нашла его раньше. Но от Кейт не стала скрывать, как он умер. — Кларк вздохнул. — Я знал Лиз много лет, к тому же мы были друзьями с Джоном, и после его смерти я постарался сделать для его жены и дочери все, что было в моих силах. Тогда у меня не было никакой корысти, я просто хотел помочь. К тому же Лиз была настолько потрясена, что порой я боялся, как бы она не отправилась вслед за Джоном. Но она выдюжила, постепенно мы сблизились и в конце концов поженились. Что же касается Кейт, то я полюбил ее, наверное, еще до того, как влюбился в Лиз. В те времена она была напуганной маленькой девочкой, которая чувствовала себя брошенной, преданной собственным отцом. После его смерти Кейт замкнулась в себе, спряталась в свою раковину, и мне потребовалось почти два года, чтобы вызволить ее оттуда. Она перестала верить людям, особенно — мужчинам, и я не могу ее за это винить. Лиз обожала ее, но я не уверен, что у нее был с Кейт постоянный контакт, к тому же она сама была слишком потрясена смертью мужа.

Джо слушал молча, не перебивая, и по его лицу невозможно было угадать, о чем он думает.

— Я только хотел сказать, — пояснил Кларк, — что Кейт понадобилась целая жизнь, чтобы стать такой, какая она сейчас, — сильной, уверенной в себе, веселой, жизнерадостной. Женщина, которую ты любишь, долго оставалась запуганной маленькой девочкой; я уверен — одно время она боялась, что и я тоже оставлю, предам ее. Бедняга Джон, ему не хватило стойкости, чтобы вынести все, что на него обрушилось. Кризис отнял у него не только деньги — он утратил уважение к себе, перестал считать себя мужчиной и главой семьи. Но когда он покончил с собой, он едва не убил и собственную дочь!

— Почему вы мне все это рассказываете? — спросил Джо. Он был потрясен услышанным, поскольку всегда считал, что у Кейт было совсем другое, легкое и безоблачное детство.

— Потому что эти события оставили в ее душе глубокий след. Кейт обожала отца, а он покончил с собой и оставил ее одну. Потом она полюбила тебя, но ты ушел на войну и пропал без вести. Два года она держалась, не верила, что тебя больше нет. Теперь, надеюсь, тебе понятно, откуда у нее эта нерассуждающая вера, эта верность, это мужество? Конечно, Кейт сама по себе сильный человек — этого у нее не отнимешь — но для нее допустить, что ты никогда не вернешься, было бы смерти подобно. Потерять любимого человека всегда трагедия, но для Кейт — трагедия вдвойне. Она два года ждала тебя, и с каждым днем ее старые раны начинали болеть все сильнее — я видел это по ее глазам. Если бы Кейт потеряла тебя, это могло бы ее убить, поверь мне, я не преувеличиваю...

Кларк пристально посмотрел в глаза Джо.

— Но случилось чудо, — сказал он после едва заметной паузы. — Ты вернулся, и не просто вернулся — восстал из мертвых. На этот раз судьба обошлась с ней милостиво, но все равно какой-то надлом у нее в душе остался. Даже не надлом — просто слабое место, и если ты любишь ее, ты всегда должен об этом помнить. Кейт больше, чем кому бы то ни было, нужны внимание и ласка, нужен свой дом, в котором она могла бы чувствовать себя в безопасности. Она — как птица с перебитым крылом, и как бы высоко она ни летала, ты должен помнить, что одно крыло может ее подвести. Но если ты будешь к ней внимателен, она отплатит тебе такой любовью, какую редко можно встретить на этом свете. Главное, постарайся никогда не давать ей повода бояться, бояться за тебя... — Кларк вздохнул. — Вот зачем я рассказал тебе об этом — чтобы ты знал, через что ей пришлось пройти.

Джо долго сидел молча, обдумывая все, что он только что услышал. Кларк был прав — прошлое Кейт имело огромное значение. Во всяком случае, многое стало Джо яснее. Например, теперь он знал, почему Кейт так переживает, когда они подолгу не видятся. Она никогда не говорила о своем страхе прямо, но он его чувствовал, видел в ее глазах, слышал в ее голосе. Кейт явно боялась отпускать его от себя, но если раньше он полагал, что в ней говорит свойственный женщинам инстинкт собственницы, сейчас ему стало очевидно, что это здесь ни при чем. Она *боялась* потерять его, боялась по-настоящему! И этот непостижимый, подспудный страх пугал Джо, ибо казался предвестником уз, которых он сознательно бежал всю свою жизнь.

— Так чего же вы от меня хотите, мистер Джемисон? — спросил он, хотя уже наполовину знал ответ.

— Мне кажется, ты должен жениться на ней, сынок, — медленно произнес Кларк. — Поверь, сейчас я говорю не как отец, хотя я, конечно, желаю Кейт всяческого счастья. Лиз... Ее заботят, главным образом, приличия. Она хочет, чтобы у ее дочери все было как у всех: свадьба, подарки, белое платье. Но это все чепуха. На самом деле Кейт нужен свой дом — нормальный, крепкий дом, в котором она почувствовала бы себя в безопасности и перестала бояться будущего. К сожалению — или к счастью, не знаю — но обстоятельства сложились так, что такой дом можешь дать ей только ты. И она заслуживает этого, заслуживает гораздо больше, чем другие, потому что она больше перенесла и страдала тоже больше. Когда ее родной отец покончил с собой, он отнял у Кейт нечто такое, чего не смог дать ей я — не смог и никогда не смогу. И никто другой тоже не сможет. Только тебе это по силам, сынок. Разумеется, ты вряд ли сумеешь в полной мере компенсировать Кейт эту потерю, но тебе по плечу изменить ее жизнь. Для этого Кейт нужно совсем немного. Я думаю, ей будет вполне достаточно простого сознания того, что ты — рядом и что ты никуда не собираешься исчезать.

«А как насчет меня?!» — захотелось крикнуть Джо. То, о чем говорил Кларк, слишком напоминало медвежий капкан, ловушку, собачий поводок, уютную тюремную камеру на двоих. Джо любил Кейт по-настоящему, но брак как таковой всегда таил для него страшную угрозу. Джо дорожил своей свободой куда больше, чем Кларк мог подозревать.

— Я... Я не уверен, что смогу это сделать, — честно признался он. Подобной откровенности с его стороны в немалой степени способствовала третья кружка пива, которую он заказал не дожидаясь, пока Кларк допьет свою.

— Почему? — удивился Кларк.

— Брак всегда казался мне чем-то вроде петли на шее... Мои родители погибли, когда я был полугодовалым младенцем, и я попал в семью троюродного брата матери. Не бог весть какое близкое родство, но не в этом дело. Дядя и его жена скверно со мной обращались, да и между собой не особенно ладили, поэтому каждый раз, когда я думаю о семейной жизни, я вспоминаю о своем детстве. У меня было такое ощущение, словно мне к каждой ноге привязали мельничный жернов и бросили в топкое, кишащее змеями болото, из которого не вырваться, не сбежать. Цепи на руках и ногах и короткий поводок на шее — вот что такое для меня семья. От дяди я ушел, как только мне стукнуло шестнадцать, но разве я смогу уйти от Кейт?..

— Ты боишься, что ваша семейная жизнь окажется не такой легкой и счастливой, как ваши теперешние отношения? Но *почему* это должно произойти? Кейт — хорошая, добрая девочка, и она любит тебя больше собственной жизни. Так с чего ты решил, что это может измениться в один день — что это *должно* перемениться, как только вы зарегистрируетесь в мэрии?

— Не знаю... — Джо пожал плечами и сделал большой глоток из своей кружки. — А что касается ее любви ко мне... Я знаю, что Кейт любит меня больше всего на свете, но даже это подчас пугает меня. Я не хочу, чтобы меня любили так сильно!

В его глазах действительно промелькнул страх, и Кларк, внимательно за ним наблюдавший, сразу это заметил.

— Почему? Потому что это накладывает определенные обязательства? — мягко спросил он.

— Если хотите — да! — с вызовом ответил Джо. — Я не уверен, что смогу ответить ей такой же сильной любовью. Я боюсь разочаровать ее, мистер Джемисон, разочаровать или причинить боль. А если это случится, я буду чувствовать себя бесконечно виноватым перед ней. Кейт слишком дорога мне, чтобы я мог поступить с ней так...

Джо сам себе противоречил, но Кларк не стал ловить его на слове. Вместо этого он сказал:

— Есть и еще одна сторона дела, о которой вы, молодые, редко задумываетесь. Человек, который не позволяет любить себя, в конце концов остается один. И, поверь мне, это слишком дорогая цена за временное спокойствие, которое ты, может быть, получишь, а скорее всего — не получишь, если будешь убегать от трудностей.

— Возможно, вы правы, — согласился Джо, глядя в свою кружку, которую он успел осушить до дна.

— Вы нужны друг другу, Джо! Кейт нужно твое сильное плечо, ей нужно знать, что ты никуда не денешься, что ты достаточно любишь ее, чтобы справиться с собственными страхами и жениться на ней. Но и тебе тоже нужна ее сила и нежность ее сердца. Без них человеку слишком холодно и слишком одиноко в этом мире. Это не пустые слова, Джо, — я сам испытал все это на собственной шкуре, когда умерла моя первая жена. Несколько лет я не жил, а существовал, пока не встретил Лиз. С такой девушкой, как Кейт, ты не будешь знать ни грусти, ни тоски, ни страха — ты только не отталкивай ее, открой для нее свое сердце! Конечно, Кейт иногда бывает упряма, своевольна и способна вывести из себя даже святого, но она никогда не разобьет тебе сердца. Да и сам ты гораздо сильнее и терпеливее, чем думаешь. Ты больше не ребенок, Джо, ты — взрослый мужчина, и никто не может поступать с тобой, как те твои родственники, которые тебя воспитывали. Посмотри вокруг, Джо, — их нет, они превратились в мираж, в дым, в ничто. Так не позволяй же им управлять твоей жизнью, как прежде! Не позволяй детскому страху одержать над тобой верх. Избавься от него. Бегство — не выход!

Джо криво улыбнулся.

— Но ведь раньше этот выход годился, и я жил даже как будто неплохо.

— На мой взгляд, это иллюзия, хотя тут ты, конечно, со мной не согласишься, — хмуро сказал Кларк. — Но в любом случае ты даже не представляешь, насколько лучше станет твоя жизнь, если ты разделишь ее с Кейт. И наоборот: если ты ее потеряешь, тебе будет очень, очень плохо. А ты можешь ее потерять, Джо. Женщины — странные создания, иногда они уходят как раз тогда, когда меньше всего ожидаешь. Впрочем, я надеюсь, что с вами этого не произойдет. Такие отношения, как у вас, встречаются не часто. Я бы даже сказал, что вам вряд ли удастся отделаться друг от друга, что́ бы вы ни делали, как бы далеко ни разъехались. То, что соединяет вас, слишком сильно и глубоко — я вижу это по твоим и по ее глазам. Если вы расстанетесь, то проиграете оба. Такая любовь, как у вас, бывает только раз в жизни, и вы либо будете вместе, либо погибнете по одиночке.

Эти слова прозвучали для Джо как пожизненный приговор, но даже страх, который он испытывал, не помешал ему понять, что Кларк прав — прав во всем.

— Хорошо, я подумаю, — сказал он.

Кларк молча кивнул. Он сказал все, что хотел, и добавить ему было нечего. Его сердце болело за обоих, и он увещевал Джо так, словно он был его родным сыном.

Джо был искренне благодарен Кларку за откровенность, хотя на самом деле то, что он узнал о настоящем отце Кейт, только все усложнило. Теперь, когда ему стало известно о

самоубийстве Джона Бэррета, груз ответственности, которую
он на себя взвалил, стал еще тяжелее. А ведь у него хватало
собственных проблем и сомнений, вынесенных из далекого
детства. Одно было бесспорно: Джо еще никогда не любил так
сильно, как он любил Кейт, и почти не сомневался, что вряд
ли сможет испытывать что-то подобное к кому-нибудь другому. Он сознавал, что их чувство уникально и неповторимо.
Вся ирония заключалась в том, что Джо любой ценой стремился сохранить свою свободу и независимость, а Кейт, напротив, стремилась связать себя с ним самыми крепкими
узами, какие только существуют. И кто победит в этом «перетягивании каната», Джо предсказать не мог. Да и будет ли он,
этот победитель? В обоих случаях один неизбежно делал несчастным другого.

«Как бы то ни было, — решил Джо, — чтобы научиться
этому танцу вдвоем, необходимо время, время и еще раз
время».

Кларк это тоже понимал и был рад, что времени у обоих
вполне достаточно. И Кейт, и Джо были молоды, вот только
хватило бы им ума не разбежаться после первых же трудностей. Но тут он мало что мог сделать, и ему оставалось только
молиться, чтобы бог дал обоим терпение, мудрость и снисходительность к слабостям друг друга.

В поселок Кларк и Джо вернулись на такси: оба слишком
много выпили, чтобы идти обратно вдоль берега. Машина домчала их до места за несколько минут, но в салоне было
душно, и Кларка совершенно развезло, хотя он выпил вдвое
меньше Джо. Элизабет заметила это, как только он вышел из
такси, но ничего не сказала даже тогда, когда Кларк, пошатываясь, поднялся на крыльцо и крепко ее обнял. Она только
рассмеялась, и Джо, предусмотрительно поддерживавший
Кларка под локоть, почувствовал, как у него отлегло от сердца. Он был рад, что миссис Джемисон не ругала ни мужа, ни
его. Напротив, она держалась на редкость приветливо и даже
принесла обоим по большой чашке крепкого кофе.

— Жаль портить кофе хорошую выпивку, — заметил по
этому поводу Кларк и, взяв чашку обеими руками, чтобы не
расплескать, подмигнул Джо. За прошедшие несколько часов
они стали ближе друг другу, и Джо знал: что́ бы ни произошло
между ним и Кейт, они с Кларком останутся друзьями.

После ужина Джо снова пошел прогуляться вдоль берега,

но на этот раз — с Кейт. Им хотелось побыть вдвоем и насладиться последними часами отдыха: завтра обоим предстояло возвращаться в Нью-Джерси.

В самом начале прогулки Джо удивил Кейт. Ласково обняв ее за плечи, он привлек ее к себе и поцеловал в губы, а во взгляде его светились такие любовь и нежность, что у Кейт сладостно заныло сердце.

— Зачем ты так напоил моего папу? — со смехом спросила она, пытаясь за шуткой скрыть свое смущение. — Он в жизни так не напивался!

— Зато мы прекрасно провели время. По-моему, мистер Джемисон остался доволен, — ответил Джо.

Он смотрел на Кейт и чувствовал, что в его отношении к ней многое изменилось. Нет, он вовсе не перестал бояться, что любые обязательства свяжут его по рукам и ногам, однако теперь ему хотелось защищать Кейт от всего на свете, и в первую очередь — от самой себя. Внешне Кейт выглядела сильной и уверенной, но в глубине души она до сих пор оставалась маленькой, испуганной девочкой. Точно так же и он по-прежнему иногда чувствовал себя одиноким, маленьким мальчиком, который не был нужен ни одной живой душе. Сама судьба помогла им встретиться лицом к лицу на званом вечере в Нью-Йорке, и Джо до сих пор помнил, как ослепила его неземная красота Кейт, когда он увидел ее в первый раз.

— Знаешь, — сказал он небрежно, когда они прошли по песку еще немного, — я бы хотел, чтобы ты вышла за меня замуж. Как ты на это смотришь?

От неожиданности Кейт даже остановилась.

— Замуж? К-когда?

— Скажем, в ближайшее время...

— Может быть, ты все еще пьян? — Кейт не верила своим ушам.

— Кажется, нет, хотя какое это имеет значение? Главное, мне кажется, у нас может получиться. Семейная жизнь, я имею в виду...

Джо говорил без особой убежденности, однако важно было уже то, что впервые за свои тридцать пять лет он был согласен попробовать. Кейт подозрительно прищурилась.

— Хотела бы я знать, что заставило тебя передумать, — проговорила она задумчиво. — Может, папа снова выкручивал тебе руки? Если так, то я...

— Нет-нет! — поспешно сказал Джо. — Он только предупредил, что если я не поумнею, то могу тебя потерять, а мне этого совсем не хочется.

— Ты *никогда* не потеряешь меня, Джо. Никогда, если это будет зависеть от меня, — негромко ответила Кейт.

Ей было почти жаль его: она уже начала понимать, как много значила для Джо его свобода.

— Тебе вовсе не обязательно жениться на мне. Я все равно буду любить тебя, — добавила она тихо.

— А может быть, я *хочу* жениться на тебе! — сказал он с вызовом. — Так как же, Кейт? Что ты ответишь?

— Отвечу, что это было бы чудесно, — сказала она совсем тихо и улыбнулась, а Джо почувствовал, что еще никогда не любил ее так, как в эти минуты.— Просто чудесно... — повторила она и вдруг нахмурилась. — А ты уверен, что действительно этого хочешь?

— Хочу, — честно ответил он. В своем разговоре с ним Кларк назвал все вещи своими именами, и Джо понял, что и сам считал так же, просто раньше ему не хватало мужества признаться в этом даже самому себе. — Я только не думаю, что нам нужно особенно спешить, — добавил он осторожно. — Поспешишь — людей насмешишь, к тому же мне надо... гм-м... свыкнуться с этой идеей. Думаю, что год был бы оптимальным сроком. А пока — не будем никому об этом говорить, хорошо?

— Я согласна, — тихо сказала Кейт.

После этого они еще долго сидели на океанском берегу и молчали. Когда же луна, серебрившая волны, зашла за тучу, они поднялись и все так же молча пошли обратно в поселок.

Глава 12

После возвращения в Нью-Джерси отношения Кейт и Джо начали понемногу меняться. Они не стали меньше любить друг друга, наоборот. Кейт почувствовала себя увереннее и чаще заглядывала в будущее, мечтая о тех временах, когда они будут настоящей супружеской парой. Джо эта идея тоже продолжала казаться привлекательной, и они частенько разговаривали о том, какой дом они купят и куда поедут в свадебное путешествие. Но по прошествии примерно месяца Джо стал раздражаться каждый раз, когда Кейт об этом заговаривала. Жениться на ней он, разумеется, не отказывался, но их планы и мечты были слишком уж близки к идеалу, а Джо это нервировало и даже пугало.

А потом думать о женитьбе ему стало просто некогда. Встал вопрос о расширении производства, о строительстве второго завода, о выпуске новых моделей самолетов, и Джо снова с головой ушел в работу. К осени он и вовсе перестал вспоминать о том, что они собирались пожениться.

Кейт, впрочем, тоже была занята настолько, что на День благодарения они даже не сумели вырваться в Бостон. Только неделю между Рождеством и Новым годом они провели с ее родителями, но визит этот оказался неудачным. Элизабет злилась на них за то, что они до сих пор не объявили о своей помолвке, и разговаривала с Джо сквозь зубы. Джо нервничал, и Кейт не решалась напомнить ему о свадьбе. Это был для него больной вопрос, и Кейт начала понемногу склоняться к мысли, что поскольку они все равно живут вместе, как супруги, им вовсе не обязательно спешить с официальным оформлением их отношений. Лишь раз или два она вскользь касалась этой темы, но Джо неизменно оказывался слишком занят решением каких-то важных задач, чтобы обсуждать с ней вопрос о браке.

И он действительно был очень занят. Ему было только тридцать шесть, но он уже считался «человеком номер один» в авиационной промышленности страны. Предприятие, которое Джо создал всего год назад фактически на пустом месте, оказалось настоящей золотой жилой. Оно приносило совершенно фантастические доходы, однако прибыль интересовала Джо, лишь поскольку она означала новые производственные площади, новые разработки, новые опытные модели самолетов, которые он по-прежнему разрабатывал практически в одиночку. В последнее время Кейт почти не видела Джо: все свое время он проводил либо на встречах и переговорах, либо в воздухе, испытывая собственные самолеты. Правда, Кейт тоже была очень занята. Джо дал ей настоящую работу, и теперь она за хороший оклад возглавляла отдел по связям с общественностью. Но Кейт нужны были вовсе не деньги. Со временем она все яснее понимала, что ей необходима своя семья — муж и дети — а Джо, судя по всему, окончательно раздумал на ней жениться. Особенно тяжело ей было общаться с родителями. Элизабет во всеуслышание заявляла, что «черного кобеля не отмоешь добела», и настаивала, чтобы Кейт бросила его и вернулась в Бостон. Кларк был менее категоричен, однако и он все чаще с горечью думал о том, что его красноречие пропало втуне. На носу было лето, а Джо вот уже несколько месяцев подряд не вспоминал, что они с Кейт собирались пожениться.

Через два года после его возвращения из небытия и ровно через год после того, как он сделал ей предложение, Кейт наконец прямо спросила Джо, собирается ли он исполнить свое обещание. Неизвестность ей осточертела, она хотела знать точно, что он по этому поводу думает и что собирается предпринять. Или *не* собирается.

— Мы когда-нибудь поженимся, Джо? — спросила она, усадив его на диван и затворив дверь, чтобы он снова не улизнул на одно из бесчисленных производственных совещаний или на встречу с инвесторами. — Или, может быть, ты передумал? Скажи мне прямо, я не обижусь.

Джо ответил не сразу. В последнее время он сознательно избегал любых разговоров на эту тему, потому что не мог не признать: как-то незаметно для себя он вернулся к своим первоначальным взглядам и установкам. Брак снова стал казаться ему ярмом, арканом, привязью, способной лишить его свободы. Кроме того, — и Джо не раз признавался в этом Кейт, — он по-прежнему не хотел заводить детей. В мыслях он часто возвращался к этому вопросу и точно знал — это не для него. Джо нужен был только его бизнес, его самолеты и Кейт — чтобы возвращаться к ней вечером. Вопящие младенцы, бутылочки с кашкой, мокрые пеленки в ванной, на кухне и везде, где только найдется свободное место, — эта перспектива пугала его до тошноты. Джо не забыл свое детство и не имел ни малейшего желания снова сталкиваться с ним в любой форме, к тому же ему не хотелось ни с кем делить Кейт.

— Ты имеешь в виду, что даже если мы поженимся, детей у нас все равно не будет? — переспросила Кейт, когда он без обиняков изложил ей свою программу.

Джо был неприятно поражен выражением ее глаз. Для нее это не должно было быть новостью: он и раньше довольно прозрачно намекал ей, что не хотел бы заводить детей в ближайшем будущем. Но она либо вовсе пропустила его слова мимо ушей, либо вообразила, что он передумает... Ей и в голову не пришло, что это — его сознательное и твердое решение.

— Именно это я и имею в виду, — ответил он, с трудом сдерживая раздражение. — Я не хочу заводить детей. Я так решил.

Эти последние слова Кейт восприняла как пощечину. Ей показалось, что он оплевал все, во что она верила и о чем мечтала. Она всегда хотела иметь детей и до последнего надеялась, что, когда они поженятся, Джо, быть может, передумает. Но все разговоры о свадьбе заглохли много месяцев назад, и ей вдруг стало ясно, что Джо может просто-напросто отказаться от своего слова.

— И что ты теперь думаешь делать? — спросила она.

— Ты о чем? — Джо взглянул на нее исподлобья, словно приготовившись защищаться.

— О нас. О том, что мы собирались пожениться. Или теперь это тоже исключается?

Вопрос прозвучал очень обидно и резко, но Кейт этого не заметила — она была слишком огорчена нежеланием Джо подарить ей ребенка.

— Не знаю, — уклончиво ответил он. — Ты действительно считаешь, что это нам необходимо? Зачем жениться, если мы все равно не собираемся заводить детей?

Он снова закрывался, уходил в себя, отгораживался от нее глухими стенами, и Кейт почувствовала, что ее охватывает глухое отчаяние.

— Ты это серьезно? — Ей вдруг показалось, что перед ней чужой, незнакомый человек.

— Послушай, Кейт... — Джо поморщился. — Неужели надо говорить об этом именно сейчас? У меня завтра важная встреча, и мне хотелось бы отдохнуть. — Он выглядел очень недовольным и явно стремился поскорее закончить неприятный разговор.

Каждый раз, когда Кейт заговаривала о браке, Джо ощущал себя лисицей, которую охотники гонят под выстрел, к тому же совесть его была не совсем спокойна. Ведь он действительно обещал, что они поженятся, и теперь чувствовал себя виноватым перед ней. А сознание вины было для него хуже всего. Оно означало для него страх и боль, оживляя в памяти давние детские кошмары и голоса из прошлого, которые наперебой обвиняли его в том, что он слишком много ест, слишком быстро вырастает из обносков, которые доставались ему от старших детей, слишком плохо учится...

— Мы говорим о нас, о нашей жизни, о нашем будущем, —

напомнила ему Кейт. — Мне кажется, что это гораздо важнее любых деловых переговоров.

Она тоже сдерживалась из последних сил, и в ее голосе Джо послышались визгливые нотки. Сейчас Кейт говорила точь-в-точь как ее мать.

— Но почему нужно решать это именно сегодня? — раздраженно бросил Джо, и Кейт вздрогнула.

Он продолжал отдаляться от нее, и ей захотелось схватить его за плечи и как следует встряхнуть, чтобы заставить опомниться, прийти в себя. Но она понимала, что любое действие только еще больше напугает его и заставит обратиться в паническое бегство. В эти минуты они оба балансировали над пропастью, но спастись могли только вместе — или вместе погибнуть. Кейт это понимала, но Джо, по-видимому, думал только о собственном спасении. Спасение заключалось для него в немедленном бегстве, и Кейт ясно видела это, но ничего поделать не могла. Ей и в голову не приходило, что сейчас лучше всего было оставить его в покое, дать ему уползти в нору, чтобы зализать свои раны. Для этого ей не хватило мудрости, обычной житейской мудрости, которая приходит только с годами. К тому же ею начинала овладевать тихая паника, которая путала мысли и застилала взор.

— А может, нам вообще нечего решать? — спросила она, и Джо съежился, как от удара. Каждое ее слово заставляло его чувствовать себя еще более виноватым, а от этого Джо только сильнее хотелось сбежать. Он держался буквально из последних сил.

— По-моему, ты уже все решил, — добавила Кейт, не скрывая горькой иронии. — Ведь ты сам только что сказал мне, что дети тебе не нужны, и жениться ты тоже не хочешь. Все просто и ясно, вот только раньше ты говорил другое. Хотела бы я знать, что заставило тебя передумать...

Она действительно хотела это знать, ведь его решения касались и ее, ее будущего. Два года Кейт терпеливо ждала, пока Джо сочтет возможным жениться на ней, но сейчас ей стало ясно, что ждала она напрасно. У Джо то не было времени, то момент был не подходящим, и Кейт догадалась, что он с самого начала не собирался жениться на ней.

— У меня есть бизнес, Кейт, есть предприятие, за которое я отвечаю. Эта работа отнимает все мои силы, и я не уверен, что у меня будет достаточно времени, чтобы заниматься семьей и детьми. Скорее всего, я просто физически не смогу этого делать.

Он в отчаянии искал хоть какой-нибудь путь к спасению, и страх, который нарастал в нем, уже сравнялся по силе с ощущением паники, которую испытывала Кейт. Она чувствовала его страх, и он делал Джо еще более далеким и чужим.

— Ты.... ты хоть понимаешь, что ты сейчас сказал?! — воскликнула Кейт, и ее глаза наполнились слезами.

Одной фразой Джо уничтожил все, на что она надеялась и о чем мечтала. Кейт приехала к нему в Нью-Джерси только затем, чтобы попытаться как-то устроить их совместную жизнь и хоть немножко приблизить то время, когда они смогут зажить своим домом. Но теперь ей вдруг стало ясно, что Джо любил не ее, а свой бизнес, свой завод и свои самолеты. В особенности — самолеты. Они ему заменяли жену, любовницу, детей — все...

— Да, я понимаю, что говорю, — ответил он, играя желваками на скулах. — Так обстоят дела на данный момент, и я сомневаюсь, что в ближайшее время что-то изменится. Впрочем, меня подобное положение устраивает. Мне не нужен отдых, и семья мне тоже не нужна. Я смогу без нее обойтись. Я не хочу жениться — *вообще* не хочу! Мне нужно быть свободным, Кейт. Мы любим друг друга, так какая тебе разница, будет у нас эта проклятая бумажка из мэрии или нет? Разве она что-то значит?

Для него документ о браке действительно был пустой формальностью, но Кейт считала иначе.

— Эта «проклятая бумажка», как ты выразился, означала бы, что ты любишь меня, доверяешь мне и хочешь быть со мной всегда, — ответила она.

Слово «всегда» напугало Джо еще больше, но Кейт этого не заметила. Или, вернее, просто не подумала об этом, потому что для нее в слове «всегда» сосредоточились все ее надежды и мечты.

— Мне кажется, что после стольких лет мы должны сделать это друг для друга! — в отчаянии воскликнула она.

Джо снова поморщился, как от боли. Ему казалось, что Кейт хочет прибить его гвоздями к полу. Или ко кресту. Она просила, требовала от него чего-то, что он не хотел, нет — просто не мог ей дать, и Джо понял, что нужно защищаться.

— Мы друг другу ничего не должны, — сказал он сердито. — Разве только быть вместе — каждый день, каждый вечер, пока нам этого хочется. Если же одному из нас вдруг расхочется... Что ж, в человеческих отношениях нет и не может быть никаких гарантий!

Джо почти кричал, и Кейт это испугало и оскорбило. Она понимала, что этим примитивным, но действенным способом Джо пытался удержать ее на безопасном расстоянии, но на самом деле он убегал от нее. Он предавал, бросал ее, как сделал это когда-то ее родной отец, и Кейт испытывала только одно желание — броситься вдогонку.

— С каких это пор ты так считаешь?! -- Она тоже кричала, но не замечала этого. Кейт была уже на пределе своих сил. Дальше была пропасть — черная, беспросветная, и она притягивала ее. Кейт стремительно теряла последние остатки самообладания, и паника и отчаяние захлестывали ее все сильнее. — Когда ты решил, что не женишься на мне? Когда все изменилось? И как я могла не заметить этого?..

У нее начиналась самая настоящая истерика. Кейт судорожно всхлипывала, тщетно стараясь взять себя в руки. К горлу подкатил тугой комок, и она едва могла говорить.

— Почему ты так поступаешь со мной? — с трудом выдавила она, и Джо вздрогнул. Ее слова пронзали его, словно острые стрелы.

— Послушай, ну почему мы не можем оставить все как есть? — взмолился он.

— Потому что мы... Потому что *я* люблю тебя! — жалобно воскликнула Кейт.

Она больше не верила, что Джо любит ее. Она даже сомневалась, что он вообще любил ее, ведь иначе Джо никогда бы не обошелся с ней так жестоко. А ведь он поступил с ней даже хуже, чем ее родной отец!

Но Джо был в таком же глубоком отчаянии, как и она. Он не хотел терять Кейт, но каждое ее слово пугало его все больше. Она — именно она — вынуждала его обратиться в бегство.

— Может быть, пойдем спать, Кейт? Я устал...

Джо был похож на утопленника, которого только что вытащили из воды; впрочем, и Кейт выглядела не лучше. Словно двое напуганных детей, они в страхе цеплялись друг за друга и пугались еще больше, и ни один из них не оказался достаточно взрослым и мудрым, чтобы остановиться. Кейт слишком боялась, что он ее бросит, а Джо боялся, что она его подавит, поработит.

— Я тоже устала, — ответила Кейт с отчаянием в голосе.

Видя, что Джо молчит, она пошла в душ и долго стояла там под струей воды. Она чувствовала себя брошенной, нелюбимой и не могла сдержать слез. Когда она, наконец, вошла в спальню, Джо уже спал, и Кейт долго смотрела на его измученное лицо, стараясь понять, кто же он такой. Несколько раз она поднимала руку, чтобы погладить его по волосам, но каждый раз отдергивала ее, боясь, что он проснется и снова на нее набросится. Кейт знала — несмотря на все, что он ей наговорил, Джо любит ее по-прежнему, и она тоже любила его, любила настолько сильно, что в конце концов, наверное, смогла бы отказаться от своих надежд и желаний. Однако теперь она понимала, что это ни к чему хорошему не приведет. Джо *боялся* любить ее, в этом было все дело. Он боялся и хотел убежать, спрятаться от нее. Так ему казалось безопаснее. А все, чего хотела Кейт, это быть с ним.

В эту ночь Кейт приняла решение. Она поняла, что должна уйти первой, пока они не погубили друг друга.

О своем решении Кейт сообщила Джо на следующий день за завтраком.

— Я ухожу, — сказала она негромко, но четко.

Джо вскинул голову, на мгновение их взгляды встретились, но он тут же отвел глаза. Боль, которую они причинили друг другу вчера, еще не улеглась в нем.

— Почему, Кейт? — Джо выглядел потрясенным, растерянным, но он не попросил ее остаться.

— После того, что ты сказал мне вчера вечером, я не могу не уйти. Я по-прежнему люблю тебя всем сердцем, Джо. Два года я ждала тебя, хотя никто уже не верил, что ты жив. Я знала, что не смогу полюбить никого после тебя, и сейчас тоже не могу. Но мне нужна семья, дети, настоящая жизнь, а ты, к сожалению, этого не хочешь.

Кейт изо всех сил старалась остаться спокойной, хотя у нее сердце обливалось кровью, а грудь стискивали рыдания. Больше всего ей хотелось, чтобы Джо взял назад все слова, которые он произнес вчера, но он молчал.

Все в том же молчании они доели завтрак. Лишь после этого Джо снова поднял на нее глаза — во второй раз за целое утро — и заговорил. И Кейт сразу поняла, что настал один из тех ужасных моментов, которые помнишь в мельчайших подробностях всю жизнь, которые преследуют тебя и днем и ночью и заставляют просыпаться в холодном поту.

— Я люблю тебя, Кейт, — сказал он. — Люблю больше всего на свете, но именно это и вынуждает меня говорить тебе правду. Вряд ли когда-нибудь я смогу жениться — на тебе или на ком-нибудь другом. Прости за выспренность, но я с ранней юности обручен с самолетами. Брак связал бы меня, а я... Я не хочу принадлежать кому-то, не хочу, чтобы мною владели. У тебя есть только одна возможность быть со мной — раздели со мной мою работу и мои пристрастия. Это все, что я в состоянии тебе дать: себя и самолеты, самолеты и себя... Я люблю авиацию и все, что связано с небом, почти так же сильно, как тебя, — быть может, даже больше, чем тебя. Прости меня, Кейт, но я не могу любить тебя сильнее — так уж я устроен. Я не хочу, чтобы у меня были дети, — и не захочу никогда. Они мне не нужны...

В этот момент Джо с горечью и раскаянием осознал, что Кейт тоже ему не нужна. Она связала бы его сильнее всего, она представляла собой самую большую угрозу для него и для его свободы. Самолеты, бизнес, и только потом — она... Именно так обстояли дела с его списком приоритетов. Если бы она не требовала так много, он, быть может, нашел бы какой-нибудь способ сохранить, удержать ее. Но Кейт было уже двадцать четыре, она была взрослой женщиной и стремилась иметь мужа, семью, детей, а не только место руководителя отдела в его фирме.

А значит, никакого выхода не было вообще.

На Кейт его последние слова подействовали, как удар, хотя Джо не сказал ничего нового. Он лишь подтвердил ее самые худшие опасения. Еще раз подтвердил.

— Мне нет дела до твоего бизнеса, Джо! — с трудом сдерживая слезы, воскликнула она. — Я хочу иметь детей, детей от тебя! Я люблю тебя, Джо, и именно поэтому я сейчас ухожу — возвращаюсь домой. Я только об одном жалею — о том, что не задала тебе все эти вопросы раньше!

Она чувствовала себя круглой дурой — никчемной, никому не нужной, глупой маленькой девочкой. Примерно то же Кейт испытывала, когда умер ее отец. Тогда страшная потеря пригнула ее к земле и едва не раздавила своей тяжестью, и вот — все повторилось снова. Кейт не знала только одного — выживет ли она на этот раз.

— Когда мы начинали создавать фирму, я не знал, как все будет. Теперь — знаю. Поступай как считаешь нужным, Кейт.

— Но я ухожу от тебя! Совсем! — воскликнула Кейт в последней надежде, что, быть может, он не понял ее или не расслышал.

— Ты хорошо подумала? Как-никак у тебя было на фирме неплохое место... — Джо все-таки не верил, что Кейт сможет вот так взять и уехать — бросить все, бросить его. Она казалась ему такой же одержимой, каким был он сам; они вместе делали дело, какое до них никто никогда не делал, и Джо готов был разделить с Кейт успех. Это было самое дорогое, что он мог ей дать. Но для Кейт интересы фирмы были делом десятым или даже двадцать пятым. Она теряла любовь, перед этим все остальное казалось пустяком, мелочью.

— Это не моя фирма, а твоя, — ответила она, и морщины на лбу Джо слегка разгладились. Ему показалось — он догадался, в чем дело.

— Хочешь, я переуступлю тебе часть своей доли в уставном капитале? — спросил он, и Кейт улыбнулась сквозь слезы.

— Очень жаль, что ты так ничего и не понял, — сказала она. — Нет, Джо, мне не нужны ни деньги, ни акции — мне нужен муж. — Она вздохнула. — Мама была права: в конце концов это становится самым важным. Для меня это важно...

— Я все понял! — возразил Джо, и ему действительно казалось, что он во всем разобрался. Во всяком случае, он *хотел* так думать. — А сейчас извини, Кейт. — Джо поглядел на часы и схватил свой портфель. — Мне очень жаль, но... Мне пора.

Он отпускал ее, отпускал после семи лет знакомства, за время которого они испытали такое, чего большинство пар не испытывает за целую жизнь! Но Джо не хотел, чтобы кто-то или что-то вынуждало его жениться на ней. Он стал заметной фигурой, важной шишкой, главой уважаемой фирмы, но Кейт ясно видела, что в глубине души он остался запуганным маленьким мальчиком. За тридцать лет ничего не изменилось.

— Мне тоже очень жаль, Джо, — прошептала Кейт.

Все происходящее напоминало ей финал трагедии, где главный герой — их любовь — уже умер и им оставалось только оплакивать его. Нет, их любовь не умерла — Джо убил ее! Он сделал свой выбор, и теперь им предстояло расстаться. Но сам Джо, несомненно, был уверен, что другого выбора у него не было.

Он даже не поцеловал ее на прощание и не произнес ни слова. Кейт тоже ничего не сказала ему. Говорить было не о чем, и Джо, неловко прижимая к себе распухший от бумаг портфель, тихо, как-то по-воровски выскользнул за дверь. Он так и не оглянулся назад, хотя Кейт долго следила за ним из окна.

Глава 13

Родители Кейт были рады, что она вернулась, но не знали — почему. Кейт так ничего им и не объяснила, ни слова не сказав ни о Джо, ни о том, что между ними произошло. Сначала она надеялась, что он придет в себя и позвонит — позвонит, чтобы сказать ей, что передумал и согласен жениться и завести детей. Но Джо, похоже, действительно говорил, что думал. Несколько недель спустя после того, как они расстались, он прислал ей небольшую посылку с вещами, которые она забыла у него в квартире. В посылке не было ни письма, ни даже коротенькой записки, и Кейт снова почувствовала, как от горя у нее заныло сердце. Сама она звонить Джо не стала, хотя порой ей отчаянно хотелось поднять трубку и набрать его номер. Жить с ним любовницей или содержанкой она не собиралась, понимая, что пройдет сколько-то времени, и Джо, сам того не замечая, начнет относиться к ней, как к прислуге из отеля.

Родители догадывались, что творится в душе Кейт, но ни о чем ее не расспрашивали. Все три месяца, что Кейт провела в Бостоне, она почти не разговаривала с ними, только часто уходила на длительные прогулки, с которых возвращалась заплаканная и мрачная. Ей казалось, будто часть ее души умерла, когда они с Джо расстались. Кейт не представляла себе жизни без него, но изменить что-либо была не в силах. «Значит, — думала она, — нужно твердо держаться принятого решения и постараться извлечь пользу из обстоятельств, какими бы трагичными они ни были». Другого выхода она не видела, да его, скорее всего, просто не существовало.

Кейт начала с того, что попробовала встретиться со своими прежними друзьями и подругами, но обнаружила, что у нее с ними осталось очень мало общего. Джо занимал в ее жизни слишком большое место, на протяжении семи лет она жила им, его интересами, пока ее подруги выходили замуж, рожали детей, разводились и снова выходили замуж. Не зная, чем еще заняться, в конце января Кейт перебралась в Нью-Йорк, где ей предложили место в музее «Метрополитен». Кейт предстояло работать заместителем куратора отдела Древнего Египта, что, по крайней мере, соответствовало полученной ею в колледже специальности. К февралю она нашла подходящую и недорогую квартирку и переселилась в нее из отеля. Теперь можно было понемногу строить новую жизнь, но Кейт даже не представляла, с чего следует начинать. Будь ей лет сто, она бы, возможно, нашла, чем скрасить остаток отпущенного ей срока. Но Кейт еще не исполнилось двадцати пяти, она могла смело рассчитывать лет на сорок и не знала, чем занять столько времени. В душе ее царила пустота, которую невозможно было заполнить без Джо.

Она очень тосковала по нему, и не только по ночам, но и днем, когда работала, а вернее — исполняла служебные обязанности. Постепенно она стала ненавидеть выходные и праздники, хотя на уик-энды чаще всего ездила к родителям в Бостон. Джо был повсюду, он мерещился ей в автобусах, в подземке, на улице — совсем как когда-то, когда она думала, что он погиб. И что было хуже всего, Кейт постоянно читала о нем в газетах. Семь лет назад журналисты писали о рекордах, которые он поставил; теперь они рассказывали о том, какие удивительные самолеты он строит на своих предприятиях в Нью-Джерси. А Джо не только строил самолеты, но и летал на них. В апреле он добился крупного успеха на Парижском авиационном салоне — Кейт узнала об этом из газет и была очень рада и горда, хотя всегда считала, что именно самолеты отняли у нее Джо.

Кейт отлично понимала, что нужно как можно скорее избавиться от этого наваждения, но ничего не могла с собой поделать. Джо стал частью ее души, и ей оставалось только либо броситься под автобус, либо тихонько ждать старости, пока милостивая смерть не избавит ее от мучений. Иногда, впрочем, ей казалось, что она уже умерла. Порой, просыпаясь по утрам, Кейт никак не могла сообразить, где она находится и что с ней, и только вспомнив о Джо и почувствовав в сердце острую боль, начинала сознавать, что еще жива.

Однажды, прожив в Нью-Йорке без малого год, Кейт отправилась в бакалейную лавку, чтобы купить корм для собаки. Недавно она завела щенка, чтобы не чувствовать себя так одиноко, и теперь пробовала разные виды собачьих консервов, стараясь выбрать лучшие. Втихомолку она посмеивалась над собой, так как всегда считала, что собак и кошечек заводят только старые девы, которым не о ком больше заботиться, но все-таки щенок порой отвлекал ее от тяжелых мыслей. Побросав пакеты и консервы в тележку, Кейт повернулась, чтобы идти к выходу, и... оказалась лицом к лицу с Энди, который держал в руках объемистый бумажный пакет. Он был в строгом синем костюме, в белоснежной сорочке, и показался ей очень красивым и заметно возмужавшим. Кейт была уверена, что он давно женился, поэтому заговорила с ним без малейшего стеснения, как со старым другом, каковым, собственно говоря, она всегда его считала.

— Привет, Энди! — воскликнула она. — Откуда ты взялся?

— Да вот, случайно зашел сюда после работы — нужно было купить кое-что домой. Смотрю — ты! Как твои дела, Кейт? — Он широко улыбнулся, было видно, что он искренне рад ее видеть.

— Спасибо, у меня все нормально, — ответила Кейт без особого, впрочем, воодушевления. — А у тебя? Куда ты пропал?

Она не сказала, что скучала по нему, потому что это было бы неправдой, однако видеть Энди ей было приятно. В ее положении не стоило разбрасываться старыми, верными друзьями...

— Я не пропадал, просто много работал. А вот как ты оказалась здесь, в Нью-Йорке?

— Я здесь живу, работаю в музее «Метрополитен». Мне нравится... — Она пожала плечами.

— А я думал, ты сейчас в Нью-Джерси. Мне часто попадаются статьи про твоего Джо. Похоже, он начал большое и важное дело. Не удивлюсь, если через год-два он окажется так же богат, как Генри Форд-младший. Наверное, у вас уже и дети есть? Ведь надо же кому-то передать управление империей...

Услышав эти слова, Кейт невесело рассмеялась. Энди неоткуда было знать, что это столь естественное на первый взгляд предположение было не только ошибочным, но и попросту фантастическим.

— Нет, детей у нас нет. Зато у меня есть щенок... — ответила Кейт, показывая на пакеты и банки с собачьими консервами. — Я не замужем, Энди, — добавила она. У него вытянулось лицо.

— Вы с Джо не поженились?!

— Нет. Джо предпочел жениться на своей фабрике и на своих аэропланах. Для него это было естественным и самым лучшим вариантом.

— Ничего не понимаю... А как же ты, Кейт? — напрямик спросил Энди. Он и раньше разговаривал с ней откровенно, без обиняков, и Кейт всегда нравилась эта его черта.

— Нельзя сказать, чтобы я была в особенном восторге, — призналась она. — Я ушла от него и теперь привыкаю жить одна. Мы расстались почти год назад. Ну, а как ты? Женат, конечно?.. И дети есть?

Энди весело рассмеялся.

— Жены у меня по-прежнему нет — одни подружки. Так проще, к тому же можно не бояться, что кто-то разобьет тебе сердце.

За прошедшие годы Энди ни капли не изменился, и Кейт рассмеялась.

— Я рада, что ты все такой же, — сказала она. — Кстати, у нас в музее работает много симпатичных девочек. Если хочешь, я тебя познакомлю.

— Если они хотя бы в половину так красивы, как ты, я буду счастлив. Ты отлично выглядишь, Кейт.

Кейт действительно старалась следить за собой. Она коротко подстригла волосы и регулярно бывала у парикмахера, но не потому, что ей не нравилась прежняя прическа. Это — как и многое другое — она делала просто от скуки, чтобы было чем занять пустые вечера. Маникюр, парикмахерская, прогулки с собакой — жалкое существование, но все же лучше, чем целыми днями рыдать в подушку.

— Спасибо, Энди...

Кейт так давно разговаривала с мужчиной своего возраста больше пяти минут подряд, что успела забыть, как это бывает. Теперь она растерялась и не знала, что еще сказать.

— Как насчет того, чтобы как-нибудь на днях сходить в кино? — предложил он.

— С удовольствием, — ответила она, медленно толкая свою тележку к кассе.

Энди шел следом. У него в пакете оказалось несколько пачек кукурузных хлопьев, две пластиковые колбы с содовой водой и бутылка виски — типичная холостяцкая диета.

— Почему ты не купил к хлопьям хотя бы молока? Или ты заливаешь их виски? — спросила она, и Энди ухмыльнулся. Ему тоже показалось, что Кейт совсем не изменилась или изменилась очень мало.

— Я пью только чистое виски, как и подобает настоящему мужчине! — с достоинством ответил он.

— А что же, в таком случае, ты делаешь с содовой?

— Использую для чистки ковров.

Эта легкая пикировка помогла им скоротать время, пока они стояли в очереди к кассе, и доставила обоим куда больше удовольствия, чем они ожидали. Энди заплатил также за собачью еду — с Кейт он всегда держался по-рыцарски и никогда не скупился.

— Ты все еще работаешь в отцовской фирме? — спросила Кейт, когда они вышли из лавки на улицу.

— Да. Мне там очень нравится. Отец оставляет мне все бракоразводные дела — сам он их терпеть не может. Некоторые из них действительно, гм-м... довольно канительные и тянутся ужасно долго, но это превосходная практика.

— Слава богу, мне не пришлось через это пройти. Как представлю... Бр-р!.. — Кейт поежилась.

— Прости, что высказываю свое мнение, Кейт, но... Мне кажется, ты легко отделалась. С такими, как Джо, одинаково тяжело что жить, что разводиться. Сложный, властный характер, острый ум, активное творческое начало, привычка всегда и во всем быть лидером... Извини, — добавил он, увидев, как омрачилось ее лицо. — Ты слишком сильно любила его и не замечала очевидного, к тому же верно говорят — солнце лучше всего наблюдать издалека.

Кейт рассеянно кивнула. Она действительно любила Джо, любила его вместе со всеми недостатками, которые Энди только что перечислил. Только он был для нее не солнцем, а скорее звездой — прекрасной, сверкающей, но недосягаемой. И именно это последнее обстоятельство и привлекало ее к нему едва ли не сильнее всего остального.

— Ты хочешь сказать, что замуж лучше всего выходить за умственно отсталого, безвольного кретина со склонностью к коллекционированию?

— Опасная склонность, кстати говоря. Среди коллекционеров маньяков гораздо больше, чем среди обычных людей, — можешь поверить мне, как юристу, — ответил Энди, смеясь. Впрочем, он тут же снова посерьезнел. — Нет, я хотел сказать, что тебе нужен человек, который... который был бы больше похож на человека! Джо, конечно, уникальная личность, его даже трудно оценить по достоинству, но еще труднее — следовать за ним повсюду, быть с ним изо дня в день. Кейт Джемисон заслуживает лучшей участи — таково мое глубокое убеждение, господа присяжные! — Он фыркнул, и Кейт почувствовала, как в груди ее рождается новое теплое чувство. Энди был мягким, чутким и добрым, и Кейт в очередной раз удивилась тому, что он до сих пор не женат.

— Я тебе позвоню, — сказал Энди, когда они попрощались и уже готовы были разойтись в разные стороны. — Как мне тебя найти?

— Кажется, моя фамилия уже есть в телефонном справочнике. В крайнем случае, можешь позвонить мне в музей.

Энди позвонил ей через два дня и пригласил в кино. А потом — на каток в Рокфеллер-центр. А потом — на ужин в дорогой ресторан. К Рождеству, когда Кейт поехала в Бостон, они виделись уже почти каждый день, однако она не рассказала об этом ни отцу, ни матери, не желая, чтобы родители начали очередную кампанию по выдаче ее замуж за Энди. Но она рада была слышать его, когда он позвонил ей утром в первый день Рождества. Этот звонок напомнил ей прошлое, только теперь Энди нравился ей даже больше. Он был добр и предупредителен, с ним ей было уютно и просто.

— Я скучаю без тебя, — сказал Энди. — Когда ты собираешься назад в Нью-Йорк?

— Дня через два. Я еще точно не знаю, — ответила она, и на душе ее стало тепло оттого, что кто-то ждет ее.

— Когда ты снова начала встречаться с Энди? — спросила Элизабет, когда Кейт положила трубку.

— Я случайно столкнулась с ним в магазине несколько недель назад.

— Он женат?

— Да. На манекенщице, и у него восемь детей, — поддразнила Кейт мать, но Элизабет даже не улыбнулась.

— Я всегда говорила, что вы прекрасно друг другу подходите, — заметила она.

— Я знаю, мама. Но мы с ним просто друзья, и пусть это так и останется, ладно? Так будет лучше и для него, и для меня.

Три года назад Кейт больно ранила Энди, она до сих пор

чувствовала себя виноватой перед ним, и ей не хотелось, чтобы между ними снова произошло какое-то недоразумение.

Она провела в Бостоне еще два дня и вернулась в Нью-Йорк, где ее дожидался щенок, за которым это время присматривала соседка. Оба были очень рады встрече, но не успели они с Паппи подняться в квартиру, как ей позвонил Энди.

— Привет, ты уже на месте? — спросил он.

— Да, только что вошла. А ты откуда знаешь? У тебя что, радар?

— Нет, собственная секретная служба. Мои люди вели тебя от самого Бостона, — сказал Джо зловещим голосом. — Как насчет того, чтобы сходить в кино?

Кейт согласилась, а потом они вместе встретили Новый год — пили шампанское в клубе «Эль Морокко», и Энди рассказывал ей всякие забавные случаи из своей практики. В клубе Кейт неожиданно понравилось: со вкусом подобранная обстановка создавала ощущение уюта. И все же клуб показался ей каким-то слишком уж солидным, респектабельным. Не этого она ожидала от одного из самых модных мест Нью-Йорка.

— Что тут плохого? — удивился Энди, когда она поделилась с ним своими впечатлениями. — Неужели ты думаешь, что я повел бы тебя в какую-нибудь забегаловку? Кроме того, я и сам — солидный и респектабельный молодой мужчина в расцвете сил. Или ты считаешь иначе?

Кейт рассмеялась. За то время, что они не виделись, Энди и в самом деле повзрослел и производил впечатление человека искушенного и вполне светского. Она невольно сравнила его с Джо, который чувствовал себя неловко и скованно в роскошных залах, и подумала, что именно эта его неловкость и стеснительность как раз и нравились ей.

— А вот я пропустила свой расцвет, — пожаловалась Кейт после третьего бокала шампанского. — Только что я была юной, неопытной девушкой, и бац! — сразу стала старухой или, точнее, старой девой. Иногда я чувствую себя даже старше своей матери!

— Ничего, это пройдет, — утешил ее Энди. — Дай только срок... Время лечит все, — добавил он серьезно.

— И сколько времени тебе понадобилось, чтобы вылечиться после... после меня? — требовательно спросила Кейт.

Шампанское ударило ей в голову, и по телу разливались приятная легкость и тепло. Она чувствовала, что может говорить с Энди буквально обо всем на свете, словно он был ее вторым «я». Правда, у ее первого «я» язык уже слегка заплетался, но Кейт этого не замечала.

— Не больше пятнадцати минут, — ответил Энди, не моргнув глазом.

На самом деле он пытался забыть ее долгих два года, но говорить об этом Кейт ему не хотелось. К тому же Энди не был уверен, что забыть ее ему вполне удалось — ведь именно Кейт он пригласил сегодня в клуб, хотя не меньше полудюжины женщин, с которыми он встречался, были бы счастливы оказаться на ее месте.

— А что? — Он лукаво посмотрел на нее. — По-твоему, я должен был мучиться дольше? Мучиться, худеть и в конце концов испустить дух, в последний раз прошептав дорогое имя?..

— Наверное, нет, — грустно сказала Кейт. — Во всяком случае, я этого ничем не заслужила. Я очень плохо поступила с тобой тогда, Энди...

От ее игривой веселости не осталось и следа, теперь она гадала, где сейчас Джо и что он делает. Встречает ли он Новый год один или с кем-то, а может, копается в одном из своих моторов, который почему-либо начал барахлить...

— Мне кажется, иначе ты поступить не могла, — сказал Энди. — Ты была без ума от него и ждала его так долго. Тут, наверное, ничего нельзя было поделать. Я до сих пор благословляю судьбу за то, что мы не успели пожениться. Это могло сильно осложнить нам жизнь.

— Это было бы просто ужасно! — с чувством сказала Кейт.

— Да, — кивнул Энди. — Так что нам повезло. Обоим. И сейчас тебе нужно только одно: постараться забыть Джо раз и навсегда.

— А что, если я не смогу? — спросила Кейт жалобно, и Энди рассмеялся.

— Сможешь, если захочешь. Но только вряд ли тебе это удастся, если ты станешь горькой пьяницей. Ты совсем пьяна, Кейт!

— Ничего подобного! — возмутилась Кейт и попыталась вскочить, но покачнулась и поскорее ухватилась за край столика, который почему-то начал медленно вращаться вместе с комнатой.

— Ты пьяна... — повторил Энди, мягко улыбнувшись. — Но тебе это очень идет — ты просто прелестна. Может быть, потанцуем, пока ты еще не отключилась?..

Она не отключилась. Они провели вместе чудесный вечер, а на следующий день ее настроение не могла испортить даже сильнейшая головная боль, с которой Кейт проснулась утром. Она была не в силах даже встать и дойти до кухни, но ее выручил Энди, явившись к ней спозаранок с пакетом круассанов, аспирином и бутылкой апельсинового сока. После таблеток головная боль Кейт немного улеглась, и она решила во что бы то ни стало приготовить им завтрак. Правда, она круассаны сожгла, сок разлила и раздавила оба желтка, пытаясь приготовить глазунью. Но Энди не сказал ни слова — только довольно едко поблагодарил ее за заботу и расправился с яичницей в два счета. Сама Кейт так ни к чему и не прикоснулась.

— Я ужасно готовлю, — пожаловалась она, хотя это было не совсем так. Просто сегодня ей особенно хотелось, чтобы ее кто-нибудь пожалел.

— А-а, вот почему Джо Олбрайт удрал от тебя! — догадался Энди.

Казалось, он шутил, но Кейт поняла, что он хочет спросить, почему они расстались. До сегодняшнего дня он ни разу об этом не заговаривал.

— Это я ушла от него, — поправила Кейт, отворачиваясь, чтобы Энди не видел горя и тоски в ее глазах. — Он не хотел жениться на мне, не хотел заводить детей. Я же говорила тебе: его семья — это самолеты.

— Зато теперь Джо — богатый человек, — не скрывая своего восхищения, заметил Энди.

Впрочем, он прекрасно знал, что и кроме этого в Джо было, чем восхищаться. Его талант летчика, технический гений — все это было достойно самой высшей оценки. Единственное, чего Джо не мог и не умел, это правильно вести себя с женщинами. Про себя Энди считал его круглым идиотом за то, что Джо не женился на Кейт, однако это его нисколько не огорчало. Скорее наоборот.

— А почему ты не женат? — спросила Кейт, блаженно вытягиваясь на кушетке.

— Не знаю... — Энди пожал плечами. — Сначала я был слишком молод, потом — слишком занят. А может быть, просто не нашел никого подходящего. — Он внимательно посмотрел на нее. — Ты тоже не спеши с этим, ладно? У тебя еще есть время...

— О чем это ты? — удивилась Кейт.

— О браке, разумеется! Об этих пресловутых узах Гименея. В отцовской фирме я видел так много разводов, что иногда мне хочется навсегда остаться холостяком.

— Ты что же, принципиальный противник брака? — удивилась Кейт.

— Где уж мне... — Энди вздохнул. — Но торопиться я не буду. Я же сказал, у нас обоих времени предостаточно...

— Моя мама считает, что у меня-то как раз времени нет. Она просто в панике — боится, что я останусь старой девой.

— На ее месте я бы тоже волновался: похоже, от тебя не так-то легко избавиться.

Они оба расхохотались, и Кейт почувствовала, что у нее стало легче на душе.

Потом они пошли гулять в Центральный парк. Стоял морозный зимний день, и земля и все дорожки были покрыты тонким снежным покрывалом. Паппи, которого они взяли с собой, с лаем носился вокруг них и хватал снег зубами. Все вместе казалось Кейт таким нормальным, таким естественным, что она едва не зарыдала, подумав, что ничего подобного в ее жизни никогда не будет. Во всяком случае — не с Джо.

Но вскоре она успокоилась. С Энди ей было хорошо и спокойно, и Кейт постаралась не думать о своей потере. Тем же вечером они пошли в кино, и с тех пор проводили много времени вместе. С ним Кейт чувствовала себя не так одиноко; Энди был старым, испытанным другом, на которого она могла положиться и который понимал ее с полуслова, а чаще — вовсе без слов.

Так прошло еще полтора месяца. Обеды и ужины, вечеринки с друзьями, прогулки с собакой и походы на каток заполняли ее свободное время, создавая весьма правдоподобную иллюзию нормальной жизни. Несколько раз Энди заходил к ней в музей, а каждую субботу они вместе отправлялись за продуктами. Кейт было очень приятно делать все это с ним, и порой она не без горечи думала, что у Джо никогда не хватало времени на подобные «пустяки». Он был слишком занят своими самолетами. Энди, напротив, посвящал ей все свободное время, и Кейт чувствовала, что и ему тоже приятно бывать с ней повсюду.

В День святого Валентина он появился на пороге ее квартиры с двумя дюжинами красных роз и большой розовой коробкой шоколада, выполненной в форме сердца.

— Боже мой, чем я заслужила все это?! — воскликнула Кейт, открывая дверь.

Весь день она больше обычного думала о Джо, но вместе с отчаянием и тоской в ней постепенно росла и обида. Как мог человек, которого она любила так долго, так безумно и так самоотверженно, жить без нее и при этом — не испытывать ни малейшего беспокойства? За все время Джо даже ни разу не позвонил ей, и Кейт это казалось неправильным, несправедливым. После всего, что они пережили вместе и поодиночке, они должны были обязательно найти какой-то разумный выход. Очевидно, каждый из них запутался в собственном и в чужом страхе и не сумел вовремя прийти в себя. Теперь же Кейт оставалось только сожалеть об этом. Она вдруг открыла, что не все сказки заканчиваются хорошо, и это открытие было не из приятных.

— Ты что такая мрачная? — спросил Энди, заметив выражение ее лица.

— Снова жалею себя, — ответила она.

— Фи, как скучно! На-ка, съешь лучше шоколадку и подумай о чем-нибудь веселом. И оденься поприличнее — мы едем ужинать.

— А как же твои подружки? — Иногда Кейт чувствовала себя виноватой, словно она незаконно присвоила Энди, чтобы пользоваться им без помех.

— Мои подружки подойдут позже. Все четырнадцать штук. Я думаю, тебе они понравятся.

— А куда мы поедем?

— Сама увидишь. Только надень что-нибудь шикарное и постарайся в этот раз не напиться.

— Тогда был Новый год, а в Новый год полагается напиваться! Кроме того, я имею право немного выпить, потому что...

— Нет, не имеешь. Ведь говорила же тебе мама, что у тебя совсем мало времени и ты можешь не успеть подцепить когонибудь приличного. Не забывай об этом!

Энди дождался, пока она переоденется, и спустился вместе с ней вниз. У подъезда их ждало не такси, а самый настоящий закрытый фиакр с полированными перилами и подножками, с фонарями и кучером, запряженный самой настоящей серой в яблоках лошадью. Голову лошади украшал белый плюмаж из перьев. У экипажа был такой романтический вид, что Кейт, не раздумывая, вскарабкалась на высокое сиденье, обтянутое красным плюшем. Энди сел следом, закрыл дверцу и закутал ей колени толстым шерстяным пологом. В закрытом экипаже было тепло и уютно, водители такси и прохожие улыбались им вслед, и Кейт, прислушиваясь к неспешному цокоту копыт по асфальту, невольно подумала о том, что ожидать чего-то подобного от Джо было бесполезно. Уж он-то скорее повез бы ее в ресторан на одном из своих новых самолетов.

Наконец фиакр свернул на Пятьдесят вторую улицу и остановился у клуба «21». Энди вылез первым и подал ей руку; Кейт спрыгнула на мостовую и улыбнулась ему.

— Ты меня избалуешь!

— Ты заслуживаешь, чтобы тебя баловали, — очень серьезно ответил он, ведя ее к дверям.

Очевидно, они были красивой парой: Кейт с удивлением заметила, что многие головы повернулись в их сторону. Тут же к ним подошел один из помощников метрдотеля, и через минуту они сидели за уютным маленьком столиком в одном из верхних этажей.

Это был волшебный вечер. Негромкая приятная музыка, изысканная кухня, безупречное обслуживание произвели на Кейт совершенно ошеломляющее впечатление — у них в Бостоне не было ничего подобного. Она, однако, быстро справилась с растерянностью и почувствовала себя так, словно всю жизнь ужинала только в самых лучших и дорогих ресторанах.

На десерт ей подали заранее заказанное Энди крошечное пирожное в форме сердца. Пытаясь отломить кусочек, Кейт почувствовала внутри что-то твердое. С помощью специальной лопаточки она разломила пирожное и увидела небольшую коробочку, в каких обычно хранят ювелирные украшения.

— Что это? — удивилась она, озадаченно глядя на Энди.

— Открой и посмотри. Может быть, там, внутри, что-нибудь есть. Мне эта коробочка нравится.

Кейт неожиданно почувствовала, как кровь отхлынула у нее от лица, а сердце учащенно забилось. Дрожащими пальцами она открыла коробочку... и подняла на Энди изумленные глаза.

— Все в порядке, Кейт, не бойся, — улыбнулся он. — Вот увидишь, все будет хорошо.

— А если нет? — Кейт испугалась по-настоящему: ей очень не хотелось совершать ошибку, о которой впоследствии им обоим придется жалеть.

— Будет, обязательно будет! — сказал Энди уверенно. — Ведь мы постараемся, чтобы все было хорошо, правда, дорогая? Все будет зависеть только от нас, случайности и стихийные бедствия исключаются.

Кейт снова посмотрела на обручальное кольцо с бриллиантами. Это было именно то, чего она всегда хотела, только человек, который подарил ей его, был не тот. Не об Энди она мечтала долгими бессонными ночами! Но с другой стороны... почему бы нет? Кейт уже поняла — в этом мире никогда не получаешь всего, чего хочется, а вариант, который предлагал Энди, был еще более или менее приличным.

Она быстро слизнула с пальцев налипшие крошки от пирожного, и Энди надел ей кольцо. Оно оказалось точно по размеру.

— Ты выйдешь за меня замуж, Кейт? — спросил он серьезно. — Скажи, выйдешь?

— Я... — Кейт заколебалась.

— Я все понимаю, — быстро сказал он. — Но поверь мне, на этот раз все действительно будет хорошо. Я уверен — это именно то, что нужно нам обоим. Кстати, чуть не забыл: я люблю тебя.

— Кстати?.. Вот так предложение! — Растерянность и радость все еще боролись в ее душе, и Кейт не очень хорошо представляла, что делать, что говорить.

— Это очень хорошее предложение, — сказал Энди уверенно. — Я знаю: мы будем счастливы вместе.

— Моя мама всегда говорила, что ты мне подходишь.

— А моя мама назвала тебя стервой, когда ты меня бросила.

Рассмеявшись, Энди поцеловал Кейт, и этот поцелуй неожиданно показался ей крепче и слаще, чем те, которые она помнила. Очевидно, Энди действительно изменился. С ним было уютно, спокойно, надежно, он был идеальным спутником жизни, он не был ей противен физически... Так что же, — снова подумала Кейт, — неужели в жизни действительно нельзя получить все сразу — великую любовь, жгучую страсть и надежную семью? Неужели в конечном счете всегда выигрывает тот, кто не мечтал, кто не сгорал от страсти, кто любил вполсилы?

Похоже, что так...

— Твоя мама была права, — сказала Кейт, когда они оба слегка отдышались. — Насчет меня, я имею в виду. Я действительно обошлась с тобой не самым лучшим образом и теперь жалею об этом.

— Это хорошо, потому что я как раз собираюсь заставить тебя расплачиваться за ту твою ошибку до конца жизни. Ты — моя должница, не забывай об этом.

— Не забуду. Каждое утро я буду подавать тебе в постель кукурузные хлопья с виски.

— Если ты собираешься готовить мне завтраки, без этого не обойтись... Постой-постой, уж не означает ли это, что ты согласна выйти за меня замуж?

Энди выглядел таким счастливым, что Кейт почти машинально кивнула, все еще не отдавая себе отчета в том, что делает.

— Придется выйти, — сказала она. — Мне слишком понравилось кольцо, жаль будет его возвращать.

Энди снова улыбнулся и еще раз поцеловал Кейт.

— Я люблю тебя, Кейт. Мне не хотелось этого говорить, но... я рад, что у вас с Джо ничего не вышло, — честно признался он, и Кейт почувствовала, как ее сердце сжалось от боли.

Она не могла радоваться тому, чему радовался Энди, но ей надо было научиться жить с этим фактом, принять его, примириться. И она надеялась, что Энди поможет ей в этом.

— Я тоже тебя люблю, — ответила она чуть слышным шепотом. Потом весело усмехнулась и посмотрела на него. — А когда наша свадьба?

— В июне! — решительно сказал Энди, и Кейт, рассмеявшись, обхватила его за шею обеими руками.

Она была счастлива и знала, что приняла правильное решение. А может быть, это Энди принял...

Глава 14

На следующий день после того, как Энди сделал ей предложение, Кейт позвонила родителям в Бостон. Как она и ожидала, Элизабет пришла в восторг и принялась расспрашивать Кейт об их планах. Узнав, что свадьба состоится в июне, она почувствовала себя совершенно счастливой, и Кейт казалось, что она понимает мать. Свадьба, самая настоящая свадьба, и не «когда-нибудь», а во вполне конкретном и не таком уж далеком июне — это была долгожданная, восхитительная в своей осязаемости реальность.

— Наконец-то! — воскликнула Элизабет, и в этом крике души прозвучали облегчение, удовлетворение и радость.

На протяжении последующих четырех месяцев Кейт и ее мать были очень заняты приготовлениями к свадьбе. Кейт всегда мечтала о наряде из бледно-голубого органди, и Элизабет специально приехала в Нью-Йорк, чтобы помочь Кейт заказать его. На первой примерке Элизабет плакала; Кларк — и тот прослезился, когда увидел дочь в наряде невесты. Платье было простым, но элегантным, и очень шло Кейт.

Свадьбе предшествовало несколько официальных приемов и неофициальных вечеринок. Смотрины, званые обеды, ужины с вручением свадебных подарков — вся эта суматоха доставляла Кейт ни с чем не сравнимое удовольствие. Пожалуй, еще никогда она не чувствовала себя такой беззаботной и счастливой. Свой медовый месяц они с Энди решили провести в Париже и Венеции — этот маршрут казался Кейт самым подходящим; романтическое очарование двух европейских столиц любви было бесспорным.

Но в глубине души Кейт продолжала ждать хоть какой-нибудь весточки от Джо. Ей казалось, что теперь, когда о ее помолвке было написано во многих газетах, он был просто обязан что-то предпринять, если, конечно, она была ему не безразлична. Он должен был примчаться в Нью-Йорк на одном из своих скоростных самолетов, чтобы остановить Кейт, заявить свои права на нее... Однако Джо даже не позвонил, и Кейт попыталась убедить себя в том, что это к лучшему. Ей достаточно было просто услышать его голос, чтобы наделать глупостей; она и так тратила слишком много сил, чтобы не думать о нем, не вспоминать. Воспоминания о нем прокрадывались к ней в голову чаще всего поздно вечером, когда она ложилась, или рано утром, пока она еще не встала. И стоило ей только вспомнить его глаза, его руки, его улыбку, как ее сердце сжималось от боли. Она начинала сомневаться, правильно ли поступила, решив выйти замуж за Энди. Впрочем, о своих сомнениях Кейт никому не говорила и пыталась убедить себя, что, даже если бы она пожертвовала своим желанием иметь мужа и детей, ее жертва все равно оказывалась бы бессмысленной. Она не принесла бы ей ничего, кроме новых страданий.

Церемония бракосочетания прошла превосходно. Кейт в своем новом светло-голубом платье с невесомым кружевным шлейфом была похожа на принцессу эльфов. Фата полностью скрывала ее лицо, но, когда у алтаря Энди поднял легчайший газ, чтобы поцеловать Кейт, он заметил в ее глазах выражение такой глубокой нежности и печали, что едва не заплакал.

— Все будет хорошо, Кейт... Я люблю тебя, — шепнул он и увидел, как из уголков ее глаз выкатились две крошечные слезинки.

Все утро Кейт думала о Джо, и ей казалось, что она снова уходит от него, на этот раз — навсегда. Мужество едва не изменило ей в самый последний момент, и Кейт удержалась от опрометчивого поступка, только подумав об Энди. Она не имела права снова причинить ему боль, сбежав из-под венца. К тому же, если судить по упорному молчанию Джо, ему она была совершенно не нужна, а с Энди — в этом Кейт ни секунды не сомневалась — ей будет хорошо. Он был человеком порядочным и любил ее. И она тоже любила его — не так страстно, как Джо, но все-таки любила и готова была ответить на нежность нежностью и пониманием на понимание. «Пусть Джо остается со своими самолетами, — решила она, уже шагая к алтарю. — Я поступила правильно, уйдя от него, и буду очень стараться, чтобы наш брак с Энди был удачным и счастливым — хотя бы для него одного».

Свадебный банкет состоялся в «Плазе». Когда гости наконец разошлись, Кейт и Энди остались вдвоем в роскошном номере люкс, окна которого выходили на Центральный парк. Они никогда прежде не занимались любовью, и Энди даже не знал, девственница ли она. Спросить Кейт об этом ему не позволяло воспитание, к тому же он с самого начала сказал себе, что не желает ничего знать о подробностях ее отношений с Джо. Сама Кейт ничего ему не рассказывала, так как ей казалось, что беседовать о таких вещах с мужчинами как-то не принято.

Как бы там ни было, физическая близость их не разочаровала. Правда, Кейт казалась несколько смущенной, но Энди объяснил это недостатком опытности. Настоящая же причина состояла в том, что Кейт было странно оказаться в постели не с Джо, а с другим мужчиной — в особенности с Энди, с которым они столько времени были друзьями. Однако уже по прошествии нескольких часов Кейт обнаружила, что быть с ним ей на удивление приятно. Энди был мягок, нежен, изобретателен и даже игрив, к тому же он любил ее без памяти. И когда через день они уезжали в аэропорт, чтобы отправиться в Европу, оба уже чувствовали себя обычной влюбленной парой, а не старыми друзьями, которым вдруг пришло в голову доставить друг другу удовольствие. Правда, в их любви не было ни огня, ни страсти, ни боли, но зато с Энди Кейт чувствовала себя надежно укрытой от всех житейских бурь и невзгод. На него она могла полностью положиться, ему она могла доверять и не бояться, что он когда-нибудь ранит ее так же жестоко и глубоко, как сделал это Джо.

Медовый месяц оправдал все ожидания Кейт. Он был именно таким, каким и должен был быть — с романтическими ужинами вдвоем у «Максима» или в крошечных бистро на Левобережье, с прогулками по Елисейским полям и вдоль набережной Сены, с походами в Лувр и другие музеи. Погода стояла солнечная, но не жаркая, и Кейт чувствовала себя совершенно счастливой. Энди оказался нежным и умелым любовником, и к тому времени, когда они переехали из Парижа в Венецию, у Кейт было ощущение, что они женаты уже несколько лет.

Венеция понравилась ей еще больше, чем Париж, который на глазах становился заурядным туристическим городом. Они ели в крошечных ресторанчиках острые итальянские блюда, катались в гондолах по пустынным и темным каналам, замирали в благоговейном молчании перед фресками знаменитых мастеров Возрождения и целовались под мостом Вздохов.

Из Венеции они вылетели прямо в Нью-Йорк. На следующий день Энди уже нужно было идти на работу, и Кейт поднялась пораньше, чтобы приготовить ему завтрак. Пока он мылся в душе, одевался и приводил себя в порядок, Кейт открыла пакет кукурузных хлопьев и поставила на стол бутылку виски и стакан.

— Дорогая, ты вспомнила!.. Это мое любимое блюдо! — воскликнул Джо, обнимая ее на голливудский манер. Потом он отправил в рот пригоршню хлопьев и запил виски.

— Отец решит, что с тобой я уже стал алкоголиком, потому что только алкоголики пьют виски с утра, — сказал он и подмигнул, а Кейт рассмеялась: ей всегда нравилось его чувство юмора.

Когда он ушел, Кейт решила прибраться в квартире. За месяц до свадьбы она оставила место в музее — Энди не хотел, чтобы она работала, да и предсвадебная суета отнимала слишком много времени. Теперь свободного времени у нее вдруг оказалось слишком много, и когда в начале пятого Энди вернулся с работы, она как раз раздумывала, не вымыть ли ей окна.

— Ни в коем случае! — решительно заявил Энди. — На что тогда нужны Бюро добрых услуг? Но если хочешь, я знаю одно дело, для которого наемных работников обычно не приглашают.

И он увлек ее в спальню, а потом они вместе поехали ужинать в ресторан. То же самое повторилось и на следующий день, и на следующий. С утра до вечера Кейт ломала голову, чем бы ей заняться; несколько раз она даже заговаривала о том, чтобы вернуться на работу, но Энди об этом и слышать не хотел.

— Походи по магазинам, по музеям, пообедай с подругами, — советовал он, но все нью-йоркские знакомые Кейт либо работали, либо жили в пригороде и сидели с детьми.

Через три недели после возвращения из Европы Кейт, смущенно улыбаясь, сообщила Энди, что у нее есть для него новости. Сначала он вообразил, что она купила ему новый костюм, рубашку или часы, поэтому когда Кейт сказала, что она, кажется, беременна, он оказался застигнут врасплох. К этому времени они были женаты всего полтора месяца, и Кейт подсчитала, что зачатие произошло чуть ли не в первую ночь после свадьбы.

— Ты была у врача?! — встревоженно воскликнул Энди.

— Нет еще, но я совершенно уверена. — Точно такая же уверенность посетила ее пять лет назад, когда она носила ребенка Джо, но рассказывать Энди о том случае Кейт не собиралась. — И пожалуйста, верни мне кофе. Я отлично себя чувствую.

В этот день, когда они занимались любовью, Энди был особенно нежен и осторожен. На следующее утро он снова заговорил о том, что она непременно должна обратиться к врачу. «К самому лучшему специалисту», — подчеркнул Энди, и Кейт не стала спорить. Когда же она сказала, что не хочет пока ничего говорить родителям, Энди был бесконечно разочарован.

— Почему, Кейт? — спросил он.

Самому ему хотелось высунуться из окна и кричать о своем счастье на весь мир. Он был так взволнован и так трогателен в своих заботах о ней, что Кейт почему-то почувствовала себя виноватой. Она сама хотела ребенка — это была одна из причин, по которой она ушла от Джо, — но Энди, похоже, радовался больше ее. «Что ж, — сказала ей трезвая часть рассудка, — ты получила, чего добивалась. Вот тебе настоящая семейная жизнь, к тому же ребенок еще крепче соединит вас». И Кейт искренне надеялась, что этот еще не родившийся младенец, заполнит ту пустоту в ее душе, которая продолжала существовать после расставания с Джо.

— А вдруг я потеряю этого ребенка? — сказала она, отвечая на вопрос Энди. — Это будет просто ужасно само по себе, но если мы всем скажем, нам будет тяжело вдвойне.

— Почему это ты должна его потерять? — Энди удивился и встревожился. — Может быть, ты чувствуешь себя как-то не так?

— Нет, я уверена, что все в порядке, иначе бы я сразу побежала к врачу. — Она ласково погладила его по плечу. — На самом деле я знаю, что все будет хорошо. Это просто суеверие — ну, чтобы не сглазить... Во всех книгах написано, что первые три месяца беременности — самые опасные... — «Особенно если на тебя налетит пьяный подонок на мотоцикле», — добавила она про себя.

Услышав об опасности первых трех месяцев, Энди на следующий день отвез ее в клинику по дороге на работу. Врач подтвердил Кейт, что с ней все в порядке. Правда, когда Кейт рассказала ему о выкидыше, который случился с ней пять лет назад, он встревожился — особенно его обеспокоило то обстоятельство, что тогда Кейт не получила квалифицированной медицинской помощи. Однако детальное обследование не выявило никаких нарушений. Обнадеживающим было и то, что выкидыш произошел под влиянием внешнего травматического воздействия, а вовсе не из-за слабости ее организма или особой предрасположенности к выкидышам. В заключение врач порекомендовал Кейт больше отдыхать, чаще бывать на свежем воздухе и не делать глупостей — например, не ездить верхом и не прыгать через скакалочку. После этого он выписал ей витамины, выдал специальную брошюру-памятку по правильной подготовке к родам и отправил домой, велев через месяц явиться для нового осмотра.

Решив сразу начать выполнять докторские предписания, Кейт отправилась домой пешком через Центральный парк. Шагая по дорожкам, Кейт думала о своем незаслуженном счастье. Она была любима, у нее были муж и дом, а скоро должен был появиться ребенок, которого она так долго хотела. Сбылись все ее давние мечты, и Кейт больше не испытывала сомнений, что поступила правильно, когда вышла замуж за Энди. Судя по тому, как у них все начиналось, их ждала долгая и счастливая жизнь.

Кейт все-таки рассказала родителям о ребенке, когда в августе поехала отдыхать на мыс Код. Элизабет была вне себя от радости, а Кларк очень торжественно поздравил ее и Энди.

— Говорила я тебе, что Энди прекрасно ей подходит, — сказала Элизабет мужу, когда Кейт и Энди вернулись в Нью-Йорк.

— Почему? Потому что сделал ей ребенка? — поддразнил жену Кларк, хотя не согласиться с Элизабет было трудно.

— Нет, потому что он — порядочный человек, — ответила Элизабет. — Порядочный и ответственный. Очень хорошо, что у них скоро появится маленький. Новые заботы, новые хлопоты... Они помогут ей успокоиться, остепениться, к тому же дети укрепляют брак.

— А разве их брак нужно укреплять? — с невинным видом заметил Кларк, но Элизабет сделала вид, что не расслышала.

Насчет новых забот и хлопот Элизабет оказалась права, однако Кейт, которая уже начала готовиться к появлению ребенка, они вовсе не были в тягость. Во-первых, ей все равно больше нечего было делать, к тому же она давно созрела, чтобы стать матерью. Ей исполнилось двадцать шесть лет, у большинства ее подруг было уже по три-четыре ребенка. То были дети первой послевоенной волны, когда молодые пары спешили наверстать упущенное время. По сравнению с этими семьями Кейт начинала довольно поздно, однако ее это нисколько не смущало. Она чувствовала себя молодой, здоровой и счастливой и была уверена, что этот ребенок вряд ли будет у них с Энди единственным.

Весь срок Кейт чувствовала себя прекрасно, и к Рождеству стала похожа на воздушный шар. Так сказал ей Энди, и хотя Кейт тут же возмутилась, в глубине души она нисколько не смущалась своего огромного живота. К тому же живот был единственной частью ее тела, которая претерпела видимые изменения. Несмотря на то, что Кейт ела ужасно много, она нисколько не располнела — ее ноги, бедра и руки остались такими же изящными и стройными, как до беременности. Каждый день она подолгу гуляла, спала в свое удовольствие и выглядела совершенно очаровательно.

Отличное самочувствие позволяло ей часто выезжать с Энди в «Эль Морокко», где они часто встречались с друзьями и даже танцевали. Лишь в канун Нового года, когда после очередной вечеринки они вернулись домой, Кейт неожиданно почувствовала что-то вроде родовых схваток. Во всяком случае, она решила, что это именно родовые схватки, — и ужасно испугалась. Энди немедленно вызвал «Скорую помощь», которая доставила Кейт в больницу. Там ее осмотрели, и врач предложил Кейт остаться до утра, — просто хотел подстраховаться, сказал, что выкидыш маловероятен. Однако Энди тоже захотел остаться с Кейт. Всю ночь он не выпускал ее руки и чуть не каждый час спрашивал, как она себя чувствует.

— Я боюсь, Энди! — честно отвечала Кейт. — Что, если он все-таки решит родиться сейчас?

У нее уже давно ничего не болело, но страх остался, а успокоительное, которое ей дали, было слишком слабым, так как врач боялся повредить ребенку.

— Не решит, — отвечал Энди с уверенностью, которой на самом деле не чувствовал. — Ведь он — сын юриста и наверняка будет законопослушным. Положено детям рождаться через девять месяцев, — значит, и он родится в срок, не раньше и не позже. Не бойся, все будет нормально. А если хочешь сделать для ребенка что-нибудь полезное, перестань волноваться и постарайся заснуть.

Кейт попыталась последовать его совету. Она уже начала задремывать, когда Энди вдруг задал ей вопрос, которого она совершенно не ожидала:

— Скажи, почему ты так боялась потерять ребенка? Нет, не сегодня, а тогда, в самом начале...

Хотя Кейт и лежала с закрытыми глазами, она почувствовала, что он внимательно смотрит на нее.

— Я думаю, каждая женщина этого боится... Особенно если это у нее первая беременность, — уклончиво ответила она, не открывая глаз.

— Кейт...

Последовала долгая пауза.

— Что?

— Но ведь... Ведь это не первая твоя беременность?

Ей очень не хотелось отвечать на этот вопрос, но она поняла, что врач все ему рассказал.

— Нет, — ответила она после продолжительного молчания, по-прежнему не открывая глаз.

— Я так и думал. — Судя по голосу, Энди почти не расстроился. Он, во всяком случае, никак этого не показал. — Что же случилось?

— Меня сбил мотоцикл, — еще тогда, в колледже. Им управлял какой-то пьяный. Я упала с велосипеда и... потеряла его.

— Я помню этот случай... Мне тогда сказали, что у тебя было сотрясение мозга. — Энди виновато помолчал. — И сколько же... на каком месяце ты была?

— На третьем. Этот ребенок... я хотела сохранить его, хотя ни мои родители, ни... Джо ничего не знали. Я рассказала ему много позднее, когда он приезжал в отпуск.

Энди подумал, что все это не имеет для него никакого значения. Ничто, кроме боли и страха, через которые она прошла.

— Не бойся, в этот раз все кончится хорошо, — сказал он мягко и наклонился, чтобы поцеловать ее. В этом поцелуе было столько доброты, всепрощения и любви, что Кейт чуть не заплакала. «Как мне повезло, что у меня есть Энди, — подумала она. — Я больше не буду вспоминать Джо — никогда не буду...» И Кейт действительно надеялась, что теперь она сможет наконец забыть его, чтобы освободиться для новой, счастливой жизни с Энди и ребенком.

Боль больше не беспокоила Кейт до одного раннего мартовского утра, когда она проснулась от резких судорог, сотрясавших все ее тело. Энди спал, и Кейт не будила его на протяжении еще двух часов, следя по часам на камине за временем между схватками. Лишь убедившись, что это именно то, чего она ждала, Кейт толкнула Энди локтем.

— Мм-м, что?.. — промычал Энди спросонок и стал тереть глаза. — Пора вставать?

Было воскресенье, и он никак не мог понять, почему его будят так рано.

— Пора рожать, — улыбнулась Кейт. Против ожидания, она была совершенно спокойна и ни капельки не боялась.

— Как?! — Энди подскочил на кровати и стал стремительно одеваться, но руки у него так сильно дрожали, что ему не сразу удалось надеть брюки и застегнуть рубашку. — Ты это серьезно, Кейт?

— Совершенно серьезно.

— Хорошо, хорошо, я сейчас... — Он попытался завязать галстук, но тут же отшвырнул его в сторону. — Ты уже вызвала врача?

— Нет еще. Я думала, это сделаешь ты. Но сначала помоги мне собраться.

Некоторое время она с безмятежной улыбкой Моны Лизы наблюдала за тем, как Энди мечется по квартире, хватая то одно, то другое. Он ужасно нервничал, однако в конце концов ему удалось упаковать для нее пару ночных сорочек, зубную щетку, пасту, расческу и еще кое-какие мелочи.

Через сорок минут Кейт, умытая, аккуратно одетая и тщательно причесанная, садилась в «Скорую помощь». Энди одной рукой поддерживал ее, а в другой держал ее сумку. Он уже сумел взять себя в руки и был бесконечно внимателен и предупредителен. В приемном покое больницы Кейт осмотрели и отправили в родильное отделение. Энди туда не пустили, и ему пришлось пойти в комнату ожидания, где словно львы в клетке метались из угла в угол и нервно курили другие молодые отцы.

Без Энди Кейт сразу почувствовала себя одиноко и не очень уверенно, но в этой больнице не было принято пускать мужей дальше приемного покоя. Но потом начались схватки, и она обо всем забыла. Лишь в промежутках между приступами боли Кейт, ослепленная и оглушенная, звала Энди, но перед глазами у нее стояло лицо Джо.

Так прошло несколько часов, а Кейт никак не могла разродиться. Энди, который все это время провел в комнате ожидания, тоже был на пределе и не находил себе места от тревоги. Правда, среди молодых отцов были и такие, кто ждал дольше его, но это почему-то не успокаивало. Ему казалось — с тех пор, как он привез Кейт в больницу, прошла целая вечность, но никаких новостей до сих пор не было. Энди чувствовал — еще немного, и он начнет все здесь крушить и ломать, пока ему не скажут, что с ней и с ребенком.

В три часа пополудни Кейт перевезли в операционную. К этому времени она совершенно измучилась и не могла даже плакать. Ребенок был крупным и шел слишком медленно — таков был вердикт врачей. Кейт сделали укол обезболивающего, и на полчаса она отключилась, но потом все началось сначала.

К семи часам врачи начали склоняться к кесареву сечению. Это была радикальная мера, и в конце концов они решили еще немного подождать, чтобы ребенок родился естественным путем. И, как по заказу, полчаса спустя на свет появился крошечный Кларк Александр Скотт, названный так в честь обоих своих дедушек. Он весил ровно одиннадцать фунтов и имел рост двадцать с небольшим дюймов. На макушке у него был темный хохолок — совсем как у дедушки Кларка, однако Энди утверждал, что он ужасно похож на Кейт.

— Спасибо, — шепнул он, целуя ее.

Кейт — умытая, причесанная и счастливая — лежала на кровати в розовой ночной рубашке и прижимала к себе спящего Кларка Александра. Двенадцать часов, проведенные Энди в комнате ожидания, едва не свели его с ума, но теперь он мог убедиться, что с его женой и ребенком все в порядке. Правда, Кейт немного устала, но на ней это почти не отражалось. Во всяком случае, Энди она казалась бесконечно прекрасной.

Кейт и младенец провели в больнице пять дней, после чего Энди забрал их домой. На первое время он нанял для Кейт помощницу-сиделку, хотя она и утверждала, что вполне может обойтись своими силами. К ее приезду он украсил весь дом цветами и переоборудовал для малыша одну из спален. Впрочем, детская кроватка стояла пока в их спальне, чтобы Кейт могла кормить ребенка, не вставая с постели.

Глядя на них, Энди думал о том, что теперь у него есть все, о чем только может мечтать мужчина. Он обожал Кейт и обожал малыша, который казался ему совершенным творением природы.

Когда родился Кларк Александр, Кейт было почти двадцать семь — по стандартам того времени поздновато, зато она была вполне готова для того, чтобы стать матерью. Зрелость, мудрость, любовь и спокойствие — вот что отличало ее от абсолютного большинства бестолковых восемнадцатилетних девчонок, которых каждый писк, каждый каприз младенца приводил в панику или в ярость. И дело было не только в возрасте. Просто Кейт долго ждала того момента, когда она станет матерью, мечтала о нем, готовилась, и поэтому теперь заботы о малыше приносили ей только радость. Еще никогда в своей жизни Кейт не чувствовала себя такой счастливой.

Глава 15

Кларку Александру было два с половиной месяца, когда однажды вечером Энди пришел с работы взволнованным. Его включили в состав международной комиссии, которая должна была отправиться в Германию для работы с показаниями нацистских военных преступников. В комиссию входили юристы разных специализаций, и для Энди, имевшего дело с международным правом только во время учебы, это было большой удачей и большой честью.

Кейт тоже была за него рада. Она понимала, что эта работа будет не из самых легких, но не сомневалась, что Энди блестяще с ней справится.

— А можно мне поехать с тобой? — спросила она с воодушевлением.

— Боюсь, что нет, дорогая, — ответил Энди. — Уже известно, что нас размещают в армейских казармах, да и жить мы будем фактически на военном положении. То есть нас будут охранять. Не то, чтобы нам грозила какая-то опасность, просто этого требует международная практика.

— А на сколько ты уедешь? — разочарованно спросила Кейт.

— В том-то и дело... — Энди смущенно почесал в затылке. — Уже сейчас называют срок в три-четыре месяца, но фактически работа может затянуться на полгода, — ответил он с несчастным видом.

— Ой как долго! — воскликнула Кейт. — Целых полгода не видеть тебя...

— Мне тоже будет тяжело не видеть тебя и малыша, — вздохнул Энди. — Но все остальные тоже поедут без жен. На базе, где нас разместят, для этого просто нет условий.

Ему очень хотелось поехать, и Кейт понимала, почему. Эти четыре месяца были для Энди равнозначны службе в действующей армии, что для него, не участвовавшего в войне, было исключительно важно. Энди хотелось послужить своей стране, неважно в каком качестве.

— Прости, родная. Когда я вернусь, мы что-нибудь придумаем, чтобы вознаградить себя за разлуку. Например, поедем в отпуск. В Калифорнию.

— Конечно, поезжай! — сказала Кейт. — Пока тебя не будет, я... придумаю себе какое-нибудь занятие, чтобы не очень скучать.

— Мне кажется, Кларк Александр не даст тебе скучать, — заметил Энди, с облегчением вздыхая.

В целом Кейт согласилась отпустить его довольно легко, и только помогая Энди собрать книги и вещи, она осознала, как трудно и одиноко ей будет без него. Одна, с ребенком, в пустой квартире... Они с Энди были женаты уже почти год, за это время она успела привыкнуть к нему и не могла представить себе жизни без него. Четыре месяца грозили превратиться в самую настоящую вечность.

В день отъезда, когда Энди спустился к ожидавшему его такси, Кейт поднесла Кларка Александра к окну, чтобы он увидел отца. Малышу было уже почти три с половиной месяца, и Кейт невольно подумала о том, что когда Энди вернется, его сын уже будет многое уметь. Энди очень сокрушался, что пропустит такой важный период в жизни сына, и Кейт пообещала фотографировать его как можно чаще.

Июль в Нью-Йорке выдался очень знойный и душный. Солнце палило немилосердно, и Кейт выходила на прогулку или ранним утром, или когда жара немного спадала.

Однажды вечером они с Кларком Александром, величественно возлежавшим в колясочке, возвращались из зоопарка. Экскурсия доставила обоим удовольствие, хотя слоны трубили слишком громко и едва не напугали младенца. На обратном пути Кейт прошла мимо «Плазы» и свернула на Пятую авеню, чтобы поглазеть на витрины магазинов. Она как раз переходила улицу, когда кто-то, торопившийся в противоположном направлении, налетел на нее, едва не опрокинув коляску. Кларк Александр заорал громким басом, и Кейт наклонилась к нему, чтобы убедиться, что все в порядке. Потом она подняла голову, чтобы как следует отчитать наглеца, и... так и застыла с открытым ртом. Перед ней был Джо Олбрайт!

— Это ты? — вырвалось у нее. Испытанное ею потрясение было тем более сильным, что она не рассчитывала когда-нибудь снова увидеть его.

— Да, это я. Привет, Кейт.

Джо держался так непринужденно, словно в последний раз они виделись только сегодня утром. Словно ничего не произошло, и между ними не пролегла пропасть в несколько долгих и горьких лет. То же лицо, те же глаза, которые смотрели на нее так, словно Джо давно ждал этой встречи, но Кейт знала, что это только иллюзия. Она не забыла ни холодной жестокости в его голосе, ни собственного бездонного отчаяния. Нет, Джо не ждал ее, не тосковал, даже не скучал по ней. Если бы было иначе, он всегда мог разыскать ее или хотя бы позвонить, но он не позвонил...

Они так и стояли посреди улицы, и когда красный сигнал светофора сменился зеленым, машины, которым они мешали проехать, сердито загудели. Вскинув голову, Джо решительно взял Кейт под локоть и повел к тротуару. Он помог ей поднять коляску на бордюр, потом заглянул внутрь.

— Это кто же такой? — спросил он, и Кларк Александр снисходительно улыбнулся беззубым ртом, словно и он был рад видеть Джо.

— Это мой сын, — гордо ответила Кейт. — Ему уже четыре месяца.

— Красивый парень, — задумчиво пробормотал Джо. — Очень похож на тебя. Кстати, прими мои поздравления — я не знал, что ты вышла замуж.

— Я замужем уже больше года, — с достоинством ответила Кейт.

— И, похоже, ты зря времени не теряла, — ухмыльнулся Джо.

Кейт пожала плечами и подумала, что за эти три года Джо совсем не изменился. Ему было уже тридцать девять, но по его виду этого никто бы не сказал. В нем всегда было что-то по-мальчишески озорное, непоседливое, живое. Это впечатление еще усиливалось благодаря голубым глазам и соломенного цвета волосам, которые неизменно пребывали в легком беспорядке. Не хватало только заплат на коленях, рогатки в кармане и деревянного меча — а так он был вылитый Том Сойер.

Кейт вдруг посетило странное ощущение — как будто что-то перевернулось у нее в душе. Больше всего ей хотелось бы сказать, что она ничего к нему не чувствует, но это было бы неправдой. Это ощущение тяжести где-то под сердцем... «Должно быть, это и есть любовь», — промелькнуло у нее в голове. Вот только с Энди она почему-то никогда не испытывала ничего подобного. Мысль эта заставила Кейт занервничать. Джо был всего лишь частью ее прошлого, и она пыталась уверить себя, что он остался на той странице ее жизни, которая была прочитана и закрыта, однако ей это никак не удавалось. «Ведь вот же он, — твердили ей все ее чувства. — Вот он стоит, теплый, живой, осязаемый! Протяни только руку, и ты до него дотронешься».

— И кто же счастливый отец? — небрежно осведомился Джо.

— Энди Скотт, мой старый друг. Из Гарварда, — добавила она зачем-то.

— Твоя мать всегда говорила, что тебе следует выйти именно за него. Теперь-то она, должно быть, счастлива. — В его голосе прозвучала неприязненная нотка. Джо знал, что Элизабет недолюбливала его, и он отвечал ей тем же.

— Очень, — ответила Кейт, стараясь справиться с внезапным головокружением.

«Это просто жара», — говорила она себе, хотя и знала, что погода ни при чем. От Джо как будто исходил странный, легкий аромат, который гипнотизировал, кружил голову, околдовывал, и Кейт поняла, что пора уходить. Но она не могла. Голос Джо убаюкивал, чаровал, лишал сил, и Кейт сдалась раньше, чем сама поняла это.

— Симпатичный малыш, — заметил Джо. — Кстати, мои дела тоже идут хорошо. Фирма процветает.

Кейт улыбнулась этому «кстати». Корпорация, которую возглавлял Джо, была теперь одной из самых крупных в стране, и Энди не раз говорил ей, что Джо, должно быть, заработал уже несколько миллионов. Последнее, что она читала о нем в газетах, это то, что Джо приступил к созданию новой международной авиакомпании.

— Я читала о твоей фирме, Джо, — сказала она. — Скажи, ты по-прежнему летаешь?

— Меньше, чем мне хотелось бы. Я по-прежнему очень занят. Правда, я сам испытываю все самолеты своей конструкции, но это не совсем то.

Он говорил что-то еще, и Кейт подумала, что они беседуют, словно старые друзья, которые давно не виделись и вдруг случайно встретились на углу улицы (собственно говоря, так оно и было). В подобных случаях говорят о всякой чепухе, об общих знакомых, о том, кто чем занимался все это время, и со стороны их беседа была именно такой, но Кейт понимала, что их разговор не был пустым. Они оба как будто медленно входили в реку, где их ждали коварные течения, глубокие омуты и подводные ямы.

— Ты теперь — важная шишка, — заметила Кейт, вспоминая те времена, когда они любили друг друга. Тогда у него не было ничего, и в этом отношении Джо, безусловно, переменился. Он держался как человек, облеченный властью и привыкший распоряжаться и командовать, но вместе с тем — остался все таким же неловким, застенчивым, неуверенным. Он то упорно разглядывал носки своих туфель, то дерзко и прямо глядел ей прямо в глаза. И устоять перед этим взглядом Кейт не могла.

— Может быть, подвезти тебя? — предложил Джо. — Сегодня слишком жарко, а ты с ребенком...

— Мы ходили гулять и уже возвращались домой. Я живу в нескольких кварталах отсюда, туда проще дойти пешком, чем доехать на такси.

— У меня машина, идем.

Не слушая возражений, Джо потащил ее на противоположную сторону улицы, где его ждал автомобиль. Прежде чем Кейт успела прийти в себя, она уже сидела на заднем сиденье его машины и прижимала к груди ребенка, а Джо с водителем запихивали коляску в багажник.

— Где ты живешь? — спросил Джо, садясь рядом с ней. Кейт назвала ему адрес, и Джо кивнул водителю. — Поезжайте туда... — После этого он снова повернулся к ней: —Я живу поблизости, в отеле «Орландо». Я специально выбрал номер на самом верхнем этаже — когда смотришь в окно, кажется, что летишь. Но давай поговорим о тебе. Какие у тебя планы на остаток лета?

— Я не знаю... — Вопрос застал Кейт врасплох. — Мы... Я...

Она поняла, что не может больше бороться. Джо сметал все на своем пути, словно ураган или могучий прилив, и Кейт чувствовала, что ее подхватывает течением и несет неизвестно куда. Близость Джо всегда действовала на нее подобным образом. Кейт никогда не удавалось устоять, и теперь она с отвращением подумала, что за прошедшие три года она не стала ни капельки умнее. Это было как безусловный рефлекс, который она не могла контролировать и не могла погасить.

Впрочем, она тут же поймала себя на том, что *не хочет* сопротивляться. Голос сердца звучал в ней все громче и громче, заглушая робкие протесты совести и угрюмое бормотание здравого смысла. Кейт совершенно забыла, что она замужем и что у нее есть ребенок. Джо действовал на нее точно сильный наркотик; три года она как-то продержалась без него, но теперь ее снова с неодолимой силой тянуло к Джо.

— Я пока не думала, — сообщила она почти радостно. — Но, скорее всего, в августе мы с Кларком Александром поедем на мыс Код к моим родителям.

— Его зовут Кларк Александр? — переспросил Джо. — Это в честь...

— В честь моего отца, — кивнула Кейт. Она даже не вспомнила о том, что Александром они назвали сына в честь отца Энди.

— А я собирался в Европу, — сообщил Джо. — Но поездку пришлось отменить: в Нью-Джерси намечается новая заварушка с профсоюзами.

Этими словами Джо в течение нескольких секунд вернул Кейт на три года назад, к знакомым вопросам и проблемам, в решении которых она принимала участие. Это был, наверное, один из лучших способов напомнить ей, что раньше она принадлежала ему. Вряд ли Джо сделал это сознательно, однако слова попали в цель. Кейт почувствовала, как все возвращается. Прошлое нахлынуло на нее, а настоящее растворилось, отступило куда-то далеко-далеко. Энди, ребенок, семья — все было забыто. Осталась только улыбка Джо, которая проникала ей в самую душу и звала.

— Если хочешь, можешь как-нибудь зайти ко мне вместе с этим своим Энди, — услышала она его голос. — Я возьму вас с собой полетать. Как думаешь, ему понравится?

Кейт пожала плечами. Возможно, хотя вряд ли. С кем угодно, но только не с Джо. Энди слишком хорошо помнил, кто он такой и что он когда-то значил для Кейт. Впрочем, почему «когда-то»?..

А Джо, казалось, и не ждал ее ответа.

— Где, ты говоришь, сейчас твой муж? В Германии?

— Да. Он участвует в подготовке процессов над нацистскими преступниками.

— Должно быть, он у тебя хороший юрист, — задумчиво протянул Джо, не отрывая взгляда от ее лица.

— Да, он очень хороший юрист, — с гордостью сказала Кейт.

«И очень любит меня», — хотела добавить она, но не успела. Автомобиль остановился перед подъездом ее дома, и Кейт поспешно выбралась наружу. Водитель извлек из багажника коляску, и она уложила в нее ребенка. Джо не помогал ей — он только смотрел. Он всегда смотрел и замечал буквально все, даже то, что ей хотелось скрыть, а сейчас Кейт хотелось скрыть от него особенно много. Но и она тоже неплохо его знала, с легкостью угадывая мысли Джо по жестам рук и выражению глаз. Каждый из них был как бы изнанкой другого, половинкой одного целого. Неудивительно, что их тянуло друг к другу с силой, которой они не могли и не хотели сопротивляться. Но сегодня Кейт была исполнена решимости сделать все, чтобы не поддаться ему. Это нужно было сделать во что бы то ни стало — сделать ради нее самой, ради ребенка, ради... Энди. Именно поэтому она попрощалась с ним почти холодно, как с едва знакомым человеком, который проявил неуместную навязчивость и от которого не чаешь, как избавиться. Это было не совсем честно, но Кейт была сердита на Джо за все, что она пережила, пока они разговаривали на улице и ехали в машине. Да, она готова была признать, что ее влечет к нему по-прежнему, но это ровным счетом ничего не значило! Во всяком случае, так она себе сказала.

— Спасибо, что подвез меня, Джо, — проговорила она официальным тоном.

— Не за что. Позвони мне как-нибудь, когда у тебя будет свободное время. Или заходи. Как меня найти, ты знаешь... — добавил он несколько самоуверенно. — Может быть, мы с тобой полетаем.

— Вряд ли, я очень занята, — быстро проговорила она, чувствуя себя маленькой девочкой, которую дальний родственник пригласил покататься на карусели.

Кейт чувствовала, что он смотрит ей вслед, и приложила все силы, чтобы не обернуться. Поднимаясь с коляской в квартиру, она обливалась потом и тяжело дышала, но жара была ни при чем. Встреча с Джо напугала ее, и Кейт хотелось поговорить с кем-нибудь, объяснить, что она ничего, ну просто ничегошеньки к нему не чувствует, что все это пустяки и вообще дело прошлое. Она должна была убедить кого-то — и себя в первую очередь, — что Джо ничего для нее не значит, но в глубине души Кейт знала, что это неправда. Все вернулось на круги своя, все снова стало так, как было все эти десять лет. И от этого факта ей некуда было укрыться.

Глава 16

На следующее утро после встречи с Джо Кейт проснулась с тяжелой головой. Всю ночь ее мучили плохие сны — не настоящие кошмары, а просто сны, где все было тревожно, неопределенно, зыбко. Ее не оставляло чувство, что она изменила Энди, хотя еще вчера вечером она сказала себе, что ничего такого не сделала и делать не собирается.

Выбравшись из постели, она покормила Кларка Александра и снова уложила в кроватку, а сама отправилась на кухню, чтобы выпить чашку кофе и как следует подумать над тем, что произошло вчера.

Что же произошло? Она не вешалась Джо на шею, никак не проявила своего интереса и ничем не поощрила его. Она даже не обещала ему позвонить! И все же Кейт продолжала чувствовать себя виноватой. Достаточно было того, что она видела Джо, разговаривала с ним и даже улыбалась ему... Словом, ощущение было не из приятных, и Кейт не удавалось отделаться от него весь день. А вечером, когда она написала Энди письмо, к которому приложила несколько снимков Кларка Александра, в коридоре неожиданно зазвонил телефон. Кейт решила, что это Элизабет, но, когда она услышала в трубке знакомый голос, ее сердце совершило такой бешеный скачок, что Кейт пришлось ухватиться за стенку, чтобы не упасть.

— Привет, Кейт. Как дела? — Джо показался ей усталым. Время было позднее, но он, судя по всему, все еще находился у себя в офисе.

— Привет. — Кейт решила ограничиться приветствием и теперь ждала, что он еще скажет. Зачем он позвонил? Зачем?! Что ему от нее нужно?

— Я подумал, может быть, тебе скучно одной.

— А что? — осторожно поинтересовалась Кейт.

— Я хотел пригласить тебя поужинать. Или пообедать. Как в добрые старые времена. Как ты на это смотришь? — Он почти упрашивал ее, но Кейт знала, что не должна поддаваться на эту уловку. Джо никогда ничего не просил — он просто приходил и брал то, что ему было нужно.

— Мне кажется, это не самая удачная идея, — ответила она холодно.

— А еще я хотел показать тебе наш новый офис. Готов спорить, ты никогда не видела ничего подобного. Ты присутствовала при начале, быть может, тебе было бы интересно взглянуть, чего я добился за... за последнее время.

— Как-нибудь в другой раз, — ответила Кейт. — А лучше никогда, — тотчас поправилась она. — Меня это не касается.

— Но почему? — Он казался разочарованным, и Кейт едва не пожалела его. — Скажи, почему, Кейт?!

У нее в мозгу загудели тревожные сигналы, но она предпочла не обращать на них внимание.

— Разве не понятно? — Кейт вдруг почувствовала себя донельзя усталой. — Неужели я должна объяснять?.. Слишком много времени прошло, Джо. Все изменилось.

— Так и я об этом! — воскликнул Джо с воодушевлением. — Ты должна непременно побывать на заводе, на аэродроме, чтобы увидеть все своими глазами. А какую взлетную полосу мы там отгрохали! Это же мечта!..

— Ты безнадежен, Джо! — Кейт невольно рассмеялась.

— Разве ты этого не знала? По-моему, я был таким всегда. — Он немного помолчал. — Послушай, Кейт, почему мы не можем быть просто друзьями?

«Потому что я до сих пор люблю тебя!» — захотелось воскликнуть Кейт, но она вдруг поняла, что не уверена в этом. Может быть, это не любовь, а только память о ней, иллюзия, призрак былого чувства? Может быть, и чувства-то никакого не было, а была глупая восемнадцатилетняя девчонка, которая увлеклась знаменитым летчиком на двенадцать лет старше себя? Вот Энди она любит по-настоящему, у них с Энди семья, у них сын... Это — реальность, а все остальное — дым, туман, глупая мечта, которая не желает умирать. Детская сказка с несчастливым концом.

— Ну давай поужинаем вместе, Кейт! —Джо явно не собирался отступать. — Обещаю, я буду хорошо себя вести...

— Я уверена, что мы оба вели бы себя как положено, — отрезала Кейт. — Я не понимаю только, зачем это? Зачем нам мучить друг друга?

— Почему — мучить? Ведь нам всегда нравилось быть вместе. Чего ты боишься, Кейт? Ведь у тебя муж, ребенок, семья, а у меня... У меня только мои самолеты. — Он заговорил нарочито жалобным голосом, и Кейт, не выдержав, рассмеялась.

— Не надо вешать мне лапшу на уши, Джо Олбрайт! Каждый из нас получил то, чего хотел. Для тебя самолеты всегда были важнее, чем я. Именно поэтому я и ушла от тебя.

— Я был дураком, — решительно сказал Джо. — И слишком боялся, что семья свяжет меня по рукам и ногам. Теперь я стал умнее и храбрее. И старше. А тогда... Гордость помешала мне признаться себе, что ты значила для меня, Кейт! Только когда ты ушла от меня, я понял, что потерял.

Это было именно то, что Кейт хотелось услышать от него,

но теперь, пожалуй, было слишком поздно. Судьба — или Джо — жестоко посмеялись над ней.

— Именно поэтому ты ни разу мне не позвонил? — едко заметила она.

— Я... Понимаешь, я...

— Я все понимаю, — перебила Кейт. — Но теперь это неважно, Джо. Ты поздно спохватился. Я замужем.

— Но ведь я не прошу тебя разводиться с ним! — воскликнул Джо. — Я понимаю, что ты строишь собственную жизнь — такую, какую ты всегда хотела, и я на нее вовсе не посягаю. Ну, не хочешь в ресторан, давай посидим в кафе, съедим по сандвичу с кофе, поболтаем. Я уверен, что ты можешь уделить мне хотя бы час. И не бойся ты так, не съем же я тебя в самом деле! Если хочешь, можешь даже взять с собой младенца — я не возражаю.

Услышав это, Кейт невольно улыбнулась. Судя по всему, Джо абсолютно не представлял себе, что такое маленький ребенок. Тащить Кларка Александра в кафе ей бы и в голову не пришло, тем более что существовала надежная няня, к которой они с Энди обращались каждый раз, когда собирались вместе в ресторан или в кино.

И внезапно Кейт приняла решение.

Она просто *должна* была доказать себе, что может увидеться с ним и остаться спокойной и равнодушной. Как вылечившемуся пьянице необходимо знать, что он способен пройти мимо бара и не заглянуть в него, так и Кейт хотела быть уверена, что прежние желания не имеют над ней никакой власти.

— О'кей, — ответила она как можно суше. — Только, разумеется, без ребенка.

— Они договорились встретиться в ресторане Джованни, в половине первого, и на следующий день, оставив ребенка с няней, Кейт приехала туда точно в назначенное время. На ней был светлый полотняный костюм, темные очки и соломенная шляпка с широкими полями, которую она приобрела в «Бонуит Теллер». Волосы ее были собраны на затылке в аккуратный тугой пучок. Кейт выглядела очень элегантно, даже шикарно, и у Джо, который ждал ее за столиком, слегка вытянулось лицо. Под устремленными на них взглядами других посетителей он поднялся ей навстречу и, поцеловав в щеку, усадил за столик, а потом сел сам.

— Благодаря тебе я всегда оказываюсь в центре внимания, — заметил Джо, окидывая взглядом ее костюм и шляпку. — И не удивительно...

— Ты и сам знаменитость. Еще немного, и юные девицы начнут ходить за тобой табунами и просить автограф, словно ты кинозвезда... — парировала она и улыбнулась.

Что ни говори, а выбраться в ресторан было приятно. Неожиданно Кейт вспомнила, что в последний раз они с Энди были в ресторане еще до ее родов. Кроме того, с тех пор как Энди уехал, она только и делала, что заботилась о ребенке; на то, чтобы обзавестись новыми друзьями, ей просто не хватало времени.

За обедом они с Джо говорили о тысяче самых разных вещей — о его фирме, о новых самолетах, о его проблемах и планах на будущее. Кроме авиакомпании, у Джо на уме было еще не менее десятка увлекательнейших проектов, и Кейт по-хорошему позавидовала ему. По сравнению с тем, какой богатой, насыщенной, интересной жизнью жил он, ее собственная казалась просто серьеньким существованием. Что она знала, кроме пеленок, кормлений и прогулок в Центральном парке? «И все-таки, — напомнила себе Кейт, — я гораздо счастливее его, хотя у меня есть только муж и ребенок, а он владеет всем миром».

— Ты собираешься пойти работать, когда малыш подрастет? — спросил Джо, словно прочтя ее мысли. На протяжении всего обеда он вел себя совершенно по-джентльменски, и Кейт не переставала удивляться, насколько ей с ним спокойно и хорошо.

— Не знаю, вряд ли, — ответила она. — Мне нравится сидеть дома с ребенком. К тому же, когда он подрастет, хлопот с ним не убавится, а наоборот — прибавится.

— Это почему же? — удивился Джо.

— Его надо воспитывать, многому учить... Большие дети — большие хлопоты, слышал такое?

На самом деле Кейт хотелось пойти работать, но Энди был против, и она решила, что думать об этом пока рано. Кроме того, Кейт толком не знала, какая работа ей нужна. Во всяком случае, возвращаться в музей она не стремилась.

— Сидеть с ребенком — это, наверное, ужасно скучно, — заметил Джо. — Даже с таким симпатягой, как этот твой мистер Кларк-младший.

— Скучно?! Да ты с ума сошел! Наоборот, ужасно интересно. — Да, это не легко, но интересно, — поправила Кейт.

— Значит, ты счастлива... Что ж, я рад, — сказал Джо, пристально глядя ей в глаза.

Кейт молча кивнула. Она не хотела говорить с ним о своей жизни, не хотела обсуждать свои отношения с Энди, и даже своего ребенка. Это его не касалось! Она ни за что бы не согласилась встретиться с Джо, если бы не необходимость доказать себе, что все действительно кончилось и что она может видеть Джо, разговаривать с Джо и при этом не желать его. И, похоже, это ей удалось. Джо сидел какой-то пришибленный, да и разговор, который они вели, был вполне невинным — ведь большую часть времени они беседовали о его любимой авиации. Об их личных отношениях не было сказано ни слова: Джо не пытался ее поцеловать и не падал на колени, умоляя вернуться.

После обеда они сели в машину и поехали осматривать офис компании, где находился рабочий кабинет Джо. Здание произвело на нее сильное впечатление. Это был целый небоскреб, битком набитый людьми, которые работали на Джо, точнее — на его самолетостроительную фирму и авиакомпанию.

Всего за пять лет ему удалось создать мощную промышленную империю, и Кейт не могла не отдать должное его поразительному таланту.

— Спасибо, что пообедала со мной, — галантно поблагодарил Джо, когда Кейт сказала, что ей пора уходить.

— Не стоит благодарности, — ответила она, с вызовом глядя на него. — На самом деле я хотела доказать и тебе, и — в особенности — себе, что мы можем быть просто друзьями.

— Ну, и какой же ты сделала вывод? — улыбнулся Джо с самым невинным видом. — Можем мы быть друзьями?

— Думаю, что да. Надеюсь на это, — ответила она и, словно в подтверждение своих слов, поцеловала его в щеку.

Впрочем, Кейт тут же пожалела об этом. Солоноватый вкус его кожи, то, как он слегка прижал ее к себе, — все это показалось ей таким знакомым и родным, что к глазам подступили слезы. Существовало множество вещей, которыми дорожила даже теперь, три года спустя. Эти воспоминания вошли в ее плоть и кровь, и вытравить их оттуда не могли никакие страдания.

— Давай как-нибудь поужинаем вместе, — предложил Джо, стараясь за небрежным тоном спрятать волнение.

— Почему бы и нет? — в тон ему ответила Кейт.

Он проводил ее до первого этажа. Она села на заднее сиденье лимузина и махнула ему в окно на прощание. Потом машина тронулась, и Джо провожал ее взглядом до тех пор, пока она не свернула за угол. Когда лимузин исчез из вида, Джо поднялся к себе в кабинет, достал из ящика стола чистый блокнот и принялся быстро чертить на нем эскиз нового самолета.

Он позвонил неделю спустя, когда жарким и душным вечером Кейт сидела перед телевизором. Кондиционер был включен, и Кларк Александр спокойно спал в своей кроватке, поэтому когда зазвонил телефон, Кейт в первую очередь подумала, как бы он не разбудил ребенка. Должно быть поэтому она даже слегка растерялась, когда услышала в трубке голос Джо.

— Привет, это я, — сказал он, и Кейт вздохнула. Она очень гордилась тем, как прошел их обед. Правда, она пережила несколько достаточно горьких минут, но в целом видеть Джо ей было не особенно больно, и Кейт решила, что ей вполне удалось примириться со своей потерей.

— Чем ты занимаешься? — спросил Джо.

— Смотрю телевизор. А что?

— Не хочешь выйти со мной в кафе — съесть по гамбургеру? — предложил он.

— В принципе я не против, но мне не с кем оставить ребенка.

— Так возьми его с собой.

Услышав это предложение, Кейт рассмеялась.

— Я не могу, Джо. Малыш спит. Если его сейчас разбудить, он долго не успокоится, а насколько я его знаю, он способен орать несколько часов подряд. Тебе это вряд ли понравится.

— Ты права. — Он немного помолчал, что-то соображая. — Слушай, ты вообще-то ужинала?

— Честно говоря — нет. Мне не хотелось есть из-за жары. Я съела только мороженое и немного клубники.

— Хочешь, я куплю гамбургеры и зайду к тебе, а ты пока сваришь кофе?

— Ты?.. Ко мне?!

— А что тут такого? Или ты предпочитаешь есть гамбургеры в подъезде?

Кейт его предложение застало врасплох. С одной стороны, ей казалось не особенно правильным приглашать его в квартиру, где она жила с мужем, но с другой стороны, теперь они были просто друзьями... В конце концов Кейт решила, что может пригласить его. Ничего страшного не произойдет — она проверила это еще в прошлый раз.

Джо приехал через семнадцать минут. Когда он вошел в квартиру, в руках у него было два больших сочных чизбургера в бумажных пакетах. Кейт уже забыла, когда в последний раз ела чизбургеры, и, наверное, поэтому, как ни старалась быть аккуратной, испачкала в кетчупе не только руки, но и лицо, и кухонный стол.

— Ну, ты даешь! — заметил по этому поводу Джо, и Кейт рассмеялась так весело и задорно, словно ей снова было семнадцать.

Потом они сидели друг против друга за столом, ели мороженое, большой запас которого хранился у нее в холодильнике, и это неожиданно напомнило Кейт, как он жил в их доме в Бостоне. Джо по-прежнему был похож на гигантскую птицу, которая спустилась на землю, чтобы уже через несколько секунд снова взмыть ввысь и растаять в небесной голубизне. Она уже стала забывать, как весело и интересно всегда было с ним, да и Джо, похоже, все так же нравилось ее общество.

После мороженого и кофе они сели смотреть телевизор. Джо был в легких кожаных туфлях; сейчас он скинул их, чтобы дать ногам отдых, и Кейт увидела у него на носках дырки.

— Разве миллионеры ходят в дырявых носках?! — поддразнила она его.

— Во-первых, я еще не миллионер, а во-вторых, у меня нет никого, кто купил бы мне новые. Не могу же я просить об этом свою секретаршу!

— Попроси начальника отдела снабжения, — фыркнула Кейт. — И вообще, не пытайся разжалобить меня, Джо Олбрайт! Не может быть, чтобы ты не нашел выход из этой сложной ситуации. А может, тебе так больше нравится?

Но она понимала, почему Джо ходит в таких носках. Он никогда не обращал внимания на мелочи, если только они не имели отношения к самолетам или к его бизнесу. И, к сожалению, в эту категорию частенько попадала сама Кейт с ее пустяковыми желаниями иметь мужа и детей...

— Мне это вовсе не нравится, но я не собираюсь жениться только для того, чтобы всегда иметь в запасе новые носки. На мой взгляд, это слишком дорогая цена за сомнительное удовольствие прилично выглядеть.

Кейт грустно улыбнулась: она снова узнала прежнего Джо. Он виновато улыбнулся, и Кейт кивнула. Джо всегда боялся потерять свободу, а отдать кому-то часть своего сердца, своей души значило накрепко привязать себя к этому человеку, уступать ему, считаться с его желаниями. Именно поэтому Джо так испугался, когда она сказала, что хочет выйти за него замуж.

— Ты по-прежнему боишься чем-то пожертвовать? Но никто не отнимет у тебя того, что ты не хочешь дать, — сказала Кейт спокойно.

— Не все это понимают. Они будут пытаться, а мне... это не нужно, — ответил он. — К тому же когда борешься с кем-то — борешься и в то же время жалеешь, — можно потерять себя, и результат будет еще хуже.

— Ты слишком сильный человек, чтобы вот так легко взять и потерять себя, — серьезно сказала Кейт. — Мне кажется, что ты сам до конца не понимаешь, какой ты сильный, волевой, цельный... — Действительно, таких, как он, Кейт еще не встречала. Блестящий ум, неукротимый дух, железная воля — это было уникальное сочетание. — Именно поэтому с тобой бывает так трудно, — добавила она, тихонько вздохнув.

— Очень жаль, — так же тихо ответил Джо. — Самому-то мне всегда хотелось быть маленьким, как мышка, и таким же незаметным. И иногда мне даже кажется — у меня это получается.

— Ни один человек не может оценивать себя объективно. Поэтому я и говорю: тебе есть чем гордиться. — Кейт смотрела на него и думала о том, как это странно — сидеть с ним перед телевизором и спокойно разговаривать. Еще месяц назад она ни за что бы не поверила, что такое возможно, однако Кейт привыкла доверять своим глазам. Своим глазам и своим ощущениям, а они в один голос твердили, что им хорошо друг с другом, хотя они больше не были любовниками.

— Во мне гораздо больше такого, чего следует стыдиться, — возразил Джо.

При этом он смущенно опустил голову, и Кейт почувствовала нечто вроде умиления. Он был словно мальчишка, который признается в самом сокровенном. Эта застенчивая искренность всегда нравилась Кейт, но были у Джо и такие свойства, которые она почти ненавидела.

— Например, я стыжусь того, как я с тобой обошелся, — продолжал Джо, и Кейт удивленно приподняла брови. Она ожидала чего угодно, но только не такого заявления. — Да и вообще, по отношению к тебе я всегда вел себя дурно. Я слишком много работал и просто использовал тебя. О тебе я совсем не думал — только о себе. А кроме того, иногда я просто боялся тебя. Ты слишком сильно любила меня, и я чувствовал себя недостойным твоей любви. А это, в свою очередь, рождало во мне чувство вины. Мне казалось, я попал в ловушку. И единственное, чего мне хотелось, это убежать, спрятаться где-то, где никто меня не найдет и не сможет мучить меня своими просьбами, требованиями, слезами. Ты была совершенно права, когда ушла от меня. Правда, это едва меня не убило, но я не могу тебя винить. Вот почему я ни разу не позвонил тебе, хотя мне этого очень хотелось — бог свидетель, хотелось! Я не смог дать тебе ничего из того, что тебе было нужнее всего. Прошло много времени, прежде чем я успокоился и начал что-то соображать, но было уже поздно...

— Хорошо, что ты понял, — промолвила Кейт. — Но у нас бы все равно ничего не вышло. Теперь я это знаю.

— Почему? — Джо нахмурился, и Кейт постаралась спрятать улыбку. Джо терпеть не мог неразрешимых проблем; каждое «невозможно» он воспринимал как личный вызов.

Кейт поглядела на кроватку, в которой мирно посапывал Кларк Александер.

— Ты сам только что сказал, что не мог дать мне чего-то самого главного. Муж, ребенок, спокойная, упорядоченная жизнь... тебе все это не нужно. Ты стремишься к власти, успеху, к своим самолетам, наконец, и ради них ты готов пожертвовать всем остальным — тем, что кажется тебе не важным. В том числе — другими людьми, близкими. А я устроена иначе.

— Если бы ты подождала, у тебя было бы все то же самое и даже больше. Просто тогда было неподходящее время. Я только начинал создавать фирму и мог думать только о работе, и ни о чем другом.

Кейт грустно улыбнулась.

— Ну а теперь? Что изменилось теперь? Что-то не похоже, чтобы ты умирал от желания обзавестись женой и кучей ребятишек... Нет, Джо, мне кажется, дело не в подходящем или неподходящем времени, а в тебе. А ты остался таким же, как был, и тебе по-прежнему не нужны ни жена, ни дети.

— Смотря какая жена, — сказал Джо. — Нет, не думай, я никого не ищу. Я нашел подходящую женщину много лет назад, но был настолько глуп, что потерял ее. Я говорю совершенно серьезно, Кейт. Я вел себя, как настоящий идиот, и хочу, чтобы ты это знала.

— Я давно это знаю, — рассмеялась Кейт. — Только я думала — ты не знаешь. — Она вдруг посерьезнела. — Нет, правда, Джо, я рада, что ты наконец разобрался в ситуации и ни в чем меня не винишь. Но вспоминать об этом теперь — бессмысленно. То, что произошло между нами, не могло не произойти.

— Ерунда! — перебил ее Джо. — Большинство вещей, которые кажутся нам неизбежными, неминуемыми, на самом деле происходят из-за нашей же глупости, некомпетентности, страха, из-за обыкновенной недальновидности, наконец. Но если человек признает свою ошибку, он обязан хотя бы попытаться исправить... то зло, которое он причинил себе и другим. Нельзя сидеть сложа руки и плакать над разбитым кувшином. Так поступают только слабаки и глупцы!

Сам Джо не был ни тем, ни другим, и они оба это знали.

— К сожалению, существуют вещи, которые очень трудно исправить, изменить, — сказала Кейт негромко. — Разбитый кувшин проще выбросить, чем склеить снова. К тому же склеенный он не будет таким прочным.

Она прекрасно поняла, на что он намекает, однако ей это вовсе не нравилось. У нее не было никакого желания ворошить остывший костер в надежде найти среди золы слабую искорку или не до конца погасший уголек. Кроме того, она слишком хорошо знала Джо. Он не мог так просто смириться с тем, что теперь она принадлежит другому. Чего-то недоступного ему всегда хотелось больше, чем того, что он мог просто взять.

— Послушай, Кейт, ты должна понять!.. Я создал мощную корпорацию, заработал целую кучу денег, но без тебя все это ничего для меня не значит!

— Давай не будем говорить об этом, Джо. Все равно ничего не изменится.

— Нет, изменится, — твердо сказал он, в упор глядя на нее. — Ведь я люблю тебя!

И прежде, чем Кейт успела что-то сказать, он обнял ее и поцеловал. Это было восхитительно, и на мгновение Кейт унеслась с ним в другой мир, в другую вселенную, где не было ни боли, ни разочарований — только они двое. Наваждение длилось несколько секунд — или веков? — потом Кейт решительно отстранилась.

— Уходи, Джо.

— Я никуда не уйду, пока ты не ответишь мне на один вопрос. Скажи, ты еще любишь меня?

— Я люблю своего мужа.

— Я тебя не об этом спрашиваю, — мягко, но настойчиво возразил он и, взяв Кейт за подбородок, заставил ее повернуться так, чтобы видеть ее глаза. — Я хочу знать, ты еще любишь меня?

— Я всегда любила тебя, — честно ответила она. — Но это неправильно. И это ничего не изменит. Я — жена другого человека. — Кейт очень старалась ничем не выдать своей боли. Она не хотела этого объяснения. Она убедила себя, что они могут быть просто друзьями, но ошиблась.

— Как ты можешь любить меня и быть женой Энди? — требовательно спросил Джо. — Объясни мне, а то я не понимаю... Зачем ты вообще вышла за него замуж?

— Я вышла за него, потому что *ты* не хотел жениться на мне. Я говорила тебе об этом, наверное, миллион раз!

— Но я же не виноват, что мне понадобилось больше времени, чтобы разобраться!..

В его голосе звучала какая-то детская обида, но Кейт это не тронуло. Это не имело сейчас никакого значения. Гораздо важнее было то, что она чувствовала, когда он целовал ее, что она видела в его глазах, что подсказывало ей сердце. Кейт все еще любила его и знала, что будет любить всегда. Это было как пожизненный приговор, не подлежащий пересмотру.

— Я не могу поступить так с Энди, — сказала она. — Он мой муж и любит меня. И у нас есть ребенок. То, что между нами произошло, больше не имеет значения, Джо. Что можно изменить теперь? Если бы ты не хотел, чтобы я уходила, ты бы остановил меня или, по крайней мере, попросил меня вернуться — я ждала этого два долгих года, но тебе было наплевать на меня. Ты был слишком занят, ты играл со своими бумажными самолетиками, ты слишком боялся и не хотел рисковать своей драгоценной свободой! Да, Джо, я все еще люблю тебя и, наверное, всегда буду любить, но... Ты спохватился слишком поздно. Я замужем за другим, и если это безразлично тебе, то для меня это важно. — Кейт встала и посмотрела на него сверху вниз. В ее глазах была мука-мученическая, но губы были решительно сжаты, а брови нахмурены. — Ты должен уйти, Джо. Сейчас. Я не могу, не хочу делать больно ни себе, ни Энди. Ни он, ни я этого не заслужили.

— Ты наказываешь меня за то, что я не хотел жениться на тебе? — выпалил Джо и тоже поднялся.

— Я наказываю себя за то, что вышла замуж за доброго, порядочного человека, который достоин иметь настоящую жену, а не круглую дуру, которая любила и любит другого, — ответила Кейт. — Это ненормально, это просто нечестно! Мы должны забыть друг друга, Джо. Я не знаю, как это сделать, но, видит бог, я старалась. И я клянусь, что сделаю это, даже если мне придется умереть. Я не могу жить двойной жизнью — быть замужем за одним и любить другого.

— Тогда уйди от него.

— Ты с ума сошел. Он любит меня, у нас только что родился ребенок... Да и куда я уйду?

— Ко мне. Я хочу, чтобы ты вернулась ко мне, Кейт. — Джо сказал это тоном человека, привыкшего, чтобы все было именно так, как хочет он, и никак иначе.

— Но *почему* ты этого хочешь, Джо? И почему сейчас? Ты об этом не задумывался? Может, все дело в том, что я вышла замуж за другого человека? Я не игрушка, Джо, — не игрушка, не новый самолет, не компания, которую ты можешь купить или присоединить к своей империи с помощью денег или силы. Почти два года я ждала тебя, хотя все уверяли, что ты мертв и похоронен где-то в Германии... Я не верила, я ждала, я надеялась. Тогда я была еще ребенком, но я не смотрела ни на кого — мне нужен был только ты, и я тебя дождалась. А потом я целый год была с тобой, хотя ты и предупредил меня, что не хочешь ни жениться, ни иметь детей. И снова я не верила и ждала, что, быть может, ты передумаешь. Почему, чтобы позвать меня назад, ты пришел только сейчас?

Она заплакала, и Джо покачал головой.

— Этого я не могу сказать. Я знаю только одно: ты стала частью меня, без тебя я не хочу и не могу жить. Наши отношения... зашли слишком далеко, чтобы мы могли вот так просто расстаться. Мы знакомы уже десять лет, и девять из них мы любим друг друга.

Джо шагнул к ней, но Кейт шарахнулась от него, и из глаз ее брызнули злые слезы.

— Не надо... Уходи!

Но он все равно обнял ее и прижал к себе, и Кейт, несколько раз всхлипнув, обмякла в его объятиях. Она хотела только одного — быть с ним, но не могла. «Как жестоко посмеялась надо мной судьба, — думала Кейт. — И Джо захотел вернуть меня именно тогда, когда все наладилось или почти наладилось!» Как бы сильно она ни любила его, она не могла оставить Энди и бросить ребенка. Да и Энди она любила — пусть по-другому, но любила!

— Извини... Наверное, мне действительно не стоило приходить сюда сегодня, — сказал Джо. Он чувствовал себя виноватым перед Кейт — она была близка к самой настоящей истерике.

— Ты тут ни при чем, — ответила она, отстраняясь и вытирая глаза попавшей под руку пеленкой. — Мне самой захотелось увидеть тебя. Когда мы встречались в прошлый раз, это было так чудесно, что я... О, Джо, что мы будем делать?! — воскликнула она и сама прижалась к его груди.

— Не знаю... Что-нибудь придумаем. — Он обнял ее за плечи и поцеловал. — Только не плачь, Кейт...

Кларк Александр проснулся и сразу закричал. Кейт пришлось взять его из кроватки и положить между ними на диван. Малыш был очень мил, и Джо посмотрел сначала на него, потом на Кейт.

— Все будет хорошо, — сказал он. — Быть может, время от времени мы будем встречаться...

Кейт покачала головой.

Она знала, что им этого будет мало, всегда мало. Они оба будут хотеть чего-то большего, чем редкие встречи украдкой. Любить, быть любимым и не иметь возможности быть вместе — самая страшная пытка. Джо этого просто не понимал, но Кейт была уверена, что и он долго не выдержит.

Кларк Александр снова закряхтел, и Кейт взяла его на руки.

— Так ты хочешь, чтобы я ушел сейчас, или мне можно подождать, пока ты его покормишь? — спросил Джо.

Кейт знала, что Джо лучше всего было уйти, но она этого не хотела. Когда еще она увидит его и увидит ли?

— Если хочешь, можешь подождать, — сказала она.

Кейт понесла ребенка в детскую, а Джо остался в гостиной. Сначала он смотрел телевизор, но когда Кейт вернулась, он крепко спал, откинувшись на спинку дивана. У него был тяжелый день, да и вечер тоже оказался не из легких.

Некоторое время Кейт молча смотрела на него, потом коснулась взлохмаченных волос и провела кончиками пальцев по щеке. Ощущение было до боли знакомым, и Кейт снова вспомнила, что на протяжении многих лет он принадлежал ей, а она — ему. У них было общее прошлое — счастливое прошлое, оно связывало их, и разорвать эту связь было совсем не просто.

Несколько минут она сидела рядом и смотрела на него. Потом Джо слегка пошевелился и открыл глаза.

— Я люблю тебя, Кейт, — прошептал он, и она улыбнулась.

— Нет, не любишь. Я тебе не разрешаю, — так же шепотом ответила она.

Вместо ответа он привлек ее к себе и поцеловал.

— Тебе пора идти... — проговорила Кейт, когда они ненадолго прервали поцелуй, чтобы перевести дух.

Джо кивнул, но не сделал ни малейшей попытки встать с дивана, на котором оба уже полулежали. Вместо этого он снова прижал ее к себе и целовал, целовал до тех пор, пока у Кейт не закружилась голова. Полузабытое блаженство захлестывало ее, словно теплые, ласковые волны, и очень скоро Кейт стало ясно, что она вовсе не хочет, чтобы он уходил. Ей не хотелось разрушать свою жизнь, причинять боль Энди, терять собственного сына... Ничего этого она не хотела, но могучая река, которая подхватила Кейт, была сильнее нее.

И когда Джо уложил ее на диван, Кейт не нашла в себе сил прогнать его. Вместо этого она помогла ему избавиться от одежды, как делала это уже много раз, а потом разделась сама.

Этой ночью они любили друг друга со всей страстью, которая не давала им покоя три долгих года, а потом уснули мирным, безмятежным сном, не выпуская друг друга из объятий.

Глава 17

Проснувшись на следующее утро в своей постели, Кейт почувствовала рядом с собой Энди и, сонно улыбнувшись, повернулась, чтобы взглянуть на него. Но когда она открыла глаза, то увидела рядом с собой Джо. И это был не сон и не кошмар, а естественное завершение тех трех лет, которые они провели друг без друга. Как река, петляющая по равнине, рано или поздно непременно впадает в море, так и они неизбежно должны были соединиться вновь.

Через несколько минут Джо открыл глаза, увидел ее и улыбнулся.

— Я все еще сплю? Или, может быть, я умер и попал в рай? Доброе утро, котенок.

Для него все было предельно просто. Он не был женат и отвечал только перед самим собой, а Кейт не могла без содрогания подумать о том, что будет, если Энди узнает...

— Ты выглядишь таким довольным, словно ничего не случилось! — сказала она прокурорским тоном, однако это не помешало ей снова прижаться к его широкой груди. Когда они с Джо еще были вместе, оба очень любили подолгу лежать по утрам в постели и болтать о всякой чепухе. — У тебя нет ни капли совести!

— Абсолютно! — подтвердил Джо, широко улыбаясь, и поцеловал ее в макушку. Он уже забыл, когда в последний раз чувствовал себя таким счастливым, и теперь пребывал в полном согласии с собой и со всем миром.

— Послушай, а что с твоим ребенком? Почему он все время спит? — спросил он.

Джо и в самом деле было удивительно, что маленькие дети так много спят. Он всегда считал, что лет до пяти они орут ночи напролет, требуют есть или пачкают пеленки.

— С Кларки все в порядке, просто он очень спокойный ребенок, — ответила Кейт. Джо снова принялся ее целовать, и Кейт, почувствовав его желание, ответила ему самозабвенно и безрассудно. Это было как сон, как сказка, как самая прекрасная быль. Словно они и не расставались, словно и не было этих трех лет, наполненных ожиданием, разочарованием, тревогой. Их близость была настолько глубокой, что рационального объяснения этому наверняка не существовало.

Джо и Кейт были очень разными, самостоятельными, в чем-то даже самодостаточными, но это не мешало им чувствовать себя единым организмом. И это единство не нуждалось ни в словах, ни в объяснениях. Слова нужны были для взаимных упреков, извинений, оправданий. Для обещаний и клятв, которые они не могли сдержать. Но сейчас слова не значили ровным счетом ничего — ведь то, что их связывало, было вне слов.

В конце концов Кларк Александр проснулся и завопил. Пока Джо принимал душ, Кейт быстро покормила малыша, а потом отправилась в кухню, чтобы приготовить завтрак. Поев, Джо с сожалением поглядел на часы и поднялся. На сегодняшнее утро у него были запланированы важные перегово́ры, и как ни хотелось ему провести весь день с Кейт, остаться он не мог.

— Ты сможешь со мной пообедать? — спросил он, вставая из-за стола и накидывая пиджак.

— Что мы делаем, Джо? Что я делаю?!

Кейт смотрела на него с тревогой и смятением во взгляде. Они еще могли остановиться. Прошедшая ночь могла остаться единственной и последней. Кейт знала, что сейчас только от нее зависит, сумеет она сохранить свой дом, мужа, ребенка, или все снова пойдет прахом. Но расстаться с Джо — потерять его снова — она была не в силах. И в глубине души она сознавала, что предпринимать что-то все равно поздно.

— Я думаю, мы делаем то, что не можем не делать, — ответил Джо. — Нет, не спрашивай — я тоже не знаю, чем это кончится. Но, я думаю, со временем все встанет на свои места.

У него было свойство не замечать страшных опасностей и ловушек, которые ждали впереди, — разумеется, если только речь не шла о его любимых самолетах, — и Кейт эта самоуверенность частенько раздражала.

— Это будет не просто, — сказала она, поправляя лацканы его пиджака.

Ей нравилось, как он выглядел, нравились резкие черты его лица, нравилась маленькая ямочка на подбородке, нравились его по-мужски широкие плечи, длинные ноги и голубые глаза, которые, казалось, следили за ней постоянно, куда бы она ни направлялась. Одного их взгляда было достаточно, чтобы у Кейт начинала от счастья кружиться голова. Джо был ее идеалом, ее мечтой, и Кейт понимала, что в этой борьбе с собой ей никогда не победить. Ее тянуло к нему, как притягивает ночных мотыльков раскаленное пламя горящей на окне свечи.

— Жизнь вообще непростая штука, — спокойно заметил Джо, целуя ее. — И в ней ничто не дается просто так. У каждой вещи есть своя цена, и хотя порой она бывает непомерно высока, я никогда не боялся платить за то, что я хотел или во что верил. — Это действительно было так, но на этот раз за свое счастье им предстояло расплачиваться не только своими, но и чужими жизнями. Даже в первую очередь чужими.

— Ну так как, пообедаем вместе?

Кейт немного поколебалась, потом кивнула. Она хотела

быть с ним, пока это было возможно. А потом... потом будет видно.

— Хорошо, я вызову няню. Где мы встретимся?

Джо предложил встретиться в полдень в «Ле Павильон» — одном из ее самых любимых мест в Нью-Йорке — и ровно в полдень Кейт, одетая в бледно-зеленое шелковое платье, сколотое на груди серебряной брошью, вошла в зал, где ее ждал Джо. Она выглядела изящной и хрупкой, платье великолепно подходило к ее темно-каштановым волосам, которые давно отросли и стали еще пышнее, чем прежде. Джо смотрел на нее не отрываясь, как смотрел десять лет назад, когда впервые увидел ее на балу.

В том, что они так открыто появились вместе в ресторане, где их легко могли узнать, была своя опасность, но, договариваясь о встрече, они решили, что, напротив, подобная открытость вызовет меньше подозрений, даже если они наткнутся на знакомых.

— Простите, вы, случайно, не Джо Олбрайт? — спросила Кейт, подходя к его столику, и Джо улыбнулся.

Ему безумно нравилось смотреть на нее, нравились ее шутки, ее смех, аромат ее духов, нравилась непринужденная легкость, с которой она держалась даже в самой густой толпе. Насколько он помнил, везде, где бы она ни появлялась, все мужчины замолкали и как по команде поворачивались в ее сторону. Она же как будто вовсе не замечала, что привлекает всеобщее внимание, даже не сознавала, насколько она красива, в то время как ему хотелось вцепиться в глотку каждому, кто осмеливался хотя бы посмотреть на нее.

Впрочем, вместе они тоже выглядели великолепно. И дело было не во внешности, а в том, как они дополняли друг друга каждым жестом и каждым взглядом — в том общем волшебстве, которое окутывало их, словно золотистое сияние.

— Какие у тебя планы на выходные? — поинтересовался Джо. — Может, полетаем немного?

Кейт всегда любила летать с ним на самолете. Три года она была лишена этого удовольствия и сейчас с готовностью согласилась.

— А можно мне будет тоже посидеть за штурвалом? — спросила она. — Как ты думаешь, я справлюсь?

— Конечно, справишься! — кивнул Джо. — Мы даже можем взять одну из опытных моделей с двойным управлением. Я тебя подстрахую — ведь ты давно не летала.

— Тогда решено, — сказала Кейт.

В выходные она была свободна — и не только в выходные. До возвращения Энди оставалось больше трех месяцев, и все это время принадлежало им! Это было настоящее богатство, и Кейт отказывалась думать о том, что она будет делать дальше. «Живи сегодняшним, а завтра само о себе позаботится» — эта евангельская мудрость, которую Кейт когда-то учила в воскресной школе, казалась ей сейчас исполненной глубокой мудрости, и она решила положиться на судьбу.

После обеда они расстались — Джо поехал к себе в офис, а Кейт вернулась домой, чтобы повезти Кларка Александра на прогулку. Дома ее ждало письмо от Энди. Оно было смешным и нежным, каждая строчка буквально дышала любовью и каждая вонзалась ей в сердце, словно раскаленный нож. Слезы застилали ей глаза, и Кейт отложила письмо, даже не дочитав. Она чувствовала себя бесконечно виноватой перед Энди, но остановиться не могла. Те незримые нити, которые связывали ее и Джо, разорвать было невозможно.

Вечером, когда Джо снова пришел к ней, Кейт была тиха и задумчива. У Джо тоже был тяжелый день, и он выглядел усталым. Едва войдя, он сразу опустился в кресло перед телевизором, и Кейт смешала ему виски с содовой. Себе она налила бокал вина и устроилась на диване рядом. Младенец давно спал, и ничто не могло помешать им разговаривать о том, что их волновало.

— Я сегодня получила письмо от Энди, — начала она. — И чувствую себя просто ужасно. Если он узнает... это разобьет ему сердце. Он, наверное, разведется со мной.

— Вот и отлично, — отозвался Джо. — Тогда я женюсь на тебе — и дело в шляпе!

Кейт грустно покачала головой. Она прекрасно знала его жизненную философию во всем, что не имело отношения к бизнесу и к авиации: «Пусть все идет, как идет, а там как-нибудь выкрутимся». Поэтому заявление Джо нисколько ее не обрадовало.

— Ты так говоришь только потому, что я замужем за другим человеком, который может со мной и *не* развестись, — сказала она, печально улыбаясь. — Если бы я была свободна, ты бы думал иначе.

— Что ж, испытай меня. — Джо хмыкнул.

— Не могу. И не хочу.

— Тогда давай не будем об этом думать и портить себе настроение. Будем наслаждаться временем, которое у нас есть, — сказал Джо спокойно, и Кейт вынуждена была согласиться, что ничего другого им не оставалось.

На протяжении следующего месяца они часто обедали вместе в различных ресторанах, вместе ужинали у нее дома, летали по воскресеньям на самых разных самолетах, ходили в кино, разговаривали, занимались любовью, смеялись и шутили, создав себе подобие уютного маленького мирка для двоих. Впрочем, ребенку в этом мире тоже нашлось место, хотя Кларк Александр довольно много времени проводил с няней. Иногда по вечерам Джо играл с младенцем, чего Кейт меньше всего от него ожидала. Больше того, ему это явно нравилось. Джо ужасно гордился, что именно он заметил у малыша первый зубик. Когда, вернувшись с работы и поужинав, он подсаживался к кроватке или, положив Кларка Александра на диван, принимался щекотать ему живот или трясти яркой погремушкой в форме самолета (а мальчуган тянул к ней ручонки и довольно гугукал), Кейт не без горечи думала о том, насколько они похожи на идеальную семью. В эти минуты Энди как будто переставал существовать вовсе.

Разумеется, им приходилось соблюдать меры предосторожности, когда они отправлялись в ресторан, в кино или просто на прогулку. Они старались выбирать такие места, где у них было меньше шансов наткнуться на кого-то из друзей Энди, а оказавшись в публичном месте, держались как старые знакомые, стараясь, чтобы никто из посторонних не заподозрил, каковы на самом деле их отношения. Конечно, без неприятных встреч не обошлось, однако Кейт была уверена, что им удалось провести всех.

Энди Кейт писала по-прежнему часто, однако ее письма день ото дня становились все суше и все короче. Ей просто нечего было сказать ему, и она писала в основном о сыне, о том, как он растет и что уже умеет делать. Говоря о себе, Кейт старалась отделываться общими фразами, боясь, что Энди может что-то почувствовать. Он, в свою очередь, подробно рассказывал о подготовке к процессам, и это действительно было очень интересно, но строки, в которых Энди писал, как он ее любит и как по ней скучает, Кейт просто не могла читать. Каждое слово, каждая буква была для нее как острый нож, как удар прямо в сердце. Что делать, она просто не представляла и малодушно соглашалась с Джо, который предлагал ей не волноваться по крайней мере до конца сентября.

А сентябрь был уже не за горами. Наступил август, а Кейт обещала родителям, что в августе она приедет на мыс Код, чтобы пожить с ними хотя бы неделю. Расставаться с Джо даже на этот срок ей не хотелось — у них и так было слишком мало времени. С другой стороны, она знала, что если не поедет на дачу, родители начнут волноваться. Элизабет была вполне способна неожиданно нагрянуть к ней в Нью-Йорк, и тогда дело непременно закончилось бы скандалом. Вот почему Кейт решила, что лучше она поедет, но постарается вернуться пораньше. Джо одобрил этот ее план, сказав, что он все равно будет занят, так как у него накопились кое-какие дела. Они договорились также, что Кейт будет звонить ему сама: Элизабет сразу узнала бы голос Джо, если бы случайно взяла трубку, а это могло натолкнуть ее на ненужные размышления.

Кейт прожила на мысе Код пять дней, отчаянно скучая по Джо и считая часы, оставшиеся до того момента, когда она сможет вернуться в Нью-Йорк, не вызывая ничьих подозрений. Вечером шестого дня на берегу состоялось традиционное осеннее барбекю, и Кейт сидела с родителями и несколькими друзьями на соседской террасе и вертела в пальцах недопитый бокал мартини, когда, обернувшись, вдруг увидела поднимавшегося на крыльцо Джо и буквально остолбенела от неожиданности. Она даже не сразу вспомнила, что здесь живут его старые друзья, и в первые секунды испугалась, что их обман раскрыт.

Хозяева — пожилая супружеская пара — хорошо помнили Джо по прошлым годам. Впрочем, Джо был не тот человек, которого можно было легко забыть, к тому же он мог украсить собой любую компанию. Он как раз здоровался с гостями, медленно приближаясь к Кейт, когда его заметила Элизабет.

— Никак это Джо Олбрайт! — негромко воскликнула она. — Хотела бы я знать, что он здесь делает?

— Понятия не имею, — ответила Кейт, хотя Элизабет ни о чем ее не спрашивала.

Она даже отвернулась, чтобы мать ничего не прочла по ее лицу. Конечно, с его стороны было глупо и неосторожно приехать сюда к ней, но она все равно была счастлива и не могла на него сердиться.

— Ты знала, что Джо будет здесь? — строго спросила Элизабет.

— Откуда мне было знать? — пожала плечами Кейт. — У

него, кажется, были здесь друзья — может быть, он приехал к ним?

Она оглянулась на отца, надеясь, что он спасет ее от этого допроса с пристрастием, но Кларк с бокалом виски в руке уже спешил навстречу Джо. Он был рад видеть его снова, несмотря на разрыв с Кейт, к тому же теперь Джо был его деловым партнером: Кларк вложил в предприятие Джо почти миллион долларов.

— Все это как-то странно, ты не находишь? — проговорила Элизабет, пытливо глядя на дочь. — Джо Олбрайт не приезжал сюда года три. Может, он все-таки хотел увидеться с тобой?

— Я в этом сомневаюсь.

Кейт даже повернулась к Джо спиной, чтобы показать матери, насколько он ей безразличен, но Джо уже совсем рядом. Подойдя к их столику, он вежливо поздоровался с Элизабет.

— Рад видеть вас в добром здравии, миссис Джемисон, — сказал он, и Элизабет наградила его холодным, неприязненным взглядом.

— Здравствуйте, Джо, — процедила она.

Словно не замечая ее холодности, Джо лучезарно улыбнулся ей и повернулся к Кейт. Их глаза встретились, и Кейт едва не скрипнула зубами от напряжения — таких усилий ей стоило сдерживать себя.

— Привет, Кейт. Странная встреча, не правда ли? Я слышал, у тебя родился ребенок... Поздравляю.

— Спасибо, — ответила она спокойно, почти равнодушно, от души надеясь, что ей удастся ввести мать в заблуждение.

О том, что Элизабет что-то почувствовала и что им необходимо соблюдать максимальную осторожность, она смогла предупредить Джо лишь полчаса спустя, когда они оказались возле костра на берегу. Там все поджаривали сосиски, нанизанные на длинные отрезки толстой стальной проволоки, и Кейт, как всегда, сожгла свою порцию.

— Это было настоящее безумие — приезжать сюда! — прошипела она. — Если мама догадается, она устроит грандиозный скандал!

— Я соскучился по тебе, вот и приехал, — серьезно объяснил Джо. — Мне ужасно хотелось поскорее увидеть тебя.

— Через день я бы вернулась сама, — прошептала Кейт.

Ей очень хотелось обнять его и поцеловать, но она не

смела даже посмотреть на него, и от этого чувствовала себя особенно неуютно и скованно.

— Ну вот, ты опять спалила сосиски! — рассмеялся Джо, и Кейт, не удержавшись, посмотрела на него. Она тут же отвернулась и сразу заметила мать, которая внимательно наблюдала за ними с противоположной стороны костра.

— По-моему, миссис Джемисон меня терпеть не может, — заметил Джо, снимая со своего шампура сосиски и укладывая их на бумажную тарелочку. В том, что они разговаривали друг с другом, не было ничего неестественного или предосудительного, и все же Элизабет явно не одобряла поведения дочери. Лицо у нее было такое, словно она хотела, чтобы Джо умер или, по крайней мере, оказался на другой стороне планеты — где угодно, лишь бы подальше от Кейт.

На следующее утро Кларк Александр разбудил Кейт очень рано, но когда, покормив его, она вышла в кухню, Элизабет была уже там. Она сидела за столом, читала местную газету и пила кофе из крошечной голубой чашки. Увидев Кейт, она заговорила, не поднимая, впрочем, взгляда от газеты:

— Ты знала, что он приедет сюда, не так ли? Это было спланировано?

— Нет, я ничего не знала, — честно ответила Кейт: для нее приезд Джо действительно был неожиданностью.

— Между вами что-то есть. — Элизабет наконец подняла голову. — Я чувствую. Не нужно быть особенно внимательной, чтобы заметить это. Вас тянет друг к другу точно магнитом! Неужели вам так трудно оставить друг друга в покое? Ведь вы люди, а не животные! По-моему, в этом есть что-то ненормальное.

— Мы почти не разговаривали вчера. — Кейт пожала плечами. — И я буду только рада, если сегодня не увижу его вовсе. Что прошло, то прошло... — Она попыталась вздохнуть как можно натуральнее, но у нее это вышло как-то неубедительно.

— Ты не должна ни говорить, ни видеться с ним, — жестко сказала Элизабет. — Он — опасный человек и знает все твои слабости. Тебе нельзя даже находиться с ним рядом. Джо может изломать, исковеркать всю твою жизнь!

И снова Кейт пожала плечами. Что она могла ответить? Что уже поздно?..

— С его стороны было непорядочно приезжать, если он знал, что может встретиться с тобой, — сказала Элизабет. — Но я уверена, что он именно поэтому и приехал! Удивительно, как у него хватило наглости... Впрочем, теперь меня уже ничто не удивляет, — сердито закончила она.

Элизабет, несомненно, считала, что Джо представляет для Кейт нешуточную опасность — особенно сейчас, пока Энди работает в Германии. «Бедная мама, — подумала Кейт, — она и не знает, как она права!..»

— Меня тоже ничто не удивляет, — весело сказал Кларк, входя в кухню. По лицам жены и дочери он сразу понял, что между ними только что произошел серьезный разговор, хотя что могло быть предметом разногласий, он не знал и не хотел знать. Кларк всегда старался не участвовать в их ссорах, если этого можно было избежать.

— Я рад, что Джо смог приехать сюда, — сказал он. — В последний раз мы виделись довольно давно. Оказывается, он задумал совершенно грандиозный проект! Вчера Джо мне сказал, что собирается открыть отделения корпорации не только в Европе, но и в Японии и Гонконге. Кто бы мог подумать об этом пять лет назад?!

— Я считаю, что ему не следовало появляться здесь, — проговорила Элизабет, ставя свою чашку в мойку и включая воду. Это было сказано специально для Кларка, у которого от удивления брови поползли на лоб.

— Почему?

— Неужели ты не понимаешь, что он приехал только из-за Кейт?! Он не подумал о том, что она — замужняя женщина. Вернее, ему это было все равно. Я считаю, что он не имеет права преследовать ее!

— Глупости, Лиз. — Кларк нахмурился. — Они расстались много лет назад. Кейт давно замужем, да и у Джо, я уверен, кто-нибудь есть. Он не женат, не знаешь?.. — Последний вопрос был адресован Кейт, и она покачала головой.

— Не знаю, пап. Не думаю. Джо...

— Я видела, как вы разговаривали на берегу, — перебила ее Элизабет.

— Ну и что? Что тут такого? — возразил жене Кларк. — Почему бы Кейт не поговорить с ним, тем более что человек он неплохой?

— Если бы он был «неплохим», как ты выражаешься, он бы давно женился на Кейт, а не морочил ей голову столько лет! Слава богу, Кейт вовремя опомнилась и вышла замуж за Энди, иначе бы это завело ее неизвестно куда. Очень жаль, что вчера на берегу с нами не было Энди. Я бы посмотрела тогда, как Джо посмел бы заговорить с нашей дочерью!

— Действительно, жаль, — негромко сказала Кейт, и в ее глазах было что-то такое, что очень не понравилось ее матери. Элизабет испугалась по-настоящему.

— Глупо с твоей стороны на что-то рассчитывать, Кейт, — сказала она уже мягче. — Он просто использует тебя и бросит, и это разобьет Энди сердце. Подумай о нем, подумай о сыне, наконец! Попомни мои слова: Джо не из тех, кто женится.

На этом разговор оборвался. Кейт вышла с ребенком на крыльцо, чтобы немного посидеть на солнышке. Услышав над головой знакомый рокот, она подняла глаза и увидела небольшой серебристый самолет, который описывал над поселком круги и петли. Ей не составило особого труда догадаться, кто это может быть, и она улыбнулась, хотя со стороны Джо это было чистой воды мальчишеством.

Кларк тоже вышел на крыльцо. Задрав голову к небу, он прикрыл глаза рукой и прищурился.

— Симпатичный у него самолетик, — заметил он.

— Это последняя модель, — не подумав, ответила Кейт, и отец внимательно посмотрел на нее.

— Откуда ты знаешь?

Он не пытался уличить ее во лжи, как сделала бы Элизабет, в его голосе звучало одно лишь беспокойство. Но Кейт все же сочла нужным поддержать их с Джо «легенду».

— Он рассказал мне вчера.

Кларк сел на ступеньки рядом и потрепал ее по руке.

— Мне очень жаль, что у вас не сложились отношения. Действительно жаль, — сказал он. — Такое бывает, просто мне досадно, что это случилось именно с тобой. И с ним... —Кларк тяжело вздохнул. — Твоя мать права в одном. Если вы... гм-м... возобновите ваши отношения, это ни к чему хорошему не приведет. Скорее всего, не приведет...

— Я не стану этого делать, папа, — ответила Кейт.

Ей ужасно не хотелось лгать отцу, но у нее не было выхода. Она знала: то, что они с Джо совершили, было неправильно, но у нее не хватало сил прогнать его. Что она будет делать, когда вернется Энди, Кейт понятия не имела. К счастью, до этого момента оставалось еще месяца два, а то и больше, и у них с Джо было достаточно времени, чтобы принять решение.

Джо продолжал летать над поселком, выделывая «горки»,

«бочки» и стремительные пике, от которых у Кейт захватывало дух даже на земле. Она следила за ним с замиранием сердца, не замечая, что Кларк внимательно наблюдает за ней. В выражении ее глаз было что-то такое, что заставило его сердце тревожно забиться. Он понял, что Лиз была права: между его дочерью и Джо что-то происходит.

Впрочем, Кларк прекрасно знал, что именно. Кейт и Джо продолжали любить друг друга, а он был не в силах уберечь дочь от новых страданий, которые ей, скорее всего, предстояли.

На следующий день Кейт вернулась в Нью-Йорк. Джо позвонил ей, как только она переступила порог квартиры — Кейт не успела даже вынуть ребенка из коляски и переложить в кроватку. Она выбранила его за рискованные полеты над поселком, но Джо только рассмеялся в ответ. Он-то знал, что ему ничего не грозит: в воздухе он чувствовал себя как рыба в воде. Порой ему казалось, что даже если с самолетом что-то случится — скажем, остановится мотор или отвалятся плоскости — ему достаточно будет просто раскинуть руки, чтобы лететь дальше.

— Как твои родители? — спросил он. — Мама устроила тебе допрос с пристрастием?

— Разумеется. Она уверена, что между нами что-то есть.

— И она права. Знаешь, миссис Джемисон следовало бы пойти работать в ФБР — ей бы там просто цены не было. Кстати, ты ей что-нибудь сказала?

— Конечно, нет. Мама была бы в ужасе, да и отец тоже. И я их понимаю. Я сама... — Она не договорила, но Джо очень не понравилось, как звучит ее голос.

— Можно я приеду к тебе сегодня? — спросил он.

Его голос прозвучал почти робко, и Кейт невольно улыбнулась, хотя больше всего ей хотелось заплакать.

— Зачем ты спрашиваешь? — ответила она негромко. — Приезжай, я жду...

Джо появился у нее полчаса спустя — Кейт едва успела покормить ребенка. Раздеваться он начал чуть ли не в прихожей, и через пять минут оба уже лежали в постели. Их страсть была подобна огромной волне — она то стремительно несла их куда-то, то нежно качала и баюкала, а они никак не могли насытиться друг другом.

Сентябрь пролетел как одно мгновение. К началу октября Кейт и Джо жили вместе уже почти два месяца, и ей это даже начинало казаться нормальным, словно они были законными супругами. Джо тоже чувствовал себя в квартире Энди достаточно свободно. Однажды он чуть было не ответил на телефонный звонок; лишь в последний момент Кейт успела выхватить у него трубку, и хорошо сделала, потому что звонила ее мать. В этот раз все обошлось, но обоим стало не по себе от сознания того, как близко были они к разоблачению.

Это почти безоблачное существование подошло к концу одним погожим октябрьским вечером, когда Энди позвонил из Германии и сообщил, что возвращается домой. Он благодарил Кейт за то, что она отпустила его так надолго и даже ни разу не пожаловалась на одиночество, но Кейт почти не слышала его. Все внутри ее словно покрылось слоем льда, и только кровь звенела в ушах. С трудом она выслушала рассказ Энди о том, как прошли заседания международного трибунала, и, кое-как попрощавшись с ним, положила трубку. Из всего, что говорил ей Энди, она запомнила только одно: через две недели он вернется в Нью-Йорк.

В тот вечер они с Джо долго сидели на кухне и говорили о том, как им теперь быть. Кейт чувствовала себя очень несчастной и испуганной. Реальность, вторгшаяся в ее хрустальный сон, разбила его вдребезги, и Кейт поняла, что у нее не осталось ровным счетом ничего. Даже Джо она в любую минуту могла потерять вновь. Единственное, что она знала твердо, это то, что очень скоро им всем будет очень больно — всем, включая маленького Кларка Александра. В ближайшие дни ей предстояло сделать решительный выбор, но Кейт не знала даже, может ли она рассчитывать на Джо. Ей было ясно только одно: жить с Энди, как раньше, она уже не сможет.

— Ну, и что мы теперь будем делать? — спросила она, глядя на Джо с надеждой и отчаянием.

— Я хочу жениться на тебе, Кейт, — ответил он негромко, но твердо. — Ты должна получить развод. Для этого тебе надо будет поехать в Рино — там можно очень быстро и без лишних формальностей оформить развод.. Если ты поступишь так, то мы сможем пожениться уже в конце года.

Это было именно то, чего Кейт всегда от него ждала, но теперь, чтобы стать женой Джо, она должна была сломать жизнь Энди. С ее стороны это было и жестоко, и непорядочно. Энди не сделал ничего, чтобы заслужить подобное отношение, и уж тем более он не был виноват в том, что она в очередной раз поддалась мужскому обаянию Джо.

Кейт все это понимала и испытывала острое отвращение к себе.

— Даже не представляю, что мне ему сказать... — проговорила она задумчиво.

— Скажи ему правду, — посоветовал Джо, и Кейт почти с неприязнью подумала, что ему-то легко говорить: сам он оставался в тени, в то время как ей предстояло нанести мужу почти смертельный удар.

Джо, очевидно, заметил выражение ее лица.

— А что еще тут можно сделать? — спросил он. — Снова расстаться? Может быть, ты *этого* хочешь?

Выбор действительно был невелик. Кроме двух упомянутых вариантов, существовала только одна возможность: продолжать встречаться тайком. Но Кейт знала, что долго не выдержит. Ложь и обман всегда были ей противны, к тому же обманывать ей пришлось бы близкого человека. Нет, этот третий путь был самым безумным и опасным из всех, и когда Кейт сказала об этом Джо, он с ней согласился. Он хотел жить с Кейт нормальной жизнью, хотел жениться на ней; его не останавливало даже то, что ребенок, скорее всего, остался бы с Кейт.

— Мне очень жаль Энди, — сказал Джо, — но ничего не поделаешь — придется ему сказать.

— А ты... серьезно говорил, что хочешь жениться на мне? — уточнила Кейт на всякий случай.

Она хорошо помнила слова матери — и хорошо знала Джо. Он действительно слишком любил свободу и свои самолеты, но ему было уже почти сорок лет, и Кейт надеялась, что с возрастом он немного угомонился и готов принести эту жертву. Ей просто хотелось быть уверенной в нем, прежде чем требовать от Энди развода.

— Совершенно серьезно, — подтвердил Джо торжественно. — Наверное, мне действительно пора попробовать семейной жизни.

Кейт тяжело вздохнула. Ну что ж, может быть, Джо в самом деле наконец-то «созрел» для брака, и теперь они хотят одного и того же. Если так, у них теперь гораздо больше шансов, что их семейная жизнь окажется счастливой. Но ключ к счастью был в ее руках. *Она* должна была сказать обо всем Энди; Джо мог только пообещать жениться на ней, если она разведется, что он и сделал.

— Я скажу ему, когда он вернется, — устало сказала Кейт.

Она не особенно стремилась к решающему объяснению с Энди, но это должно было быть сделано — оба знали, что иного выхода нет.

Оставив ребенка на попечение очередной няни, они отправились на выходные в Коннектикут и провели уик-энд в уютной маленькой гостинице при аэродроме. Кейт здесь никто не знал, и Джо представлял ее знакомым как свою жену. Странно было слышать, как посторонние люди называют ее «миссис Олбрайт», но Кейт с улыбкой думала, что теперь ей придется привыкать к тому, что окружающие станут величать ее Кейт Олбрайт. Она, впрочем, надеялась, что ей не понадобится на это слишком много времени, так как именно этого она давно хотела, и все-таки, слыша подобное обращение, Кейт чувствовала себя странно.

Накануне возвращения Энди Джо вывез из квартиры свои вещи, однако и эту последнюю ночь они провели вместе. Кларк Александр, словно чувствуя настроение матери, всю ночь кряхтел и вскрикивал, и Кейт совершенно извелась, пытаясь успокоить его. К утру даже Джо выглядел напряженным и издерганным, однако он быстро оделся и ушел, и Кейт осталась один на один со своей тревогой. Энди должен был прилететь через несколько часов, и Кейт знала, что ей предстоит тяжелое объяснение.

В одиннадцать часов Кейт вызвала такси и поехала в аэропорт Айдлуайлд, чтобы встретить Энди. Кларка Александра она взяла с собой, посадив малыша в легкую складную колясочку, которую по эскизу Джо сделали у него на заводе. Коляска была настолько удобной, что Кейт уговаривала его взять на нее патент, но он только отшучивался, говоря, что считает ниже своего достоинства патентовать конструкции, которые не способны оторваться от земли. Кейт пообещала позвонить ему вечером, однако она вовсе не была уверена, что ей это удастся. Чем меньше оставалось времени, тем сильнее страшил ее предстоящий разговор с мужем. Она знала, что в отличие от нее Энди любил по-настоящему глубоко и сильно, и развод неминуемо должен был нанести ему страшную рану. И хотя Джо, пытаясь утешать ее, предсказывал, что Энди скоро оправится от этого удара и женится, она в этом сильно сомневалась, скорее наоборот: после ее предательства он вовсе перестанет доверять женщинам, вниманием которых всегда был избалован.

В аэропорт Кейт приехала в двенадцать. На ней было

узкое черное платье и черная шляпа, что вполне соответствовало ее траурному настроению. И для нее, и для Энди этот
день вряд ли мог оказаться счастливым.

Энди появился в воротах одним из первых. После транс-
атлантического перелета и четырех месяцев тяжелой работы
он выглядел усталым, но стоило ему заметить Кейт и сына,
как на лице его появилась широкая радостная улыбка. Бросив-
шись вперед, он так крепко поцеловал ее, что едва не сбил у
нее с головы шляпку.

— Я так скучал по тебе, Кейт! — воскликнул он, выпуская
ее и подхватывая на руки малыша. — Как он вырос!

Кларку Александру уже исполнилось восемь месяцев; у
него было шесть зубов, и он уже пытался вставать в своей кроватке, однако, оказавшись на руках у незнакомого дяди, он за-
ревел басом и потянулся к матери.

— Он совсем меня забыл! — разочарованно протянул
Энди, сажая сына обратно в коляску и обнимая Кейт за плечи. — А как ты, дорогая? Почему у тебя такой похоронный
вид?

Кейт уверила его, что у нее все в порядке, однако Энди
всю дорогу внимательно всматривался в ее лицо и как-то рассеянно отвечал на ее расспросы о Германии. Когда же он попытался взять ее за руку, Кейт мягко, но решительно освободилась, притворившись, будто ей срочно понадобилось до-
стать что-то из сумочки.

Когда они вернулись домой, Кейт усадила Энди за стол, а
сама покормила малыша и уложила его спать. Ей хотелось как
можно скорее объясниться с мужем, чтобы не обманывать его
дольше, чем необходимо. Хотя она и поняла, что никогда не
любила Энди по-настоящему, все же он не заслуживал того,
чтобы с ним обходились как со статистом в третьесортной
пьеске.

— Кейт, дорогая, что-нибудь случилось? — спросил Энди,
когда Кейт вернулась в кухню.

Она все еще была в черном, что делало ее старше и се-
рьезнее, чем обычно. Энди давно понял — что-то произошло,
пока его не было, но, что это могло быть, он не знал и терялся
в догадках. Он даже подумал, не умер ли кто-нибудь из ее родственников. Но почему тогда она избегает смотреть на него,
почему сторонится его прикосновений?

— Нам нужно поговорить, — выдавила Кейт. — Может,
перейдем в гостиную?

Все еще недоумевая, Энди последовал за ней и опустился на широкий кожаный диван. Кейт села в кресло напротив и, собираясь с силами, набрала в грудь побольше воздуха. Она понимала, что должна совершить самый жестокий, самый подлый поступок за всю свою жизнь, но иначе она не могла. Они оба должны были посмотреть в лицо реальности. Вот только как объяснить Энди, чтобы он понял: их брак с самого начала был ошибкой, и рождение ребенка — тоже. И виновата в этой ошибке была только она. С ее стороны было просто глупо надеяться, что она сумеет полюбить кого-то, кроме Джо, даже если будет связана с ним брачными узами достаточно долго. Единственным извинением Кейт могло служить то, что она не желала Энди зла и питала к нему только самые теплые чувства. Однако, как ни страшно Кейт было в этом себе признаваться, она нисколько не жалела о том, что им с Энди придется расстаться.

— Что случилось, Кейт? — негромко спросил Энди.

У него было расстроенное лицо, но он держал себя в руках, и Кейт со страхом подумала о том, что за четыре месяца отсутствия Энди изменился. Он как будто повзрослел, стал мужественнее и сильнее. Нечеловеческие жестокости нацистов, о которых ему пришлось узнать, а также лежавшая на нем огромная ответственность закалили его душу, и он вернулся к Кейт взрослым мужчиной — суровым, неуступчивым, жестким. Она прочитала это в его глазах, и сердце у нее невольно дрогнуло.

— Я совершила ужасную ошибку, Энди, — начала она.

Теперь Кейт торопилась рассказать ему обо всем, спеша избавиться от тайны, которая своим страшным весом пригибала ее к земле. Но Энди не дал ей договорить.

— Давай не будем об этом, — неожиданно сказал он. — Что бы это ни было, не будем говорить об этом. Вообще.

— Но мы должны!.. — растерянно пробормотала Кейт. — Пока тебя не было, я... Кое-что действительно произошло.

Энди поднял руку, призывая ее к молчанию, и Кейт оселась на полуслове. В его глазах появилось нечто такое, чего она никогда прежде не видела.

Воспользовавшись замешательством Кейт, Энди перехватил у нее инициативу.

— Еще раз повторяю, Кейт, что бы это ни было, я не хочу ничего слышать! Ни слышать, ни знать, поэтому я прошу тебя: молчи. Не говори ничего. Что бы ни произошло, это не имеет никакого значения. Мы: вот что важно. Мы — ты, я и наш сын. Только об этом следует думать, поэтому сейчас мы поплотнее закроем эту дверь в прошлое и пойдем дальше. И все снова будет хорошо, Кейт, вот увидишь!

Кейт была настолько потрясена, что не могла вымолвить ни слова.

— Но, Энди... — выдавила она наконец. — Мы не можем...

Ее глаза наполнились слезами. Энди просто обязан был ее выслушать. Он должен был узнать, что она хочет развестись с ним и выйти замуж за Джо... Но внезапно Кейт с ужасом почувствовала, что он не собирается позволить ей просто перешагнуть через него — Энди готов был защищать свое счастье. И, надо сказать, все козыри были у него: без его согласия никакой суд бы их не развел, и как специалист по семейному праву, Энди понимал это лучше, чем кто бы то ни было. Именно поэтому он не хотел слышать ничего из того, что Кейт собиралась ему сказать.

— Нет, Кейт, мы можем. Можем и должны... — Тон, каким он это сказал, заставил Кейт похолодеть. — И пожалуйста, оставь при себе то, что ты собиралась мне сказать, — это ничего не изменит. Мы женаты, и у нас есть сын. У нас будут еще дети, и, я надеюсь, мы будем счастливы. Пожалуй, мне не следовало уезжать так надолго, но кто же знал... К тому же то, чем я занимался в Германии, тоже нельзя назвать пустяком, и я рад, что принял участие в этой работе. Но сейчас это уже не важно. Все, что было в прошлом, — не важно. Теперь ты снова моя жена, и из этого мы будем исходить. Начнем все сначала и постараемся больше не делать ошибок, хорошо?

— Но, Энди, пожалуйста... Выслушай меня, я тебя прошу! — Слезы покатились по щекам Кейт. — Я не могу, не могу, понимаешь?!

Еще никогда в жизни Кейт не испытывала такого глубокого безысходного отчаяния. Ей было совершенно очевидно, что Энди не собирается отпускать ее куда бы то ни было, к кому бы то ни было. Ей оставалось только убежать с Джо и снова жить с ним гражданским браком, но в этом случае она теряла ребенка. А если бы она посмела взять Кларка Александра с собой, Энди достаточно было просто обратиться в полицию, и тогда бы ее нашли, отняли сына, а саму отправили в тюрьму. Закон о похищении ребенка был одним из самых суровых и жестких, о чем Энди прекрасно знал. Знал и пользовался этим. Развестись с ним без достаточных оснований Кейт не могла — это она понимала даже без консультации юриста, а таких оснований у нее как раз и не было. Она могла рассчитывать только на развод по обоюдному согласию, но Энди не хотел даже выслушать ее!

— Ты должен выслушать меня, Энди! — взмолилась она. — Зачем я тебе — такая?.. Рано или поздно ты сам это поймешь, так зачем нам мучить друг друга?

Энди посмотрел на нее так, что у Кейт мороз пробежал по коже.

— Мы с тобой муж и жена, Кейт, и этим все сказано. Я не дам тебе развода, если ты этого добиваешься. И, поверь мне, когда-нибудь ты будешь благодарить меня за это. Пока же... Что ж, я понимаю, что сейчас тебе очень тяжело, но пройдет какое-то время, и ты почувствуешь себя лучше. — Он немного помолчал, потом добавил чуть более мягко: — Ты действительно едва не совершила ужасную ошибку, Кейт, но я не могу допустить, чтобы из-за минутной слабости, из-за каприза с нами случилось что-то страшное. Сейчас я пойду вздремну часок, а ты пока как следует подумай. Вечером мы идем ужинать в «Эль Морокко».

Кейт подняла голову и встретила холодный взгляд Энди. Ей не хотелось никуда с ним идти, не хотелось быть его женой, даже видеть его не хотелось, но она вынуждена была подчиниться. За какой-нибудь час она превратилась в его пленницу.

Поднявшись с дивана, Энди вышел в спальню, плотно прикрыв за собой дверь. Кейт некоторое время тупо смотрела на эту дверь, и ее всю трясло. Впервые за время их знакомства она чувствовала к Энди самую настоящую, жгучую ненависть. Ей хотелось только одного — быть с Джо, но она не могла расстаться с сыном. И Энди прекрасно понимал это. Из этой ловушки ей было не выбраться, как бы она ни старалась. Чтобы получить сына, ей сначала надо было получить развод, а это целиком зависело от воли и желания Энди.

Услышав, что Энди пошел в ванную и включил воду, Кейт бросилась к телефону. Джо был на переговорах, но Кейт попросила секретаршу срочно вызвать его. Через минуту Джо был у аппарата.

— Ну что? Было очень тяжело? — с тревогой спросил он.

— Хуже некуда, — мрачно ответила Кейт. — Энди даже не стал меня слушать. Он сказал, что все это не имеет значения и что мы должны жить так, словно ничего не случилось. Развода он мне не даст, а без этого я не могу забрать ребенка.

— Он просто блефует, Кейт. — В глубине души Джо всегда считал Энди размазней. — На самом деле он очень испугался, я уверен. Ты только не уступай, и он не выдержит.

— Сомневаюсь. Он какой-то... другой. Я, во всяком случае, никогда не видела его таким... решительным. Энди сказал, что не собирается даже разговаривать со мной об этом. Для него вопрос закрыт.

Только сейчас Кейт сообразила, что не рассказала Энди о Джо, а ведь она рассчитывала, что это должно подействовать на него сильнее всего. Энди слишком хорошо знал, что Джо для нее значил. Но она спасовала, а теперь всякие разговоры были, скорее всего, бесполезны. Энди как будто отгородился от нее толстой каменной стеной, сквозь которую ей было не пробиться.

— Тогда возьми ребенка и уходи, — решительно посоветовал Джо. — Он не может заставить тебя жить с ним.

Кейт тяжело вздохнула.

— Еще как может, — сказала она. — Если я убегу и возьму Кларки, он потащит меня в суд, а суд обяжет меня вернуться. Результат будет тот же, но сначала мне придется пройти через арест, через несколько судебных заседаний... Н-нет, я не могу!

— А я говорю, он тебя не заставит. И ты, и Кларк Александр можете жить со мной совершенно спокойно. Я сейчас же свяжусь с юридической фирмой, которая обслуживает нашу корпорацию, и скажу, чтобы они приготовили все необходимые документы. Я не отдам ему тебя!

Кейт снова вздохнула. То, что предлагал Джо, означало скандал еще более грандиозный, а главное, он все равно бы ни к чему не привел. С точки зрения закона позиция Энди была практически неуязвима. Единственное, что тут можно было сделать, это попытаться убедить его, но она не знала как.

— Подожди немного, я попробую еще раз поговорить с ним сегодня вечером, — сказала она.

Потом Кейт услышала, что в ванной комнате перестала течь вода, и поспешно попрощалась. Она решила все-таки пойти с Энди ужинать, хотя и понимала, что вряд ли они получат от этого удовольствие. Но у нее оставалась маленькая надежда, что Энди немного успокоился и согласится хотя бы выслушать ее.

Действительно, атмосфера за ужином была гнетущей. Энди всем своим видом показывал, что не собирается менять свое решение, и держался холодно и отчужденно. Все же Кейт попыталась поговорить с ним, но из этого ничего не вышло.

Энди твердил, что не позволит ей разрушить свою и его жизнь, и Кейт казалось, будто невидимая петля на ее горле затягивается все сильнее и сильнее.

Он не требовал даже, чтобы она призналась, с кем и почему она изменила ему, как поступили бы на его месте другие мужья. Он как будто почувствовал или догадался, о чем или, вернее, *о ком* пойдет речь, однако это, похоже, только еще больше утвердило Энди в его намерении во что бы то ни стало сохранить Кейт. Что бы она ни говорила, что бы ни делала, он не собирался никуда ее отпускать.

На следующий день Энди уехал на работу очень рано, даже не попрощавшись с ней, и Кейт, оставив ребенка с няней, помчалась в офис к Джо. Она была в панике и отчаянно нуждалась в его поддержке и совете, но когда Кейт увидела Джо, то сразу поняла, что он чем-то сильно расстроен. Она начала говорить ему, что в Германии Энди изменился и стал другим — упрямым, бесчувственным — но Джо ее перебил:

— Он не может удерживать тебя силком, Кейт. Ведь ты, в конце концов, не ребенок, ты — взрослая, совершеннолетняя женщина. Собери свои вещи и уходи от него!

— Уйти? Ты предлагаешь мне уйти и оставить сына?

— Ты можешь вернуться за ним потом. Можно даже подать на Энди в суд.

— И что я там скажу? Что я изменяла ему с другим? Это не причина для развода. К тому же Энди всегда может сказать, что я бросила своего ребенка. Дело кончится тем, что суд признает меня недееспособной матерью и отдаст Кларки ему. Нет, Джо, я не могу уйти от Энди.

— Уж не хочешь ли ты сказать, что останешься его женой?

— Что еще я могу сделать? — Глаза Кейт стали похожи на два голубых, полных страдания озерца. — У меня нет выбора. Может, со временем он поймет, на что обрек себя и меня, и уступит, но сейчас в него точно бес вселился! Энди просто не хочет слушать никаких доводов. Он вообще отказывается разговаривать со мной на эту тему.

Кейт разрыдалась, и Джо, выйдя из-за стола, обнял ее за плечи.

— Я не должна была уходить от тебя три года назад! — всхлипывала она.

— Я не оставил тебе выбора, — мрачно сказал Джо. —

Какой же я был дурак, что позволил тебе уйти тогда! Да еще заявил, что самолеты всегда будут для меня важнее... — Он почти дословно помнил ту маленькую речь, которую произнес в тот памятный обоим вечер.

— Хочешь, я сам с ним поговорю? — предложил он. — Может быть, Энди испугается если не меня, то бога... Или общественного мнения... А может, мне попробовать выкупить тебя?

Эта идея казалась идиотской ему самому, но ради Кейт Джо готов был даже обратиться к индейским колдунам.

Кейт печально покачала головой.

— Энди не нужны твои деньги, Джо, у него есть свои. И вообще, деньги здесь ни при чем; дело не в них, а в любви.

— В любви?! Не смеши меня! Единственное, что вас связывает, это ребенок. И Энди не может этого не понимать.

Джо не сомневался, что Энди прекрасно все понимает. Во всяком случае, эту карту он разыграл по всем правилам юридической науки, надеясь вынудить Кейт изменить свое решение. Одной из причин удрученного состояния Джо была вчерашняя встреча с юристом корпорации. Узнав подробности, тот не колеблясь заявил, что за это дело не возьмется ни один адвокат и что единственный выход из этой поистине неразрешимой ситуации может заключаться только «во внезапной смерти одной из заинтересованных сторон».

Джо отлично понял, что имелось в виду, и на протяжении нескольких часов даже вполне серьезно раздумывал, не устроить ли Энди автомобильную катастрофу. Но потом он опомнился и отказался от этой мысли. Дело было даже не в том, что так низко он еще не пал; дело было в Кейт. Узнай она о том, что Джо хотя бы подумал о чем-то подобном, и он потерял бы ее навсегда.

Но никакого другого способа освободиться старый юрист посоветовать не мог. Если бы Кейт попыталась скрыться с сыном, ее тут же обвинили бы в похищении ребенка и объявили в федеральный розыск. Джо, правда, знал на Аляске одно глухое местечко, где Кейт не нашли бы еще лет тридцать или сорок, однако сам он тоже не смог бы с нею видеться, так что вся затея изначально была лишена смысла.

— Я попалась, Джо. Мне не вырваться, — сказала Кейт с несчастным видом.

— Потерпи немного, родная. Это не может продолжаться вечно. Ты молода, он тоже... В конце концов Энди обязательно уступит. Рано или поздно ему захочется нормальной жизни, и тогда он отпустит тебя...

Джо пытался ее утешить, но обоим было ясно, что это произойдет скорее поздно, чем рано. Энди сражался за свою семью, за свою жену и сына и не собирался терять их без борьбы.

Когда поздно вечером Энди вернулся с работы, Кейт попыталась поговорить с ним еще раз, но все было бесполезно. Она добилась только того, что Энди вышел из себя и швырнул в стену их свадебный подарок — расписную фарфоровую салатницу, которая разлетелась на тысячу кусков. Ничего подобного Кейт не ожидала: подобное иррациональное проявление гнева было не в его характере. А главное — ведь Энди ничего толком не знал, он так ни разу и не выслушал ее объяснения...

Кейт было невдомек, что Энди почти сразу понял — без Джо Олбрайта здесь не обошлось. Это было просто написано у нее на лице! Энди отлично помнил, как Кейт сходила с ума по Джо, пока училась в колледже, как она ждала его приездов, как дорожила каждым письмом. Точно такое же выражение, как сейчас, было у нее на лице, когда она сообщила Энди, что Джо жив. Он до сих пор помнил, какой у нее тогда был взгляд — отрешенный, мечтательный и совершенно чужой, словно он, Энди Скотт, перестал для нее существовать. Только один мужчина на свете мог заставить Кейт выглядеть так и чувствовать так, и Энди сразу догадался, кто встал на его пути. Именно поэтому он не захотел слушать ее объяснения и причинять себе лишние страдания. Страдания отнимали силы, а Энди знал, что в предстоящей борьбе не на жизнь, а на смерть они ему понадобятся.

Он был настолько уверен в правильности своей догадки, что даже не стал звонить Джо. Вместо этого Энди приехал к нему в офис на следующий день после того, как там побывала Кейт. Войдя в здание, он сразу поднялся на нужный этаж и велел секретарше доложить мистеру Олбрайту, что пришел Энди Скотт и хочет его видеть. Секретарша, несколько ошарашенная подобной бесцеремонностью, спросила, на какое время ему назначено, на что Энди ответил, что ему не назначено, но он уверен, что мистер Олбрайт примет его немедленно.

Он оказался совершенно прав. Через две минуты секретарша уже вводила Энди в огромный, роскошно обставленный кабинет. Джо, впрочем, даже не попытался соблюсти видимость приличий и не встал из-за стола, чтобы приветствовать его. Он так и остался сидеть, глядя на гостя глазами затравленного зверя, и Энди понял, что выиграл первое очко.

— Добрый день, Джо, — сказал он спокойно.

Спокойствие и уверенность были главными козырями в его колоде, от которых зависело все остальное. Он старался не особенно смотреть по сторонам, чувствуя, что его подавляет роскошь кабинета, в который он попал. Особенно хорош был вид из окна — отсюда, с тридцатого этажа, был виден весь Нью-Йорк, обе реки и Центральный парк. Энди твердил себе, что он пришел сюда, чтобы победить. К тому же у него имелось преимущество — Кейт пока была его женой и у них был общий ребенок.

— Интересный ход, Энди, — сказал Джо, лениво улыбнувшись. — Я имею в виду твое появление здесь... Что ж, садись, раз пришел. Что будешь пить?

Энди, немного поколебавшись, попросил «скотч» со льдом. Он редко пил до ужина, но сейчас выпивка могла помочь ему успокоить натянутые нервы.

Джо не спеша поднялся, налил себе и ему, и снова опустился за стол.

— Наверное, можно не спрашивать, по какому делу ты пришел? — сказал он.

— Конечно. Мы оба это понимаем. А вот чего ты, кажется, не понимаешь, Джо, так это того, что на сей раз она к тебе не вернется — можешь даже не стараться. У Кейт есть муж и ребенок.

— Э-э, нет, Энди, так не пойдет, — возразил Джо. — Ты не можешь заставить женщину любить тебя насильно, а именно это ты и пытаешься сделать. Ты даже взял в заложники собственного сына — лишь бы удержать ее. Почему бы тебе просто не приковать Кейт цепями к стене? Быть может, это не так изящно, но, уверяю тебя, действует не хуже.

Джо говорил с легкой снисходительностью, словно давал понять, что нисколько не боится Энди и даже не питает к нему ненависти. В самом деле, он был могущественным человеком, владельцем международной компании, который способен покупать и продавать таких, как Энди, пачками. А главное, Джо жалел соперника-неудачника. Однако в глубине его сердца жил какой-то подсознательный страх. Джо хорошо знал, что даже самый безобидный зверь, если загнать его в угол, может броситься на охотника, а сейчас как раз и был такой случай.

— Ну, что же ты молчишь? — спросил он. — Давай поговорим. Чего ты хочешь?

— Я хочу, чтобы ты наконец понял, что за человек Кейт и чего ты добиваешься с такой страстью, — все так же спокойно произнес Энди. — Мне кажется, ты не совсем хорошо это себе представляешь.

Эти слова позабавили Джо, и он улыбнулся.

— Я знаком с ней уже десять лет. С чего ты взял, будто я не знаю, что она за человек? Мне не хотелось бы тебя шокировать, но... Впрочем, Кейт, наверное, тебе рассказывала, что мы два года жили как муж и жена.

— Это, в конце концов, не так важно. Важнее другое: к каким выводам ты пришел после того, как «жил» с нею. Насколько мне известно, тогда ты вовсе не горел желанием жениться на ней. Что же изменилось теперь?

Джо не хотелось исповедоваться перед этим зеленым юнцом, но он всегда придерживался мнения, что честность — лучшая политика. Кроме того, именно правда могла сбить спесь с этого парня.

— Тогда я был дураком, — резко сказал он. — Я создавал свою фирму и был чертовски занят. У меня было столько идей, столько планов... Мне казалось, я не готов к семейной жизни: ведь о жене надо заботиться. Три года тому назад у меня просто не было на это времени. Сейчас время у меня есть.

Энди усмехнулся.

— Все это я знаю... Но было ли это единственной причиной? Или тебе мешало что-то еще? Быть может, Кейт казалась тебе слишком требовательной? Не казалось ли тебе, что тебя хотят посадить на цепь, стреножить, как бычка, чтобы не уходил далеко?

Обо всем этом Энди узнал от Кейт, но Джо не догадывался, откуда у него такие сведения. Между тем Энди довольно точно описывал его тогдашнее состояние, и Джо это было не особенно приятно. «Слава богу, — подумал он, — Кейт теперь изменилась и, похоже, поняла, из-за чего мы тогда разбежались».

— ...А ведь с тех пор она нисколько не переменилась, — продолжал тем временем Энди, словно прочитав его мысли. — Она осталась такой же. Каждый раз, когда мне надо уходить, она готова закатить самую настоящую истерику. Кейт звонит мне, куда бы я ни поехал. Если меня вдруг не оказывается на месте, она заставляет мою секретаршу искать меня по всем судам, по всем клиентам. Когда Кейт была беременна, она едва не свела меня с ума. Я знаю, что психика женщины в положении не отличается устойчивостью, но это был самый настоящий кошмар, можешь мне поверить! Мне каждый день приходилось приезжать обсдать домой, потому что она, видите ли, не могла без меня... Ты этого хочешь, Джо? Ведь Кейт наверняка будет требовать, чтобы ты приходил домой каждый день и проводил с ней все выходные, а твоя работа связана с разъездами. Ездить с тобой она вряд ли сможет — во всяком случае до тех пор, пока Кларки не подрастет. А Кейт хочет еще детей, и она своего добьется, даже если ей придется пойти на хитрость. Так она обманула меня с Кларки — я не хотел спешить, но когда она сказала, что ждет ребенка, я не возражал. А вот *ты* будешь возражать...

Все это было неправдой, но в свое время Кейт довольно подробно рассказывала Энди о Джо Олбрайте, о том, чего он хочет и чего боится, — и сейчас Энди умело играл на его страхах. Это был грязный трюк, но он был уверен, что ради благой цели все средства хороши. И он с радостью заметил, что Джо начинает колебаться. Энди видел это по его глазам. Джо по-прежнему чувствовал себя обязанным защищать Кейт и их любовь, но он был испуган.

— Она просто не любит тебя, в этом все дело, — сказал Джо, и его голос звучал все еще достаточно твердо. — Когда Кейт будет со мной, она изменится.

Но он не был уверен в своих словах на все сто процентов, и Энди сразу это почувствовал. Несмотря на молодость, он был уже очень опытным адвокатом, умевшим ловить малейшие обертоны страха, неуверенности, сомнения.

— Едва ли она способна измениться, — заявил он с апломбом. — В каком-то смысле Кейт так и осталась ребенком. Ты ведь знаешь, что произошло с ней в восемь лет? И я это тоже знаю...

Джо удивленно приподнял брови.

— Разве... разве она рассказала тебе о своем отце? — спросил он, и в его голосе прозвучала обида. За десять лет знакомства Кейт никогда не говорила с ним о том, что произошло с Джоном Бэрретом. Джо узнал об этом от Кларка, когда разговаривал с ним в кафе на мысе Код.

— Конечно, — не колеблясь, солгал Энди. О самоубийстве родного отца Кейт он узнал из того же источника — Кларк рассказал ему об этом накануне их свадьбы.

— Мы всегда были близкими друзьями, и у Кейт не было от меня секретов. Но ты хоть представляешь, что она тогда испытала? И что это для нее значило? Она до сих пор боится потерять тех, кого любит. Отсюда ее страх одиночества, все ее истерики, капризы, желание лишний раз подстраховаться... За всю свою жизнь я не встречал женщины, которая была бы столь зависима от партнера! Известно ли тебе, что, пока я работал в Европе, она писала мне по два раза в день?

Это тоже было ложью, но Энди был готов на все, лишь бы заставить Джо бежать. Он знал, что, если сделает все правильно, Кейт даже не узнает, что он побывал у Джо. Все произойдет как будто само собой. Это было своего рода идеальное убийство, и Энди как юрист даже гордился собой.

— Кейт человек в высшей степени неуравновешенный, — продолжал Энди, все более воодушевляясь. — Предпосылки к этому были у нее всегда, но в последнее время она совершенно развинтилась. Когда вы с ней расстались в Нью-Джерси... Для нее это был страшный удар. Кейт, наверное, не говорила тебе, но... — Энди немного помолчал и наконец удрученно произнес: — Она пыталась совершить самоубийство. Ты об этом знал?

Энди сразу понял, что удар попал в цель. Кейт как-то рассказывала, как раним Джо, как он чувствителен к разного рода обвинениям. Чувствовать себя виноватым для него было невыносимо, и Энди это запомнил. Сейчас это знание ему пригодилось. Джо непроизвольно схватился за голову, словно его вдруг поразил острый приступ мигрени.

— Что-о?! — с трудом проговорил он.

— Я так и думал, что она тебе не сказала. — Энди притворно вздохнул. — Кажется, это было на Рождество... Вы только недавно расстались, а мы с ней еще не встретились. Она выпила какую-то дрянь и две недели провалялась в больнице. Ее едва спасли.

— Я не верю! — прогремел Джо и стукнул кулаком по столу. — В какой больнице она лежала? В психиатрической?

На этот раз Энди лишь молча кивнул, удачно притворившись, будто ему тяжело говорить, но отравленный дротик, который он послал в Джо, уже сделал свое дело. Яд неуверенности и страха разлился по венам Джо. Он не мог вынести даже мысли о том, что Кейт пыталась покончить с собой из-за него. Теперь Джо мог думать только о том, что из «негодного мальчишки», как его часто называли в детстве, он превратился во взрослого подлеца и труса. А этого он уже не мог выдержать, на что и надеялся Энди.

— Кстати, а что ты собираешься предпринять насчет детей? Ведь Кейт хочет еще ребенка, быть может — не одного, — напомнил он. — Как раз вчера она сказала, что хочет родить от тебя еще одного мальчика и девочку.

Этот удар едва не добил Джо.

— Вчера? Она так говорила? Ты, наверное, не понял! Я же совершенно ясно сказал ей, что...

— Какая разница? Кейт всегда добивалась своего. Она очень похожа на мать, только более скрытная.

Энди прекрасно знал, что Джо терпеть не может Элизабет. Это была, конечно, мелочь, но сейчас все годилось.

— Мы не поговорили еще о самом важном, во всяком случае — для меня, — добавил он. — Я имею в виду моего сына, Кларка Александра. Ты действительно готов воспитывать его, как полагается? Играть с ним в бейсбол, возить в Диснейленд, катать на пони, сидеть с ним ночами, если у него разболятся ушки или приснится кошмар? Не обижайся, Джо, но я почему-то уверен, что ты на это не слишком способен...

Джо не мог не произнести ни слова. Картина, нарисованная Энди, была слишком похожа на правду, а эта история с попыткой самоубийства едва не свела его с ума. Джо винил в этом себя, а чувство вины всегда действовало на него как самый чистый яд. Он терял голову и готов был совершать одну глупость за другой.

— Позволь мне подвести некоторые итоги, — сказал Энди, наблюдавший за агонией поверженного соперника с хорошо скрытым злорадством. — Я не хочу терять жену и мать моего ребенка. Я не хочу, чтобы она снова почувствовала себя покинутой, брошенной самыми дорогими людьми, и предприняла еще одну попытку... Ты знаешь, о чем я говорю. Кейт очень ранимый человек, к тому же склонность к... к самоубийству у нее в роду. Вспомни ее отца... Кейт может очень легко пойти по его стопам, если создать ей невыносимые условия для жизни.

Это был грязный трюк, в особенности — по отношению к

Кейт. Грязный и жестокий, но Энди это не остановило. Внутренне он уже торжествовал. Его план блестяще удался.

— Ну так как же? Что ты собираешься делать? — спросил он с самым невинным видом.

— Похоже, ты прав, — с трудом проговорил Джо. Неожиданно ему захотелось заплакать, и только присутствие Энди удержало его. — То, как я живу, мой образ жизни, он... Он не совсем ей подходит. Я могу причинить вред Кейт, сам того не желая. А вдруг она... покончит с собой, пока я буду в командировке? — При одной мысли об этом у него внутри все похолодело, и он не смог продолжать.

— Боюсь, этого нельзя исключить совершенно, — поддакнул Энди с фальшивым сочувствием.

Джо почувствовал, как к горлу подкатывает дурнота.

— Я не могу поступить с ней так... — прохрипел он. — Ты, по крайней мере, присмотришь за ней. Кстати, а почему ты не боялся оставлять ее, когда уезжал на четыре месяца в Европу?

Эта мысль пришла ему в голову совершенно неожиданно, но у Энди давно был готов ответ.

— Мои родители обещали навещать ее. Кроме того, Кейт два раза в неделю бывает у своего психоаналитика. Он ей очень помогает.

— У психоаналитика?! — У Джо снова вытянулось лицо. — Кейт ходит к психоаналитику?

Энди скорбно кивнул.

— Я вижу, она и об этом ничего тебе не сказала. Это один из ее секретов. Впрочем, на месте Кейт я бы тоже не стал этим хвастаться.

— Просто не представляю, что мне ей сказать... — растерянно проговорил Джо.

Он любил Кейт, и она любила его, однако сейчас Джо был уверен, что их брак не приведет ни к чему хорошему. Если они все-таки поженятся, он все равно не сможет уделять Кейт достаточно внимания, и это убьет ее — убьет в буквальном смысле слова. Джо очень боялся такого исхода и не хотел рисковать.

Еще никогда он не чувствовал себя таким несчастным — даже когда Кейт ушла от него в Нью-Джерси. Совсем недавно — всего час назад! — он был совершенно уверен, что Энди скоро сдастся, и они с Кейт поженятся, но теперь ему было совершенно ясно, что Кейт следовало остаться со своим теперешним мужем. Так было безопаснее для нее и лучше для ее ребенка...

Джо встал, давая понять, что разговор закончен.

— Спасибо, что пришел ко мне, — мрачно сказал он на прощание и пожал Энди руку. — Ты правильно сделал. Нужно позаботиться о Кейт. Я... мы оба должны о ней позаботиться.

Эти слова дались ему нелегко, но Джо слишком любил Кейт и не хотел подвергать ее опасности. Да и страх потерять свободу, который Энди так умело разжег в нем своим рассказом, не оставлял Джо. Он очень хорошо представлял себе, *как* они будут жить, если Кейт снова начнет требовать от него невозможного.

— Да, — сказал Энди. — Совершенно верно. Мы должны.

Джо проводил его до дверей кабинета. Когда Энди вышел, Джо вернулся за стол и долго сидел, отвернувшись к окну и глядя на город внизу. Он думал о Кейт, и слезы медленно катились по его щекам. Он потерял ее. Снова потерял. И на этот раз ничего исправить было нельзя.

Кейт так и не узнала, что произошло. Она не знала даже, что Энди побывал у Джо. Вечером он, как обычно, вернулся домой с работы, разделся и сел ужинать. Энди ничего не сказал, но она почувствовала исходящую от него ауру торжества, и ей едва не стало дурно. Ее бывший муж, а теперь — тюремщик, был явно доволен собой, и Кейт ненавидела его всей душой. Ей было странно думать, что когда-то давно она пусть немножко, но все-таки любила его. Теперь же в ее душе не осталось ничего, что хоть немного напоминало прежнее чувство. Из друга Энди Скотт превратился в ее врага.

Два дня спустя Джо пригласил Кейт пообедать с ним. Они встретились в крошечном, полутемном ресторане, где уже не раз бывали. Здесь очень вкусно кормили, но ни Кейт, ни Джо так и не притронулись к пище. Даже не дожидаясь, пока принесут заказ, Джо изложил ей свой взгляд на ситуацию. Он сказал, что не имеет права разрушить ее брак, если из-за этого Кейт может потерять сына. Кроме того, добавил Джо, есть еще много мелких обстоятельств, которых он не хотел бы касаться сейчас. То, о чем он уже сказал, вполне достаточно, чтобы...

Он еще что-то бормотал, но Кейт не слушала его. Она смотрела на Джо и видела в его глазах выражение вины и боли. Ему было очень, очень больно, но она еще не поняла — почему. А потом он произнес страшную фразу:

— Мы должны расстаться, Кейт...

Эти слова оглушили ее. Кейт ничего не ответила, а он все говорил и говорил. Джо сказал, что они должны наконец отпустить друг друга, что им незачем так цепляться за то, из чего «все равно ничего не выйдет», что нужно забыть друг друга как можно скорее, что «так будет лучше», и что «он не хочет причинять ей новые муки». Кейт мысленно повторяла его слова по пути домой, и плакала, и никак не могла остановиться. К тому моменту, когда такси, в котором она ехала, остановилось у подъезда, Кейт уже поняла, что никогда больше не увидит Джо. Словно во сне она поднялась в квартиру и там рухнула на кровать, продолжая обливаться слезами. Кейт была в отчаянии. Впервые в жизни ей по-настоящему хотелось умереть, но все же не настолько сильно, чтобы взять дело в свои руки. Она даже не подумала о том, как просто выпить яд или шагнуть из окна.

Джо этот последний ленч с Кейт тоже дался нелегко. Он сделал для нее то, что считал необходимым, но как ему быть дальше, не знал. Он не мог оставаться в Нью-Йорке — это было выше его сил. И Джо бежал, как делал это уже много раз в своей жизни. В тот же день, надеясь, что расстояние приглушит боль, он вылетел в Калифорнию, чтобы никогда больше — даже случайно — не встречаться с Кейт.

Глава 18

Шли месяцы, а отношения между Кейт и Энди становились все напряженнее. Они почти не разговаривали. Кейт ходила мрачная, она сильно осунулась и похудела. С тех пор, как Энди вернулся из Европы, они даже ни разу не занимались любовью: Кейт этого не хотела, а Энди не настаивал. Он, правда, еще надеялся, что со временем она успокоится и все войдет в свою колею, но Кейт продолжала избегать его. Она уверена, что как бы долго Энди ни держал ее в плену, ему не удастся заставить ее разлюбить Джо. Энди потерял ее навсегда, когда, шантажируя собственным сыном, вынудил остаться пленницей в собственном доме. Теперь Кейт не испытывала ничего, кроме ненависти, к человеку, который продолжал называться ее мужем.

Только в марте, когда Кларку Александру исполнился годик, их отношения стали чуть больше походить на нормальные. Кейт не простила Энди, просто она устала от того ада, который они устроили друг другу. Они по-прежнему спали врозь и почти не разговаривали, но теперь, когда Энди возвращался с работы, Кейт не испытывала к нему той острой ненависти, которая сжигала ее вначале. Досада, злость, негодование сменились равнодушием, и Кейт совершенно искренне считала, что это к лучшему. Ненависть требовала слишком много душевных сил, а они и так были у нее на исходе.

Родители Кейт давно заметили, что с их дочерью происходит что-то странное, но не вмешивались, боясь сделать хуже. Даже Элизабет, всегда отличавшаяся решительностью и прямотой, не осмелилась спросить у Кейт, в чем, собственно, дело.

Летом они всей семьей — если это можно было так назвать — выехали на мыс Код, и там Элизабет впервые узнала, что Энди и Кейт спят в разных комнатах. Для Кейт, однако, это было только естественно. От их брака осталась лишь пустая скорлупа, но она была слишком крепка, и сломать ее Кейт не удавалось. Ее жизнь все больше и больше становилась похожа на кошмар наяву, и Кейт, в молчании бродившая по пляжу или сидевшая в сосновой роще на берегу, напоминала безутешную «белую даму» из старинных морских легенд, которая вечно протягивает к морю прозрачные руки, вечно зовет пропавшего в пучине возлюбленного.

На традиционное барбекю на побережье Кейт не пошла. Когда ее родители вернулись домой, Кларк неосторожно заметил, что в этом году Джо Олбрайт отчего-то не приехал. Услышав эти слова, Энди бросил на Кейт взгляд, исполненный такой острой ненависти, что Кларк и Элизабет были потрясены. Они кое-что подозревали и раньше, однако теперь им никакие доказательства были не нужны. Вот только как исправить положение, ни один из них не знал...

Как-то незадолго до Дня благодарения Энди неожиданно спросил Кейт, есть ли хоть какой-то шанс, что когда-нибудь они снова станут друзьями.

— Мне тебя не хватает, — сказал он. — Может быть, мы хоть для разнообразия начнем разговаривать друг с другом?

Кейт перестала разговаривать с ним, когда Энди отказался

отпустить ее к Джо, и этот кошмар продолжался уже больше года. Победа, которую он хитростью вырвал у Джо, оказалась не просто пустой, но и горькой на вкус, и Энди иногда казалось, что потерял он куда больше, чем приобрел. От той, прежней Кейт, которую он когда-то любил, осталась лишь бледная тень.

— Почему бы нам не попробовать? — добавил Энди с надеждой, но Кейт с сомнением покачала головой.

— Я не знаю, стоит ли, — честно ответила она.

Слишком долго Энди был для нее врагом. Впрочем, сейчас она не испытывала к нему даже ненависти. Единственным мужчиной, который что-то для нее значил, был Джо, но он ушел из ее жизни, вернувшись к своей подлинной любви — к самолетам, которые всегда были для него важнее. Казалось, было время, когда Джо наконец понял — одно не мешает другому, однако это продолжалось недолго. Что-то напугало его, и он снова замкнулся в своей раковине. И Кейт совершенно искренне полагала, что напугала его она сама.

Новый год они встречали в большой компании. Кейт выпила очень много шампанского и впервые за много месяцев смеялась, шутила и даже танцевала. Когда они вернулись домой, Энди помог Кейт снять шубку, потому что без этого она, несомненно, упала бы. Впрочем, он сделал это недостаточно аккуратно: бретелька вечернего платья Кейт лопнула, и Энди увидел нечто, что вот уже почти двадцать месяцев оставалось сокрыто от его взгляда. В следующую секунду он уже обнимал Кейт, крепко прижимая ее к себе, и она неожиданно ответила на его ласку.

— Послушай, Кейт, ты... уверена? — осторожно спросил он.

Энди видел, что она пьяна, и не хотел злоупотребить ее беспомощным состоянием, но и выпустить Кейт из объятий он тоже не мог. В конце концов, они были женаты, а состоять в браке, при этом обрекая себя на воздержание, казалось ему, по меньшей мере, противоестественным. Кейт, не отвечая, повела его в спальню, где тихонько посапывал в кроватке Кларк Александр.

— Ты действительно этого хочешь? — снова просил Энди, и снова Кейт ничего не ответила. Скинув платье, она навзничь упала на кровать и потянула его за собой.

Сбросив одежду, Энди осторожно лег сверху. Он наслаждался ощущением, которое рождалось в его пальцах от прикосновения к ее по-прежнему упругой и гладкой коже, однако, как это ни странно, последние иллюзии вдруг покинули его. Энди понял, что Кейт не любит его и никогда не любила, а то, что сейчас они оказались вдвоем в одной постели, было актом отчаяния. Словно двое людей, тонущих в бурном море, они хватались за что попало в последней попытке выжить. Будь они трезвее, они бы ужаснулись тому, что у них не осталось ничего, кроме физической близости, простого механического соития, ибо все остальное — любовь, семья, дружба — не смогло удержать их на поверхности.

Когда на следующий день Кейт проснулась в своей постели, Энди уже не было, и в первое мгновение она даже решила, что все происшедшее накануне ей просто приснилось. Впрочем, вопрос, спала она с собственным мужем или нет, не особенно ее волновал, поскольку в это утро у нее раскалывалась голова от сильного похмелья. Лишь вечером Кейт пожалела о том, что случилось. Больше года назад она поклялась себе, что никогда не ляжет в постель с Энди, но вчера несколько бокалов шампанского и ужасное одиночество заставили ее нарушить клятву. Впрочем, по зрелом размышлении, Кейт решила, что ничего страшного не произошло. В конце концов, они оба были молодыми, физически здоровыми людьми, которым трудно сдерживать свои естественные желания. «То, что произошло между нами вчера, не является изменой Джо, — успокаивала она себя. — Это была даже не дружеская услуга, мы просто помогли друг другу по-соседски».

Они не вспоминали о той ночи. Каждый из них сразу же вернулся в свое собственное одиночество, укрылся в нем, как в коконе, спасаясь от еще большей боли. Только в начале февраля Кейт сделала одно очень неприятное открытие, которым она не могла не поделиться с Энди. Она снова была беременна, и это повергло Кейт в самый настоящий ужас. Второй ребенок!.. Кейт поняла, что теперь ей не освободиться уже никогда. Энди будет владеть ею, как рабыней, до конца ее жизни

Услышав новости, Энди сначала воспрянул духом. У него был свой взгляд на вещи, и он надеялся, что рождение второго ребенка снова сблизит их хоть немного, но на деле получилось наоборот. Теперь каждый из них был сам по себе, словно две далеких звезды, которые никак друг на друга не влияют, не притягиваются, не греют, и только слабо мерцают в ледяной пустоте. По вечерам, когда Энди возвращался домой и садился ужинать, Кейт иногда сидела с ним в кухне или в гос тиной, однако друг с другом они почти не разговаривали. Гнетущую тишину нарушал лишь звук работающего телевизора да голос Кларка Александра, который болтал за троих.

В июне Кейт узнала из газет о помолвке Джо — узнала и удивилась, как мало это ее задело. Она даже позвонила ему, чтобы поздравить, но Джо оказался не то в Париже, не то в Милане, и Кейт поняла, что на этот раз он убежал от нее слишком далеко. Все было кончено — ее жизнь была кончена, хотя ей не исполнилось тридцати. Кейт была замужем за человеком, к которому не чувствовала даже ненависти; ждала ребенка, который ей не был нужен; любила мужчину, который ее предал, и единственной ее радостью был теперь сын. Впрочем, даже с Кларки ей стало теперь трудно общаться. Ее поразила какая-то странная апатия, и каждый новый день своей жизни она проживала словно во сне.

Незадолго до рождения второго ребенка Энди неожиданно пришел к ней в спальню. Была почти полночь, но Кейт еще не спала. Она только что уложила раскапризничавшегося Кларки и теперь лежала в постели и читала. Кларку Александру недавно исполнилось два, и он был премилым маленьким мальчиком, глядя на которого невольно улыбались даже незнакомые люди.

Когда Энди, негромко постучав, приоткрыл дверь, Кейт подняла глаза и удивленно посмотрела на него. У нее было такое лицо, словно к ней в комнату зашел с улицы кто-то посторонний — до такой степени дошло их отчуждение. Теперь Кейт даже странно было подумать, что когда-то они были близкими друзьями.

— Как ты себя чувствуешь? — спросил Энди, придвигая стул и усаживаясь на него. Сначала он хотел сесть на краешек кровати, но передумал.

— Я чувствую себя очень большой. Как воздушный шар или аэростат, — ответила Кейт. Она уже давно научилась разговаривать с ним, как с дальним знакомым, которого встречаешь не чаще одного-двух раз в год.

— Я хотел... В общем, ты должна знать. Когда родится ребенок, я перееду. Я уже подыскал себе квартиру.

Это решение Энди принял почти месяц назад, но ему не хватало смелости сообщить о нем Кейт. Он понимал, что жить так дальше невозможно: все, что когда-то связывало их, служа фундаментом их семьи, их брака, давно умерло, рассыпалось в прах. Энди построил свой дом на песке, и вот теперь этот дом развалился. Дальше удерживать Кейт, словно птицу в клетке, было бессмысленно: ее душа давно упорхнула от него, и победа, которую он одержал над Джо, оказалась ненужной. Энди не хотелось терять Кейт, но потерять можно что-то, что тебе принадлежит. А Кейт всегда принадлежала Джо.

— Почему ты так решил? — негромко спросила Кейт, откладывая книгу в сторону. — Зачем тебе переезжать?..

«Почему теперь? — хотелось ей спросить. — Почему не раньше?», но Энди понял ее буквально.

— А зачем оставаться? — Он пожал плечами. — Ты оказалась права. Наш брак с самого начала был ошибкой. Мы только сделали больно себе и друг другу. Теперь я жалею, что не отпустил тебя раньше. И еще мне жаль, что у тебя будет ребенок — с двумя детьми тебе будет во всех отношениях сложнее.

— Наверное, это судьба.

Кейт невесело улыбнулась. Именно судьба заставляла людей сходиться и расставаться, совершать ошибки, уходить, возвращаться и желать вернуться, принимать решения и сожалеть о них. Судьба — и ничто иное.

— Кларку Александру будет полезно, если у него появится брат или сестра. Он довольно избалован, хотя я и не пойму, почему — ведь он много времени проводил с разными нянями. А может, как раз в этом все дело... — Она немного помолчала. — Куда ты собираешься переехать?

Она спросила об этом совершенно равнодушно, словно случайного попутчика, с которым оказалась в одном купе, а не человека, которого когда-то любила. Теперь, впрочем, Кейт вовсе не была в этом уверена. Скорее всего, она не любила Энди никогда и вышла за него замуж только для того, чтобы спастись от одиночества. Уж лучше бы они оставались друзьями... Впрочем, это была не только ее ошибка. Они ошиблись оба и дорого заплатили за свой промах.

— Тут недалеко, но не волнуйся — вряд ли мы будем встречаться. — Он покачал головой. — Жаль, я не послушал тебя сразу. Тогда бы нам не пришлось пройти через все это...

Кейт промолчала. Что она могла на это сказать? «Интересно, — подумала она, — Джо уже женился или еще нет?» В газетах писали только о его помолвке с какой-то девицей из очень состоятельной семьи, но это было несколько месяцев назад. Если бы свадьба состоялась, о ней бы наверняка сообщили не только в газетах, но и по телевидению. С другой стороны, сообщений о том, что помолвка разорвана, Кейт тоже не видела, хотя регулярно читала газеты, а телевизор смотрела целыми днями.

Впрочем, теперь это не имело большого значения.

— Возвращайся к нему, Кейт, — неожиданно сказал Энди совсем тихо, и лицо у него сделалось нежным и усталым — совсем как у того Энди Скотта, который когда-то был ее другом. — Я никогда не понимал, что за сила вас связывает, но... Что бы это ни было, я знаю: вы должны быть вместе. Врозь вы просто не сможете. Ты не сможешь...

Весь последний год Энди терзался угрызениями совести — он не мог простить себе обмана, с помощью которого ему удалось обратить Джо в бегство. Признаться Кейт в том, какую роль он сыграл, Энди тоже не мог — ему было стыдно. Он понятия не имел, как исправить то зло, которое он причинил Кейт; Энди оставалось только уповать, что все как-нибудь решится само собой. К тому же он был уверен, что Джо способен простить Кейт все, что угодно.

Кейт покачала головой. Какая горькая ирония судьбы! Энди готов отпустить ее сейчас, когда она чувствует себя ходячей покойницей и при этом ждет второго ребенка! Зачем она Джо такая?.. Но сказала Кейт совсем о другом:

— Я читала, что он обручился с какой-то девицей, — пробормотала она, стараясь справиться с подступившими слезами.

— Ну и что? — Энди улыбнулся. — Мы были женаты, когда Джо вернулся, — и видишь, что из этого вышло? Не беспокойся, если он все еще любит тебя, он сделает все, чтобы быть с тобой.

— Ты действительно думаешь, что это так просто? — с тревогой спросила Кейт, и Энди улыбнулся.

— Уверен. К сожалению или к счастью, но мир устроен именно так, и надо быть дураком, чтобы не воспользоваться естественным порядком вещей.

Почти против собственной воли Кейт тоже улыбнулась Энди. За все два года, что он оставался ее тюремщиком, это была первая адресованная ему улыбка, и Энди подумал, что, быть может, теперь они снова смогут стать друзьями. Его разочарование и горечь поражения прошли еще не до конца. Но он до сих пор любил Кейт и именно поэтому отпускал ее теперь, переступая через себя, через свой эгоизм, через свое упрямство.

— Я помню времена, — медленно сказал Энди, — когда все считали Джо мертвым. Ты одна верила, что он все еще жив, и дождалась. Теперь ситуация изменилась. Ты была мертва, и тебе пора возвращаться к жизни. Ты всегда хотела быть с ним, так хотя бы попытайся сделать что-нибудь, чтобы этого добиться!

— Ты предлагаешь мне... отбить Джо у его невесты? — Кейт изумленно приподняла брови.

— Да, черт возьми! — решительно ответил Энди. — Именно отбить и больше не отдавать никому. Тебе, кстати, это будет очень легко. Гораздо легче, чем ты сейчас думаешь. Возвращайся к нему, Кейт. Делай все, что считаешь необходимым, только не оставляй своей мечты, борись за нее, добивайся любой ценой!..

Сам он поступал именно так, только мечта, за которой он гнался, принадлежала другому, и теперь Энди знал, что изменить он все равно ничего не мог. Кейт и Джо, а не Кейт и Энди — так легли карты, выброшенные на сукно небесным банкометом, и он был вынужден подчиниться воле судьбы, Провидения, рока...

— Прощай и.... прости, — сказал он негромко и наклонился, чтобы поцеловать ее в щеку.

— Спасибо, — ответила она. — И ты тоже прости меня.

Когда он вышел, Кейт погасила свет, но спать не могла. Лежа в темноте, она думала об Энди, о том, что он ей сказал. Ей казалось странным, что она не испытывает ни печали, ни облегчения. Она вообще ничего не чувствовала на протяжении всех этих двух лет, и сегодня, когда Энди распахнул двери ее темницы, для Кейт ничего не изменилось. Сначала она думала, что просто не поверила ему до конца, но потом поняла — дело не в этом. Внутри у нее все словно онемело. Энди, несомненно, был уверен, что совершил настоящий подвиг самопожертвования, освободив ее, но Кейт эта свобода вдруг напугала. «Борись за свою мечту, добивайся ее» — так сказал Энди, но Кейт не была уверена, что это еще возможно. Скорее всего, было уже поздно, и Джо принадлежал теперь другой женщине. Да и захочет ли он снова видеть Кейт после того, как бросил ее — бросил, ничего не объяснив толком. Добиваться любой ценой... Сказать это было куда легче, чем сделать, и все же, поворачиваясь на бок и укрываясь с головой одеялом, Кейт улыбалась.

Она была готова попробовать.

Когда пришел ее срок, Энди сам отвез ее в больницу. В этот раз Кейт освободилась от бремени на удивление быстро. У нее родилась девочка, которую они решили назвать Стивени. А две недели спустя Энди действительно переехал от нее на новую квартиру, как он и обещал. Кейт попрощалась с ним и поблагодарила, однако особо теплых чувств она к нему не испытывала. Что бы ни было между ними — все перегорело, обратившись в прах, в ничто.

Когда Стивени исполнилось четыре недели, Кейт отправилась с обоими детьми и наемной няней в Рино, где прожила полтора месяца. Пятнадцатого декабря она вернулась в Нью-Йорк уже разведенной. Формально она была замужем за Энди три с половиной года. На деле же они прожили вместе чуть больше года, но даже об этих месяцах Кейт вспоминала без особого тепла. То, что произошло потом, перечеркнуло все хорошее, что было между ними в начале.

Тем не менее проведенные в Рино полтора месяца позволили ей успокоиться и развеяться. Кейт даже обрадовалась, когда кто-то из знакомых сообщил ей, что Энди встречается с какой-то девушкой и, похоже, по уши в нее влюблен. Кейт была рада за него — они оба слишком долго страдали от одиночества, от непонимания, от ревности. «Пусть ему повезет, — великодушно решила она. —Пусть он женится на хорошей, доброй девушке, которая будет любить его. Пусть у него будут еще дети». Энди был вовсе не плохим человеком и, безусловно, заслуживал большего, чем она была в состоянии ему дать. Правда, Энди очень любил Кларка Александра и Стивени, однако они договорились, что он будет видеться с ними каждую неделю.

Через неделю после возвращения из Рино Кейт взяла с собой Кларка Александра и отправилась за рождественской елкой. Для нее это был во многом символический акт. Впервые за много месяцев она чувствовала себя прежней Кейт Джемисон — жизнерадостной, исполненной надежд и глядящей в будущее с оптимизмом, хотя никаких видимых причин для этого у нее не было: Джо она не звонила, и он тоже не писал и не звонил ей.

По дороге они с Кларки громко распевали рождественские гимны, размахивали флажками и по очереди дудели в яркую пластмассовую дудку, которую Кейт купила у уличного торговца. Ближайшая площадка по продаже рождественских елок находилась у входа в Центральный парк. Она тоже была украшена гирляндами флажков и цветными лентами, а из репродуктора на столбе доносились праздничные мелодии.

Кларк Александр выбрал огромную, густую елку высотой футов в десять. Кейт как раз диктовала продавцу адрес, по которому ее следовало доставить, когда у противоположного тротуара остановилась большая черная машина и оттуда вышел какой-то человек. Еще до того, как он повернулся в ее сторону, Кейт узнала его и замолчала на полуслове. В ушах у нее зазвенело так, что она уже не слышала радостных воплей сына, который прыгал вокруг елки, радостно хлопая в ладоши. Это был Джо. Словно почувствовав устремленный на него взгляд, он оглянулся и тоже увидел ее.

Сначала Джо сделал такое движение, будто хотел убежать, потом его губы тронула какая-то нерешительная, почти робкая улыбка. Он двинулся к ней через улицу, и, глядя на него, Кейт неожиданно подумала, что судьба не оставила ее, несмотря ни на что. Их пути пересекались уже много раз, потом Джо исчезал, чтобы появиться снова — и всегда это происходило неожиданно. С их первой встречи прошло почти двенадцать лет, но Кейт не переставала любить его, не переставала надеяться на новую встречу. И вот она состоялась.

— Привет, Кейт! — поздоровался Джо, приподняв шляпу, и замер в нескольких шагах от нее, не зная, что сказать.

— Привет, Джо.

Кейт тоже улыбнулась ему — несмотря ни на что, она была рада видеть Джо. Он почти не изменился, и при виде его лица у нее слегка защемило сердце.

— Как ты поживаешь? — Он хотел расспросить ее о многом, но не знал, с чего начать.

Кейт рассмеялась — так не вязалась эта вежливая фраза с выражением его лица.

— Я развелась с Энди, — без обиняков сказала она.

— Вот как?! И давно? — Джо, казалось, удивился, и в глазах его мелькнуло что-то похожее на тревогу.

— Недавно. Я только на прошлой неделе вернулась с детьми из Рино.

— С детьми? — переспросил Джо: он решил, что Кейт оговорилась.

— Да. У меня теперь есть еще дочка — Стивени. Ей три месяца. На прошлый Новый год я выпила лишнего, и вот... — Кейт слегка развела руками. Ей не хотелось пускаться в подробности, но Джо прекрасно ее понял. — А как ты? — спросила она в свою очередь.

— Я тоже напился на прошлый Новый год, но мне это сошло без последствий. Да, кстати, в июне я обручился с одной... гм-м... юной леди, но если говорить откровенно, отношения у нас не самые теплые. Джини с самого начала невзлюбила мои самолеты.

— Да-а... — протянула Кейт. Она-то хорошо понимала, что это значит. Бедная, бедная Джини!.. Судя по всему, ей не видать Джо как своих ушей. — Очень жаль, но, боюсь, у вас ничего не выйдет. Твоей девушке следовало молчать об этом хотя бы до свадьбы...

— Я знаю, — отмахнулся Джо, непроизвольно делая шаг вперед. — Я хотел... спросить тебя...

— О чем?

— О нас. Как ты думаешь, выйдет что-нибудь у *нас*?

У него на лице появилось какое-то тоскливое и, одновременно, жадное выражение, какого Кейт никогда прежде не видела. И она вдруг почувствовала, как внутри у нее что-то словно оттаивает. Но она по-прежнему считала, что начинать все сначала слишком поздно, и не знала, что сказать.

— Ну, так как же?

Джо пристально смотрел на нее своими голубыми глазами. Снег, медленно сыпавшийся с серого неба, тонким слоем ложился на поля его шляпы, на плечи, на воротник пальто, но Джо не обращал на это никакого внимания. Он просто смотрел на Кейт, и чем дольше смотрел — тем меньше его пугали те ужасные вещи, о которых говорил ему Энди. Они просто перестали значить для него что-либо. Ведь та неврастеничка с неустойчивой психикой и суицидальными наклонностями была не Кейт — это была какая-то другая женщина, на которой был женат Энди Скотт. А к Кейт все это не имело никакого отношения.

— Ты хочешь, чтобы я дала тебе ответ *сейчас*?

Кейт чуть заметно улыбнулась. Джо остался таким же нетерпеливым, как был. Даже годы не сумели его изменить. Но главное, что она поняла, — любовь, которая связывала их, никуда не исчезла. Любовь, волшебство, тайна, огонь — все это не остыло, не ушло.

— Мы ждали двенадцать лет, — сказал Джо, стараясь казаться спокойным. —Надо же что-то решать!

— Что ж, если ты непременно хочешь услышать это сейчас... Я считаю, что мы могли бы попробовать. Еще раз.

На мгновение Кейт задумалась: действительно ли он изменился настолько, чтобы не повторять прошлых ошибок. Впрочем, сейчас гораздо важнее было другое — что он скажет, и не испугает ли его ее готовность начать все сначала.

Джо не испугался. Во всяком случае, он не бросился бежать, а остался стоять, пристально глядя ей в глаза.

— Возможно, мы оба сошли с ума... — медленно проговорил он, — но ты права: мы должны хотя бы попытаться. Один бог знает, выйдет из этого что-нибудь, или нет, но если мы сейчас просто так возьмем и разбежимся, мы никогда себе этого не простим. *Я* не прощу. — Его лицо отразило глубокое внутреннее напряжение, и Джо добавил: — До сих пор у нас ничего не получалось, но, может быть, на этот раз мы выбрали удачное время. Или время выбрало нас...

Ничего подобного он раньше не говорил. Возможно, Джо даже не понимал, что раньше они требовали друг от друга чего-то такого, что не могли или не хотели дать. Но теперь Кейт надеялась, что, став старше, мудрее, спокойнее, они как следует изучили друг друга. И если им немножко повезет, они сумеют наконец стать единым целым.

Семьей. Самой настоящей семьей, пусть даже формально они и не вступят в брак.

— А как же твоя невеста? Джини, кажется?.. — Кейт озабоченно нахмурилась.

Она не питала к Джини особых симпатий, но теперь, когда она на себе испытала, что такое настоящая боль, ей не хотелось никого ранить.

— Дай мне два часа. Я позвоню ей и скажу, что летных испытаний она не прошла, — улыбнулся Джо.

— Допустим. — Кейт кивнула. — Надеюсь, она не обидится. Но прежде чем ты пойдешь звонить, скажи, что ты думаешь насчет детей...

Ей хотелось заранее выяснить этот вопрос на случай, если она захочет родить ребенка от Джо. При этом она подумала, что со стороны их беседа напоминает разговор двух умалишенных, но как раз для них это было нормально. Они уже давно понимали друг друга с полуслова, с полунамека.

— Но ведь ты, кажется, сказала, что у тебя *уже* двое. Разве тебе мало?.. Слушай, неужели и это мы должны решать вот так, с бухты-барахты? Я вообще не знал, что встречусь с тобой сегодня. Может, обсудим вопрос о детях в следующий раз, а? Если, конечно, ты захочешь увидеться со мной снова.

Джо шутил, конечно, но по его глазам Кейт видела, что он счастлив. И что он больше не боится. Во всяком случае, не боится *сейчас*.

— Думаю, это можно будет устроить, — улыбнулась Кейт.

«Жизнь — странная штука, — думала она. — И иногда она совершает очень неожиданные повороты. Например, ты идешь за елкой, а сталкиваешься со своей мечтой, которую уже давно похоронила и оплакала». Впрочем, вся история их с Джо отношений состояла из таких вот неожиданных встреч.

— Ты живешь все там же? — спросил он, и Кейт кивнула.

— Тогда я позвоню тебе сегодня вечером, ладно? Только постарайся за это время не выскочить за кого-нибудь замуж. Можешь ты взять себя в руки и посидеть дома хоть пару часов? — Он старался говорить серьезно, но в глазах его прыгали веселые искорки.

— Я постараюсь. — Кейт тоже улыбнулась.

— Вот и отлично.

Джо неожиданно оказался совсем рядом. Он обнял ее, и Кларк Александр запрокинул голову назад, глядя на него снизу вверх и гадая, что за дядя обнимает его маму. Джо он, конечно, не помнил, но дядя в странном пальто уже начинал ему нравиться.

Джо приехал в девять вечера. Дети спали, и никто им не мешал. Впрочем, они не были склонны терять время в любом случае — слишком долго они были в разлуке. Закрывшись в спальне, они набросились друг на друга с такой жадностью и с такой поспешностью, словно еще одна минута промедления могла убить их на месте. Им понадобились годы, чтобы оказаться там, где они были сейчас, но теперь им ничто не грозило. По крайней мере, и Кейт, и Джо на это надеялись. Никто из них не мог знать наверняка, но они горели желанием наконец построить то, о чем каждый из них мечтал всю жизнь. Никто не давал им никаких гарантий, у них была только надежда, только мечта, и когда они уснули, сжимая друг друга в объятиях, каждый из них знал, что его упования наконец-то сбылись.

На следующее утро, пока Кейт кормила дочь, Джо играл с Кларком Александром, а потом они вместе наряжали елку. Через два дня после Рождества Кейт и Джо отправились в мэрию Нью-Йорка. С ними не было ни друзей, ни свидетелей — только они сами и их любовь. Когда же все было позади, они вернулись домой и позвонили в Бостон родителям Кейт, чтобы сообщить им новости. Кларк и Элизабет были, разумеется, потрясены, однако известие о том, что Кейт и Джо поженились, не явилось для них абсолютной неожиданностью. Подсознательно они ждали чего-то в этом роде, надеялись на это, и Элизабет даже напомнила Кларку, что проиграла ему давнишний спор, когда утверждала, что Джо никогда не женится на их дочери.

— Я не верила, что доживу до этого дня, — сказала она, положив телефонную трубку.

То же самое, впрочем, могли сказать и Кейт с Джо. В ожидании этого дня они прошли долгий путь, и был он извилистым и трудным.

— Ты счастлива? — спросил Джо, когда вечером Кейт свернулась клубочком в его объятиях.

— Абсолютно! — Кейт широко улыбнулась. Наконец-то она стала миссис Джо Олбрайт!

Этой ночью Джо долго смотрел на нее после того, как она заснула. Все в ней восхищало его, и Джо не верилось, что Кейт наконец-то принадлежит ему. Эта женщина была его страстью, его мечтой, и Джо вдруг понял, что любит ее так, как не любил даже свои самолеты.

А Кейт спала, и ей снилось, что ее сказка закончилась хорошо. И она знала, что, когда она проснется, Джо никуда не исчезнет — он будет тут, рядом...

Глава 19

Первые дни их супружеской жизни были счастливыми и радостными, не омраченными никакими столкновениями и спорами. Собственно говоря, этого они и ожидали. И Кейт, и Джо были блаженно счастливы вдвоем. Кейт даже наняла для детей постоянную няню, чтобы проводить с Джо больше времени. Несколько раз она ездила к нему на работу, по выходным они летали на новых моделях самолетов, а в январе Кейт побывала с Джо в Калифорнии. Деятельность тамошнего филиала фирмы произвела на нее сильное впечатление: в Калифорнии был выстроен новый современный авиационный завод чуть не в десять раз больше фабрики в Нью-Джерси. Ездили они и в Неваду, где находился главный летно-испытательный центр, также принадлежавший возглавляемой Джо корпорации. Здесь Джо тоже много летал, испытывая последнюю модель своего самолета, но Кейт он взял с собой в воздух только один раз, когда был уже на сто процентов уверен, что новая машина не подведет. Каскад «горок», «мертвых петель», «бочек» и других фигур высшего пилотажа, которые Джо проделал одну за другой, привели Кейт в восторг. Она считала, что это куда лучше, чем «русские горки» в Центральном парке, и нисколько не боялась, полностью доверяя Джо. За все время ее даже ни разу не замутило, и Джо не преминул это отметить.

— Джини наверняка заблевала бы мне всю кабину, — сказал он, направляя самолет на посадку после нескольких кругов над аэродромом.

— Зато она, вероятно, лучше готовит, — отозвалась Кейт.

— С моей точки зрения, одно не искупает другое, — заявил Джо.

Его бывшая невеста отказалась летать с ним наотрез, а разговоры о самолетах, об авиации вообще и даже о фирме, которую он возглавлял, вызывали у нее видимое отвращение. Джини не интересовалась ничем, что было ему дорого, так что он довольно быстро понял, что его помолвка была ошибкой. Джо не сомневался, что даже если бы они с Кейт не встретились на елочном базаре под Рождество, он бы все равно расстался с Джини.

Зато Кейт подходила ему как никто. Она любила летать, любила его, и ей нравились его самолеты. Джо чувствовал, что вместе с ней в его жизнь вошло что-то, без чего он не смог бы существовать. Ее переполняли жизнелюбие, оптимизм, какое-то детское озорство и радость, которыми она щедро делилась с ним. Иными словами, для счастья у них было все, что только может пожелать человек.

Через месяц после того, как они поженились, Кейт с детьми переехала в новую просторную квартиру, которую Джо купил в том же районе возле Центрального парка. В ней была даже специальная спальня для няни, которая могла жить у них несколько дней подряд, если бы Кейт собралась с Джо в какую-то дальнюю поездку.

Квартира была совершенно не обжитой, и Кейт взялась сама обставить ее мебелью. Это удалось ей как нельзя лучше — у нее всегда был отменный вкус. Правда, Джо иногда шутил, что квартира у нее получилась совершенно женская и что в ней не чувствуется присутствия мужчины (а знаками такого присутствия он считал промасленный гаечный ключ на каминной полке и привернутые к столу слесарные тиски), однако в целом он был доволен. Кроме того, они все равно собирались приобрести дом с участком в пригороде Нью-Йорка, и Джо рассудил, что оборудует мастерскую и чертежную там.

Кроме покупки дома, они говорили еще о множестве вещей, и однажды Джо, набравшись храбрости, заговорил с Кейт о ее неудавшемся самоубийстве. Он попросил прощения за то, что довел ее до такого состояния, но она только хлопала глазами, не понимая, что, собственно, он имеет в виду.

— О чем ты, Джо?! — воскликнула она. — Я что-то никак не разберусь, что к чему. Может быть, ты меня с кем-то перепутал? С Джини, например...

— Я все знаю, Кейт, — сказал Джо с самым удрученным видом. — И мне действительно очень жаль...

— Что ты знаешь и что именно тебе жаль? — требовательно спросила Кейт. — Ну-ка, выкладывай, что ты имеешь в виду.

— Я знаю, что ты пыталась покончить с собой после того, как мы с тобой расстались в первый раз, — выпалил Джо.

— Я?.. Покончить с собой?! Ты что, спятил?!! Мне действительно было очень плохо, но я даже не думала ни о чем подобном. С чего ты взял, будто я пыталась покончить с собой?

В том, как она смотрела на него, было что-то, что заставило Джо засомневаться.

— Ты хочешь сказать, что не пыталась? — медленно произнес он.

У него было очень странное лицо — такое, что Кейт даже не могла понять, испытывает Джо облегчение или, наоборот, сердится.

— Именно это я и хочу сказать, Джо. Я н и к о г д а не пыталась ни отравиться, ни застрелиться, ни выброситься из окна. Я вообще считаю самоубийство самым... отвратительным, что только может сделать с собой человек. Это не просто глупость, это трусость! И низость по отношению к другим. Мне действительно было худо, но я не какая-нибудь неврастеничка, для которой перерезать себе вены так же легко, как... как побрить ноги. Хорошо же ты думаешь обо мне, Джо Олбрайт! Я бы ни за что не пошла на такое. Самоубийство — это ужасно!

Джо нахмурился.

— Хорошо, тогда ответь мне честно еще на один вопрос. Ты когда-нибудь посещала психотерапевта?

— А ты считаешь, что мне это необходимо? — огрызнулась Кейт.

Она не понимала, в чем дело, и этот странный допрос начинал ее раздражать. Насколько она помнила, Джо еще никогда не говорил таких глупостей с таким серьезным лицом.

— Нет, ты правда не ходила ни на какие психотерапевтические сеансы? — уточнил он.

— Да нет же, говорю тебе!..

— Ах, проклятый сукин сын! — взорвался Джо. Лицо у него покраснело от гнева, он даже вскочил со стула и быстро зашагал по комнате из угла в угол. — Ах, чертов подонок!

— О чем ты?! — изумилась Кейт. Она никогда не видела Джо в таком состоянии.

— Не о чем, а о ком... Я говорю об этом мерзавце, за которым ты была замужем! Об Энди, черт бы его побрал!.. Просто не укладывается в голове, как я мог оказаться таким дураком! Он провел меня как мальчишку! По-моему, это мне пора к психоаналитику! — простонал Джо, морщась так, словно у него вдруг заныли все зубы.

— Так это Энди сказал тебе, что я пыталась покончить с собой? — Кейт уставилась на Джо во все глаза. — И ты... ты ему поверил? Как ты мог, Джо?!!

У нее сделалось такое лицо, словно он нанес ей страшное оскорбление. И Джо подумал, что она права. Он поверил Энди, но не поверил ей — не поверил ее любви и верности.

— Прости меня, пожалуйста... — быстро проговорил он. — Я думаю, тогда мы все были немножко не в себе. Я не мог не поверить Энди — мне казалось, он так много о тебе знает... На самом деле он очень много знал обо мне и сумел этим воспользоваться. Он рассказал мне, как глубоки были твои раны, в каком страшном отчаянии ты пребывала... По его словам получалось, что он оказал тебе огромную услугу, когда женился на тебе и взвалил на себя все заботы. Он утверждал, что с твоей неустойчивой нервной организацией тебе просто нельзя оставаться одной. Энди заставил меня поверить, что это я довел тебя до крайности и что ты можешь повторить попытку, если я снова обижу тебя или просто сделаю что-нибудь не так. Пойми, Кейт я не хотел и не мог рисковать тобой! Поэтому я решил, что тебе лучше быть с ним — с человеком, который располагает временем, чтобы заботиться о тебе должным образом. Как того требует твоя якобы расшатанная психика.

Джо умолчал о том, что его испугало желание Кейт иметь от него детей, о котором упоминал Энди. И, если смотреть правде в глаза, это желание продолжало страшить его до сих пор — похоже было, что, говоря об этом, Энди не лгал.

— Почему ты не спросил меня? — тихо проговорила Кейт, пристально глядя на Джо большими голубыми глазами.

— Мне не хотелось лишний раз расстраивать тебя. Очевидно, Энди на это и рассчитывал, когда рассказывал мне о твоих переживаниях. Этот гаденыш знал, что делал! Он рассчитал, что я буду винить в твоем несостоявшемся самоубийстве себя, и был уверен — я не сделаю ничего такого, что могло бы снова поставить тебя перед выбором.

Кейт кивнула. Теперь она тоже поняла, на чем строился замысел Энди, и ненавидела его всей душой. Он обернул против нее и Джо все то, что она когда-то рассказывала ему о своей жизни. С его стороны это было непорядочно и жестоко; при этом Энди нисколько не оправдывало то, что он сражался за свое счастье и за свою семью. Вместе с тем, Кейт было приятно узнать, что Джо оставил ее не по собственной прихоти, а потому что Энди вынудил его к этому своей ложью.

Но внезапно ей пришло в голову, что Энди мог рассказать Джо одну ее тайну — настоящую тайну, которую он узнал от Кларка. Ведь тогда его версия о ее врожденной склонности к самоубийству обретала гораздо больше правдоподобия. А в таком случае, теперь Джо известно о ней все...

Кейт выпрямилась и внимательно посмотрела ему в глаза, но увидела в них только любовь — любовь безграничную и сильную. Это решило дело.

— Может быть, он рассказал тебе и о моем отце? — негромко спросила она. — О моем *настоящем* отце?..

Ей не хотелось говорить об этом ни с Джо, ни с кем-то другим, однако Кейт чувствовала, что не должна больше ничего скрывать. Она уже поняла, что ни к чему хорошему это не приводит.

— Он не был первым, — ответил Джо. — Первым рассказал

мне о Джоне Бэррете Кларк. Это было, когда я приезжал на мыс Код в позапрошлый раз. Мы с ним тогда еще напились... Мистер Джемисон считал, что я должен об этом знать. — Он взял ее за руку и привлек к себе. — Я очень тебе сочувствую, Кейт. Должно быть, это было ужасно...

— Да, это было ужасно, — подтвердила Кейт, чувствуя, как глаза у нее защипало от выступивших слез. — Я очень хорошо помню тот день. До сих пор помню во всех подробностях... Странно, что при этом я совершенно не помню отца — не помню, каким он был. Я знаю, что должна бы помнить, но... Когда он умер, мне уже исполнилось восемь, но это ничего не значит. Фактически он ушел от нас еще раньше — за два года до смерти, когда заперся в своем кабинете и попытался утопить свое горе в вине. — Она грустно посмотрела на Джо. — Для мамы это, наверное, тоже было ужасно. Во всяком случае, она никогда не говорит о моем настоящем отце. Иногда мне даже жаль, что мама ничего мне не рассказывала. Единственное, что я о нем знаю, это то, что он был хорошим человеком. Так сказал мне Кларк — он знал папу чуть не со школьной скамьи.

— Я уверен, что твой отец был замечательным, — сказал Джо решительно.

По ее глазам он видел, что боль Кейт еще не прошла совсем, что ей все еще трудно вспоминать о смерти отца. Именно в этом событии коренились все ее страхи — страх остаться одной, страх оказаться брошенной, никому не нужной. Сам того не желая, Джон Бэррет причинил своей дочери немало зла.

— Я рада, что ты все знаешь, — тихо сказала Кейт. До сегодняшнего дня это был единственный секрет, который она не решалась доверить Джо.

Вечером, уже лежа в постели, они долго говорили об Энди и о том, какую грязную шутку он сыграл с ними обоими. Кейт все никак не могла успокоиться, она была уверена, что никогда не простит своего бывшего мужа. Очевидно, Энди рассчитывал, что если она останется одна, то волей-неволей придет к нему — придет просто потому, что ей некуда будет деваться. Хорошо же он о ней думал, если позволил себе надеяться, что она станет унижаться перед ним ради сомнительного удовольствия называться миссис Скотт!

Наступила весна, и Джо стал все чаще и чаще летать в Калифорнию, где он создавал представительство своей авиакомпании. Летом он уже проводил в Лос-Анджелесе целые недели, и в конце концов предложил Кейт приехать к нему. Захватив с собой обоих детей и няню, Кейт вылетела в Калифорнию на собственном самолете компании. В Лос-Анджелесе они поселились в «Беверли-Хиллз»-отеле, где Джо снял для них пятикомнатный номер.

Поначалу Кейт нравилось в Калифорнии. Она много ходила по магазинам, возилась с детьми, купалась в бассейне отеля и глазела на звезд кино, которых в Беверли-Хиллз было видимо-невидимо. Джо все свое время проводил в офисе; он возвращался в отель только после полуночи, а уходил в шесть, и так — каждый день, включая выходные. Джо старался укрепиться на Западном побережье, где его теснили другие авиакомпании, а для этого ему необходимо было организовать новые маршруты. Намеченный им план впечатлял своим размахом: он планировал открыть отделения «Джо Олбрайт Транс Уорлд» во многих странах, с которыми пока еще не было прямого авиасообщения, что требовало огромных капиталовложений и еще большего труда.

В сентябре Джо вылетел сначала в Гонконг, а оттуда перебрался в Японию. Кейт с ним не поехала — она считала, что это слишком далеко, а ей не хотелось надолго оставлять детей на попечении няньки. Джо звонил ей каждый день и подробно рассказывал о том, где он был и что делал, и Кейт оставалось только удивляться, как он все успевает. В самом деле, Джо, казалось, решал одновременно не меньше десятка сложнейших задач, не считая всяких мелочей. Он продолжал руководить своей корпорацией, конструировал новые самолеты и моторы, планировал экспансию на Ближний Восток, где, как он утверждал, люди «еще не познакомились со скоростными и надежными аэропланами Джо Олбрайта», и испытывал новые машины. Неудивительно, что он пребывал в постоянном нервном напряжении, поэтому даже когда он разговаривал с Кейт по телефону, голос его звучал по-деловому сухо.

Кейт все понимала и прощала его; единственное, что она не могла взять в толк, это почему Джо непременно должен все делать сам. В его фирме работало достаточно компетентных специалистов — юристов, менеджеров, инженеров, испытателей, на плечи которых Джо мог без опаски переложить хотя бы часть своих забот. Однако он по-прежнему предпочи тал делать все сам, и Кейт начала подозревать, что ему это попросту нравится. Джо был одержим работой, и она волновалась, как бы он не надорвался.

Но вскоре ее стали одолевать другие мысли. Как-то в начале октября она напомнила Джо, позвонившему ей из очередной медвежьей дыры где-то на Хоккайдо, что он не был дома уже два месяца и что она не против как-нибудь с ним повидаться.

— Что я могу сделать, Кейт? Не могу же я разорваться на части! Трудно быть в десяти местах одновременно.

И все-таки он пообещал, что через неделю будет в Нью-Йорке, вот только посетит сначала испытания в Лос-Анджелесе. Однако, когда Джо уже собирался лететь в Нью-Йорк, к Кейт, разбился один из его летчиков-испытателей, и ему пришлось потратить несколько дней, чтобы установить причины катастрофы. Виновницей аварии оказалась крупная птица, попавшая в воздухозаборник двигателя, тем не менее Джо счел своим долгом побывать в Новом Орлеане, где жили родители погибшего пилота, чтобы лично принести им свои соболезнования. Когда Джо, наконец, оказался в Нью-Йорке, он устал настолько, что был не в состоянии пошевелить ни рукой, ни ногой.

— Ты себя в гроб загонишь своей работой! — упрекнула его Кейт. — На кого ты стал похож?! Почему бы тебе не попробовать управлять своей корпорацией отсюда, из Нью-Йорка, как делают это все уважающие себя миллионеры? Ведь Генри Форд не ездит по всем своим заводам и не помогает рабочим закручивать гайки. Он руководит всем из своего кабинета — и ничего, по-моему, его империя процветает. Почему ты не можешь так же?

— Потому что империя Форда гораздо старше моей фирмы. У него все давно организовано и налажено. Уверяю тебя, когда Генри Форд Первый создавал свое производство, он тоже носился по всей стране как наскипидаренный и закручивал гайки — как в прямом, так и в переносном смысле. И я должен делать то же, если хочу чего-нибудь добиться! — раздраженно закончил он.

Джо слишком устал, чтобы сдерживаться — он постоянно был занят, постоянно куда-то спешил, бежал или летел. В отличие от него, Кейт буквально изнывала от скуки. Дети отнимали у нее не слишком много времени, к тому же она сильно скучала без Джо. Ей очень его не хватало, и порой Кейт чувствовала себя самой настоящей соломенной вдовой. Она знала, что Джо любит ее по-прежнему, однако это знание почему-то не очень помогало. Ей хотелось видеть его, чувствовать, прикасаться к нему.

— Но, может, ты попробуешь поручить помощникам хотя бы часть работы? — робко предложила она. — Пусть они летают в Токио и в Колорадо и отчитываются перед тобой по телефону.

— Пойми, я не могу просиживать штаны в кабинете именно потому, что мои работники разбросаны по всему земному шару! — воскликнул Джо. — Мы все еще развивающаяся фирма, и проблемы, которые возникают перед моими людьми на местах, зачастую могу решить только я. Например, японцы не станут слушать никого из моих заместителей, потому что для них они вообще никто...

— Я все понимаю, — перебила Кейт. — Но и ты меня пойми. Мне без тебя скучно и одиноко.

— Так займись чем-нибудь! — раздраженно бросил Джо. — Больше гуляй с детьми или снова наймись на работу в Красный Крест. Найди себе дело, Кейт! Не могу же я постоянно тебя развлекать!

Такими или примерно такими были все их разговоры. Джо слишком уставал и просто отмахивался от нее. Когда же они беседовали по телефону, он иногда вспыхивал буквально как порох и бросал трубку. У Кейт даже начало складываться впечатление, что он просто не хочет понять ее точку зрения, которая казалась ей самой предельно простой и ясной: ей было тридцать лет, у нее был любимый муж, но большую часть времени она проводила одна. Без него она ходила в гости, без него проводила выходные и праздники, без него ложилась и вставала по утрам. Часто, получив приглашение на прием или вечеринку, адресованное мистеру и миссис Олбрайт, она была вынуждена браться за телефон и объяснять, что мужа нет в городе, потому что в Калифорнии закапризничал новый двигатель, и Джо не вернется, пока не выяснит причину.

Между тем приглашали их часто: Олбрайты пользовались в Нью-Йорке популярностью благодаря успехам Джо, сумевшего за восемь лет стать одним из флагманов самолетостроения. Раньше он был известен, как талантливый летчик, но никто не ожидал, что он проявит себя поистине гениальным предпринимателем. У Джо не было никакой теоретической подготовки, он не заканчивал ни Гарвардской и никакой другой бизнес-школы, однако действовал он практически без ошибок, инстинктивно выбирая лучший из десятка возможных вариантов и устраняя конкурентов недрогнувшей рукой. Все, к чему он ни прикасался, превращалось в золото, или, точнее, в сотни тысяч и миллионы долларов, которые оседали на счетах фирмы и его личном счету.

К сожалению, деньги — сколько бы Джо их ни зарабатывал — не могли согреть Кейт долгими одинокими ночами. Она скучала по нему даже больше, чем когда он воевал в Англии, и со временем его постоянные отлучки пробудили в ней прежние страхи. Грозный призрак одиночества снова ожил в ее душе, но Джо был слишком занят, чтобы заметить происшедшие с ней перемены. Единственное, на что он обратил внимание, это на то, что стоило ему переступить порог собственного дома, как Кейт тут же начинала жаловаться, что совсем его не видит. Это, в свою очередь, заставляло его все больше замыкаться в себе, и Кейт чувствовала себя брошенной. Она отчаянно нуждалась в Джо, но достучаться до него ей с каждым днем становилось все труднее и труднее.

— Почему ты никуда не ездишь со мной? — спросил Джо однажды. — Я уверен, тебе бы понравилось.

Он пытался выработать компромисс, который устроил бы обоих, однако Кейт понимала, — как понимал это и сам Джо, — что даже если она отправится с ним, вряд ли они смогут видеться чаще. Четыре-шесть часов ночью и два-три часа в выходные — вот и все, что он мог ей обещать. Уезжая в командировки по делам бизнеса, Джо работал даже больше, чем дома, и Кейт хорошо это знала.

— Я не хочу надолго оставлять детей, Джо, — сказала она. — Они еще слишком малы.

— Так возьми их с собой, — предложил он.

— Куда? В Токио?! — ужаснулась Кейт.

— А что тут такого? Честное слово, Кейт, у них там, в Японии, есть дети. Клянусь, я своими глазами видел двоих или троих.

— Сам подумай, о чем ты говоришь! Стивени только недавно исполнился год, и я не знаю, как она перенесет японский климат. Я слышала, там очень высокая влажность. Что мы будем делать, если кто-нибудь из них заболеет?

— Врачи там тоже есть, — сказал Джо, но его голос прозвучал мрачно: он уже понял, что Кейт никуда ехать не собирается.

На этом разговор практически закончился, а вскоре Джо снова уехал. На День благодарения он оказался в Европе, и Кейт с детьми отправилась на праздники в Бостон, к родителям. Правда, Джо позвонил ей туда из Лондона, однако вечером Элизабет не удержалась и спросила у дочери:

— Послушай, этот твой муж... он бывает дома хоть *когда-нибудь?*

Элизабет по-прежнему не одобряла Джо, и даже тот факт, что Джо в конце концов женился на Кейт, нисколько не поддержал в ее глазах его реноме. Для Элизабет Джо оставался помешанным на самолетах мальчишкой, который способен бросить жену и детей ради новой сверкающей игрушки с пропеллером.

— Джо очень много работает, мама, — ответила Кейт. — Он создает авиакомпанию, которая будет самой большой в Соединенных Штатах, поэтому он ужасно занят. Но года через два, я думаю, Джо будет посвободнее.

Она действительно верила в то, что говорила: ничего другого ей просто не оставалось. Только вера и надежда поддерживали ее, потому что Джо действительно бывал дома очень редко.

Казалось, он появлялся на пороге их квартиры только для того, чтобы сообщить, куда и зачем он уезжает в очередной раз. Даже если Джо проводил в Нью-Йорке несколько дней подряд, он приходил с работы такой измученный и усталый, что не мог даже есть. Проглотив стакан кефира или чая, он как подкошенный падал на кровать и мгновенно засыпал, а в шесть утра вскакивал, словно подброшенный пружиной, торопливо пил крепчайший кофе и мчался обратно в офис. Они не были близки уже больше двух месяцев — Джо слишком выматывался, чтобы даже думать об этом. Он буквально разрывался на части, стараясь поспеть в тысячу мест одновременно, а в голове у него всегда было тридцать три больших заботы не считая маленьких. И только для Кейт там места не находилось.

— Не очень-то мне все это нравится, — проворчала Элизабет. — Фактически, у тебя нет мужа, хотя вы и зарегистрировались. К тому же неизвестно, чем он на самом деле занимается, когда вырывается от тебя в Калифорнию или в эту свою Японию. Ведь Джо — мужчина, и мужчина еще не старый. Я не верю, что он может обходиться без женщин. Быть может, он тебя и любит, но... Говорят, в Японии есть такие проститутки, которых специально учат ублажать мужчин. Гейши — вот как они называются!.. Нет, я вовсе не хочу сказать, что Джо тебе не верен, просто мне кажется странным, что молодой мужчина, имея молодую красивую жену, предпочитает работать вместо того, чтобы сидеть с ней дома. Всему, знаешь ли, должна быть мера, моя дорогая...

Каждое слово Элизабет отдавалось в сердце Кейт болезненным толчком. Она сама много раз задумывалась над этим, однако ей удавалось убедить себя, что это неправда — не может быть правдой! Джо никогда не принадлежал к тому типу мужчин, о котором говорила сейчас ее мать. Просто он был по-настоящему одержим работой, одержим своей страстью к авиации. Все дело было только в том, что успех, которого он добился в столь неправдоподобно короткий срок, оказался для него чем-то сродни наркотику, от которого ему было не так просто отказаться. Новые перспективы ослепляли Джо, и он просто не мог остановиться в своем стремлении вперед. Он создал огромную корпорацию и заработал столько денег, сколько любому другому человеку хватило бы на сто лет безбедного существования, но ему этого было мало. Нет, не денег он жаждал — не денег и не славы удачливого предпринимателя. Работа превратилась для Джо в единственную цель жизни; именно поэтому Кейт была уверена, что за прошедший со дня их свадьбы год он ни разу ей не изменил. Сначала она радовалась этому, потом стала воспринимать как нечто естественное, но сейчас Кейт впервые спросила себя, что лучше: иметь мужа, который тебе изменяет, или не иметь вовсе.

Все в ней восставало против слов матери, однако Кейт не могла не признать, что по крайней мере в одном Элизабет права. Джо был ее мужем только по названию. Даже когда Джо все-таки возвращался домой, он говорил только о своих проблемах. Он звонил Чарльзу Линдбергу или в ту же Калифорнию и подолгу разговаривал с незнакомыми Кейт людьми, а ей хотелось подойти и вырвать у него трубку. Но она знала, что это бессмысленно. Обязательно найдется что-то другое, что будет для него важнее, чем она. Так уж сложилось, и Кейт понимала: если она хочет жить с Джо, быть его женой (а она этого безусловно хотела), она должна была принимать все, как есть. Джо был просто не в состоянии уделять ей внимания больше и явно рассчитывал, что она правильно его поймет.

И Кейт, как правило, его понимала. Она любила Джо, «болела» за него, радовалась его успехам и совершенно искренне гордилась им. То, что он делал, действительно было удивительно и невероятно. И все же иногда ей становилось больно — так больно, что хоть кричи. Джо не понимал, насколько она одинока и как трудно ей бывает одной. Порой, когда он уезжал особенно надолго, Кейт чувствовала себя брошенной, абсолютно ненужной, и лишь огромным напряжением воли ей удавалось справиться с собой.

Однажды вечером, когда по случайному стечению обстоятельств погода была нелетная, Джо пришел домой раньше обычного, и Кейт попыталась с ним объясниться. Джо сидел, развалившись в кресле, пил пиво из жестяной банки, которые только начинали входить в моду, и смотрел по телевизору футбольный матч. Накануне ночью он почти не спал и провел все утро в офисе, корпя над какими-то отчетами. Теперь у него буквально слипались глаза, но Джо продолжал таращиться в экран, изо всех сил стараясь не заснуть. Спокойные минуты, когда он мог вот так спокойно посидеть в кресле перед телевизором, выпадали ему чрезвычайно редко, и Джо ими очень дорожил.

— Господи, Кейт, только не начинай все сначала! — перебил он, когда Кейт начала жаловаться ему на одиночество. — Дай мне отдохнуть по-человечески. Я знаю, что меня не было дома три недели и что я не смог поехать на День благодарения к твоим родителям, но ведь это не преступление, правда?

— Неужели ты не понимаешь?! — Кейт тщетно пыталась пробиться к нему через тот барьер, который он между ними выстроил. — Я люблю тебя и хочу быть с тобой. Я знаю, что тебе нужно много работать, но мне-то от этого не легче! По правде говоря, Джо, мне очень и очень тяжело...

На самом деле ей было даже тяжелее, чем Джо мог постичь. Но чем настойчивее она старалась докричаться до него, тем больше он отдалялся, тем дальше отступал. Сама того не желая, Кейт снова разбудила в нем острое чувство вины. И это было единственное, чего Джо не мог вытерпеть — ни от нее, и ни от кого-либо другого.

— Почему ты не хочешь понять или хотя бы принять тот факт, что я занят действительно важным делом? — прорычал он. — Важным для меня и для тебя тоже... Мне нравится то, что я уже построил и что только собираюсь построить. Неужели ты не можешь мне хотя бы не мешать?

Кейт не собиралась ему мешать, но Джо был ей гораздо нужнее, чем все его деньги, заводы, авиакомпании.

— И вообще, — добавил он, — мне не нравится, что ты начинаешь меня пилить каждый раз, когда я прихожу домой. По-моему, это просто нечестно. Могла бы хотя бы притвориться, что рада меня видеть!

Кейт понимала, что Джо просит, нет — умоляет оставить его в покое, и от этого ей было очень больно. Он не понимал, насколько одинокой она чувствует себя в последние месяцы. Одинокой, брошенной, нелюбимой... Кейт словно вернулась на несколько лет назад, когда они с Джо только начинали жить вместе в Нью-Джерси, только теперь ей было еще больнее. Тогда Кейт могла на что-то надеяться, теперь же ей было совершенно ясно, что спорить с ним, убеждать, уговаривать бесполезно. Джо не согласится ни на какой компромисс. Один из них должен был уступить, принести себя в жертву другому, и Джо считал само собой разумеющимся, что этим человеком будет Кейт. Она и сама это понимала, и все же смириться с этим ей было трудно. Одна мысль о том, что если она даст ему полную свободу, Джо неминуемо отдалится еще больше, буквально убивала ее. Кейт чувствовала, что находится в опасной близости к тому пределу, за которым начинается самая настоящая паника. «Неужели наступит день, когда я останусь совершенно одна? — в ужасе думала она. — Неужели все кончится, и кончится так скоро? Неужели пройдет еще немного времени, и наша любовь умрет навсегда?..»

А именно к этому все и шло. В декабре Джо снова уехал в Гонконг, чтобы в очередной раз встретиться там с местной финансовой элитой, от которой он добивался поддержки своих начинаний. На обратном пути он планировал побывать в Неваде, где на аэродроме разбился еще один самолет. Погибли пилот и штурман, и Джо считал себя виноватым в их смерти. У него были основания подозревать, что дефект, приведший к катастрофе, был заложен в конструкции самолета еще на стадии проектирования. Джо отлично знал и понимал, что на все это потребуется масса времени, и все же поклялся Кейт, что Рождество он проведет с ней и с детьми.

И она ему поверила — ей просто ничего другого не оставалась. Поверила и обрадовалась, что увидит его хотя бы в праздники.

Телефонный звонок раздался утром накануне Рождества, когда Кейт с Кларком Александром украшали елку блестящим «дождем» и гирляндами. Мальчуган то и дело вскрикивал от восторга, Кейт тоже пребывала в отличном настроении и мурлыкала себе под нос какую-то популярную песенку. После завтрака она позвонила секретарше Джо Хейзл, и та сказала, что все они тоже ожидают его возвращения сегодня. Но когда она сняла трубку, то услышала голос Джо, и у нее оборвалось сердце. Он явно звонил откуда-то издалека: на линии бушевали сильные помехи, раздавался какой-то треск и шипение. Судя по всему, Джо приходилось кричать в трубку, и все равно она почти ничего не слышала.

— Что?.. Что ты говоришь — я не слышу! Где ты?! — Кейт тоже старалась говорить отчетливо и громко, чтобы он понял.

— ...Застрял... Токио, — послышалось в ответ.

— Как — в Токио?.. Почему?! Ты же был в Гонконге!

— Опоздал на рейс, на пересадку. — В трубке по-прежнему трещало и хрюкало, но теперь Кейт слышала его чуточку яснее. — ...Переговоры. Задержался... очень трудно... Нужно будет снова лететь... после праздников. Очень сложное положение с азиатскими линиями...

Кейт с трудом сдерживала слезы. Она знала, что должна что-то сказать, но не могла, и пауза затягивалась.

— Мне очень жаль, дорогая, но ничего не поделаешь. Я вернусь через пару дней... Кейт! Ты меня слышишь?!

— Да, я тебя слышу, — ответила она, вытирая глаза и стараясь скрыть свое разочарование. — Что ж, до встречи.

Спорить с ним все равно не имело смысла, она ничего бы не изменила, только напугала Джо еще больше. Ей вообще не хотелось ни спорить с ним, ни что-то доказывать — Кейт хотела только одного: быть ему хорошей женой, что бы это ни означало.

— ...Счастливого Рождества... Поцелуй за меня детей, — донеслось до нее, и Кейт машинально кивнула.

— Я люблю тебя! — крикнула она в трубку, надеясь, что он сумеет расслышать ее сквозь вой и треск помех. — Счастливого Рождества, Джо!..

Но он уже отключился. Что-то разъединилось на линии, и они перестали слышать друг друга. Это показалось Кейт таким несправедливым и жестоким, что она упала в кресло и, не обращая внимания на стоявшего тут же Кларки, бурно разрыдалась.

— Не плачь, мама!

Мальчик вскарабкался к ней на колени, обнял ручонками за шею, и Кейт крепко прижала его к себе. Она не сердилась на Джо, просто разочарование, которое она испытывала, было слишком горьким. Джо, скорее всего, действительно был ни в чем не виноват, и Кейт понимала это, но успокоиться не могла, и слезы все текли и текли по ее щекам. Что ж, такая, видно, у нее судьба... Кейт заставила себя припомнить страшный декабрь сорок третьего года, когда она узнала, что самолет Джо сбит. Тогда ей тоже было плохо. Даже хуже, чем теперь, — ведь она думала, что он погиб и никогда не вернется. Сейчас она знала, что Джо жив, и это служило ей пусть слабым, но все-таки утешением.

Рождество без Джо прошло как-то тихо, хотя нельзя было сказать, чтобы праздник не удался совсем. В сочельник они ели мороженое со свежими персиками, которые по просьбе Джо один его товарищ привез из Калифорнии, а на следующий день, сразу после завтрака, Кейт и дети открыли свои подарки.

К обеду приехал Энди: он собирался взять Кларка Александра на пару дней к себе, чтобы пообщаться с сыном и сводить его в цирк. Кейт знала, что Энди собирается жениться, и была рада за него — она надеялась, что на этот раз он сделал правильный выбор. С ней ему не повезло. Теперь Кейт знала твердо, что выходить замуж нужно только за того, кого любишь. Кейт любила Джо и была счастлива с ним, несмотря на все проблемы и трудности, которые возникали буквально на каждом шагу. С Энди ей было легче и проще, но его она не любила и в конце концов они, наверное, все равно бы разошлись.

— Привет, Кейт, — сказал Энди, неловко переминаясь с ноги на ногу.

После развода они держались друг с другом вежливо, но никаких дружеских отношений между ними так и не возникло. Кейт знала, что он до сих пор бывает у ее родителей в Бостоне, но она не возражала. В конце концов, Энди был отцом ее детей, к тому же Элизабет всегда любила его больше, чем Джо. Кстати, именно от матери Кейт узнала, что у Энди есть невеста.

— С Рождеством, Энди, — сказала она и пригласила его войти. Энди заколебался, и, угадав, что его смущает, Кейт добавила: — Заходи-заходи, я одна. Джо в командировке.

— В Рождество?! — Брови Энди изумленно поползли вверх, но он быстро справился с собой. — Это... гм-м... довольно необычно, — сказал он вежливо. — Должно быть, тебе нелегко одной.

— Это, конечно, не слишком приятно, — согласилась Кейт, — но я привыкла. Джо очень много работает. Вот сейчас он опять застрял в Японии по пути из Гонконга.

— Опять?.. — переспросил Энди. Кейт растерялась, не зная, что ответить, но ее спас Кларк Александр, который очень своевременно бросился отцу на шею. Следом ковыляла Стивени. Она уже узнавала родного отца и, кажется, по-своему любила его, но сегодня ей предстояло остаться дома.

— Я слышала, ты собираешься жениться, — заметила Кейт, когда Кларк Александр побежал одеваться.

— Да, собираюсь, — кивнул Энди. — Но это произойдет не раньше июля. Я пока выжидаю...

Они оба улыбнулись, без слов поняв друг друга. «Чтобы не сделать еще одной ошибки», — хотел сказать Энди, и Кейт догадалась, что после того, как он обжегся один раз, он просто не мог очертя голову бросаться в новый брак. Энди хотел все проверить заранее, выяснить, уточнить, хотя даже за десять лет это было вряд ли возможно.

— Пуганая ворона куста боится! — по привычке поддразнила она его, но тут же спохватилась. — Не слушай меня, это я так, к слову... Надеюсь, у тебя все будет хорошо. Во всяком случае, я желаю тебе всего самого лучшего. И счастливого Рождества... — добавила она, увидев выходящего из комнаты сына. Он был уже в курточке и в перчатках. Подойдя к отцу, Кларк Александр крепко взял его за руку, и у Кейт отчего-то защемило сердце.

— И тебе того же, — ответил Энди. Потом Кейт попрощалась с сыном, и они ушли, а Кейт подхватила на руки Стивени и понесла в детскую.

Остаток праздника прошел для Кейт совершенно обыкновенно и как-то по-будничному. Она прибралась в квартире, приготовила ужин, поиграла с дочерью, посмотрела телевизор. Несколько раз она пыталась дозвониться до Джо, но не смогла пробиться — линия постоянно была занята, и Кейт бросила это бессмысленное занятие. Она сказала себе, что давно пора бы перерасти свои детские обиды, но когда вечером позвонила Элизабет, голос Кейт дрожал и срывался, и она поминутно кусала губы, чтобы не заплакать. С грехом пополам ей удалось убедить мать, что у нее все в порядке, после чего она положила трубку почти с облегчением.

Джо позвонил ей только через два дня — уже из Невады.

— Я приеду под Новый год, тридцать первого, — объявил

он почти радостно, и Кейт мысленно добавила к его словам коротенькое «может быть». Может быть, он действительно появится в канун Нового года, если ничего не задержит его в Неваде, если его снова не вызовут в Лондон, Токио, Гонконг. Она больше не доверяла его обещаниям, особенно когда они давались таким радостным тоном. Джо как будто делал ей одолжение и ждал, что она тоже порадуется вместе с ним тому, что они наконец-то увидятся. Кейт и радовалась, но радость ее отравляло сознание того, что ею пренебрегают ради какой-то вдовы, ради каких-то дурацких профсоюзов... Она сама скоро забастует, как те профсоюзы, если в их жизни ничего не изменится.

Кейт действительно расстроилась. В канун Нового года они с Джо собирались пойти с друзьями в ресторан и протанцевать до утра, но теперь она была почти уверена, что из этого ничего не выйдет. Джо наверняка опоздает, и ей придется остаться дома с детьми, чтобы ждать его. А когда он наконец явится, на часах наверняка будет без четверти двенадцать или без четверти час; они выпьют по бокалу шампанского, и Джо завалится спать, потому что он наверняка устанет от перелета через всю страну и от всего остального тоже. А ей останется только неподвижно лежать рядом с ним, молчать и смотреть в потолок.

Как выяснилось очень скоро, Кейт ошиблась только в деталях. Джо вылетел в Нью-Йорк самолетом компании только утром тридцать первого декабря, но не успел его самолет удалиться от аэродрома и на несколько миль, как на Нью-Йорк обрушился настоящий снежный буран. К тому времени, когда Джо наконец добрался до Восточного побережья, город и окрестности буквально тонули в снегу, и его самолет направили в Атлантик-Сити, где погода была поспокойнее. Трижды Джо поднимался в воздух и трижды возвращался обратно, ибо даже он не мог лететь в такую пургу. Только ближе к вечеру ветер и снег улеглись, и он сумел совершить посадку в аэропорту Айдлуайлд.

Дома Джо появился только в начале десятого вечера, и, как и следовало ожидать, он был выжат, как лимон. Полет в штормовую погоду совершенно вымотал его, но он так и не допустил к штурвалу штатного пилота компании — во-первых, потому что привык пользоваться каждой возможностью полетать самому, а во-вторых, только он мог доставить самолет и пассажиров на место в целости и сохранности в такую пургу.

Кейт ждала его. Правда, она уже сняла вечернее платье и прилегла на диван с книгой, но она все равно ждала, когда зажужжит на площадке лифт и за дверью раздадутся знакомые шаги. И вот — он пришел. Он стоит на пороге комнаты, и лицо у него самое что ни на есть нежное и немножко глуповатое, как часто бывает у влюбленных мужей. И этого оказывается достаточно, чтобы растопить ледок в ее сердце.

— Я еще живу здесь, Кейт? — робко спрашивает Джо.

— Посмотрим. — Она улыбается. — Смотря как ты будешь себя вести. Выглядишь ты неплохо.

— Прости меня, родная, я испортил тебе все праздники. Мне ужасно хотелось все бросить и прилететь домой, но я не смог. Как ты думаешь, еще не поздно поехать в ресторан?..

Но у Кейт была идея получше. Решительно отложив книгу, она встала и плотно закрыла дверь. Потом она повернулась к нему. Джо уже снял куртку и ослабил галстук, но она принялась расстегивать пуговицы рубашки.

— Ты хочешь, чтобы я переоделся? — рассеянно спросил Джо.

— Нет, — коротко ответила Кейт, расстегивая «молнию» на его брюках.

— О, похоже, у тебя серьезные намерения! — усмехнулся он, целуя ее волосы.

— Самые серьезные, — уверила его Кейт. — Ты оставил меня одну на Рождество, так что изволь теперь расплачиваться... Согласно законодательству штата муж, который оставляет жену на праздники одну, обязан возместить ей моральный ущерб натурой.

Она слегка поддразнивала его, ласкала и целовала, и Джо почувствовал, как, несмотря на усталость, в нем нарастает возбуждение.

— Эх, если бы я только знал про этот... моральный ущерб, я бы постарался прилететь пораньше, — прошептал он, увлекая ее на мягкий пушистый ковер перед камином, в котором тихонько потрескивали дрова.

— Я всегда готова... Всегда, когда ты только захочешь, — ответила Кейт, и на этот раз она говорила совершенно серьезно.

Потом она поцеловала его так, как он любил, и Джо негромко застонал от наслаждения. Им обоим показалось, что это был самый лучший Новый год в их жизни.

Глава 20

К первой годовщине свадьбы Кейт и Джо сумели выработать свой особый уклад жизни, который более или менее устраивал обоих. Ничего сложного в нем не было. Джо по-прежнему отсутствовал большую часть времени, а Кейт и дети ждали его дома. Но теперь, чтобы как-то убить время, Кейт начала заниматься благотворительностью, а к весне Джо подыскал ей еще одно занятие. Они давно собирались приобрести собственный дом под Нью-Йорком, однако поскольку в последнее время Джо чаще бывал в Калифорнии и вообще на Западном побережье, поэтому он предложил Кейт купить дом в Лос-Анджелесе.

Кейт идея понравилась. Они нашли просторный особняк с роскошным садом и наняли декораторов, чтобы привести его в порядок. Декораторами и ремонтниками должна была руководить Кейт. Так захотел Джо. Он знал, что Кейт отличается отменным вкусом, к тому же это были дополнительные хлопоты, которые могли скрасить ее одиночество и отвлечь от грустных мыслей.

Кейт с радостью ухватилась за эту идею и взялась за дело всерьез, хотя ей приходилось разрываться между Лос-Анджелесом и Нью-Йорком, где оставались дети. Зато теперь им с Джо удавалось видеться гораздо чаще: у него было много дел в Калифорнии, и Кейт старалась оказаться там всякий раз, когда он прилетал.

К сентябрю работы в особняке были полностью закончены, и Джо остался доволен. Это был настоящий дом — удобный, уютный, и вместе с тем — артистически элегантный. Джо даже сказал, что останавливаться здесь для него настоящее удовольствие, потому что каждая драпировка, каждый цветок на тканых обоях как будто дышит Кейт. Разумеется, Джо не удержался и похвастался всем своим знакомым, как замечательно она справилась с такой трудной работой. Он даже сделал несколько фотографий интерьера, и вскоре некоторые друзья стали просить Кейт, чтобы она в качества дизайнера поучаствовала в их проектах. Джо не возражал, считая, что Кейт необходимо чем-то занять свое время, но она отвечала на все подобные просьбы отказом. Ей не хотелось связывать себя участием в каком-то долгосрочном проекте: в последнее время она и так слишком часто оставляла детей на попечение няни.

За сентябрём пришёл октябрь. Почти весь месяц Джо провёл дома, неожиданно заявив, что каждому человеку необходим отпуск. Правда, и в этот месяц он проводил важные встречи и переговоры, но все они проходили в Нью-Йорке или, в крайнем случае, в Нью-Джерси. Как бы там ни было, Джо приходил домой каждый вечер, и Кейт это ужасно нравилось. Каждое воскресенье он возил её с собой на аэродром, а в один из уик-эндов даже слетал с Кейт в Бостон, чтобы навестить её родителей. На обратном пути он позволил ей вести самолёт, чем доставил Кейт ни с чем не сравнимое удовольствие, и только когда до Нью-Йорка оставалось несколько десятков миль, Джо снова взял управление на себя.

Кейт пребывала в отличном настроении, и ей казалось, что Джо испытывает то же самое. Именно поэтому она решилась заговорить с ним об одной проблеме, которая волновала её уже давно. Конечно, она понимала, что лучше было бы завести этот разговор раньше, но Джо почти никогда не было дома, а если он и приезжал, то бывал таким задёрганным и уставшим, что вывести его из равновесия мог любой пустяк.

Но сейчас, казалось Кейт, настал самый подходящий момент, чтобы сообщить Джо, что ей бы очень хотелось родить от него ребёнка.

Когда она сказала ему об этом, на лице Джо отразился неподдельный ужас.

— Что-о?! — воскликнул он, и у него, кажется, даже задрожали руки, потому что самолёт несильно качнулся, но тотчас выровнялся.

— Ради бога, постарайся не разбить машину. Ребёнок — это вовсе не так страшно, как кажется, — рассудительно сказала Кейт.

— Но у тебя уже есть двое, Кейт! Разве тебе их мало?

Кейт пожала плечами.

— Мы женаты уже полтора года, по-моему, нам уже пора завести собственного ребёночка. Это было бы только естественно, разве ты не находишь?

Но выражение лица Джо ясно свидетельствовало, что он с ней не согласен. Он никогда не любил детей — не считая, конечно, Кларки и Стивени — и не горел желанием стать отцом семейства. Он считал себя просто неспособным к нормальному отцовству, но Кейт придерживалась другого мнения. Не многие мужчины сумели бы так быстро найти контакт с чужим ребенком и тем более полюбить его так, как Джо любил Кларка Александра. Он души в нем не чаял, а малыш просто обожал Джо. Для мальчика он был чем-то вроде живого бога, который спустился с небес на землю специально для него. Что касалось Стивени, то она была еще слишком мала, но Джо любил и ее тоже — Кейт ясно читала это в его взгляде, когда в редкие вечера дома он возился с девочкой или клеил на кухне домики для ее кукол и медвежат. Любимого медведя Стивени тоже звали Джо, и он летал на большом игрушечном самолете, который Джо подарил девочке на день рождения.

— Нам больше не нужно детей, Кейт, — сказал Джо твердо. — Это решено.

— Но ведь у тебя никогда не было своих детей! — взмолилась Кейт. Вот уже больше десятка лет иметь от него ребенка было самым заветным ее желанием.

— *Мне* никакой ребенок не нужен, — отрезал он. — К тому же, у меня есть Кларк Александр и Стивени.

— Это не совсем... Это другое дело, Джо, — сказала Кейт печально: она уже начинала понимать, что ошиблась и выбрала не самый удачный момент для столь серьезного разговора.

Джо нахмурился: его раздражало, что приходилось объяснять ей такие очевидные вещи.

— Для меня это не имеет значения. Будь они моими, я бы все равно не смог любить их больше. Кроме того, я уже слишком стар, чтобы обзаводиться детишками: ведь мне скоро сорок три. Когда им придет пора идти в колледж, мне будет уже за шестьдесят...

— Когда я родилась, мой отец был старше тебя. Мой родной отец, я имею в виду... А Кларк еще старше, но он до сих пор достаточно бодр и полон жизни, хотя ему скоро восемьдесят.

— Кларк никогда не был так занят. Мои дети, если они у меня будут, рискуют увидеть папу, только когда я выйду на пенсию, но к тому времени у них уже будут свои взрослые дети. Зачем мне ребенок, если я все равно не смогу заботиться о нем как полагается? — Сейчас Джо готов был признать, что он слишком редко бывает дома. — И вообще, Кейт, давай прекратим этот разговор, ладно? Если хочешь как-то убить время, постарайся придумать себе другое занятие.

Но ребенок был нужен Кейт не для того, чтобы тратить на него время, которого у нее было слишком много. Она действительно хотела иметь ребенка от Джо — чтобы он был только их, чтобы никакой Энди не забирал его каждую среду и почти каждое воскресенье. Однако лицо Джо выражало такую крайнюю степень неудовольствия, что Кейт не решилась развивать эту тему дальше.

Но Джо заметил, как она огорчилась, — заметил и разозлился еще больше.

— Вечно тебе что-нибудь не так! — проворчал он. — Вечно ты от меня чего-то требуешь! То тебе не нравится, что меня не бывает дома, то ты вдруг захотела ребенка. Чего ты захочешь завтра? Луну с неба? Почему ты не способна радоваться тому, что у тебя есть? Правда, сейчас я действительно очень занят, но скоро это изменится — я просто не могу сказать, когда точно... Разве тебе этого мало? Что с тобой, Кейт, я тебя просто не узнаю!

Он уже вел самолет на посадку, и Кейт не хотелось спорить и отвлекать его, но ей очень не понравилось, что Джо говорил с ней таким тоном. Он требовал, чтобы она приспосабливалась, подстраивалась под него, всякий раз уступала. Ее желания, казалось, ничего для него не значили. «Хочешь быть со мной — делай то, что от тебя требуют», — такова вкратце была суть его возражений, и хотя он никогда не выражался так откровенно и грубо, Кейт чувствовала, что до этого момента уже недалеко.

Чего Кейт никак не могла взять в толк, это *почему* Джо заговорил с ней так, словно у него было право приказывать ей, распоряжаться ее жизнью. Иногда она чувствовала себя чуть ли не содержанкой, которую не гонят только из жалости или по привычке. «Наверное, я его просто избаловала?» — подумала Кейт. Джо так редко бывал дома, что, когда он все-таки возвращался, все внимание уделялось ему одному, вся жизнь вращалась вокруг него одного, вокруг его интересов, и он к этому привык. Да и вообще — всю свою сознательную жизнь Джо слышал в свой адрес одни похвалы и славословия. Сначала его восхваляли как лучшего в мире летчика, потом — как героя войны, а в последнее время он стал знаменит и как весьма успешный и удачливый предприниматель. Попробовала бы она сказать хоть что-то противоречащее его высокому мнению о своей персоне! Тогда... О-о-о, тогда берегись, Кейт Джемисон! Ведь всем, чего он достиг, Джо Олбрайт был обязан своему умению во что бы то ни стало добиваться своего.

По пути с аэродрома домой Кейт в основном хранила мол

чание, и Джо был этому рад. Ему и самому не хотелось продолжать спор, который, как он считал, они закончили много лет назад. Джо был уверен, что за недостатком свободного времени, сил и — если быть откровенным до конца — желания, он не сможет воспитать своих детей такими, какими хотел бы их видеть. Он считал, что вырастить ребенка настоящим человеком гораздо важнее, чем накормить его, одеть, обуть, дать образование и вытолкнуть в большой мир. Нет, хватит с него Кларки и Стивени. Конечно, все его соображения относились и к ним, но их Джо воспринимал как данность и делал для них все, что только было в его силах.

Когда они вернулись домой и Кларк Александр повис у него на шее, Джо многозначительно посмотрел на Кейт поверх головы мальчика. «У нас уже *есть* дети, Кейт, так какого ж рожна тебе еще надо?» — казалось, спрашивал его взгляд.

Кейт больше не заговаривала с ним на эту тему, и Джо старался вести себя как подобает образцовому мужу. Он даже поставил себе задачу: на протяжении хотя бы нескольких месяцев проводить все выходные дома. Пока ему это удавалось, хотя Джо и пришлось препоручить ведение переговоров одному из своих самых толковых заместителей. Переговоры, впрочем, были не особенно важными, от их успеха или неуспеха мало что зависело, и Джо мог позволить себе не волноваться и не думать о возможных ошибках.

На рождественские каникулы Джо удалось устроить себе нечто вроде небольшого отпуска, и Кейт была очень довольна. Они ходили на вечеринки, на званые приемы и балы, катались на коньках, гуляли с детьми в парке и даже слепили огромного снеговика, у которого был большой красный нос-морковка и сердитые глаза, которые Джо сделал из собственных пуговиц. В один из дней Джо вдруг спохватился, что так и не купил Кейт никакого подарка на Рождество. В тот же вечер он преподнес ей роскошное бриллиантовое колье и такие же серьги, которые ей очень шли, и, примеряя их перед зеркалом, Кейт подумала, что уже давно не чувствовала себя такой счастливой. Дело было даже не в подарке, а в том, что Джо вспомнил: у него есть жена и он ее любит. И она тоже любила его даже сильнее, чем прежде, так что ей было отчего чувствовать себя счастливой. Все их мечты сбылись, они были вместе, и казалось, ничто в мире не сможет разлучить их снова.

В последний день рождественских каникул Джо сидел

перед телевизором, а Кейт снимала с елки украшения и прятала их в коробки до будущего года. Кларк Александр и Стивени спали после обеда. Все было просто отлично, и Джо пребывал в отличном настроении. За несколько дней каникул он сумел полностью восстановить силы и чувствовал себя отдохнувшим, бодрым и готовым к новым свершениям. Через два дня он уезжал на месяц в Европу, а в феврале собирался вылететь оттуда в Японию, даже не заезжая домой, но Кейт уже примирилась с этим. Вернуться Джо должен был месяца через полтора, и она сказала, что к этому времени переберется с детьми в Калифорнию, чтобы ждать его там.

Пока Джо смотрел футбол, Кейт принесла ему сандвич и апельсиновый сок. Он что-то сказал ей, она весело рассмеялась в ответ, но Джо вдруг поразило странное выражение, появившееся в ее глазах. В следующую секунду Кейт побледнела, как простыня, и Джо, в страхе вскочив с дивана, бросился к ней, чтобы поддержать, но не успел. Кейт пошатнулась. Глаза ее закатились, и она медленно опустилась на пол.

Когда Кейт пришла в себя, Джо стоял возле нее на коленях и с испуганным видом пытался нащупать пульс. Одновременно он прислушивался, дышит ли она, и Кейт попыталась сказать ему, что все в порядке, но с губ ее сорвался только слабый стон.

— Кейт, что с тобой, родная? Как ты себя чувствуешь?! Скажи, что нужно сделать? Хочешь, я позову врача?.. — Джо явно решил, что она вот-вот умрет у него на руках.

— Не надо... Просто... голова закружилась, вот и все.

— Как не надо? — удивился Джо. — Обязательно надо показать тебя врачу! Вот что, давай-ка я лучше сам отвезу тебя в больницу. Только сначала переложу тебя на диван...

Он легко поднял ее и положил на мягкий диван, потом выключил телевизор и принес из спальни подушку, которую заботливо подложил ей под голову.

— Вот так, — приговаривал он, — полежи немного — и поедем.

— Не надо в больницу, — взмолилась Кейт. — Все равно мы не можем оставить детей одних. Ничего... я отлежусь, а завтра вызовем врача на дом.

— Ты уверена, что с тобой ничего не случится? — спросил Джо, и Кейт кивнула — говорить ей все еще было достаточно трудно.

Вскоре она заснула, но Джо продолжал внимательно наблюдать за ней и прислушиваться к ее дыханию. Он не хотел признаваться Кейт, но ее обморок напугал его чуть не до тошноты. Насколько ему было известно, за всю жизнь Кейт еще ни разу не падала в обморок. Что же с ней такое? Ему вдруг вспомнилась, что жена одного из его пилотов умерла от опухоли мозга в двадцать пять лет. Может, и у нее тоже — опухоль?..

Когда Кейт проснулась, Джо все еще сидел рядом на диване и держал за руку, словно боялся — стоит ему выпустить ее хоть на минуту, и она умрет. Но Кейт чувствовала себя намного лучше. Она даже нашла в себе силы встать и, несмотря на протесты Джо, приготовить ужин. Сама она, впрочем, почти ничего не ела, и Джо, в котором снова проснулась тревога, заставил ее пообещать, что завтра утром она непременно покажется врачу. Успокаивало его только то, что Кейт, похоже, не волновалась вовсе. По ней, во всяком случае, ничего не было заметно. Правда, она все еще оставалась необычайно бледной, но чего еще можно было ожидать от человека, который всего несколько часов назад ни с того, ни с сего грохнулся в обморок?

В этот день они легли раньше обычного. Джо все еще выглядел очень расстроенным, и Кейт поняла, что не имеет права и дальше скрывать от него правду. Он как раз собирался погасить свет, когда Кейт повернулась к нему и, поцеловав в щеку, сказала:

— Не волнуйся, дорогой, пожалуйста. Со мной действительно все в порядке. Это... это...

— Что — это? — спросил Джо, прижимая ее к себе и с трудом сдерживая подступившие к глазам слезы. Он был уверен, что у Кейт какая-то опасная, неизвестная науке болезнь, и что она обязательно умрет, если не принять решительные меры,

— Я просто не хотела тебе говорить, чтобы ты не сердился, — сказала Кейт. — Особенно до праздников...

На самом деле она хотела дождаться возвращения Джо из Токио, но, видя, как он встревожен, поняла, что не имеет права держать его в неведении. С ее стороны это было бы нечестно и просто жестоко.

— Почему я должен на тебя сердиться? — удивился Джо. — Ведь ты не виновата, что заболела. Ведь ты заболела, правда?..

Улыбнувшись, Кейт откинулась на подушку.

— Нет, Джо, я не заболела. Просто я... беременна.

Это сообщение произвело на Джо эффект разорвавшейся

бомбы. У него отвалилась челюсть, а глаза вылезли из орбит. Говорить он не мог — только некоторое время нечленораздельно мычал.

— Что-что? — проговорил он наконец.

— У нас будет ребенок, — пояснила Кейт и счастливо рассмеялась.

Джо сразу понял, что она именно счастлива, хотя его реакция на это потрясающее известие все-таки не совсем для нее безразлична. Он вдруг почувствовал, что его обвели вокруг пальца, обманули как последнего болвана.

— И давно... давно ты об этом знаешь?

— С Рождества. Ребенок должен родиться в августе. — Она уже подсчитала, что зачатие произошло где-то накануне Дня благодарения.

— Так значит, ты все-таки обманула меня! — выкрикнул Джо, выскакивая из постели. — Какого черта, Кейт?!

Он был в бешенстве. Кейт еще никогда не видела его таким. Лежа в кровати, она в страхе натянула одеяло до самого подбородка, а Джо начал метаться по комнате, словно угодивший в яму амурский тигр. Казалось, он ничего не видит: по дороге Джо опрокинул два стула, едва не сшиб на пол настольную лампу и, налетев на открытую дверь ванной комнаты, сильно ударился коленом и зарычал от боли и ярости.

Именно такой реакции Кейт от него и ожидала. Ожидала и боялась.

— Я тебя не обманывала, — проговорила она дрожащим голосом.

Джо остановился и повернулся к ней, яростно сверкая глазами.

— Черта с два! Ты говорила, что используешь что-то...

Кейт действительно все время пользовалась противозачаточной мембраной, но сейчас она с ужасом поняла, что Джо не поверит ей.

— Должно быть, колпачок соскочил. Это бывает, Джо, поверь мне! Ни одно средство не дает стопроцентной гарантии!

— Но почему это произошло именно сейчас? Почему?! Объясни, если можешь! Ведь всего пару месяцев назад я сказал тебе совершенно определенно: я не хочу, не желаю никаких детей! Но ведь ты упряма, как... как не знаю кто! Я не удивлюсь, если ты в тот же день спустила свою мембрану в унитаз. Неужели ты никогда обо мне не думаешь?

Это была явная несправедливость: его желания всегда значили для нее очень много. Но и о себе Кейт забывать не собиралась, и не из упрямства, а из простого инстинкта самосохранения. Она хорошо знала: женщины, которые позволяют мужчинам вытирать о них ноги, очень скоро становятся им не нужны.

— Это была случайность, Джо, уверяю тебя, — сказала она, как могла спокойно. — От меня тут ничего не зависело.

Однако Джо уже почти не слушал ее: он чувствовал, что угодил в ловушку.

— Допустим, — сказал он. — Но это ничего не меняет. Этот ребенок мне не нужен. Избавься от него!

— Ты это серьезно?!

Кейт была потрясена до глубины души и даже испугалась, уж не сошел ли Джо с ума от неожиданности.

— Совершенно серьезно, — ответил Джо, злобно глядя на нее. — Я не могу и не хочу становиться отцом в таком возрасте. Ты должна сделать аборт. — Он подошел к кровати и ничком бросился на одеяло.

— Но, Джо... Ведь мы женаты, и это наш ребенок... Обещаю тебе, он никак не повлияет на наши отношения! Мы будем жить, как жили. Я найму няню и буду путешествовать с тобой, как раньше.

— Мне не нужен этот ребенок! — повторил Джо придушенным голосом — он буквально задыхался от бешенства и злобы. Кейт вдруг почувствовала, что в душе ее будто что-то перевернулось.

— Я не буду делать аборт, — сказала она неожиданно спокойно. — Однажды я уже потеряла нашего ребенка. Правда, не по своей вине, и все же... Этот ребенок не только твой, но и мой тоже. Я не могу убить свое дитя, Джо...

С тех пор прошло одиннадцать лет, но Кейт отчетливо помнила свой страх, боль, ужас и разочарование, когда она поняла, что потеряла ребенка. Ей понадобились месяцы, чтобы прийти в себя, одно время ей казалось, что она никогда больше не сможет смеяться, но потом это прошло. К счастью — прошло...

— Ты хочешь меня прикончить! — простонал Джо. — Меня и наш брак заодно. Этот ребенок... нет, я просто не выдержу! Мне и так нелегко приходится. Ты постоянно жалуешься, что я редко бываю с тобой дома, а теперь ты начнешь ныть, что наш ребенок совсем не видит отца! Уж если тебе так нужны дети, почему ты не вышла замуж за кого-нибудь другого? Нет, Кейт, лучше бы ты оставалась женой Энди. Мне кажется, он из тех парней, которые только взглянут на женщину — и хлоп! — готово дело.

Каждое его слово глубоко ранило Кейт, но она понимала: Джо сейчас в таком состоянии, что не замечает этого.

— Я не хочу быть ничьей женой — только твоей, — твердо сказала она. — Я всегда этого хотела, и тебе прекрасно это известно. То, что ты только что сказал, просто несправедливо и нечестно. Я ни в чем не виновата, и я тебя не обманывала.

Но Джо был уверен, что Кейт его одурачила, и никакие слова не могли убедить его в обратном. Выключив свет, он повернулся к ней спиной и мгновенно заснул. Утром, когда Кейт проснулась, его уже не было.

Вернувшись вечером с работы, Джо снова заговорил с ней о том же, Кейт надеялась, что он передумает и попросит у нее прощения за вчерашнее.

— Я много думал о нашем разговоре, — сказал Джо, — и окончательно убедился, что нам это не нужно. Я понимаю твои чувства, Кейт, и все же считаю, что ты *должна* это прекратить. Избавиться от... Ну, прервать беременность. Так будет лучше и для нас, и для Кларки со Стивени. Представляешь, как им будет тяжело, если и у нас, и у Энди с его женой появится новый... появится кто-то. Они будут ревновать, думать, что их никто не любит, что они больше никому не нужны. Бог мой, да они могут превратиться в самых настоящих невротиков! Что может быть хуже, чем оказаться чужим в собственной семье?

У Джо никогда не было собственной семьи, но зато он хорошо помнил, как жил приемышем в семье двоюродного брата матери. Он действительно был там никому не нужен, и это ощущение запомнилось ему на всю жизнь. Должно быть, поэтому он считал свои доводы совершенно неопровержимыми, однако Кейт не могла с ним согласиться. Сначала она едва не расхохоталась ему в лицо — до того нелепой показалась ей эта аргументация, но Джо был совершенно серьезен, и Кейт сказала:

— Ты не прав, Джо. Большинству детей, как правило, не вредит, если у них появляются сводные братья или сестры. В подобных ситуациях все зависит от родителей. Конечно, можно превратить в ад жизнь собственных детей, если не любить их... В общем, я не буду делать аборт, — закончила она тихо, но твердо, чтобы у него не осталось никаких сомнений. — Я люблю тебя и хочу иметь от тебя ребенка. Я не могу убить его, потому что это *наш* ребенок! В первую очередь потому, что он — наш, твой и мой, хотя есть и другие причины.

Джо ничего на это не сказал, однако остаток вечера он просидел в своем кабинете и пришел в спальню, только когда Кейт уже легла. А на следующий день он улетел в Мадрид, откуда собирался потом перебраться в Японию. С Кейт Джо даже не попрощался — просто взял свой новенький портфель из крокодиловой кожи и вышел. Хлопнула дверь, зашумел лифт — и все.

За целый месяц Джо позвонил ей всего три раза, что было совсем на него не похоже, и разговаривал очень сухо и деловито. На вопрос, когда он вернется, Джо ответил, что все будет зависеть от того, как скоро ему удастся уладить накопившиеся проблемы. Кейт поняла — снова начались эти его бесконечные переезды, переговоры, дела.

Джо прилетел в Нью-Йорк десятого февраля. Когда он добрался до дома, дети давно спали, а Кейт сидела в гостиной и смотрела телевизор. Услышав, что он открывает дверь, она вздрогнула от неожиданности — Джо даже не предупредил, какого числа он приедет. Она не вышла ему навстречу — только прислушивалась, как он возится в прихожей, снимая пальто и ботинки. Наконец Джо появился в гостиной и медленно приблизился к дивану.

— Как дела, Кейт? — спросил он небрежно, и Кейт поняла — он все еще сердится или, точнее, пытается воздействовать на нее своей холодностью. Ей, впрочем, было нисколько не легче от того, что она это понимала.

— Нормально, — ответила она, слегка пожав плечами, и внимательно посмотрела на него. — А у тебя?

Джо сел в кресло напротив.

— Ничего... Устал я что-то. — Он потер руками глаза.

Несмотря на выработанную за годы привычку, трансатлантический перелет сказался на нем сильнее, чем можно было предположить. «А может, — со страхом подумала Кейт, — Джо действительно стареет? Но сорок три года — разве это старость?..»

На самом деле она была ужасно рада видеть Джо. За месяц

Кейт успела основательно соскучиться, и сейчас ей очень хотелось обнять его и прижать к себе, но она не осмеливалась.

— Мои дела в порядке, — решительно сказал Джо и выпрямился. — Ну, а ты? Ты что-нибудь... решила?

Кейт не нужно было долго думать, чтобы понять, что он хочет узнать.

— Я не сделала аборта и не собираюсь, если ты это имеешь в виду, — сказала она, глядя в сторону.

Кейт тоже устала, но отступить не могла — ведь от того, кто победит в этом поединке, в этом столкновении характеров и воли, зависела жизнь крохотного, еще не родившегося существа. «Грустно, — подумала она, — очень грустно и очень жалко, если все кончится...»

— Это я знаю. — Неожиданно Джо пересел к ней на диван и, обняв ее за плечи, привлек к себе. — Не понимаю, зачем тебе так нужен этот ребенок! — проговорил он устало и грустно, но он больше не злился, и Кейт испытала огромное облегчение.

— Потому что я люблю тебя, дурачок, — ответила она и ткнулась носом ему в грудь чуть ниже узла галстука.

— Я тоже тебя люблю. И все-таки, нам в нашем положении не стоило бы заводить ребенка. Это глупо и безответственно, но раз он уже есть, я... Я как-нибудь это переживу. Только не рассчитывай, что я буду менять ему пеленки и не спать по ночам, если ему вздумается кричать! Я уже старик, Кейт, и мне нужно спать по ночам — это мне сказал врач.

Джо посмотрел на нее с неловкой улыбкой, и Кейт прижалась к нему еще крепче, чувствуя, как сильно она его любит.

— Мы назовем его Джо Олбрайт-младший, — сказала она, устраиваясь рядом с ним поудобнее. — И ты никакой не старик, Джо! Ты еще совсем молодой.

— Это только кажется, потому что я не сижу на одном месте, но на самом деле...

В последнее время Джо часто задумывался о своем возрасте. Он ничего не говорил Кейт, но неделю назад, в свой последний приезд в Рим, он специально пошел на службу в один из католических соборов, а потом еще долго сидел на скамье, раздумывая о том, что, как ни суди, старость уже не за горами. Джо никогда не был особенно религиозным, но из церкви он вышел с твердым убеждением, что они с Кейт должны сохранить этого ребенка. «Ведь это так много для нее значит!» —

сказал он себе тогда, но в глубине души Джо знал — дело не только в этом. Было что-то еще, чему он никак не мог подобрать подходящего названия.

— Надеюсь, ты больше не будешь падать в обморок? — спросил он с шутливой серьезностью. — Очень тебя прошу: не делай этого. Когда ты свалилась без чувств, я сам от страха чуть не отправился к праотцам. Кстати, как ты себя чувствовала все это время?

— Знаешь, неплохо. Я была у врача, и он сказал, что все в порядке.

Кейт была ужасно рада, что Джо передумал, поэтому не решилась сказать ему, что у нее, возможно, будет двойня. Врач сообщил ей это во время последнего осмотра, так как, по его мнению, у нее слишком быстро увеличивался живот. Сама Кейт только обрадовалась этому, но для Джо подобная новость могла оказаться последней каплей. Ему понадобился месяц, чтобы смириться с мыслью, что у него будет сын или дочь, и Кейт было страшно подумать о том, что он сделает и скажет, когда узнает, что у него будет *двое* детей.

Потом они пошли в кухню, и Кейт, готовя еду, весело болтала, рассказывая ему, что она делала все это время, какие книги читала, с кем встречалась, где бывала. Джо всегда нравилось слушать, как она говорит, он любил смотреть на нее, любил ее живость и энергию, любил ее тело, но больше всего он любил те ощущения, которые он испытывал в ее присутствии. Каким-то образом Кейт удавалось заразить его своей жизнерадостностью, передать ему свой неиссякающий оптимизм, пробудить в нем новые силы. Именно это влекло его к ней с самого первого дня их знакомства.

В тот вечер они долго сидели за столом и разговаривали обо всем на свете, и когда пришла пора ложиться спать, они снова были лучшими друзьями. За прошедший месяц Джо соскучился по Кейт не меньше, чем она по нему, и это помогло им справиться с остатками напряженности и неловкости. Уже лежа в постели, Джо неожиданно задумался, каким он будет, этот ребенок, которого Кейт носила во чреве. На кого он будет похож? Чей у него будет характер? Джо по-прежнему не был в восторге от сложившейся ситуации, но он знал, что если ему суждено иметь сына или дочь, он предпочел бы, чтобы этот ребенок был от Кейт, и ни от кого другого.

Глава 21

Остаток февраля Джо провел в Японии. Когда он позвонил и сказал, что через несколько дней возвращается в Калифорнию, Кейт немедленно выехала в Лос-Анджелес, в их дом на Беверли-Хиллз.

Кейт встречала его у взлетной полосы. Едва увидев ее, Джо сразу заметил, как сильно она пополнела.

— У-у, какая ты стала толстая! — поддразнил он Кейт, осторожно обнимая ее.

— Спасибо за комплимент, — парировала она.

Кейт была ужасно рада видеть Джо. Ей вообще казалось, что все просто отлично, и только одно смущало ее совесть: теперь врач был совершенно уверен, что у нее будет двойня, но она не знала, как сказать об этом Джо.

Джо, со своей стороны, никогда не видел ее в положении — он вообще не знал, как надо обращаться с беременными женщинами и чего от них ждать, — и поэтому тоже чувствовал себя немного неловко. Он постоянно боялся, что Кейт снова может упасть в обморок, повредить себе и ребенку каким-нибудь резким движением, а под конец изрядно насмешил Кейт, когда выразил опасение, что живот помешает ей управлять машиной. Впрочем, попеняв ей за то, что она приехала встречать его на их машине, а не на такси, Джо тут же спросил, смогут ли они заниматься любовью.

В ответ Кейт расхохоталась.

— Все будет в порядке, Джо, не волнуйся ты так, пожалуйста! И вообще, я не собираюсь лежать в постели оставшиеся шесть месяцев.

— Будешь лежать, если я скажу! — отрезал Джо.

Но несмотря на его страхи, они занимались любовью даже чаще, чем всегда. Две с небольшим недели, что они провели вместе в Лос-Анджелесе, стали для Кейт вторым медовым месяцем. Несмотря на ребенка — а может, именно благодаря ему — Джо был особенно внимателен и предупредителен к ней, и Кейт не раз думала о том, что, пожалуй, они еще никогда не были так близки духовно.

В начале апреля у Энди родился сын, и Кейт отправила ему и его жене подарок и открытку с поздравлениями. Когда впервые после этого Энди приехал к ней, чтобы забрать детей на выходные, он буквально сиял от счастья и вел себя так, словно они с Кейт никогда не были женаты и между ними не произошло этого тяжелого для обоих разрыва. Иными словами, он был гораздо больше похож на того Энди, которого Кейт помнила по учебе в колледже, и она позволила себе надеяться, что со временем они снова смогут быть добрыми друзьями. Но для этого нужно было, чтобы прошло еще сколько-то времени. Пока же им обоим было слишком больно вспоминать о прошедшем.

Джо был в Париже, когда однажды вечером Энди неожиданно позвонил Кейт домой. Дело было в пятницу, и он собирался заехать за Кларком Александром, чтобы отвезти его в свой новый загородный дом в Коннектикуте, однако Энди задерживался на работе, а его жена и ребенок были больны и не могли приехать за мальчиком вместо него.

— Послушай, Кейт, я задержусь на работе, — сказал он. — Может быть, ты посадишь Кларки в поезд, а Джулия его встретит? Мне тут еще нужно кое-что сделать, и я боюсь, что это надолго.

Но Кейт эта идея совсем не понравилась. Мало ли что может случиться с маленьким мальчиком в поезде. С другой стороны, Кларк Александр был бы очень огорчен, если бы не смог провести выходные с отцом. Поэтому Кейт сказала, что сама отвезет сына куда надо. Дорога была не длинной — не более двух часов в оба конца, погода стояла теплая и сухая, к тому же Джо недавно купил ей просторный «Шевроле» — как он сказал, «чтобы живот не упирался в руль и не загораживал ветровое стекло». Управлять им было одно удовольствие, и Кейт не сомневалась, что сумеет без труда доехать до Гринвича и вернуться.

— Ты нисколько меня не затруднишь. К тому же я не прочь немного проветриться, — решительно сказала Кейт, и Энди горячо ее поблагодарил.

Кларк Александр тоже был рад. Он быстро собрался, попихал в рюкзачок любимые игрушки, и в начале седьмого вечера они уже выехали. Дома остались только Стивени, которая ухитрилась простудиться, да няня, которая в последнее время жила у Кейт почти постоянно. Няне Кейт сказала, что вернется около девяти.

До дома Энди они доехали без всяких приключений. Джулия с ребенком на руках открыла им дверь и пригласила Кейт выпить чаю, но она отказалась, сказав, что торопится. Сын Энди очень понравился Кейт: он был похож на своего отца и напомнил ей маленького Кларка Александра. Потом Джулия проводила Кейт до ворот, и они немного пошутили по поводу размеров ее живота.

— Врачи утверждают, что у меня наверняка близнецы, но прослушивают только одно сердце, — сказала Кейт. — Лично я уверена, что это — младенец-богатырь.

— Он, наверное, будет знаменитым баскетболистом, — улыбнулась Джулия.

— Скорее уж летчиком, — заметила Кейт, садясь за руль. — Насколько мне известно, у него в роду есть летчики...

Джулия снова улыбнулась. Она видела Кейт впервые, но та ей сразу понравилась. Правда, когда-то Кейт сделала Энди очень больно, но это было давно. Сейчас им было совершенно нечего делить.

— Приезжай к нам еще, — пригласила Джулия, прощально махнув Кейт рукой.

Потом она повернулась и пошла в дом, а Кейт опустила стекло, включила радио и вывела машину на шоссе. Вечер был теплым, дорога давно опустела, и она намеревалась получить от поездки максимум удовольствия. К своему огромному сожалению, Кейт не могла больше летать на самолете, и прогулки на автомобиле отчасти компенсировали ей эту потерю.

Из Гринвича Кейт уехала без десяти восемь, а в двенадцать Джулии позвонила няня Кейт. Она хотела узнать, почему так задерживается хозяйка. Джулия растерялась и пошла за Энди, который только недавно вернулся с работы и собирался ложиться спать. Услышав, что Кейт до сих пор нет дома, он пулей выскочил в коридор, схватил телефонную трубку, и няня повторила ему то же самое, что сказала его жене. Сначала она решила, что Кейт заехала к кому-то из друзей, но, когда пробило полночь, она заволновалась и решила позвонить Скоттам, чтобы узнать — не осталась ли Кейт у них.

— Может быть, она все-таки заехала к друзьям, — сказал Энди с сомнением. — Сейчас Джо нет в Штатах, и Кейт могла заглянуть к кому-нибудь...

— Она была одета по-дорожному, — возразила Джулия, которая стояла тут же в коридоре. — Вряд ли в таком виде она пойдет в ресторан или даже к кому-нибудь домой...

— Пожалуйста, позвоните нам еще раз, если она не вернется, — сказал Энди няне. — А если вернется — пусть тоже позвонит. В любое время!

Няня позвонила только на следующий день — в начале восьмого утра. Кейт до сих пор не вернулась, и она не знала, что и думать.

На сей раз Энди забеспокоился по-настоящему.

— Это на нее непохоже, — сказал он Джулии, кладя телефонную трубку. — Пожалуй, надо позвонить в дорожный патруль и узнать, не случилось ли чего-нибудь вчера вечером на шоссе Мерит.

Энди знал, что Кейт неплохо водит машину, однако на дороге достаточно часто случались ситуации, когда не все зависело только от мастерства водителя. К тому же Кейт была беременна, и с ней могло случиться все, что угодно. Кратковременный обморок, обычная дурнота — и готово: машина в кювете или, еще хуже, — на встречной полосе... «Нет, — оборвал себя Энди, — что толку гадать и воображать картины одна страшнее другой! Быть может, у Кейт просто сломалась машина и она была вынуждена заночевать в одном из мотелей. Только почему она никому не позвонила?..» И он набрал номер патрульной службы.

Энди показалось, что прошел почти час, прежде чем к телефону наконец подошли. Торопясь и запинаясь, он описал машину, а также саму Кейт и во что она была одета.

— Подождите немного, я проверю вчерашнюю сводку происшествий, — сказал патрульный и куда-то исчез.

Вернулся он, впрочем, довольно скоро.

— Вот, — сказал он, — думаю, это как раз то, что вас интересует. Лобовое столкновение: «Шевроле»-универсал и «Бьюик»-седан. Водитель «Бьюика» погиб на месте, водитель «Шевроле» в бессознательном состоянии отправлен в больницу...

Энди похолодел. Со слов Джулии он знал, что Кейт приезжала на «Шевроле» с кузовом универсал, считавшемся лучшей «семейной» машиной.

— Имя водителя «Шевроле» вы можете назвать? — спросил он хриплым шепотом.

— Сожалею, мистер, но никаких документов найдено не было. Вот, здесь написано — женщина лет тридцати—тридцати пяти. Подробного описания нет. — Было слышно, как патрульный шелестит бумагами. — Спасателям понадобилось почти три часа, чтобы извлечь ее из салона. Отличные тачки, эти «Шевроле» — надежные и крепкие, как танк! От «Бьюика» почти ничего не осталось! Кстати, — спохватился патрульный, — вы знали эту женщину? Вы можете назвать ее имя, фамилию и адрес?

— Могу. — Энди переложил трубку из одной руки в другую, предварительно вытерев о брючину взмокшую ладонь. — Запишите: миссис Кейт Олбрайт... Предположительно, миссис Кейт Олбрайт, — поправился он и продиктовал ее домашний адрес. — Из родных у нее есть только муж, но он сейчас в Европе. О том, что у Кейт живы родители, Энди предпочел не упоминать: копы наверняка напугали бы их до полусмерти, если бы вздумали сообщать об аварии.

— Кстати, в какую больницу ее отправили?.. Ага, спасибо.

Вкратце рассказав Джулии о том, что произошло с Кейт, Энди позвонил в больницу. Дежурная сестра знала больше, чем патрульный: имя и фамилию пострадавшей им сообщили из полиции штата. Энди выяснил, что Кейт до сих пор не пришла в сознание и состояние у нее критическое.

Повесив трубку, он мрачно посмотрел на Джулию.

— Это она, — сказал он. — У Кейт тяжелое сотрясение мозга и перелом голени. Наверное, нужно туда съездить. И еще: надо как-то помягче сказать ее родителям. Джо все равно сейчас где-то болтается... Впрочем, можно позвонить ему в офис, а там уж пусть у них голова болит, как найти босса и как ему сказать.

— А... ее ребенок?

Энди нахмурился еще больше.

— Про ребенка они ничего не сказали.

— Может, мне пока попробовать позвонить Джо в офис? — предложила Джулия. — Ты знаешь телефон?

— Его телефон должен быть в справочнике. Но ты пока подожди звонить. Посмотрим, что мне скажут в больнице.

Чтобы добраться до больницы, куда отвезли Кейт, ему понадобилось около получаса. Когда Энди наконец провели к ней в палату, он был потрясен тем, что увидел. Голова Кейт была забинтована, нога в лубке висела на растяжке, но самое главное — простыня, под которой она лежала, была совершенно плоской! Кейт потеряла ребенка, хотя сама она, конечно, об этом еще не знала.

Подойдя к кровати, Энди осторожно взял Кейт за руку. Рука была холодной, как лед, а лицо сливалось по цвету с огромной, словно тюрбан, повязкой. Щеки Кейт ввалились, потрескавшиеся губы были крепко сжаты, из носа торчали какие-то трубки. Зрелище было устрашающее, и сердце Энди защемило от жалости.

Он пробыл у нее с полчаса, надеясь, что Кейт вот-вот придет в себя. Но когда он уходил, она все еще была без сознания, и врач сказал Энди, что не уверен в благополучном исходе. «Мы, к сожалению, не всемогущи, — откровенно заявил он, узнав, что Энди — бывший муж миссис Олбрайт. — В любом случае, пройдет много времени, прежде чем что-то можно будет сказать более или менее определенно».

Приехав домой, Энди первым делом связался с офисом Джо, но секретарь сказала, что не знает, как его найти. Ей было известно только, что на понедельник у мистера Олбрайта назначена встреча в Мадриде, а насчет выходных он ей ничего не сообщал.

Энди рассказал секретарше обо всем, попросил как можно скорее разыскать босса и в раздражении бросил трубку. Он чувствовал, что все сильнее ненавидит «мистера Олбрайта». Кейт так любила его, но вот — с ней случилась беда, а Джо не оказалось рядом! Он развлекался где-то в Европе; больше того, даже найти его, оказывается, было не так-то просто. Нет, Кейт определенно заслуживала лучшего мужа, чем этот повернутый на авиации коммивояжер-самородок, который носится по всему миру, продавая направо и налево самолеты собственного изготовления!

Потом Энди позвонил в Бостон родителям Кейт. Как он и ожидал, они ужасно разволновались, когда узнали об аварии. Энди пообещал держать их в курсе дела, но Кларк сказал, что они сейчас же вылетают в Коннектикут.

Остаток вечера и большую часть ночи Энди и Джулия по очереди звонили в больницу, но состояние Кейт по-прежнему внушало врачам опасения. Детям они ничего не сказали, но Кларк Александр, похоже, что-то понял или, вернее, почувствовал. Весь день он ходил как в воду опущенный, а к вечеру совсем раскапризничался и принялся проситься к маме, так что пришлось солгать, что мама уехала на выходные к родителям.

— Придется ему пока пожить у нас, — сказал Джо, и Джулия согласилась: она и сама уже думала об этом.

Наступил понедельник, но Кейт так и не пришла в сознание, а Джо так и не позвонил. Кларк и Элизабет прилетели из Бостона еще в воскресенье, однако они оказались совершенно не подготовлены к тому, что их здесь ждало. Они, несомненно, надеялись, что к их приезду Кейт будет уже на ногах, но она по-прежнему лежала в коме, бледная и безучастная, словно застряв на полпути между жизнью и смертью.

Джо позвонил Хейзл только во вторник вечером. Оказалось, что уик-энд он провел в Южной Франции на яхте одного своего делового партнера и давнего знакомого. Поскольку выходные оказались для него рабочими (на яхте он вел важные переговоры), в понедельник Джо устроил себе небольшой отдых. Он не поехал в Испанию, а удалился на Швейцарскую Ривьеру и тихо бездельничал, наслаждаясь давно заслуженным отдыхом. Позвонить Кейт он так и не собрался. В настоящее время Джо находился в Лондоне, где ему и передали послание Хейзл.

— Что, собственно, произошло? — был его первый вопрос.

Джо понятия не имел, сколько человек разыскивало его все это время. О том, что с Кейт может что-то случиться, он даже не подумал. Только не с ней! Кейт всегда казалась ему... неуязвимой, что ли. Джо считал, что жизнерадостность и оптимизм Кейт надежно защищают ее от всех невзгод, поэтому когда ему передали телефонограмму, он решил, что его разыскивают в связи с какими-то неожиданно возникшими проблемами.

— Ваша жена, мистер Олбрайт... Произошло несчастье.

— Какое несчастье, Хейзл, что вы несете?!

И Хейзл рассказала ему, что Кейт в критическом состоянии находится в коннектикутской больнице и что об аварии сообщил ей Энди Скотт.

— Какого черта Кейт делала в Коннектикуте? И при чем тут Энди Скотт?! — взревел Джо.

— Очевидно, ваша жена решила сама отвезти Кларки к отцу, — сказала Хейзл. — На обратном пути она попала в аварию. Слава богу, ваша жена была одна, без Стивени!

Джо понял, что дело нешуточное, и в панике вцепился себе в волосы.

— Я немедленно возвращаюсь! — воскликнул он. — У вас есть телефон больницы?

После разговора с Хейзл Джо тут же позвонил в больницу и то, что ему там сказали, повергло его в настоящий шок. Он не мог этому поверить. Кейт!.. Его Кейт умирает! И она потеряла детей... Сначала Джо решил, что ослышался, но дежурная медсестра объяснила — у Кейт должна была быть двойня.

Но даже это не произвело на Джо особенного впечатления. Единственное, о чем он мог думать, сидя в номере лондонского «Клэриджа», это о том, как он будет жить, если Кейт умрет.

Глава 22

В больнице «Гринвич-госпиталь» Джо появился только в начале седьмого вечера. Со дня аварии прошло четыре дня. Кейт все еще была подключена к аппарату искусственного дыхания, и кормили ее через трубочку. В сознание она так и не пришла, хотя врач сказал, что опухоль — следствие удара по голове — начинает спадать. Это было обнадеживающим признаком, хотя положение оставалось опасным.

Когда Джо вошел в палату, возле кровати сидел Энди Скотт. Увидев Джо, он поднял голову, и в его глазах Джо прочел все, что Энди о нем думает.

— Как она? — спросил Джо, осторожно прикасаясь к руке Кейт.

— Без изменений, — сухо ответил Энди. — Почти...

Джо сразу заметил плоский живот Кейт, и сердце его сжалось. Он уже понял, что значил для Кейт этот ребенок. То есть не ребенок, а два ребенка. Впрочем, количество не имело для Джо значения. В последнее время он думал об их с Кейт ребенке с какой-то непривычной теплотой, однако теперь, когда Джо осознал, что его больше нет и лично ему с этой стороны ничто не угрожает, он просто выкинул эту проблему из головы. Теперь у него осталась одна тревога — Кейт...

— Спасибо, что позаботился о ней, — сказал Джо. Эти слова дались ему нелегко, но он не мог их не сказать.

Энди снял со стула пиджак, собираясь уходить, но вдруг возле двери остановился.

— Где ты был? — спросил он дрожащим от злости голосом. — Где тебя носило четыре дня?!

У Энди была ответственная работа, жена, новорожденный сын и двое детей от Кейт, и он не мог представить себе, как можно вот так уехать и чтобы никто не знал, где ты. У него не укладывалось в голове, что можно поступать так с любимым человеком.

— Я уезжал по делам, — холодно ответил Джо. — И приехал, как только мне сказали.

И все же он чувствовал себя неловко, что Кейт провела в больнице столько времени без него, — ему просто не хотелось оправдываться перед Энди.

— Ее родители знают? — спросил он.

— Они здесь, — ответил Энди. — Остановились в отеле неподалеку и приезжают к ней каждый день.

— Хорошо, — Джо кивнул и вдруг добавил: — Спасибо, Энди. Спасибо за все...

— Позвони, если что-нибудь будет нужно, — ответил Энди и вышел, а Джо опустился на стул рядом с Кейт.

Он не знал, что будет делать, если Кейт умрет. Посторонним их отношения могли показаться странными, но сам Джо никогда так не считал. Он любил Кейт нежно и страстно, любил все эти пятнадцать лет. Она была его другом, советчиком, его радостью, его счастьем и — иногда — его совестью. Но главное — она была его единственной любовью, которой Джо дорожил больше всего на свете.

— Кейт, не оставляй меня. Прошу тебя... — прошептал он взяв ее за руку. — Пожалуйста, вернись ко мне, родная...

Так Джо просидел несколько часов. Он не выпускал руки Кейт, и слезы катились по его покрытым рыжеватой щетиной щекам. Ближе к полуночи для него установили в углу раскладушку, но Джо даже не пошевелился. Как он будет спать, если Кейт может умереть каждую минуту?

Но Кейт не умерла. В начале пятого утра она пошевелилась и застонала, и Джо тут же вызвал дежурную сестру. Войдя в палату, она стала проверять рефлексы с помощью маленького фонарика, а Джо с тревогой следил за ней

— Что с ней? — спросил он, но у сестры в ушах был стетоскоп и она не расслышала его слов, а может — не захотела отвечать.

Зато Кейт застонала снова и, не открывая глаз, слегка повернула голову в сторону Джо. Даже находясь на грани жизни и смерти, она как будто узнала его голос и потянулась к нему всем своим существом.

— Я здесь, родная, не волнуйся!.. Открой глаза, Кейт, посмотри на меня!

Но Кейт никак не отозвалась, и Джо продолжал сидеть, скрючившись на неудобном стуле из жесткой пластмассы. Сестра, так и не проронив ни слова, вернулась на свой пост, однако Джо не оставляло чувство, будто за ним наблюдают. Он даже решил, что это душа Кейт, отделившись от тела, парит в комнате, прощаясь с ним, и испугался, что Кейт умирает. Лишь в эти минуты Джо стало окончательно ясно, как сильно он ее любит, и это было главным. А еще он никак не мог отделаться от острого чувства вины. Вопреки всякой логике, он чувствовал себя виноватым перед Кейт за то, что его не было с ней в ту роковую пятницу, когда она попала в аварию. Да, на яхте он вел важные деловые переговоры, а не отдыхал, как, кажется, решил этот мальчишка Энди Скотт. Но он был просто о б я з а н догадаться, почувствовать, шестым чувством ощутить, что Кейт грозит опасность, и, бросив все, примчаться, прилететь, свалиться как снег на голову, чтобы спасти, уберечь ее!

Однако Джо ничего не почувствовал. Ничто не кольнуло его, ничто не подсказало — вот Кейт садится в «Шевроле» и заводит мотор, вот навстречу ей летит «Бьюик» с пьяным подонком за рулем, и Кейт в отчаянии выкручивает руль, стараясь уйти от лобового столкновения. Вот спасатели извлекают ее тело — ее прекрасное, нежное тело — из груды металлического лома, и «Скорая», завывая сиреной и сверкая огнями, несется по темному шоссе в ближайшую больницу...

Проклятье, он даже не сумел уловить момент, когда Кейт потеряла ребенка! А ведь он почти смирился с мыслью, что скоро станет отцом.

В шесть часов Джо встал со стула, чтобы умыться и почистить зубы, а когда вернулся, Кейт как-то внезапно, без всякого предупреждения, открыла глаза и посмотрела прямо на него. В первое мгновение Джо оторопел от неожиданности, потом его губы сами собой расплылись в улыбке.

— Ну вот, так-то лучше! — проговорил он, чувствуя, как его захлестывает волна облегчения и радости. — Как я рад, Кейт!..

В ответ она не то вздохнула, не то снова застонала и закрыла глаза, но ее лицо больше не казалось таким пугающе неподвижным. Ресницы Кейт трепетали, а губы время от времени приоткрывались, словно она силилась что-то сказать. Джо уже хотел вызвать сестру, но Кейт снова открыла глаза и с усилием заговорила. Голос ее был очень тихим и слабым, и Джо пришлось наклониться, чтобы расслышать хоть что-нибудь.

— Что... случилось?.. — спросила она.

— Ты попала в аварию, — почему-то тоже шепотом ответил Джо.

— А Кларки?.. С ним что-нибудь...

— С ним все в порядке, — поспешил успокоить ее Джо. — Ты, наверное, забыла! Его не было с тобой. Ты оставила его у Энди.

— Ах, да...

Лицо Кейт страдальчески сморщилось — она очень старалась припомнить, как все произошло, и Джо тихо молился, чтобы она не спросила его о ребенке. Вернее — о близнецах. Он сам узнал об этом только от Хейзл, но Кейт, наверное, это было известно давно. Должно быть, она скрыла от него правду, боясь, что он будет злиться, и Джо снова почувствовал себя виноватым.

— Ты только не волнуйся!.. — быстро заговорил он. — Я здесь, с тобой. Теперь все будет хорошо. Ты обязательно поправишься!

Он очень хотел этого и надеялся, что так и будет.

Кейт нахмурилась и как-то странно поглядела на него.

— Почему ты здесь? — спросила она. — Ведь ты должен был быть в Токио. Или в Лондоне — я никак не могу вспомнить...

— Я приехал... недавно. — О том, что он появился в больнице только вчера вечером, Джо умолчал, хотя Кейт вряд ли отдавала себе отчет в том, сколько прошло времени.

— Но почему ты вернулся?

Кейт как будто не понимала, что с ней случилось и как сильно она пострадала. Сейчас она пыталась это осмыслить, и Джо с ужасом увидел, как ее рука, лежавшая поверх простыни, дрогнула и медленно поползла к животу.

— Не надо... — пробормотал он и попытался перехватить ее руку, но было поздно. Кейт нащупала свой опавший живот, ее глаза широко распахнулись, а по щеке скатилась одинокая слеза.

— Кейт, не надо... Пожалуйста, не плачь! — Джо наконец поймал ее руку и поднес к губам. — Не плачь, родная!

— Где он? Где наш ребенок?!

Она произнесла эти слова сдавленным голосом, а потом из ее груди исторгся протяжный и низкий вой, похожий на звериный. Пальцы Кейт с неожиданной силой впились в руку Джо, и он наклонился еще ниже, бережно прижимая к себе ее забинтованную голову. Джо отлично понимал, что ничем не может утешить ее, и только продолжал осторожно гладить Кейт по вздрагивающим плечам.

Потом Кейт долго осматривал врач. Он был рад, что Кейт очнулась, однако, когда они с Джо вдвоем вышли в коридор, врач сказал, что опасность еще не миновала. У Кейт было сильное сотрясение мозга, из-за которого она пролежала в коме почти пять суток. Нога в голени была раздроблена, но как раз это врача беспокоило мало. Наиболее сильную тревогу ему внушало то обстоятельство, что Кейт потеряла много крови, и ее организм оказался ослаблен.

— Травматический выкидыш — это вам не шутки, мистер Олбрайт, — сказал врач, закуривая сигарету.

Он считал, что Кейт понадобится несколько месяцев, чтобы окончательно оправиться, но даже тогда она, скорее всего, больше не сможет иметь детей. Впрочем, это волновало Джо меньше всего — он беспокоился только о Кейт, считал, что без детей они как-нибудь проживут. К тому же у них ведь были Кларк Александр и Стивени.

Пока они разговаривали, медсестра дала Кейт сильное успокоительное, и она заснула. Врач сказал, что она проспит несколько часов, и Джо решил воспользоваться этим временем, чтобы съездить в Нью-Йорк — зайти в офис и забрать из квартиры кое-какие вещи для себя и Кейт. В пять часов вечера он снова был в Гринвичском госпитале и у дверей палаты столкнулся с родителями Кейт, которые уже собирались уходить. Элизабет не захотела с ним даже разговаривать и не ответила на его почтительное приветствие, а Кларк посмотрел на Джо со слезами на глазах и сказал:

— Ты не должен был оставлять ее так надолго, Джо. Тебе следовало быть здесь...

Джо не нашел, что ответить, и Кларк вышел, не прибавив больше ни слова. Но и того, что он сказал, оказалось достаточно, чтобы у Джо стало муторно на душе. Он прекрасно понимал, что могут чувствовать отец и мать Кейт, и в целом принимал их высказанные и невысказанные упреки, хотя они и казались ему не совсем обоснованными. В аварии, в которую попала Кейт, не был виноват ни он, ни она. Это было чисто объективное невезение, и Джо сомневался, что его присутствие могло что-то изменить. В конце концов, многие мужья ездят в командировки, а их жены остаются дома. Бывает, они ломают руки и ноги, получают удар электротоком или попадают под машину, но никто и не думает винить в этом их супругов!

В конце концов Джо решил, что Элизабет просто пытается сделать из него козла отпущения, — во-первых, потому что всегда его недолюбливала, а во-вторых, потому что никого другого у нее под рукой не было. Ну не смешно ли обвинять его во всех смертных грехах только потому, что, когда произошло это несчастье, он был в деловой поездке?..

К концу недели Кейт стало лучше, и врачи разрешили перевезти ее в нью-йоркскую клинику. Теперь навещать Кейт могли ее друзья и подруги, и Джо надеялся, что их визиты помогут ей отвлечься от своего горя, однако его расчеты не оправдались. Кейт была настолько подавлена, что просто не желала никого видеть. Большую часть времени она плакала или спала после уколов сильнодействующих седативных средств. Однажды Кейт сказала Джо, что ей не хочется жить.

Выходные Джо провел с ней. Он сделал так, что ей в палату провели телефон, — с его деньгами это оказалось довольно просто — и Кейт смогла поговорить с Энди и Кларком Александром, но после этого у нее началась истерика, и врачам пришлось снова давать ей порошки. Ее депрессия была так глубока, что у Джо просто опускались руки. Сознание собственной беспомощности бесило его, и он испытал чуть ли не облегчение, когда в середине второй недели выяснилось, что ему необходимо на три дня слетать в Лос-Анджелес. Правда, он звонил оттуда каждые несколько часов, но говорить с Кейт по телефону ему было все же легче, чем видеть ее распухшее от слез лицо и потухшие глаза.

Только в конце апреля Кейт выписалась из больницы и вернулась домой. Нога ее все еще была в гипсе, и при ходьбе Кейт опиралась на костыли, но в целом врачи признали ее состояние удовлетворительным. Они даже надеялись, что сотрясение мозга пройдет без последствий. По временам, правда, у Кейт все еще болела голова, но это было только естественно.

В начале мая гипс сняли, и Кейт снова стала похожа на себя прежнюю — по крайней мере, внешне. Правда, она сильно похудела, но это ей очень шло. И все-таки Джо все чаще казалось, что перед ним не та женщина, на которой он женился меньше двух лет назад. Волшебный и радостный свет, который всегда горел в ее душе и отражался в глазах, погас, прежняя жизнерадостность оставила Кейт, и она выглядела усталой и заторможенной. Она отказывалась выходить из дома, и лишь изредка выводила детей на прогулку. По ночам Кейт часто плакала, и Джо не знал, что он может для нее сделать. С каждым днем они разговаривали все меньше; иногда Кейт могла и вовсе промолчать в ответ на какой-нибудь его вопрос, и Джо сходил с ума от жалости и отчаяния.

В июне Кларк Александр и Стивени отправились к Энди, и это только ухудшило состояние Кейт. Джулия снова была беременна, и это известие едва не прикончило Кейт. Она уже знала, что не сможет больше иметь детей, и оплакивала своих неродившихся близнецов чуть не круглыми сутками.

— Может, все к лучшему? — сказал ей однажды Джо. — Мы с тобой уже не так молоды, чтобы заводить детей. Зато теперь у нас будет больше времени друг для друга, и ты сможешь чаще ездить со мной...

Он надеялся убедить ее, однако Кейт его слова только рассердили. Она не хотела никуда с ним ездить — ни Европа, ни Калифорния ее не влекли. Она предпочитала сидеть дома и предаваться скорби.

Почти два месяца Джо буквально из кожи вон лез, стараясь как-то ее подбодрить. Когда же из этого ничего не вышло, он прибег к своему излюбленному способу решения всех проблем. Он сбежал. Ему было слишком тяжело оставаться с Кейт, которая то злилась на него, то рыдала, запершись в спальне. Казалось, она тоже обвиняет его в том, что случилось, и Джо понял — еще немного, и он сойдет с ума по-настоящему. Ощущение вины преследовало его неотступно, хотя он потратил немало времени и сил, убеждая себя, что он ни в чем не виноват и им просто не повезло. Застарелые комплексы не желали укладываться в рамки рациональных объяснений и самооправданий.

В конце концов, Джо снова начал ездить по всему миру, с головой уйдя в свой бизнес, и общался с Кейт только по телефону. Однако каждый его звонок домой заканчивался ссорой, и как прекратить этот кошмар, Джо не знал. Он не знал, как вернуть Кейт, которая отдалялась от него с каждым днем все больше и больше. Он ничего не мог поделать и от бессилия сам начал срываться. Между ними пролегла пропасть, через которую уже нельзя было перемахнуть одним прыжком, одним усилием. Джо нужно было либо строить мост, либо начинать все сначала, а на это у него не было ни сил, ни времени.

Все лето Джо провел в поездках, и к концу августа они стали почти совсем чужими друг другу. Редкие встречи не доставляли им никакой радости, и в конце концов Кейт с детьми отправилась к родителям на мыс Код. Джо остался в Лос-Анджелесе. На мыс Код ему не хотелось ехать по многим причинам. Джо был уверен, что мать Кейт ненавидит его уже много лет, однако он не считал себя обязанным доказывать ей что-либо. Джо считал себя правым. В конце концов, он приехал домой, как только узнал о несчастье, он угробил несколько месяцев своего драгоценного времени, чтобы сидеть с Кейт, пока она приходила в себя, и не его вина, что этого оказалось недостаточно.

В сентябре Джо прожил дома целых две недели. Он надеялся, что этого хватит, чтобы Кейт успокоилась. Но когда Джо сказал, что ему нужно ехать в Японию, Кейт закатила грандиозный скандал.

— Опять?! — кричала она. — И когда ты только прекратишь носиться по всему свету?

Медленно, но верно Кейт превращалась в самую настоящую мегеру, и Джо пожалел, что вообще завел этот разговор. В такие минуты ему хотелось уехать и больше не возвращаться.

— Я уже тысячу раз говорил тебе: я — председатель совета директоров крупной корпорации и должен заниматься делами, чтобы не потерять все, чего я уже добился, — ответил он, призвав на помощь все свое самообладание. — Я был дома целых две недели! Разве тебе мало? Если мало — можешь поехать со мной; я уже предлагал тебе это и готов повторить снова.

Он старался говорить спокойно, но его голос звучал холодно, как голос постороннего человека.

— Никуда я ехать не собираюсь!

Кейт была несчастна, и это делало ее несговорчивой. Самые разумные предложения Джо она воспринимала в штыки только потому, что они исходили от него, что, естественно, не могло улучшить их отношения. Джо впервые в жизни подумал, что если так будет продолжаться и дальше, то рано или поздно он возненавидит Кейт. Она не оставила ему другого выбора. Та женщина, которую он любил, исчезла, растворилась, а ей на смену пришла другая — сварливая, вечно недовольная, скандальная. Джо понимал, что Кейт очень переживает из-за того, что никогда больше не сможет иметь детей, но при этом она буквально убивала его. А хуже всего было то, что она продолжала отчаянно нуждаться в нем, нуждаться в его поддержке и помощи. Но собственные несчастья настолько затмили ей разум, что Кейт просто не знала, как достучаться до Джо. Каждый раз, когда она пыталась сделать это, она испытывала такой гнев и такое отчаяние, что невольно отталкивала его. Они оба как будто блуждали в ночном лесу и были не в силах найти друг друга во мраке.

Между тем Джо по-прежнему оставался единственным человеком, который мог ей помочь. Кейт не переставала любить его; на самом деле она ненавидела не его, а себя. Тысячи раз она воспроизводила в уме всю последовательность событий и снова и снова спрашивала себя: какого дьявола она вызвалась везти Кларка Александра в Гринвич в ту роковую пятницу? Если бы она не сделала этого, ее близнецы были бы сейчас живы и здоровы! И вот теперь она не только потеряла их, но и на всю жизнь осталась инвалидом, потому что в ее глазах женщина, не способная иметь детей, была такой же калекой, как те, у кого не хватало рук или ног.

— Ты просто убиваешь меня, Кейт! — сказал Джо в один из уик-эндов, когда он случайно оказался дома. — Пойми, так дальше продолжаться не может!

Он старался говорить так мягко и убедительно, как только мог, но в этих словах Кейт увидела, угадала только одно — его желание убежать. О том, что Джо действительно больше не может выносить ее гнева и постоянных обвинений, она не подумала.

— Почему не может? — спросила она холодно.

— Потому что я не могу и не хочу натыкаться на каменную стену каждый раз, когда возвращаюсь домой, — сказал Джо. — Ты должна что-то с этим сделать. Постарайся перебороть себя. Я знаю, что тебе сейчас очень больно. Ты потеряла ребенка... детей, но я не хочу, чтобы мы потеряли *нас*.

Такой исход казался ему более чем вероятным. Всего за полгода женщина, которую он любил больше жизни, превратилась в самую настоящую эринию — богиню мщения, — терзавшую его постоянными упреками и обвинениями.

— У тебя уже есть двое детей, Кейт, — двое отличных детей. Почему мы не можем быть счастливы вчетвером? Ведь я отношусь к ним как к родным. Кларк Александр и Стивени — *твои* дети, а раз так — значит, они все равно что мои. Кроме того, я не понимаю, почему ты не хочешь ездить со мной?

Даже в Лос-Анджелес, а ведь у нас там дом. Мы там *живем*, Кейт!..

Он готов был испробовать все средства, чтобы вернуть ее, но Кейт словно не слышала его слов, а если и слышала, то не понимала, *о чем* он говорит на самом деле.

— Я никуда не хочу ездить, потому что не хочу потакать твоим глупым привычкам, — отрезала она.

Джо тоже начал злиться. Он хотел договориться по-хорошему, но из этого снова ничего не вышло.

— Чего же ты хочешь? Сидеть дома и жалеть себя, как ты делала это на протяжении последних шести месяцев? А тебе не кажется, что тебе давно пора повзрослеть? Я не могу постоянно сидеть с тобой, держать тебя за руку и лить вместе с тобой слезы! Это бессмысленно и глупо, потому что я не могу вернуть детей, которых ты потеряла, и никто не может. Неужели ты до сих пор не поняла, что нам просто не суждено иметь общих детей. Не мы это решаем, Кейт!

— Ты с самого начала хотел от них избавиться! — взвизгнула Кейт. — Я помню, как ты настаивал, чтобы я сделала аборт, потому что тебе так было удобнее. Ты не хотел детей. Ты хотел и дальше жить, как тебе нравится, — мотаться по всему миру, летать на самолетах, а домой приезжать на пятнадцать минут в месяц! Когда ты мне нужен, тебя никогда нет! После аварии тебе понадобилось целых пять дней, чтобы вернуться, а ведь я могла умереть каждую минуту! Где ты был, черт тебя возьми?! И кто ты такой, чтобы говорить мне, что я должна повзрослеть? Ты только и знаешь, что летать на своих дешевых самолетах и развлекаться на яхтах, пока я сижу дома с детьми! Так, может, это тебе пора повзрослеть, а?

Это был жестокий удар, и Джо ничего не сказал Кейт. Он только вышел из квартиры и с такой силой хлопнул на прощание дверью, что с потолка посыпалась штукатурка. Эту ночь он провел в отеле «Плаза».

Как только он ушел, Кейт бросилась на кровать и зарыдала. Она сказала Джо именно то, что не должна была и не хотела говорить. Единственным ее оправданием могло быть чувство безысходного отчаяния, одиночества и горя, которое терзало Кейт почти постоянно, но это ее не утешало. Она отчаянно тосковала по Джо, но вместо того, чтобы постараться вернуть его, она сделала только хуже. Кейт хотела, чтобы он пришел и все исправил, чтобы вернул все, что когда-то у них было, но он не мог, и за это она его почти ненавидела.

На следующий день Джо вернулся, но только затем, чтобы упаковать небольшой дорожный чемодан, с которым всегда ездил. Через несколько часов Джо улетал в Лос-Анджелес. Не бог весть как далеко — всего-навсего на другой конец страны, где у них был свой дом, и все же Кейт запаниковала от одного вида этих сборов. Дело было не в том, что Джо уезжал. Дело было в том, что он показался ей неестественно спокойным — совсем как человек, который наконец-то принял окончательное решение.

Только накануне Дня благодарения Джо наконец вернулся в Нью-Йорк. Стараясь производить как можно меньше шума, он осторожно открыл дверь своим ключом и даже вздрогнул от неожиданности, когда Кларк Александр бросился на него из-за вешалки. В волосах мальчика торчали два индюшиных пера, лицо было раскрашено оранжевой и черной акварелью, а в руке он держал ружье, которое стреляло пробками.

— Джо вернулся! Ура-а!

Мальчик был ужасно рад видеть его, и Джо почувствовал, как у него защемило сердце. Он очень скучал по Кларки и Стивени — едва ли не больше, чем по Кейт, которая, как ему казалось, больше не любит его. Только ее дети продолжали любить его бескорыстно и преданно. Что же касалось Джо, то он всегда души в них не чаял.

— Рад видеть вас, Великий Вождь, — сказал Джо, широко улыбаясь. — Как охота?

— Отлично. Мы со Стивени... то есть, с Большой Белой Куропаткой убили десять медведей и десять горных львов. И еще штук сто бизонов, но это так, пустяки... — скромно добавил мальчик. — А что делал ты? Опять летал на своем новом *самолетике?*

— Да. То есть, не на новом, но летал. А где мама Великого Вождя?

— Мама пошла в кино. В последнее время она часто уходит в кино, а нас оставляет с няней Бет. А она та-акая скучная!..

Джо знал няню Бет и был вполне согласен с мальчиком. Няня Бет запрещала детям стрелять из лука в комнатах, совершать головоломные альпинистские восхождения на платяной шкаф и бить лососей острогой в ванне. Кларк Александр никогда не любил ее, а вот Джо он обожал. Когда Джо бывал дома, они ели мороженое на завтрак, обед и ужин, а мама не сердилась и не плакала, запершись в спальне одна. Кларк

Александр знал, что она там плачет, потому что ему давно исполнилось пять и скоро он должен был пойти в школу. Стивени было только три, и хотя она была Большой Белой Куропаткой, она мало что понимала из того, что говорили и делали взрослые.

Когда Кейт вернулась из кино, она удивилась, увидев на кухне Джо в полной боевой раскраске и с перьями в волосах. Он только что уложил Кларка Александра спать и еще не успел умыться.

— Здравствуй, — сказала она, нерешительно останавливаясь на пороге.

Кейт выглядела намного спокойнее, чем в тот день, когда они расстались, и Джо, шагнув ей навстречу, даже рискнул обнять ее.

— Здравствуй, — ответил он. — Знаешь, Кейт, я... Мне тебя очень не хватало.

— Мне тоже, — ответила Кейт и, прильнув к его груди, беззвучно заплакала.

К счастью, это не были злобные, неостановимые рыдания, да и держалась она намного увереннее, чем в прошлый раз. И если за время его отсутствия Кейт так и не сумела выкарабкаться из кошмарного, смрадного колодца, в который угодила, она, по крайней мере, была уже не на дне, а на полпути к свету и воздуху.

— Мне не хватало тебя и раньше... до того, как я уехал, — добавил Джо, и Кейт поняла, что он имеет в виду.

— Я сама не знаю, что со мной случилось... — промолвила она с виноватым видом. — Должно быть, я ударилась головой сильнее, чем мне казалось, и вела себя... Это было просто непозволительно. И жестоко.

Да, сегодня Кейт явно чувствовала себя лучше и держалась спокойнее, так что Джо позволил себе расслабиться. Пока Кейт готовила ужин, он выдрал из волос перья и умылся. Уже сидя за столом, Джо заговорил о своих планах. Он пообещал Кейт, что никуда не уедет на праздники и, в свою очередь, предложил ей остаться дома, а не ездить в Бостон к ее родителям. Для него этот дежурный визит оказался бы, скорее всего, непосильной задачей, но Кейт он этого, разумеется, не сказал. Джо просто предложил ей побыть дома («Только вдвоем, понимаешь?»), и Кейт согласилась. Для Джо это было большим облегчением, но по несчастливому стечению обстоятельств за три дня до Дня благодарения он получил телеграмму из Токио. Там неожиданно возникли серьезные осложнения, требовавшие его присутствия, и, хотя Джо ужасно не хотелось ехать, он знал — ехать придется, если только он не хочет потерять свои позиции в Азии.

Чего Джо не знал, это как сказать Кейт, что он опять не сможет провести с ней праздник. В конце концов он все же решился, и, как и следовало ожидать, Кейт была неприятно поражена.

— Ты бы хоть сказал своим японским друзьям, что у нас здесь — День благодарения и что это большой семейный праздник. Небось сами японцы не работают в свои праздники, так почему ты обязан...

— Насколько я знаю, японцы не работают только в день рождения императора. Это очень трудолюбивый и дисциплинированный народ. Попомни мои слова, они еще покажут нам, американцам, как надо работать! — Джо вздохнул. — Но дело не в японцах, а во мне. Я могу потерять все, что успел создать в этой стране. Ты должна отпустить меня, Кейт, это очень важно...

Когда он закончил свои объяснения, Кейт изо всех сил старалась сдержаться, чтобы не накричать на него. Она-то думала, все неприятности остались в прошлом, а оказывается... Нет, Кейт не обманывала себя, она прекрасно знала, что Джо будет ездить по всему миру, как раньше. Просто ей отчаянно нужна была эта передышка — *этот* День благодарения и *этот* праздничный уик-энд, который ему предшествовал.

— А мы? Разве тебе все равно, что будет с нами? — спросила она, но Джо ничего не ответил и только крепче сжал челюсти.

— Ты нужен мне, Джо! Особенно в этом году... Можешь ты хоть раз никуда не ездить на День благодарения? Я не хочу оставаться одна, Джо, мне трудно без тебя! Не бросай меня, Джо!!!

Это была уже не просьба, а мольба маленькой девочки, отец которой покончил с собой буквально на днях; мольба молодой женщины, которая только что потеряла двоих детей. Джо понимал это, но, поскольку он не в силах был что-либо изменить, ему оставалось только надеяться, что Кейт опомнится и поведет себя как взрослый и сильный человек.

— Давай поедем вдвоем, — сказал он.

Это было единственное, что пришло ему в голову в эти решающие минуты, но Кейт отрицательно покачала головой.

— Я не могу оставить детей в праздники! Что они обо мне подумают?!

— Дети прекрасно знают, как ты любишь их. Они подумают, что тебе просто нужно было уехать. Тем более мы скажем им, что поедем вдвоем. А их можно пока отправить к Скоттам. Все-таки Энди их родной отец...

Но Кейт снова покачала головой. Она не хотела никуда ехать, не хотела никуда отправлять детей. Она хотела только одного — провести праздники дома, вместе с Джо и с детьми. Но как она ни старалась объяснить ему это, Джо продолжал стоять на своем. Он должен лететь — и точка.

— Я вернусь ровно через неделю, Кейт, клянусь! — сказал он, но для Кейт это обещание ничего не значило. Даже если бы Джо и сдержал его, оно все равно не отменяло того факта, что бизнес снова оказался для него важнее семьи.

Он уезжал на следующий день утром, и Кейт не смогла сдержать слез. Она рыдала, как дитя, и Джо тоже не выдержал.

— Перестань, Кейт, прошу тебя! — воскликнул он. — Я этого не выдержу. Ну почему, почему ты так со мной поступаешь? Я же сказал — я не хочу уезжать от тебя, но приходится. У меня просто нет другого выхода, а от того, что ты плачешь, ничего не изменится. Я только буду сильнее чувствовать себя виноватым, но я все равно поеду. Так что давай не будем портить друг другу настроение, а простимся по-человечески!

Кейт кивнула, вытерла глаза и даже поцеловала Джо в щеку. Она честно пыталась его понять, но это не помешало ей снова почувствовать себя покинутой. Ехать с ним она категорически отказалась, а вместо этого она взяла детей и отправилась с ними в Бостон, к родителям.

Джо отсутствовал не одну неделю, как обещал, а почти вдвое дольше. Он так торопился, что на обратном пути не стал даже заезжать в Калифорнию, где у него тоже накопились кое-какие дела, но, когда он наконец прибыл в Нью-Йорк, Кейт встретила его ледяным молчанием. За то время, что она прожила в Бостоне, мать успела как следует над ней «поработать», и теперь Кейт была совершенно уверена, что собственный муж ни в грош ее не ставит, что ему наплевать на нее и на детей и что, вообще, семьи у нее давно уже нет.

Чем Джо так досадил ее матери, Кейт сказать бы не смогла. Возможно, Элизабет так и не простила ему тех четырех дней, которые понадобились Джо, чтобы вернуться к лежащей в коме Кейт. Возможно, Элизабет возненавидела его еще раньше — за то, что Джо отказывался жениться на ее дочери, за то, что он разрушил брак Кейт с Энди, за то, что научил ее водить самолет... Со стороны могло показаться, будто Элизабет Джемисон поставила себе целью во что бы то ни стало уничтожить все, что соединяло ее дочь с этим человеком, и, надо сказать, она весьма в этом преуспела. За прошедшие две недели ей удалось заставить Кейт сделать поворот на все сто восемьдесят градусов, и, когда Джо вернулся, она просто не стала с ним разговаривать.

Казалось бы, Джо было не привыкать к подобным сценам, но он вдруг почувствовал, что что-то изменилось в нем самом. Он не стал ни извиняться перед Кейт, ни объяснять ей все снова, ни оправдываться. Все это было бесполезно, к тому же Джо слишком устал от бесплодных попыток в одиночку спасти их брак. Да и было ли что спасать?.. Они давно уже, в сущности, стали друг другу чужими. Наверное, было бы проще, если бы у него появилась другая женщина, но все оказалось гораздо, гораздо хуже. Джо вдруг понял, что утратил способность одновременно думать о Кейт и о своей карьере. Цена, которую ему пришлось бы заплатить за роскошь любить Кейт — или любого другого человека, — оказалась для него непомерно высока.

Как бы сильно он ни любил Кейт, он больше не мог тащить на себе этот груз. Бремя вины, которую Джо испытывал перед Кейт, перед детьми, даже перед ее родителями, стало для него непереносимо тяжким. Теперь он думал, что был прав, когда с самого начала так не хотел заводить собственных детей, семью. Он просто не мог дать им ничего, что обязан давать своим близким нормальный муж и отец. Ни один человек на его месте не мог рассчитывать получить все сразу — и жену, и детей, и успешную карьеру. И Джо уже понял, каким должен быть его выбор. Кейт он все равно не мог дать всего, в чем она нуждалась и чего заслуживала. В последнее время он только мучил ее и себя, все еще надеясь на чудо, но чуда не было. Была только горькая уверенность, что он должен сделать решительный шаг. Правда, стоило ему взглянуть на Кейт, у него от жалости чуть не останавливалось сердце, но никаких сомнений или колебаний Джо не испытывал. Если бы Кейт вдруг спросила, любит ли он ее, он бы ответил «да», нисколько не кривя душой. Но именно ради этой любви он был обязан перестать мучить ее. Джо прожил дома несколько дней, и Кейт начала понимать: что-то изменилось. Для того чтобы догадаться об этом, достаточно было заглянуть ему в глаза, почувствовать исходящий от него странный, непривычный холодок. Самым страшным было то, что Кейт продолжала любить Джо, и она знала — он тоже ее любит. Но теперь они оказались слишком далеко друг от друга, так далеко, что у нее не было никаких шансов ни дотянуться до него, ни позвать назад...

Джо понадобилось почти двадцать дней, чтобы собраться с мужеством, но в конце концов он все-таки решился произнести роковые слова. Вечером накануне своего отъезда в Лондон, где он собирался выкупить у разорившегося владельца небольшую авиакомпанию, Джо посмотрел на Кейт, и его, словно молния, пронзила мысль, что он никогда больше не сможет вернуться к ней.

— Кейт... — начал он и внезапно остановился: у нее были такие глаза, словно она уже все поняла.

Все три недели, что Джо прожил с ней в Нью-Йорке, Кейт видела в его глазах нечто пугающее и старалась не сердить его по пустякам, вообще поменьше попадаться ему на глаза. Она боялась сделать что-то не так и спровоцировать Джо произнести вслух то, о чем он думал. Кейт говорила себе, что должна сделать все, чтобы избежать нового скандала, однако в глубине души она уже поняла, что не гнев она видит в его глазах. Джо не разлюбил ее, не завел другую женщину — просто он изменился сам. Теперь Джо желал чего-то такого, что он был не в состоянии разделить с ней. За те шестнадцать лет, что они любили друг друга, Джо отдал ей все, что у него было, — или что он мог отдать. Теперь у него осталось только то, что нужно было ему самому — что-то, без чего Джо просто не мог жить. И он явно больше не собирался ничего ей объяснять, извиняться или утешать ее. У него не осталось ни сил, ни желания пытаться как-то соотнести то, чего хотела она, с тем, к чему стремился он сам.

Все это в одну секунду промелькнуло у Кейт в голове, и она почувствовала, как сердце ее отчаянно забилось.

— Что? — Она повернулась к нему, и глаза у нее были точь-в-точь как у загнанной лани, в которую прицелился охотник.

Джо набрал полную грудь воздуха, как перед прыжком в холодную воду. Он понял, что откладывать больше нельзя. Потом будет новый День благодарения, новое Рождество, Новый год, четвертая годовщина их свадьбы, день рождения

Кларка Александра и другие праздники, которые он никак не мог запомнить все. Да, потом будет только хуже — и для него, и для нее. Они были женаты всего три с половиной года, но Джо уже было ясно: он сделал для Кейт все, что был способен сделать. Семьи — нормальной семьи — у них не получилось. В конце концов Джо вынужден был признать, что его самолеты — единственное, в чем он по-настоящему нуждался и что по-настоящему любил. С ними Джо было спокойнее и безопаснее. Самолеты не могли обидеть, причинить ему боль, напугать. С ними Джо не испытывал ни страха, ни чувства вины, а только свободу — безграничную свободу, которую он так боялся потерять.

— Я ухожу от тебя, Кейт, — сказал он так тихо, что сначала Кейт его просто не расслышала.

В немом изумлении она уставилась на него, решив, что неправильно поняла. Вот уже несколько дней она предчувствовала решительное объяснение, но ей и в голову не приходило, что Джо скажет такое. Ей представлялось, что Джо собрался в долгую поездку — быть может, на целых полгода — и просто боится сказать ей о ней. Но такого... Нет, ничего подобного она не ожидала.

— Что ты сказал? — медленно спросила она, стараясь справиться со внезапным головокружением. На мгновение ей показалось, что весь мир сорвался в штопор. Джо просто не мог этого сказать, ей послышалось!..

Но ей не послышалось.

— Я сказал, что ухожу от тебя, — повторил Джо чуть громче и отвел глаза: смотреть на Кейт было выше его сил. — Я ухожу, потому что больше не могу.

На мгновение он поднял на нее взгляд и сморщился, как от боли, когда увидел ее лицо. Такое же или очень похожее выражение было у нее, когда Кейт очнулась в коннектикутском госпитале и обнаружила, что потеряла обоих детей. Возможно, такое же лицо было у нее, когда мать сказала ей, что ее отец покончил с собой. Глаза Кейт не выражали ничего, кроме абсолютного отчаяния и глубокого, беспредельного одиночества, и Джо снова почувствовал, как сердце его сжалось от острого чувства вины. Он снова сделал ей больно!..

— Почему?... — беззвучно спросила Кейт. У нее было такое ощущение, словно ей в грудь вонзили длинный и острый клинок, горло стиснуло внезапной судорогой, и она с трудом могла дышать. — П-почему? — повторила она. — Ты... У тебя есть кто-нибудь?

Но еще до того, как Джо ответил, Кейт поняла, что она напрасно обманывает себя и что другая женщина здесь ни при чем. У Джо была какая-то иная, гораздо более серьезная причина поступить так.

— У меня никого нет, Кейт, и никогда не было, — сказал он. — Дело в другом. *Нас* больше нет, понимаешь?.. Ты была права: я не могу уделять тебе достаточно времени. Я постоянно где-то далеко, не возле тебя. А ты не можешь быть со мной...

Джо хотелось объяснить, что отныне он собирается тратить свое время и силы только на себя и не думать о том, как угодить ей, удовлетворить ее желания, обоснованность которых в глубине души признавал. Он хотел, чтобы его жизнь принадлежала ему одному. Он хотел только работать, а ее любовь была ему не нужна. Она стала грузом, который не давал ему взмыть в небо и лететь в любую сторону. Да и цена, которую ему приходилось платить за любовь, была для него слишком высока.

— Ты уверен, что дело в этом? Ну, в том, что я не могу ездить с тобой?.. Ты не ушел бы, если бы я смогла? — спросила Кейт, лихорадочно прикидывая, удастся ли ей договориться с Энди так, чтобы он почаще брал Кларки и Стивени к себе. Она готова была реже видеться с детьми — лишь бы не потерять Джо.

Но он только покачал головой.

— Это не поможет, Кейт. Дело вообще не в этом — дело во мне. Твоя мать была права: самолеты всегда были и остались для меня самым главным. Быть может, поэтому-то она и ненавидела меня, не доверяла мне... Она сразу поняла, что я собой представляю, какой я внутри... Сначала я сам этого не знал, а когда узнал, попытался спрятать это от тебя и — в первую очередь — от себя самого. Но теперь я прозрел. Я никогда не смогу стать таким, каким ты хотела меня видеть; думаю, тебе это тоже давно ясно. Единственное, что меня утешает, это то, что ты еще молода и сумеешь найти себе кого-нибудь... более подходящего. Что касается меня, то я больше не могу притворяться, не могу строить из себя мужа и отца, поскольку я уже давно не являюсь ни тем, ни другим. Я честно старался, Кейт, но, наверное, это не для меня. Теперь я ухожу. Прости меня, если можешь...

— Ты это серьезно? Как это у тебя просто получается, Джо: «пойди и найди себе кого-нибудь другого»... А если я не хочу? Я же люблю тебя, Джо! Я люблю тебя с семнадцати лет! Я не переставала любить тебя, даже когда думала, что ты умер, когда была замужем за Энди, даже когда погибли мои дети!!! Нет, Джо, я не верю, что ты способен так просто взять и уйти, ты не можешь...

Она расплакалась и не смогла продолжать, но Джо не сделал ни малейшей попытки утешить ее. Вместо этого он сказал:

— Иногда приходится уходить, Кейт. Время от времени человек просто обязан остановиться и как следует подумать, кто он такой, что собой представляет и чего он хочет в этой жизни. Мы с тобой женаты, Кейт, но согласись, что это не брак, а фикция. Не будем обманывать себя: настоящей, крепкой семьи у нас нет, и я устал обвинять в этом себя. Наверное, у меня просто нет качеств, которые необходимы, чтобы быть нормальным мужем, безразлично — твоим или чьим-нибудь другим. Теперь я убедился в этом и никогда больше не женюсь.

Кейт слушала его, и ей казалось, что она видит страшный сон. Ей было ясно одно: нужно срочно что-то сделать, подобрать какие-то слова, чтобы уговорить его остаться.

— Джо, на самом деле мне уже все равно, как надолго ты уезжаешь. Я уже привыкла и не возражаю. Пока тебя нет, я могу заниматься детьми, могу даже найти себе работу... Ведь не можешь же ты просто выбросить нас в мусорную корзину! Мы живые люди, Джо, — и я, и Кларк Александр, и Стивени! И мы любим тебя! Неважно, что мы редко видимся. Я все равно люблю только тебя и хочу быть твоей женой. Твоей Джо, а не чьей-нибудь!

Но Джо снова покачал головой, и Кейт разрыдалась. Она чувствовала, что потеряла Джо, потеряла окончательно, но когда это произошло, сказать не могла. В один прекрасный день он выскользнул из ее рук, а она и не заметила, и теперь ей осталось только подбирать обломки и оплакивать все то, что он захотел забрать с собой, в новую жизнь. И одной из этих брошенных на произвол судьбы вещей была она сама. Что ей делать дальше, Кейт понятия не имела и надеялась, что скоро умрет, потому что жить без Джо она все равно не могла.

Но она должна была жить, и сама знала это. У нее были дети, и Кейт не могла их бросить. Что ж, оставался один способ как-то пережить потерю: притвориться, будто Джо умер. Впрочем, в каком-то смысле так и было...

— Вы с детьми можете оставаться в квартире столько, сколько вам нужно, — сказал Джо. — До конца года я все равно буду работать в Калифорнии... И вообще, я считаю, что головной офис пора переносить в Лос-Анджелес: в ближайшем будущем он обещает стать одним из крупнейших деловых центров страны.

— Значит, ты уже давно все распланировал? — ужаснулась Кейт. — Когда, Джо?! Когда ты понял, что я тебе больше не нужна?

— Я понял это... некоторое время назад. Наверное, еще летом... Просто я решил, что сейчас — самый подходящий момент для... Ведь мне в любом случае пришлось бы уехать очень надолго. Да и бессмысленно продолжать мучить друг друга.

Кейт машинально кивала, с удивлением глядя на Джо. У него было такое лицо, будто она причинила ему ужасную боль, предала его, совершила что-то еще более страшное. Но ничего такого Кейт не делала — разве что вышла за него замуж. Это было единственным, на что Джо никогда бы не пошел по собственной воле, но, когда они поженились, он даже был как будто доволен. Во всяком случае — в первое время... Кейт, во всяком случае, была уверена, что интересна ему, она чувствовала, что восхищает его, приводит в восторг, в трепет, его влекло к ней, как бабочку к огню. Но это было, пожалуй, все. Джо не нужно было ее тепло, ее нежность и забота — ему нужно было только небо, и в него он возвращался теперь, побыв на земле ровно столько, сколько смогло выдержать его созданное для полета сердце.

На этом разговор практически закончился, и они легли спать. Джо заснул почти сразу, а Кейт еще долго не спала. Она плакала, гладила его по голове, вглядывалась в его лицо в слабом свете ночника и наконец поняла, что не может сейчас быть рядом с ним — иначе у нее разорвется сердце. Тихонько поднявшись, она перешла в детскую и остаток ночи провела там.

Прощаясь с Кейт утром перед тем, как ехать в аэропорт,

Джо тщательно выбирал слова, чтобы не будить в ней ненужных надежд. Он ясно дал ей понять, что не передумает и что он не просто улетает в длительную командировку. Джо уходил от нее навсегда, и Кейт поняла это, почувствовала каждой клеточкой своего тела, каждой частицей своей души.

— Я люблю тебя, Джо, — сказала она ему на прощание, и на мгновение Джо снова увидел перед собой ту семнадцатилетнюю девушку, которую встретил однажды на званом вечере, — юную и свежую, в атласном голубом платье, с шапкой густых темно-каштановых волос. Он до сих пор помнил ее глаза — большие, голубые, словно озера. Глаза остались те же, но сейчас их, как будто дымом, затянуло пеленой невыразимой муки.

— Я всегда буду любить тебя, — проговорила Кейт.

Она вдруг подумала, что, скорее всего, они с Джо никогда больше не встретятся. Никогда не встретятся, никогда не будут вместе... Только теперь Кейт поняла, почему все три недели, что Джо прожил в Нью-Йорке, они не занимались любовью. Он хотел, чтобы у нее не осталось никаких иллюзий, никаких надежд... Впрочем, очень могло быть так, что ему просто не хотелось! Она была ему больше не нужна, и он отсылал ее, чтобы без помех заняться собой и своей жизнью.

— Будь осторожна, береги себя, — негромко сказал Джо, бросая на Кейт последний, долгий взгляд. Ему было нелегко отпускать ее от себя, потому что по-своему он тоже любил ее и хотел бы любить меньше. — Все-таки я был прав: это была мечта, несбыточная мечта...

— Нет! — резко сказала она. Ее голубые глаза ярко сверкнули, и Джо невольно подумал, что даже теперь, когда Кейт так страдала, она была очень красива — красивее, чем ему хотелось. — У нас все могло получиться. И сейчас еще может. Мы... каждый из нас мог бы иметь все, чего всегда хотел, и даже больше!

Джо нахмурился: она так и не поняла, что он больше не может, не должен причинять ей страдания. От этого он всегда начинал испытывать боль и острое чувство вины.

— Я больше не хочу... ничего не хочу, — ответил он намеренно жестко.

Кейт ничего не ответила, и Джо вышел, тихо прикрыв за собой дверь.

Глава 23

Как он и собирался, Джо полгода прожил в Калифорнии, а оттуда поехал в Лондон, где провел еще пять месяцев. Он предложил выплачивать Кейт внушительное содержание, от которого она, поблагодарив, решительно отказалась. У нее были свои деньги, и она не хотела ничего брать у него.

Это было единственное, что смущало Джо, — в остальном он считал, что поступил правильно. Кейт причинила ему слишком много боли, заставила чувствовать себя бесконечно виноватым перед ней, и в конце концов он не выдержал и сбежал. Он нуждался в ней больше, чем в ком бы то ни было, любил сильнее, чем когда-либо осмеливался, он отдал ей больше, чем считал себя способным, но ей этого было мало. На протяжении всего времени, что они были вместе, Джо постоянно чувствовал, что Кейт требует, хочет от него все больше, и больше, и больше. В конце концов в нем проснулись, ожили все его старые страхи, так что каждый раз, когда Кейт о чем-то его просила, он слышал голоса своих троюродных дяди и тети, которые то по очереди, то хором выговаривали ему, какой он скверный, непослушный, никчемный мальчишка, и как они в нем разочарованы. Вскоре Джо уже не мог видеть Кейт без содрогания. Каждый раз, когда он возвращался домой после очередной деловой поездки, ему сразу вспоминались все его детские ощущения, и он переставал чувствовать себя нормальным человеком и нормальным мужчиной, превращаясь в полное ничтожество, в неудачника, в «горе луковое». От этого-то он и старался убежать, как бегал всю жизнь. Даже огромная, мощная корпорация, которую Джо создал практически в одиночку, не вдохнула в него ни капли уверенности. Боль, которую он замечал в глазах Кейт, мгновенно отбрасывала его на много лет назад, в далекое детство, и он снова принимался вспоминать все свои действительные и воображаемые грехи.

В конце концов Джо пришел к выводу, что ему лучше оставаться одному, чем мучить Кейт и себя, потому что каждый раз, когда ему казалось, что он обидел или огорчил ее, он тоже испытывал ни с чем не сравнимые муки. Впрочем, Джо готов был признать, что не последнюю роль в его решении сыграл и самый обыкновенный мужской эгоизм. Он не хотел ни под кого подстраиваться, предпочитая, чтобы окружаю-

щие — и в первую очередь Кейт — подстраивались, приспосаб-
ливались к его желаниям и нуждам.

Кейт понадобилось несколько месяцев, прежде чем она ра-
зобралась, что же, собственно, с ними случилось. К этому моменту они уже жили врозь около года и могли подать заявление о разводе. Весь год Джо отказывался видеться с ней, и
лишь время от времени звонил, чтобы узнать, как у нее дела,
или присылал подарки для детей. Впрочем, как пролетел этот
год, Кейт не заметила — большую часть времени она жила
словно в тумане, бессмысленно бродя по комнатам огромной
квартиры, которая когда-то была их с Джо домом. Ей никак
не удавалось научиться жить без него: это было так же трудно,
как жить без воздуха.

Прошло много времени, заполненного одиночеством и отчаянием, прежде чем Кейт стала понемногу прозревать. Она
поняла: Джо напугало ее постоянное стремление достучаться
до его сердца, ее желание проводить с ним как можно больше
времени. Не понимая, для чего ей это надо, не зная, как ее
остановить, Джо не видел никакого другого выхода, кроме скорейшего расставания. Они д о л ж н ы были расстаться,
это было предопределено — теперь Кейт видела это ясно. Джо
меньше всего хотелось причинять ей боль, просто он раньше
нее понял, что им обоим будет стократ хуже, если он останется.

В первое время Кейт могла думать только о том, что́ она
потеряла, и паника охватывала ее все сильнее. Часто она вспоминала смерть Джона Бэррета, то, что ей пришлось пережить
тогда, — и ей казалось, что впереди уже не будет ничего,
кроме отчаяния, боли, пугающего ощущения полной оставлен-
ности и одиночества.

Весной Кейт ожидал еще один жестокий удар. Умер
Кларк, которого она всегда считала своим настоящим отцом.
Перед смертью он долго болел, но Кейт все равно оказалась
не готова к этой потере. Она чувствовала, что теперь осталась
по-настоящему одна. Даже Элизабет не могла ничем ей помочь. Как и много лет назад, когда покончил с собой ее первый муж, она укрылась от жестокой действительности за
створками своего собственного маленького мира, куда не про-
никали снаружи ни солнце, ни мороз, ни радость, ни горе.
Элизабет не захотела переезжать к дочери, и к себе ее тоже
не пригласила, так что и Кейт казалось, будто она потеряла

не одного, а сразу обоих родителей, и ее одиночество стало почти непереносимым.

Джо предлагал ей поехать в Рино, чтобы ускорить развод, но Кейт отказалась. Вместо этого она обратилась в суд Нью-Йорка, хотя и знала, что это потребует больше времени. Она больше не цеплялась за Джо — она просто давала ему последний шанс одуматься. Но он так и не изменил своего решения, и вскоре Кейт с горечью осознала, что от Джо у нее осталось только его имя и мечты — несбывшиеся и несбыточные...

Трудно было сказать, когда именно с ней произошла решительная перемена, хотя Кейт не сомневалась, что она не была внезапной. Внезапным было пробуждение, когда Кейт вдруг осознала, что стала другой. Но чтобы достичь этого, ей пришлось пройти долгий путь — вверх. По крутой горной тропе, ведущей к вершине — к зрелости, к настоящей, взрослой мудрости. Карабкаясь на эту гору, Кейт день ото дня становилась сильнее, и многие вещи, которые раньше пугали ее до полусмерти, казались с этой вершины куда менее грозными. Она потеряла стольких людей, которые ей были дороги, что сама не заметила, как победила демона одиночества — победила сама, без какой-либо помощи со стороны. Да и помочь ей было особенно некому. Она осталась одна, но она больше не боялась. Даже с самым страшным своим страхом — страхом потерять Джо — Кейт справилась, хотя эта победа обошлась ей особенно дорого. Но в конце концов она поняла, что Джо ушел, а она не умерла и умирать не собиралась.

Дети первыми заметили происшедшую с ней перемену, и произошло это задолго до того, как Кейт сама ее осознала. Она стала больше улыбаться, чаще смеялась, а плакала, наоборот, все меньше. Раньше любой пустяк, вроде забытого Джо носового платка, мог довести ее до слез, но теперь она не плакала, даже когда планировала их дальнейшую жизнь без него. В середине лета Кейт даже съездила с детьми в Париж, и хотя она показывала им в основном те места, где когда-то бывала с Джо, в глазах ее отражалась лишь легкая печаль. Она не смирилась, нет. Напротив, она стала свободной, словно спали невидимые путы, и она сумела расправить собственные крылья и устремиться навстречу солнцу и чистому небу.

Когда сразу после этой поездки Джо позвонил, чтобы узнать, как ее дела, он сразу заметил в голосе Кейт что-то новое. Это «что-то» было едва уловимо, эфемерно, но как бы то ни было, в ее голосе больше не слышалось ни отчаяния, ни боязни одиночества.

— У тебя голос какой-то другой, — сказал Джо.

— Лучше или хуже? — тут же спросила Кейт.

Они с Джо не виделись уже больше года, и хотя она по-прежнему вспоминала его достаточно часто, при звуке его голоса ее не охватывали ни горечь, ни отчаяние. Она даже не очень хотела увидеться с ним, хотя Джо, конечно, этого бы и не допустил. К этому времени он уже вернулся в Нью-Йорк, однако ни разу не заговаривал с ней о встрече.

— Лучше. Он кажется... счастливым.

Джо, разумеется, не мог не задумываться, не появился ли в ее жизни какой-нибудь мужчина. Ради самой Кейт он желал, чтобы это случилось как можно скорее, и все-таки каждый раз, набирая ее номер, надеялся, что этого пока не произошло. Сам он старался избегать женщин, особенно привлекательных и незамужних, боясь снова угодить в ту же ловушку. Одному Джо было проще и безопаснее, и все же ему недоставало Кейт, недоставало нежности и тепла, которые она так щедро дарила ему. Однако цена, которую ему пришлось бы платить за ее любовь, по-прежнему казалась Джо непомерно высокой. Он чувствовал, что стоит ему хотя бы приблизиться к Кейт, как у него снова окажутся связаны крылья.

— Мне кажется, я и правда счастлива, — со смехом ответила Кейт. — Сама не знаю — почему!.. Мама по-прежнему сводит меня с ума: ей очень тяжело без Кларка; Стивени на прошлой неделе утащила ножницы и остригла себе почти все волосы с левой стороны; а Кларк Александр играл с приятелем в бейсбол и выбил себе два передних зуба — слава богу, молочных.

— По-моему, у тебя все в порядке, — Джо рассмеялся. — Так и должно быть!

Кейт и самой теперь казалось, что у нее все в порядке. Она даже начала принимать исходившие от мужчин приглашения на ужин, однако дальше этого дело не пошло. Все эти «претенденты», как она их называла, не шли ни в какое сравнение с Джо, и Кейт просто не могла себя представить с кем-то, кроме него. Поэтому, придя домой после каждого такого ужина, она испытывала самое настоящее облегчение от мысли, что сегодня она снова ляжет спать одна. Одиночество давно перестало казаться ей угрожающим; Кейт свыклась с ним, к тому же у нее были дети, друзья и подруги. Ей достаточно было однажды посмотреть своему страху в глаза, чтобы понять — бояться тут особенно нечего. Да, она потеряла Джо и осталась одна, но ведь от этого она не умерла! А главное, Кейт поняла, что ничто и никогда уже не будет пугать ее до такой степени.

Она вообще многое увидела и многое поняла. Теперь Кейт доподлинно знала, почему брак так сильно пугал Джо. Ей даже хотелось попросить у него прощения за то, что тогда она фактически заставила его жениться на ней. Однако из последнего разговора с ним Кейт сделала еще один вывод: теперь уже поздно извиняться и, тем более, пытаться исправить свою ошибку. Что прошло — то прошло, а для Джо прошлое всегда значило меньше, чем для нее...

Однажды вечером, примерно через месяц после возвращения из Парижа, Джо снова позвонил ей. Он хотел обсудить некоторые детали развода и собирался прислать ей на подпись какие-то бумаги, касающиеся мелкой недвижимости, которую он недавно продал.

Кейт на все согласилась, однако голос ее неожиданно дрогнул.

— Послушай, Джо, — сказала она негромко, — я хотела спросить... Я когда-нибудь увижу тебя снова, или ты по-прежнему очень занят?

Кейт знала, что надеяться ей не на что, и все же она скучала по нему. Ей не хватало его прикосновений, его живого — а не по телефону — голоса, его запаха... Впрочем, Кейт давно убедила себя, что сумеет обойтись без него: у нее просто не было другого выхода.

— Ты уверена, что это нам будет полезно — видеться? — осторожно поинтересовался Джо.

Даже теперь, по прошествии года с небольшим, он считал, что Кейт может представлять для него опасность. Не то, чтобы она сознательно угрожала ему чем-то, просто Джо казалось, что стоит ему увидеть ее, и любовь снова подхватит его и понесет куда-то — возможно, навстречу гибели. А ведь ему с таким трудом удалось прервать танец, который привел их обоих к краю пропасти!

— Да, наверное, не стоит... — легко согласилась Кейт.

Это было так непохоже на нее, что Джо невольно насторожился. В ее голосе не было ни отчаяния, ни упрека, который мог бы снова заставить его чувствовать себя виноватым. Кейт говорила совершенно спокойным, как будто даже беспечным тоном, словно это не она несколько минут назад предложила ему встретиться.

Потом они немного поговорили о дочерней фирме, которую Джо открывал в Детройте, о новой модели самолета, которая проходила в Неваде последние испытания, и все это время голос Кейт звучал абсолютно ровно. Даже когда Джо положил трубку, он еще некоторое время продолжал слышать ее спокойные, уверенные интонации. Он никогда не слышал, чтобы она говорила т а к . Казалось, потеряв его, Кейт обрела покой, победила свои страхи и примирилась не только с собой, но и с ним, вернее — с его отсутствием. Теперь ничто и никто не мешал ей жить, как она считала нужным. Было совершенно очевидно: Кейт наконец-то поняла, что он больше не вернется, и сумела распрощаться со своей мечтой раз и навсегда.

В тот вечер Джо долго лежал без сна, думая о Кейт. За окнами уже брезжил рассвет, когда он вдруг подумал, что вел себя как последняя свинья, потому что за весь год так и не собрался навестить детей, предпочитая отделываться подарками, присланными с оказией из разных стран мира. Ведь ни Кларк Александр, ни Стивени были нисколько не виноваты в том, что из их с Кейт брака ничего не вышло... Ему вдруг пришло в голову, что Кейт даже ни разу не упрекнула его в этом. Она вообще ничего у него не просила и ничего от него не требовала. Все это время она падала в пропасть, которой страшилась всю жизнь, и тем не менее Кейт не цеплялась за него в отчаянной надежде спастись. Она проваливалась на самое дно молча, стиснув зубы, и даже ни разу не позвала на помощь.

Почему?!!

Джо продолжал ломать над всем этим голову, когда рано утром отправился в офис. Он был почти уверен, что у Кейт кто-то появился. Иначе просто не могло быть — или он не знал Кейт. Когда они были вместе, она постоянно висела у него на шее, цеплялась за него, она шагу без него не могла ступить! Откуда у нее вдруг взялась такая самодостаточность, такое мужество?..

Когда Джо пришел на работу, он увидел у себя на столе тот же документ, о котором он разговаривал с Кейт вчера. Джо просто забыл отдать его секретарше, чтобы она переслала его Кейт.

Когда Джо снова набрал знакомый номер, было еще довольно рано, но трубку, как обычно, взяла сама Кейт. Каждый раз, звоня ей, Джо боялся услышать мужской голос. Он знал, что рано или поздно это должно случиться — он сам желал этого Кейт при прощании — и все же каждый раз отчего-то нервничал. Даже разговаривая с Кейт, Джо часто ловил себя на том, что прислушивается, не раздастся ли на заднем плане чужой голос, но все было тихо. Если он и слышал что-то, то только голоса детей или няни.

— Алло? — сонно сказала она.

— Я тебя не разбудил? — спросил Джо каким-то деревянным голосом.

— Что?.. А-а, нет, я уже собиралась вставать. — Кейт сладко зевнула и рассмеялась. — Правда-правда, я как раз хотела пойти в душ...

Эти слова оживили в памяти Джо образы, с которыми он тщетно боролся на протяжении многих месяцев. И сейчас он не сдержался и представил себе, как она заходит в ванную, скидывает халат и подставляет плечи и грудь прохладным струйкам воды. Ему потребовалось несколько секунд, чтобы справиться с собой. Джо знал, что должен забыть эту кожу, эту грудь и бедра, потому что в противном случае все, через что они прошли, теряло всякий смысл. В физическом плане Кейт не перестала волновать его, но Джо понимал, что поступил совершенно правильно, когда ушел от нее. Он просто обязан был спасти ее и себя, потому что иначе Кейт могла бы свести его с ума своими постоянными упреками и жалобами.

Но сегодня голос Кейт звучал совершенно спокойно. Во всяком случае, ни просить, ни обвинять его в чем-либо она явно не собиралась.

— Я забыл отправить тебе бумаги на подпись, — сказал Джо извиняющимся тоном. Стараясь отвлечься, он поглядел за окно, но снова увидел на фоне небоскребов до боли знакомую стройную фигуру. — Я хотел бы завезти их тебе сегодня. Не возражаешь?

Он мог бы отправить документы по почте или с курьером, как и собирался вчера, и они оба знали это. И все же предложение Джо нисколько не смутило Кейт. Во всяком случае, по ее голосу совершенно невозможно было понять, как она отнеслась к его словам на самом деле.

— То есть ты хочешь привезти их сам? — небрежно уточнила она, и Джо надолго задумался.

Все его инстинкты в один голос твердили ему, что безопаснее всего будет повесить трубку и больше никогда ей не звонить. Только так он мог избежать ловушки, в которую способно было завлечь его очарование этого голоса. Меньше всего Джо хотелось, чтобы Кейт снова вошла в его жизнь, однако в глубине души он знал — всегда знал — что на самом деле она никуда не уходила. Кейт продолжала жить в его сердце, и с этим он ничего не мог поделать.

Кроме того, она хоть и формально, все еще оставалась его женой.

— Я... гм-м... А ты против? Я имею в виду, разве ты не хочешь со мной увидеться?

Тоненький голос в мозгу Джо продолжал настаивать на немедленном бегстве, но он не стал его слушать. Сейчас ему почему-то было очень важно, что ответит Кейт.

— Почему бы нет? — сказала Кейт почти весело. — Мне кажется, я это переживу. А ты?..

— Мне кажется, все должно быть нормально, — сказал он, почувствовав неожиданное облегчение оттого, что Кейт не против.

Она и в самом деле не возражала. Джо больше не мог испугать ее: самое страшное было уже позади, и теперь он не мог от нее уйти. Все, чего она когда-либо боялась, все, что видела в кошмарных снах, — все сбылось, а она не умерла. Кейт знала, что будет любить его всегда, и даже если они никогда больше не встретятся, Джо все равно останется для нее эталоном мужчины, образцом, с которым она вольно или невольно будет сравнивать всех, с кем сведет ее судьба. Но она смирилась с тем, что Джо никогда к ней не вернется, и, как ни странно, это сделало ее сильнее.

Джо, во всяком случае, никогда раньше не слышал в ее голосе столько сдержанной силы и готовности с открытым забралом встретить любые удары судьбы. Даже по телефону он понял, что Кейт не просто изменилась — она стала другой, не похожей на ту недовольную, вечно хнычущую женщину, которую он оставил. Теперь Кейт говорила с ним как очень старый и очень близкий друг, и Джо внезапно почувствовал, как его снова потянуло к ней с небывалой силой.

Ничего подобного он не испытывал вот уже много месяцев.

— Когда ты хотел бы заехать? — гостеприимно осведомилась Кейт.

— А когда дети будут дома? — спросил Джо, которому вдруг стало так одиноко и тоскливо, словно он только сейчас в полной мере постиг, что́ он потерял. До сегодняшнего дня он весьма успешно сопротивлялся этой необъяснимой тоске. — Я хотел бы повидаться и с ними тоже.

— До конца недели они будут у Энди, — с сожалением сказала Кейт. Ей действительно было очень жаль, что Кларк Александр и Стивени не увидят Джо. — Быть может, если мы не будем очень шуметь и кидаться тяжелыми предметами, ты приедешь еще разок, когда дети вернутся? — предложила она, и по ее голосу Джо понял, что она улыбается.

— Мне бы очень этого хотелось! — воскликнул он радостно, неожиданно почувствовав себя очень молодым и счастливым.

— Как насчет пяти часов? — спросила Кейт.

— Пяти часов?!

Внезапно им снова овладевала паника. Джо боялся встречаться с Кейт лицом к лицу. Что, если она снова примется обвинять его в том, что он ее бросил? Что, если она назовет его подонком и мерзавцем и подробно расскажет, как и когда он заслужил оба этих эпитета? Что, если...

У него было еще много этих «если», но Кейт вдруг рассмеялась, и все его страхи сразу улеглись.

— Да-да, пяти часов. Пяти вечера, разумеется, потому что пять утра уже прошло. Тебя это устроит?

— Вполне. Не беспокойся, я совсем ненадолго...

— Мы даже не будем закрывать дверь, — пошутила Кейт. — И я не стану готовить к твоему приходу кофе, чтобы ты положил бумаги и выматывался. Не бойся, Джо, тебе не придется даже садиться!..

Она чувствовала, что Джо боится этого визита, но не знала — почему. Ей никогда не приходило в голову, что он может бояться видеть ее.

— Хорошо, тогда — до пяти ноль-ноль, — деловито сказал Джо, и Кейт, улыбнувшись, повесила трубку.

Она знала, что продолжать любить человека, с которым разводишься, в лучшем случае необычно, а в худшем — просто смешно. На первый взгляд в этом не было никакого смысла, но Кейт уже знала — в жизни вообще мало логичного и закономерного. Во всяком случае, в их жизни с Джо.

Ровно в пять часов Джо возник на пороге квартиры. Поначалу он явно испытывал смущение, словно не знал, куда ему девать руки и ноги, но Кейт это лишь напомнило тот день, когда они познакомились. Тогда Джо тоже чувствовал себя не в своей тарелке, но это не помешало ей влюбиться в него с первого взгляда.

Теперь, из уважения к его чувствам, Кейт держала подобающую дистанцию и не делала никаких попыток проникнуть сквозь ту неловкую официальность, которую Джо напустил на себя. Присев на диван, они немного поговорили о детях, о его работе, об очередном новом самолете, который он задумал и который существовал только в эскизах. Это был совершенно фантастический аппарат, о котором Джо давно мечтал, но до которого у него только сейчас дошли руки. Он с увлечением рассказывал Кейт о том, каким он будет — этот «самолет будущего», и она с удивлением почувствовала, что ей очень интересно. А еще Кейт вдруг обнаружила, как же просто любить Джо таким, каким он был, не пытаясь переделывать его под себя или к чему-то принуждать. Сначала, правда, Кейт тоже испытывала некоторую неловкость, но вскоре она совершенно прошла. Джо, казалось, тоже напрочь позабыл о своем смущении.

Он пробыл у Кейт почти час, когда она спохватилась, что не предложила ему что-нибудь выпить. Она поспешила исправить свою ошибку, и Джо улыбнулся и кивнул. От одной его улыбки у Кейт закружилась голова и потеплело на сердце. Ей ужасно хотелось обнять его за шею, поцеловать, сказать, что она всегда будет любить его, но она не осмелилась. Вместо этого она принесла ему виски со льдом, а сама уселась напротив, любуясь им, словно редкой птицей, которую можно увидеть, но к которой невозможно прикоснуться. Ей оставалось только молча любить его — любить и желать ему счастья, а это было не так уж мало...

Джо уехал только в восемь часов. Кейт подписала ему все бумаги, поэтому, когда на следующий день он снова позвонил, она удивилась. Еще больше она была поражена, когда он вдруг пригласил ее пообедать с ним.

Кейт было невдомек, что ее образ преследовал Джо всю прошедшую ночь. Накануне Джо увидел ее именно такой, какой всегда любил, к тому же она не произнесла ни слова упрека и ничем его не испугала. Джо допускал, что эта ее независимость и раскрепощенность могла быть просто уловкой, кроме того, он сам мог впасть в самообман и принять желаемое за действительное. И все же он чувствовал — что-то изменилось в ней, изменилось глубоко. Аура, которая окружала Кейт теперь, была соткана не из боли, требовательности или вины, а из нежности самой высокой пробы, из тепла и полной примиренности с собой и окружающим. Именно это всегда привлекало его к ней, и Джо надеялся, что они могут стать хотя бы друзьями.

— Пообедать? — удивленно переспросила Кейт. — Н-не знаю... Как ты себе это представляешь?

Джо объяснил, и в конце концов его предложение показалось ей вполне приемлемым. Терять ей было совершенно нечего; она рисковала только причинить новую боль ему и себе, но отчего-то ей казалось, что теперь она может больше доверять Джо. И, безусловно, Кейт могла больше доверять себе. Она готова была принять все, что бы ни преподнесла ей жизнь, и это делало ее неуязвимой и бесстрашной.

Через два дня после его звонка они встретились в «Плазе», а в следующие выходные вместе отправились гулять в парк. Они разговаривали о том, что́ они сделали со своей жизнью, о том, что могло бы случиться с ними, не остановись они вовремя, а также о том, чего с ними не могло быть ни при каких обстоятельствах. Под конец этого откровенного и дружеского разговора Кейт представилась хорошая возможность извиниться перед Джо, и она поспешила ею воспользоваться. Попросить у Джо прощения ей хотелось давно — она действительно очень жалела, что причинила ему столько зла, столько страданий — однако раньше это было невозможно.

— Я знаю, Джо, что вела себя как настоящая дура, — сказала она. — Я ничего не понимала. Я только держалась за тебя мертвой хваткой, но чем чаще я требовала невозможного, тем сильнее тебе хотелось освободиться. Не знаю, как я не разглядела этого тогда! Мне понадобился почти год, чтобы разобраться, что к чему. Теперь-то я, конечно, жалею — мне надо было быть умнее!

— Я тоже немало дров наломал, — с раскаянием в голосе признался Джо. — А ведь я ужасно любил тебя!..

Кейт заметила, что он употребил прошедшее время, и сердце ее горестно сжалось, однако она понимала, что это было только справедливо, и удивляться такому заявлению не приходилось. То, что она продолжала любить Джо, было ее собственной проблемой, ее личной слабостью и странностью. А если учесть все зло, которое она вольно или невольно ему причинила, она заслуживала только самого сурового наказания — и никакого второго шанса.

Потом они вернулись домой, и Джо впервые за много месяцев увидел Кларка Александра и Стивени. Дети завопили от восторга и сразу же повисли на нем, а Джо принялся кружить их по квартире.

Вечер, который они провели вчетвером, был почти счастливым. Когда Джо ушел, Кейт долго раздумывала. Ей хотелось верить, что они еще могут быть друзьями; она надеялась на это и пыталась убедить себя, что ей этого будет достаточно. Ведь дружба не предъявляет таких жестких требований и не требует таких громадных жертв, как любовь!..

И следующие два с небольшим месяца они оставались просто друзьями. Джо был относительно свободен, и они обедали вместе по средам и изредка ужинали в другие дни. По воскресеньям Джо приходил к детям, и Кейт готовила для всех четверых роскошные угощения с мороженым, клубникой со сливками и другими лакомствами. Потом Джо ненадолго улетел в Лос-Анджелес, но для Кейт это больше не было трагедией, как когда-то. В конце концов, они оба были свободными людьми, и им в голову не приходило чего-то требовать друг от друга.

Однажды в дождливый и ветреный вечер, когда Кларк Александр и Стивени были у Энди в Коннектикуте, Джо неожиданно зашел к Кейт, чтобы занести книгу, о которой они говорили неделю назад. На самом деле он явился к ней вовсе не за тем, однако понятия не имел, каким образом перейти от дружбы к чему-то другому — неведомому и пугающему, но тем не менее манящему. Вернуться к тому, что связывало их когда-то, они не могли — это было ясно обоим. Поэтому если бы они все-таки рискнули двигаться вперед, им пришлось бы создавать что-то совершенно новое, и вот тут-то Джо забуксовал...

Впрочем, все дальнейшее произошло на удивление просто и естественно. Кейт как раз разливала кофе, когда, случайно подняв голову, она вдруг увидела, что Джо стоит совсем рядом. От удивления Кейт опустила кофейник на подставку, и в то же мгновение Джо мягко привлек ее к себе.

— Ты не примешь меня за сумасшедшего, если я скажу, что все еще люблю тебя? — спросил он, и Кейт невольно задержала дыхание.

— Не знаю... — ответила она тихо. — Это действительно смахивает на безумие, но... я хочу быть безумной!

И она прижалась к нему, стараясь не думать ни о чем, что могло бы омрачить эти минуты сказочного блаженства, почти чуда.

— Мне бы очень хотелось, чтобы ты простила меня, — прошептал Джо. — Я вел себя как мальчишка! Но... я боялся, Кейт...

— Я знаю. Я тоже боялась, — призналась Кейт, обнимая его. — Мы оба вели себя так глупо!.. Мне очень жаль, что тогда я не знала того, что понимаю сейчас. Я всегда любила тебя, Джо!

— Я тоже всегда любил тебя и люблю. — Он прижался щекой к ее волосам. — Просто раньше я не знал, как надо обращаться с любовью. Я все время чувствовал себя виноватым перед тобой, и мне хотелось убежать куда-нибудь на край света. — Джо немного помолчал и добавил: — Ты и правда считаешь, что мы чему-то научились?

Кейт кивнула. Они оба научились многому — она чувствовала это в себе и видела в нем. Они больше не боялись.

— Я поняла, — сказала она, — что люблю тебя таким, какой ты есть. И теперь мне все равно — рядом ты или далеко. Твои поездки меня больше не пугают — в том, что ты иногда ездишь в Токио или Лондон, нет ничего страшного, ведь ты возвращаешься... Жаль только, что раньше я этого не понимала, — закончила она мрачно.

Джо ничего не сказал. Он лишь наклонился и поцеловал ее в губы. Чуть ли не впервые за семнадцать лет их знакомства Джо чувствовал себя с Кейт в полной безопасности. Он никогда не переставал любить ее, но безопасность — это было нечто другое. Каждый раз, оказываясь рядом с ней, он чувствовал подсознательный позыв к бегству, и это накладывало свою печать на все их отношения. Но теперь страх ушел, и он чувствовал себя совершенно свободным.

Они долго стояли в кухне и целовались. Потом Джо обнял Кейт за плечи, и они не сговариваясь двинулись к двери, ведущей в спальню.

— Возможно, мы оба сошли с ума... — пробормотал Джо, когда они остановились у постели. — И я не уверен, что сумею выжить, если мы снова сделаем из нашей жизни черт знает что, но... у меня такое чувство...

— Что нам надо попробовать, — закончила за него Кейт — и не угадала.

— Нет. — Джо покачал головой. — У меня такое чувство, что на этот раз все будет в порядке, — твердо сказал он.

— Я боялась, что ты никогда больше не будешь мне доверять, — вздохнула Кейт.

— Я тоже, — ответил Джо и снова поцеловал ее.

Теперь он доверял Кейт полностью и до конца, и она тоже верила ему. Единственное, что страшило их сейчас, это мысль о том, как близки они были к тому, чтобы потерять друг друга навсегда. Они остановились на самом краю пропасти, спасенные то ли божественным Провидением, то ли еще чем-то, чему пока не было названия.

Джо провел с ней все выходные, и когда в воскресенье вечером вернулись дети, они были счастливы видеть его дома.

После этого их жизнь стала понемногу налаживаться. Джо продолжал ездить в свои командировки; порой он отсутствовал неделями и месяцами, но Кейт не возражала. Если Джо уезжал, он звонил ей чуть ли не каждый день, и Кейт была счастлива, что слышит его голос и чувствует его любовь.

И Джо тоже был счастлив. На этот раз у них все получилось, и это было самое настоящее чудо, в которое он наконец поверил. Конечно, у них бывали разногласия и споры, порой — достаточно шумные, но стоило отгреметь последним залпам, как ссора тотчас же забывалась, и жизнь текла дальше, счастливая и спокойная.

Они были счастливы вдвоем, по-настоящему счастливы. Нечего и говорить, что они так и не довели до конца бракоразводный процесс, оставшись мужем и женой, как всегда мечтала Кейт. Только теперь Джо был другим мужем, а она другой женой — терпеливой, любящей, готовой все понять и все простить и ничего не требующей для себя. И, должно быть, потому, что она ничего от него не требовала, Джо давал ей гораздо больше, чем раньше.

Это была очень хорошая жизнь, счастливая и спокойная, и она продолжалась почти семнадцать лет — ровно столько, сколько они провели в непримиримой, страшной и бесплодной борьбе друг за друга.

Когда Кларк Александр и Стивени выросли и обзавелись собственными семьями, у Кейт стало больше времени для Джо. Теперь она повсюду ездила с ним, однако даже если ей случалось оставаться дома одной, она чувствовала себя совершенно нормально. Демоны прошлого — все, сколько их было, — умерли. Теперь Кейт знала, как не будить в Джо старые страхи, не виснуть у него на шее тяжелым грузом, не связывать его по рукам и ногам паутиной обязанностей и обязательств, и он — гордая и свободная птица — наконец-то спустился к ней с небес и с полным доверием сел на подставленную руку.

И это было именно то, чего Кейт всегда от него хотела. Старые раны затянулись, забылись, и теперь для них обоих существовало только счастливое настоящее и еще более счастливое будущее...

Эпилог

Похороны Джо прошли со всей подобающей торжественностью. Кейт сама все организовала, сама позаботилась о деталях. Это был ее последний подарок Джо. Выезжая из дома с Кларком Александром и Стивени, она молча смотрела в окно лимузина на падающий с неба снег и думала о Джо и обо всем, что он значил для нее в жизни. Кейт вспоминала войну, их встречи на мысе Код, их жизнь вдвоем в Нью-Джерси, когда Джо только создавал свою империю. Тогда она еще ничего в нем не понимала, зато теперь знала его лучше, чем кого бы то ни было, и ей до сих пор не верилось, что Джо — этого самого близкого и родного человека — больше нет.

Выбираясь из лимузина, Кейт почувствовала, как в ее сердце закрадывается неуверенность и страх. Что она будет делать теперь? Как ей прожить остаток жизни? Да и сможет ли она жить дальше без него? Семнадцать лет назад им обоим была дарована возможность исправить все зло, которое они причинили друг другу, и начать все сначала. Страшно подумать, что тогда она чуть было не потеряла его.

Церковь была полна. Здесь были видные бизнесмены, промышленники, крупные политики и другие знаменитости. Надгробную речь должен был произнести губернатор штата, хотел приехать сам президент, но в последнюю минуту ему помешали неотложные государственные дела, и вместо него на похоронах присутствовали вице-президент и несколько сенаторов.

Кейт с детьми сидели на передней скамье. Позади них тихонько гудело море людей, и Кейт знала, что где-то там должны быть Энди с Джулией и двое их старших детей. Мать Кейт умерла четыре года назад. Элизабет до последних дней недолюбливала Джо, но Кейт не сомневалась, что мама обязательно пришла бы на похороны, если бы была жива. Уголком глаза

Кейт заметила в толпе вдову Чарльза Линдберга Анну, которая все еще носила траур по мужу. Чарльз Линдберг скончался четыре месяца назад, и Джо произнес прощальное слово над его гробом. А вот теперь он сам погиб, и Кейт невольно подумала о том, какая странная ирония заключена в том, что два величайших летчика Америки и два близких друга отправились на небо почти одновременно. Для всей страны это была большая потеря, но Кейт переживала свою трагедию особенно остро. Для нее это был не просто великий летчик, не просто муж — это был человек, без которого она уже давно не ощущала себя самостоятельной личностью. Но вот он ушел — и у нее как будто вынули душу, она перестала чувствовать себя живым человеком.

Поминальная служба была очень трогательной, и много красивых речей прозвучало с возвышения перед алтарем. Кейт держала обоих детей за руки, и слезы медленно катились по ее щекам, капая на лиф черного траурного платья. В эти минуты Кейт вспоминала похороны родного отца, на которых она присутствовала маленькой девочкой. Тогда Кейт чувствовала себя так, словно она осталась совсем, совсем одна в большом и равнодушном мире. Никому не было до нее дела — даже ее убитой горем матери. Только Джо сумел излечить эту застарелую рану, только Джо сумел открыть Кейт глаза на мир, сделать так, что она поверила — где-то всегда есть люди, которым ты нужен. Для нее таким человеком стал он сам, и именно он сделал ее жизнь удивительной и прекрасной.

Служба подошла к концу. Собравшиеся расступились, и Кейт медленно проследовала за гробом к выходу из церкви, где стоял катафалк. В воздухе висел густой запах свежих роз, но Кейт не замечала его. Она шла, погруженная в собственные мысли, и так же задумчиво села в лимузин, чтобы ехать на кладбище. Позади нее из церкви выходили люди; многие из них хорошо знали Джо, а кто не знал всего, тот мог понять из надгробных речей, каким он был замечательным летчиком, каким талантливым авиаконструктором, каким удачливым бизнесменом. И все же Кейт была, наверное, единственной, кто знал, каким Джо был на самом деле. Он был человеком, которого она любила, и, несмотря на боль, которую они когда-то причинили друг другу, жизнь вдвоем доставила им ни с чем не сравнимую радость. Кейт узнала, научилась всему, что было для этого необходимо, и Джо был счастлив с нею — счастлив до самого последнего дня. Мысль об этом приносила Кейт облегчение, но она по-прежнему не знала, как будет жить без него.

Стивени и Кларк Александр, которые тоже ехали с ней в лимузине, негромко переговаривались друг с другом, но к матери не обращались. Им не хотелось ей мешать, и Кейт продолжала размышлять, глядя на заснеженный пейзаж за окном. На кладбище они поехали только втроем: так захотела Кейт, чувствуя необходимость побыть наедине со своими воспоминаниями о Джо. Именно с воспоминаниями, а не с телом, потому что после взрыва от него не осталось даже пепла, и они хоронили пустой гроб. Отдав последнюю дань усопшему, священник коротко благословил Кейт и детей и пошел к катафалку, чтобы вернуться в церковь. Кларк Александр и Стивени тоже отошли к лимузину, оставив мать возле гроба, стоявшего на специальной подставке возле зияющей могилы.

— Как мне жить дальше, Джо? — тихо спросила Кейт, глядя на гроб.

Она действительно не знала, что ей делать, как она сможет жить, не видя его, зная, что он уже никогда не вернется. Джо был мужчиной, о котором она мечтала всю жизнь, героем, в которого она без памяти влюбилась семнадцати лет от роду, солдатом, которого она ждала с войны, ее мужем, которого она едва не потеряла семнадцать лет назад и сумела вернуть лишь чудом. Джо и сам был чудом — лучшим из всех чудес, которые случились с ней за всю жизнь, — и сейчас Кейт вдруг почувствовала, что он стоит совсем рядом с ней.

Она знала, что Джо забрал с собой ее сердце. Другого такого, как он, больше не было и вряд ли когда-нибудь будет — во всяком случае, не для нее. Их души переплелись накрепко, они вместе познали, что такое настоящая любовь и настоящая свобода, научились забывать и прощать, и каждый раз, когда Джо уезжал, он обязательно возвращался.

Но теперь, стоя перед отверстой могилой, Кейт понимала, что на этот раз Джо не вернется и что ей остается только отпустить его. Только так она могла быть уверена, что Джо никогда ее не покинет, потому что раньше даже вдали от нее он оставался с ней. Даже когда его не было рядом, она ощущала его любовь и любила сама, и со временем это чувство стало таким надежным и крепким, что не нуждалось ни в словах, ни в обещаниях. Оно просто *было*, и ничего другого они не желали.

Такова была их жизнь — жизнь, похожая на длинный и

сложный танец. Сначала они оба двигались неловко, не в такт, спотыкаясь и больно наступая друг другу на ноги, но со временем им удалось довести каждое движение до совершенства. Кейт научилась танцевать с Джо — она знала, как следует наклониться, как и когда отступить. Она научилась не мешать партнеру, научилась любить его и ценить таким, каким его создали бог и природа. И теперь Кейт испытывала огромную благодарность к Джо за каждое па, за каждую танцевальную фигуру, которым он ее научил.

— Лети, мой родной... — прошептала она. — Лети!.. Я по-прежнему люблю тебя...

С этими словами она положила одинокую белую розу на гроб с его именем — на полированный деревянный ящик, который закопают в эту землю вместо него, — и тотчас почувствовала, как бесследно исчезли, растаяли все ее страхи и боль. Кейт знала: Джо всегда будет рядом, где-то совсем недалеко от нее. Он будет летать в своих собственных небесах, как летал всегда, и хотя Кейт знала, что не увидит в сияющей синеве ни малейшего следа, она не сомневалась, что Джо никогда ее не покинет. Он будет с нею всегда, пока бьется ее сердце, и она не забудет ничего из того, чему он ее учил. Джо дал Кейт все, что было ей необходимо, чтобы жить без него, и она хорошо усвоила его уроки. Их долгий танец закончился, но музыка продолжала звучать, и не было ей конца...

Литературно-художественное издание

Даниэла Стил
ПОЛЕТ ДЛИНОЮ В ЖИЗНЬ

Редактор *О. Турбина*
Художественный редактор *Е. Савченко*
Технический редактор *Н. Носова*
Компьютерная верстка *Е. Мельникова*
Корректор *М. Меркулова*

Подписано в печать с готовых монтажей 06.02.2002.
Формат 84×108 $^1/_{32}$. Гарнитура «Таймс». Печать офсетная.
Бумага газетная. Усл. печ. л. 21,84.
Доп. тираж 8000 экз. Заказ № 0112562.

ЗАО «Издательство «ЭКСМО-Пресс». Изд. лиц. № 065377 от 22.08.97.
125190, Москва, Ленинградский проспект, д. 80, корп. 16, подъезд 3.
Интернет/Home page — www.eksmo.ru
Электронная почта (E-mail) — info@ eksmo.ru

*По вопросам размещения рекламы в книгах издательства «ЭКСМО»
обращаться в рекламное агентство «ЭКСМО». Тел. 234-38-00*

Книга — почтой: Книжный клуб «ЭКСМО»
101000, Москва, а/я 333. E-mail: bookclub@ eksmo.ru

Оптовая торговля:
109472, Москва, ул. Академика Скрябина, д. 21, этаж 2
Тел./факс: (095) 378-84-74, 378-82-61, 745-89-16
E-mail: reception@eksmo-sale.ru

Мелкооптовая торговля:
117192, Москва, Мичуринский пр-т, д. 12/1
Тел./факс: (095) 932-74-71

ООО «Медиа группа «ЛОГОС». 103051, Москва, Цветной бульвар, 30, стр. 2
Единая справочная служба: (095) 974-21-31. E-mail: mgl@logosgroup.ru
contact@logosgroup.ru

ООО «КИФ «ДАКС». Губернская книжная ярмарка.
М. о. г. Люберцы, ул. Волковская, 67.
т. 554-51-51 доб. 126, 554-30-02 доб. 126.

Книжный магазин издательства «ЭКСМО»
Москва, ул. Маршала Бирюзова, 17 (рядом с м. «Октябрьское Поле»).

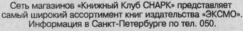

Сеть магазинов «Книжный Клуб СНАРК» представляет
самый широкий ассортимент книг издательства «ЭКСМО».
Информация в Санкт-Петербурге по тел. 050.

Всегда в ассортименте новинки издательства «ЭКСМО-Пресс»:
ТД «Библио-Глобус», ТД «Москва», ТД «Молодая гвардия»,
«Московский дом книги», «Дом книги на ВДНХ»
ТОО «Дом книги в Медведково». Тел.: 476-16-90
Москва, Заревый пр-д, д. 12 (рядом с м. «Медведково»)
ООО «Фирма «Книинком». Тел.: 177-19-86
Москва, Волгоградский пр-т, д. 78/1 (рядом с м. «Кузьминки»)
ООО «ПРЕСБУРГ», «Магазин на Ладожской». Тел.: 267-03-01(02)
Москва, ул. Ладожская, д. 8 (рядом с м. «Бауманская»)

Отпечатано на MBS в полном соответствии
с качеством предоставленного оригинал-макета
в ОАО «Ярославский полиграфкомбинат»
150049, Ярославль, ул. Свободы, 97.